JACQUES DELORS

L'UNITÉ D'UN HOMME

Entretiens avec
Dominique WOLTON

ISBN 2-7381-0282-4

15, RUE SOUFFLOT, 75005 PARIS

L'UNITÉ D'UN HOMME

DES MÊMES AUTEURS

Ouvrages de Jacques Delors

Changer, Stock, 1975.
En sortir ou pas (avec Philippe Alexandre), Grasset, 1985.
La France par l'Europe, Clisthène-Grasset, 1988.
Le Nouveau Concert européen, Éditions Odile Jacob, 1992.

Ouvrages de Dominique Wolton

Le Nouvel Ordre sexuel, Le Seuil, 1974.
Les Dégâts du progrès. Les travailleurs face au changement technique (en collaboration avec la CFDT, J.-P. Faivret et J.-L. Missika), Le Seuil, 1977.
Les Réseaux pensants. Télécommunication et société (en collaboration avec A. Giraud et J.-L. Missika), Masson, 1978.
L'Information demain. De la presse écrite aux nouveaux médias (avec J.-L. Lepigeon), La Documentation française, 1979.
Le Tertiaire éclaté. Le travail sans modèle (en collaboration avec la CFDT, J.-P. Faivret et J.-L. Missika), Le Seuil, 1980.
L'Illusion écologique (avec J.-P. Faivret et J.-L. Missika), Le Seuil, 1980.
Raymond Aron, le spectateur engagé. Entretiens avec R. Aron et J.-L. Missika, Julliard, 1981.
Raymond Aron, le spectateur engagé. Trois émissions de télévision (3 × 52′) avec Raymond Aron et J.-L. Missika, diffusion octobre 1981, Antenne 2.
La Folle du logis, la télévision dans les sociétés démocratiques, avec J.-L. Missika, Gallimard, 1983.
Terrorisme à la Une. Médias, terrorisme et démocratie, avec M. Wieviorka, Gallimard, 1987.
Le Choix de Dieu. Entretiens avec Jean-Marie Lustiger et J.-L. Missika, Éditions de Fallois, 1987.
Le Choix de Dieu : la mémoire – l'histoire n'est pas finie. Deux émissions de télévision (2 × 52′) avec J.-M. Lustiger et J.-L. Missika. Diffusion janvier 1988, Antenne 2.
Éloge du grand public. Une théorie critique de la télévision, Flammarion, 1990, « Champs », 1993.
War Game. L'information et la guerre, Flammarion, 1991.
La Dernière Utopie. La naissance de l'Europe démocratique, Flammarion, 1993.

Avant-propos

Ce n'est pas sans hésitation préalable que j'ai accepté la proposition d'Odile Jacob de réaliser ce livre d'entretiens.

En effet, il était trop tôt, tant du point de vue de la distance nécessaire, que de celui d'une rigoureuse déontologie, pour écrire des mémoires. Notre dialogue devait donc se concentrer sur l'analyse des faits, la manière de les traiter et les valeurs qui guident mon action.

Une telle approche pouvait paraître risquée, alors que, dans cette période pré-électorale, on s'attend soit à des programmes « clés en main », soit à la part du rêve. Or, c'est plutôt de la part du réel que j'entendais parler, persuadé que le *« que faire »* et le *« comment faire »* sont, dans mon esprit, absolument liés. Faute de quoi on se condamne à l'impuissance. Car les faits sont têtus, la pâte humaine est peu malléable, et c'est d'ailleurs très bien ainsi.

Dans ces conditions, la tâche du politique est de mettre la société en mouvement, les citoyens devenant vraiment les acteurs conscients de leur propre histoire. Ils répondent à l'appel qui leur est lancé, appel à la compréhension des réalités auxquelles ils sont confrontés, appel à leur sens des responsabilités pour qu'ils participent à la vie de la Nation et aux aventures collectives qu'elle leur propose.

Telles sont, pour moi, les conditions de la réussite pour la France, pour un pays qui doit surmonter les peurs qui l'assaillent, tout en étant conscient des risques du monde qui nous entoure.

Je mesure, mieux que quiconque, l'agacement que produit le discours dit raisonnable, dominé par un leitmotiv : « Français, vous devez vous adapter aux mutations de toute nature, scientifiques, géopolitiques. » Il en est d'ailleurs beaucoup question dans ce livre.

Mais l'objection est juste. « S'adapter, à quelles fins ? » Seule l'affirmation des valeurs que nous voulons préserver peut fournir une réponse convaincante et entraînante. Les miennes n'ont pas fondamentalement changé depuis que je me suis engagé dans le social et l'économique, puis dans le politique.

Ces valeurs me paraissent toujours aussi pertinentes pour animer l'action des responsables, comme le mouvement de la société. Elles ne pourraient être considérées comme par trop idéalistes que si leur traduction en termes politiques se faisait dans l'ignorance des pesanteurs de l'Histoire, des résistances de la nature humaine, du caractère inévitable des conflits d'intérêts ou de pouvoirs.

Tel n'est pas le cas. Pour moi, convaincre ne signifie pas rechercher, à tout prix, à gommer les inerties ou les incompréhensions. Chercher le consensus ne revient pas à occulter les divergences d'intérêts ou de conceptions. Mais une nation ne peut s'épanouir et rayonner que si ses citoyens reconnaissent, à certains moments et sur certains problèmes de caractère vital, que ce qui les unit est plus fort que ce qui les divise, qu'il y va de l'avenir de la France.

Et pour rassurer définitivement ceux qui s'entêtent à ne voir la vitalité du débat démocratique que dans l'affirmation des différences, j'ajouterai qu'au-delà de ce socle commun que je préconise, il demeure de nombreux domaines où les oppositions peuvent s'affirmer, des majorités se dégager aux fins d'une décision prise démocratiquement. Telle est la supériorité du pluralisme politique sur tout autre système.

Certes, nous avons connu des périodes, dans notre histoire, où la part du consensuel était réduite à presque rien, parce que les oppositions d'intérêts ou de classes sociales accaparaient toute la vie publique et tout le champ social.

N'en déplaise à certains, telle n'est plus la situation aujourd'hui. Notre démocratie, plus sûre d'elle-même, peut marquer un progrès décisif dans la distinction entre les intérêts vitaux de la France et les intérêts divergents de groupes sociaux. Elle y gagnera en lucidité, en force et en qualité du débat. Elle contribuera mieux à la recherche de réponses satisfaisantes aux questions angoissantes qui pèsent sur notre cohésion sociale, dimension essentielle pour la santé morale et politique de notre société.

Ainsi, en empruntant le chemin de la confiance retrouvée en nous-mêmes, serons-nous mieux armés pour affronter les dangers qui nous menacent et qui ont pris, après la fin de la guerre froide, de nouveaux visages. Et dans le monde tel qu'il est, marqué par une interdépendance croissante et par la montée de grands ensembles, la construction d'une Europe politiquement unie nous offre le moyen le plus adapté pour nous permettre de rester nous-mêmes, ambitieux et réalistes à la fois, pour la France. Mais aussi pour les valeurs de liberté, de solidarité et de responsabilité qui, étroitement associées, constituent la base du projet que je porte en moi, depuis cinquante ans.

J'espère qu'à travers mon périple jalonné tantôt par une action modeste et militante, tantôt par une participation importante aux événements, le lecteur bénéficiera d'un supplément de clarté sur notre histoire commune. Il verra, tout au moins je l'espère, que certaines des innovations que j'ai proposées sont toujours d'une brûlante actualité et, pour certaines, porteuses d'avenir.

Jacques DELORS

Introduction

Pourquoi un livre avec Jacques Delors ? Parce que tout en étant identifié, il est peu connu ; il est un des hommes politiques français les plus populaires depuis longtemps, avec une trajectoire intellectuelle et politique originale ; son action publique, comme militant, puis comme expert et homme politique, a toujours été animée par les valeurs de solidarité et de responsabilité ; il a plusieurs fois participé à l'histoire de ce pays, et il est un des Français qui auront directement contribué à faire l'Europe. Avec ses qualités et ses défauts, il est finalement assez représentatif de la société française, de ses permanences et de ses évolutions.

En un mot, avec des idées, une expérience, une vision de l'avenir, il intéresse à un moment où, après l'aller-retour droite-gauche, la société française cherche des repères, des valeurs, des engagements.

Il est identifié, mais finalement peu connu. Quel parcours pourtant, avec d'ailleurs un caractère bien trempé, pour quelqu'un connu pour son goût de la négociation ! On connaît les dix dernières années passées à la tête de l'Europe, on se souvient du ministre de l'Économie et des Finances de 1981 à 1984, mais se souvient-on de l'initiateur auprès de Jacques Chaban-Delmas, de 1969 à 1972, de la « nouvelle société », et de l'inventeur de l'éducation permanente ? Se souvient-on aussi de son rôle au Plan, de son intérêt constant pour les questions de travail, de son action syndicale ou de son engagement contre les inégalités ? Il est partisan, depuis toujours, d'une société où les conflits sociaux n'empêchent pas la négociation, ni la reconnaissance mutuelle des points de vue. Et ce depuis ses premiers écrits de *Citoyen 60*, il y a trente-cinq ans.

***

Je voulais, dans ce dialogue, comprendre les raisons de la popularité si constante d'un homme politique qui, depuis dix ans, est, pourtant, peu présent sur la scène française. Il est un des rares Français à avoir une expérience internationale aussi vaste, et sur une durée aussi longue. Ce qui explique sans doute la reconnaissance dont il est l'objet à l'étranger.

Dans une époque qui a connu beaucoup de renoncements, la continuité, l'honnêteté et la fidélité à certains idéaux suscitent l'adhésion. Il est crédité d'une authenticité, car il n'a pas dévié par rapport à ses objectifs : vouloir toujours rapprocher, réduire les inégalités et organiser dans le respect mutuel la cohabitation des intérêts et des valeurs. Un social-démocrate, en somme. Animal si rare dans notre paysage intellectuel et politique. Surtout à gauche, où il fut souvent minoritaire, en tout cas non conformiste.

Mais il y a sans doute aussi des causes plus sociologiques. Jacques Delors est un peu un raccourci de l'histoire française : origine modeste, ascension par le travail ; expression de ce milieu des employés et des services qui deviendra ensuite le « tertiaire » : réticence vis-à-vis des idéologies ; caractère têtu, mais fidélité à des choix profonds. Dans une époque, il y a toujours des hommes et des femmes qui résument, ou représentent, l'histoire d'une société. Jacques Delors, avec d'autres évidemment, symbolise une des facettes de l'histoire de la France contemporaine. Un bon nombre de Français retrouvent en lui leur histoire, et aussi leur manière de voir l'Histoire.

Chercheur travaillant sur la communication, j'ai été curieux de comprendre comment celle-ci se faisait entre un homme et une société, par-delà la réticence des élites politiques. D'une certaine manière, Jacques Delors constitue un fait de société, car il est assez rare qu'une personnalité suscite un tel mouvement d'opinion. Ce mouvement n'avait d'ailleurs pas encore l'ampleur qu'on lui connaît aujourd'hui quand j'ai commencé ce travail. Les événements ont confirmé ce qui m'intéressait en tant que sociologue, et que le livre essaye de comprendre, à savoir, pourquoi et comment il incarne quelque chose de la société française.

C'est la diversité des activités, publiques et politiques, en rapport avec l'unité de l'homme, qui est abordée ici. L'unité de l'homme, on la trouve probablement dans les valeurs, notamment chrétiennes, aujourd'hui moins visibles dans la société française, mais qui sont nécessaires pour comprendre son action. Elles éclairent les engagements qui vont de la CFTC en 1950 à l'Europe en 1984, en passant par le rôle essentiel des clubs, pour renouveler la pensée politique dans les années soixante, et l'adhésion au parti socialiste en 1974.

***

Je voulais aussi comprendre cette volonté de réforme sociale, à partir d'un engagement à gauche, qui n'a pas succombé aux dérives idéologiques, et qui prend en compte l'art du possible. Au lieu d'y voir une contradiction, il y voit la nature de l'Histoire. Pour lui, la réforme n'est pas le succédané d'une rupture radicale difficile à opérer dans l'instant, et sans cesse repoussée à d'autres temps, elle est, au contraire, le seul moyen de modifier l'ordre des choses. Une réforme qu'il défend depuis toujours en France, même si elle y a mauvaise réputation, alors qu'elle est pourtant ce que les hommes politiques, au mieux, arrivent à faire.

En un mot, ne jamais renoncer à l'utopie, ni à la révolte, tout en sachant l'indépassable étroitesse des marges de manœuvre et la lenteur des réformes.

J'étais aussi intéressé par ce qui fait son originalité : le discours politique vient, chez Jacques Delors, après l'analyse de la société. La volonté de transformer celle-ci ne résulte pas d'un schéma politique *a priori*, mais d'une analyse des faits sociaux. C'est pour cela que les thèmes d'engagement ont été nombreux : les relations professionnelles, le travail, le syndicalisme, la ville, le dialogue social, l'éducation, le temps, la démocratie locale, les relations internationales, la social-démocratie, l'Europe...

Le sens ne va pas de la politique vers la société, mais au contraire de la société vers la politique. Démarche plus intellectuelle que chez certains autres hommes politiques. On comprendra que cette attitude ait intéressé un chercheur : un homme politique qui part de la société, qui est curieux des sciences sociales, de tous ceux qui s'intéressent à la société et qui dialoguent avec les universitaires. Si les points de vue ne convergent pas toujours, au moins y retrouve-t-on un intérêt pour les idées. D'ailleurs, ce qui m'a frappé dans ces dialogues, c'est la diversité des idées de Jacques Delors sur un grand nombre de sujets. Non pas des idées sur tout, comme un homme politique peut en avoir, un peu rapidement, grâce aux notes des collaborateurs, mais des idées travaillées et retravaillées dans un cheminement personnel et souvent mises au feu de l'action.

En fait, son pragmatisme masque les arêtes de ses raisonnements et le poids de son expérience. C'est sans doute ce goût pour les idées, le respect des valeurs et la capacité d'action qui font sa force.

***

Je voulais aussi comprendre comment l'expérience du pouvoir éclaire les grands problèmes de l'avenir : l'Europe ; le dialogue Nord-Sud ; l'avenir de la démocratie ; la cohésion sociale ; le devenir du travail et de l'éducation ; la place des valeurs chrétiennes dans une société laïque... L'exercice du pouvoir n'avait-il pas altéré cette aptitude à vouloir changer l'ordre des choses ? Cette volonté ne s'était-elle pas lentement estompée sous le poids des responsabilités ? La réforme n'avait-elle pas tout simplement laissé la place à une simple modernisation ? Restait-il quelque chose des choix fondamentaux pour orienter l'avenir ?

En fait, je ne connaissais pas beaucoup Jacques Delors avant ce travail, dont l'initiative revient à Odile Jacob. Comme chercheur, je voulais creuser trois questions : l'analyse des transformations sociales depuis quarante ans ; le rôle de cet acteur dans certaines mutations ; la place des valeurs dans la volonté de changement. On peut les résumer de la manière suivante : jusqu'où la politique peut-elle changer la réalité ? En quoi réside l'irréductibilité des faits sociaux ? Quel est le poids des convictions dans l'action ? Ces questions sont dans le prolongement des différentes recherches que j'ai menées depuis vingt ans, elles renvoient aussi à mon dernier travail consacré à la naissance de l'Europe démocratique après Maastricht. Je souhaitais confronter les résultats de cette recherche sur l'Europe avec l'analyse d'un acteur essentiel.

Bien sûr, au-delà de cet intérêt intellectuel, il y avait aussi des points communs dans nos deux trajectoires, ils ont facilité ce dialogue, où chacun est resté libre de ses analyses. J'avais travaillé sur le syndicalisme et l'évolution du travail ; il est un des responsables publics qui s'y intéresse le plus. Je m'interroge sur les rapports entre les médias, la société et la démocratie ; Jacques Delors est une personnalité qui sait communiquer sans toujours être compris.

***

C'est enfin la dimension d'homme politique atypique qui a suscité ma curiosité, comme m'avait intéressé, dans des registres différents, le dialogue avec deux personnalités, également atypiques, comme Raymond Aron et Jean-Marie Lustiger, que j'avais publié avec Jean-Louis Missika.

Sans doute y avait-il le souci de terminer l'itinéraire qui, avec Raymond Aron, avait interrogé l'histoire et la philosophie, et, avec Jean-Marie Lustiger, la religion et l'Église. Il s'agissait ici de l'action et de la politique.

Si beaucoup de choses dans les contenus et les styles séparent évidemment ces trois dialogues, il y a dans les trois cas l'attachement à des valeurs, l'amour des idées, le respect de l'autre et une grande rigueur.

Après la philosophie, l'histoire et la religion, il fallait aborder l'action, c'est-à-dire la volonté, sans illusion, d'améliorer le cours des choses. Avec probablement en tête cette phrase de Raymond Aron : « Le choix en politique n'est pas entre le bien et le mal, mais entre le préférable et le détestable. »

Dominique WOLTON

PREMIÈRE PARTIE

L'engagement social

Chapitre 1

Le militantisme

Les engagements

DOMINIQUE WOLTON : *L'engagement a toujours joué un rôle important dans votre vie. Il est inséparable d'idées sur la transformation de la société et s'est traduit très tôt par une valorisation de l'idée de négociation. Avant d'autres hommes politiques, vous avez prôné la négociation, sans nier l'engagement. Nous allons essayer de comprendre le rapport chez vous entre engagement, négociation et réforme. Si je résume, vous vous engagez pour changer les choses, à partir d'idées sur la société, tout en valorisant les relations sociales, et la négociation.*

Vous êtes engagé assez tôt dans la vie militante, en adhérant à la CFTC en 1950, à La Vie nouvelle en 1952. Vous êtes à La Jeune République en 1953. En 1957, vous rejoignez le bureau d'études de la CFTC, qui s'appelle le BRAEC. Vous fondez Citoyen 60 *en 1959. Et plus tard, vous rejoignez le parti socialiste. Quelles sont les motivations d'engagements si nombreux ?*

JACQUES DELORS : Avant de songer à consacrer du temps à la vie militante, je devais terminer mes études, tout en travaillant à la Banque de France. Ce n'est donc qu'en 1950 que j'ai pu prendre une orientation concrète. Pour revenir à l'essentiel, et sans doute au plus banal, ma motivation est née du spectacle des injustices et des inégalités sociales. Je les ai vues dès l'école communale, où certains de mes camarades, bien qu'ayant des dispositions, ont dû arrêter leurs études pour aller travailler, et souvent dans des conditions très difficiles. Quel choc pour un jeune de quatorze ans d'entrer à l'usine !

Dès ce moment-là, j'ai pensé que la société pouvait devenir meilleure et offrir davantage de chances à chacun. C'est aussi simple que cela.

DW : *En fait, vous êtes un révolté ?*

JD : Oui, je n'ai jamais accepté l'ordre existant.

DW : *Jamais ?*

JD : Jamais.

DW : *Aujourd'hui encore ?*

JD : Aujourd'hui encore. J'ai toujours une sorte de révolte en moi, y compris contre les imperfections de ma propre action. J'ai une insatisfaction profonde devant la façon dont vit la société, dont se nouent les relations entre les humains, et cela ne me quittera jamais.

DW : *Votre révolte est-elle aussi forte que dans les années cinquante ?*

JD : Oui, je ne balance pas entre éthique de conviction et éthique de responsabilité, j'associe toujours les deux, ce qui surprend certains qui, bien entendu, s'installent dans « le système ». Lorsque l'on dit que je suis parfois indécis, c'est parce que je vois les limites de mon action, je considère avec effroi tout ce qu'il reste à faire, et maintenant, avec le temps et l'expérience, je considère avec regret tout ce que je n'ai pas pu faire.

DW : *À propos de révolte, vous mettez-vous en colère quand on vous traite, dans la gauche française, de modéré et de réformiste ?*

JD : Oui. Je n'ai jamais distingué, depuis ma jeunesse militante, le « que faire » du « comment faire ». J'ai toujours pensé que les idéologies étaient nécessaires, mais si elles s'éloignent trop des faits, elles dérivent dangereusement. Elles n'offrent plus qu'un confort intellectuel, un piédestal pour une renommée. Par conséquent, le cri sans la volonté de remédier à l'état des choses ne m'intéresse pas. Je préfère crier moins souvent et essayer d'agir, en sachant les limites de toute action humaine, dans sa portée et dans sa durée.

DW : *Vous arrivez à la politique dans les années cinquante, vous avez vingt-cinq ans, vous venez du milieu des services par votre famille et votre formation professionnelle. À l'époque, d'ailleurs, l'expression « secteur tertiaire » n'existe pas. Les deux grands mondes sociaux, politiques, culturels constitués à ce moment-là sont la classe ouvrière et le monde paysan. Avez-vous souffert de n'appartenir ni à l'un ni à l'autre ?*

JD : J'ai toujours eu le sentiment d'appartenir au monde paysan, parce que j'ai passé toutes mes vacances chez mon grand-père qui était agriculteur en Corrèze, et je me suis rapproché, certes d'une manière un peu artificielle, des ouvriers en adhérant dès l'âge de quatorze ans à la pré-JOC, l'organisation à laquelle les jeunes adhéraient avant de travailler. Ils pouvaient se préparer à leur entrée dans la vie professionnelle et au militantisme dans la Jeunesse ouvrière chrétienne. J'ai donc toujours maintenu des liens étroits avec ces deux mondes, ce qui m'a beaucoup appris.

DW : *Cela dit, dans votre engagement confessionnel ou même militant, vous restez fidèle à votre origine, celle du secteur des services, puisque vous rejoignez assez vite le bureau d'études de la CFTC en 1957, alors que vous auriez pu choisir une action plus proche de la classe ouvrière. Vous acceptez, ensuite, de travailler au Conseil économique et social, et vous êtes, dès 1962, chef du service aux affaires sociales au Plan. Je trouve intéressant qu'à une époque où la logique ouvrière est très forte vous ne renonciez pas à votre identité professionnelle. Vous allez travailler constamment à partir de votre compétence dans le domaine des services, la banque, les relations sociales, les revenus – on ne parle pas encore de politique des revenus. C'est assez rare.*

JD : Pourquoi ? Dans ma génération, il fallait d'abord gagner sa vie. C'est pourquoi j'ai fait mes études supérieures en travaillant. Et dans ma conception de l'existence, je dois accomplir ma vie militante en toute indépendance. C'est-à-dire en gagnant ma vie par ailleurs. Donc tout ce que j'ai fait était en plus de mon travail, à la Banque de France, puis au Commissariat général du Plan.

DW : *Vous n'avez pas dissocié votre travail professionnel, et la culture qui y était attachée, de votre engagement militant.*

JD : Non, parce que la condition préalable à mon engagement militant était que je sois indépendant. J'ai adhéré en 1950 à la CFTC, laquelle deviendra la CFDT en 1964. Cela m'a amené à faire la connaissance du groupe Reconstruction animé par Paul Vignaux et Albert Detraz, puis à être associé à leurs travaux, dans l'esprit qui était le leur à ce moment-là : convaincre les militants de la CFTC que leur destin se confondait avec celui des classes ouvrières et des mouvements syndicaux de toute l'Europe, et par conséquent qu'ils devaient sortir d'un certain ghetto pour s'ouvrir à la compréhension d'ensemble du mouvement ouvrier. Ce qui m'a conduit, à l'époque, à faire pour eux de nombreuses études sur les expériences étrangères. Lorsque la minorité de Reconstruction a conclu un accord avec la majorité, j'ai été de plus en plus intégré au travail de la confédération, sous la direction soit de Théo Braun, soit de René Bonety. C'est à ce moment-là que j'ai contribué à l'animation du bureau d'études de la CFTC. Mais tout cela, je l'ai fait en plus de mon travail, si bien que j'ai toujours eu l'habitude d'accomplir deux journées de travail en une.

DW : *Vous avez milité, dans différents secteurs, notamment dans la vie associative, mais, par contre, vous n'avez jamais voulu vous confronter à l'élection. Pourquoi ?*

JD : Je vous ferai cependant remarquer que j'ai gagné, en 1983, une élection très difficile pour devenir maire de Clichy. Mais revenons aux années cinquante. Parallèlement à mon action syndicale, dont je viens de résumer la progression, mon épouse et moi avions décidé d'adhérer à un mouvement où l'on pouvait militer en couple, La Vie nouvelle, et qui correspondait à notre sensibilité.

DW : *Qu'était La Vie nouvelle ?*

JD : Ce mouvement existe toujours. Il rassemble des hommes et des femmes soucieux de mieux comprendre le personnalisme chrétien, en travaillant sur les trois fronts de la religion, de la vie privée et de la vie collective, selon leur vocation ou selon leurs manques. Nous faisions cela dans ce que l'on appelle les « fraternités de voisinage », c'est-à-dire avec d'autres couples ou des célibataires qui étaient dans le même quartier que le nôtre. Nous partagions le pain et nous travaillions sur ces différents sujets. Nous participions à des sessions. Moi, j'avais beaucoup à apprendre en ce qui concerne la vie privée et la vie religieuse. Mes connaissances étaient faibles. Bien qu'ayant été initié à la religion chrétienne par mes parents et ayant toujours pratiqué, je ne savais pas grand-chose. C'était une époque qui coïncidait avec un grand mouvement d'ouverture de l'Église, de rénovation de la liturgie, etc. On peut dire qu'en plus de ma vie professionnelle La Vie nouvelle et le syndicalisme m'accaparaient. Mais tant à La Vie nouvelle que dans le syndicalisme, on frôlait la politique. On y était même. Les positions de La Vie nouvelle en général, et les miennes en particulier, nous éloignaient à la fois de la SFIO et de la Démocratie chrétienne, bien qu'il y ait eu une sorte de cousinage entre la filière démocrate-chrétienne en politique et un mouvement chrétien comme La Vie nouvelle. Mais nous nous opposions, notamment, sur des problèmes de décolonisation. C'est pourquoi d'ailleurs j'ai adhéré à un petit parti, La Jeune République. Nous étions si peu nombreux que j'ai vite été promu au bureau politique, avec des amis comme Léo Hamon et Georges Lavau. Mais j'étais plus attaché à changer la société par le syndicalisme que par la politique. Et d'ailleurs tous mes choix, jusqu'en 1974, s'expliquent de cette manière.

DW : *C'est vrai, vous êtes resté dans le cadre soit des clubs, soit des associations, soit du syndicalisme en créant chaque fois des publications* (Citoyen 60, Échange et projets, Témoins). *Rétrospectivement, avez-vous le sentiment qu'il s'agissait d'abord de choix politique ? Ce choix en marge des partis politiques pourrait-il aujourd'hui avoir autant d'efficacité qu'il y a une trentaine d'années ? Ma question porte moins sur la vitalité des partis politiques que sur les changements liés à l'émergence de la démocratie de masse et de la télévision.*

JD : Il est évident que les années cinquante furent non seulement dominées par la guerre froide, mais aussi par une grande activité intellectuelle autour du marxisme avec les confrontations entre Sartre, Merleau-Ponty, Camus, Aron et d'autres. Ce furent aussi le grand espoir des mouvements de masse, les attentes de la classe ouvrière. Pour un jeune homme ou une jeune femme qui voulait s'intéresser à la chose publique, l'ambiance était particulièrement favorable. Mais mon inclination personnelle me portait à transformer la société par l'économique et le social plutôt que par la politique. Dans les années qui ont suivi, ma fréquentation des grands commis de l'État m'a conforté dans cette idée que la fonction publique était formidable. Aussi, quand on m'a demandé d'entrer au Commissariat du Plan, je n'ai pas hésité. Pour moi, ce furent des années de grandes satisfactions professionnelles, de grand bonheur dans mon métier.

DW : *Vous ne rejoignez pas très vite la politique. Pourquoi ? Y a-t-il de votre part une préférence pour le groupe, et une sorte de méfiance, de mal-être, vis-à-vis du nombre, de la foule ? À l'époque, les mouvements politiques jouent terriblement la mobilisation de masse.*

JD : Personnellement, j'étais plus à l'aise dans le syndicat, il y a là un fond indiscutable de fraternité, plus visible que dans les partis politiques. Je n'avais pas non plus l'intention de quitter mon travail pour me jeter dans une activité élective. Mon choix était d'apprendre, d'élargir ma culture politique et sociale, puis d'essayer de contribuer à la transformation de la société par l'économique et le social, et dans mon cas, par le syndicalisme ou par l'État. De plus, je me sentais plus à l'aise dans ma peau de fonctionnaire ou de militant syndicaliste que dans celle de militant dans un congrès de parti politique. Ce fut un choix personnel, qui n'éclaire nullement ce que fut l'époque. Les années cinquante étaient plutôt une époque de grande agitation intellectuelle, politique, avec la décolonisation en toile de fond.

DW : *Michel Winock, historien de cette époque, dit d'ailleurs que l'anticolonialisme fut un des principaux critères de clivage entre 1952 et 1960.*

JD : Sans doute, s'il n'y avait pas eu le débat autour de la décolonisation et notre critique permanente de l'attitude de la SFIO et du MRP, plusieurs d'entre nous auraient-ils adhéré à l'une de ces formations. Moi aussi peut-être, mais je n'aurais pas changé mon ordre de priorité : agir dans le cadre de mon activité professionnelle et, tant que cela était compatible, dans le cadre du syndicalisme. Il est évident qu'à partir de 1962 mes fonctions au Commissariat général du Plan faisaient que je devenais l'interlocuteur de tous les syndicats et du patronat. Je devais donc cesser mon activité au sein d'un syndicat. Mais je ne l'ai fait qu'après une longue discussion avec mon ami, le secrétaire général de l'époque, Eugène Descamps.

DW : *Vous êtes à la fois chrétien et engagé très tôt dans la vie publique. Ne faut-il pas voir un symbole de ce rapprochement dans le fait que vous avez fait votre première communion en 1936 ? Tout n'est-il pas dans ce télescopage ?*

JD : Oui, ce sont des événements qui m'ont marqué. Je me suis très tôt intéressé à l'Histoire. Vers dix ans, deux événements m'ont particulièrement frappé. D'une part, le Front populaire, la poussée de la classe ouvrière, les acquis sociaux de l'époque ; et d'autre part, le spectacle politique d'une France en décadence. J'ai appris, ensuite, par les livres d'histoire, que nombreux étaient ceux qui s'alarmaient de la situation de notre pays, à commencer par le général de Gaulle, qui s'inquiétait de l'insuffisance de notre politique militaire. Emmanuel Mounier, lui, contestait l'ordre bourgeois, d'autres s'en prenaient au fonctionnement des institutions, d'autres encore à la conception de la politique. Ils s'alarmaient tous d'une France travaillée par ses divisions internes et par le déclin, qui allait hélas se concrétiser par notre effondrement militaire en 1939-1940.

Les clubs

DW : *Bien plus tard, en 1959, vous fondez* Citoyen 60, *et vous allez être ce qu'on appelle un homme de club. Pourquoi cette forme d'action ?*

JD : Au départ, *Citoyen 60* était simplement le prolongement du volet « vie politique » de La Vie nouvelle. C'était une idée de son animateur et du responsable politique René Pucheu, qui a fait énormément pour asseoir la dimension politique de ce mouvement. Nous avons commencé par publier des cahiers mensuels, puis, autour de ces cahiers, se sont agrégés non seulement des militants de La Vie nouvelle, mais aussi des personnes extérieures à ce mouvement, à une époque où les grands partis provoquaient un découragement et un refus de l'activité politique. Bien sûr, il y avait le PSU qui comprenait les militants de La Jeune République à laquelle j'avais adhéré en 1953, mais je ne m'y sentais pas à l'aise, parce que, dès 1960-1961, on comptait cinq ou six courants et je me demandais si, un jour, toutes les lettres de l'alphabet ne seraient pas utilisées. Je ne porte pas de jugement critique sur l'action du PSU, simplement je trouvais leurs débats bien sibyllins, éloignés de la réalité.

DW : Citoyen 60 *affichait trois objectifs : faire l'école des citoyens, le laboratoire des citoyens et développer une réflexion politique.*

JD : Oui, ces cahiers avaient pour premier objet d'amplifier l'action d'éducation à la politique et s'adressaient à tous les membres de La Vie nouvelle. En ce qui concerne le thème du laboratoire du citoyen, vous retrouvez là un de nos apports à la nouvelle gauche. Il s'agissait déjà de plaider pour la décentralisation. Celle-ci était fondée sur ce qui, dans le personnalisme, est plutôt voisin du fédéralisme et d'une certaine méfiance à l'égard de l'État omniprésent. Nous incitions les membres de La Vie nouvelle puis des clubs *Citoyen 60* à expérimenter des actions locales susceptibles d'améliorer la situation dans tel ou tel domaine. Nous avons parlé d'une manière très précoce de l'aménagement des villes, du développement rural, des services de proximité, etc. Le laboratoire du citoyen, c'était, tout en plaidant pour l'action du parti politique, inciter à s'engager sur le terrain civique, le terrain de l'action politique au sens large.

DW : *J'ai regardé les huit premiers numéros des cahiers* Citoyen 60 *et j'ai été frappé par la modernité des thèmes exprimés, il y a trente-cinq ans. Tout d'abord, par l'importance considérable accordée à la pédagogie. Puis une très forte position pour la décolonisation. Un travail de réflexion sur ce que doivent être la condition, les caractéristiques du citoyen aujourd'hui. Beaucoup de textes sur le problème des rapports entre la démocratie et les citoyens, sur la planification (dont on parlait peu) en 1960, et sur la ville. Des réflexions sur les nationalisations. Et, par contre, peu de références au marxisme et au mendésisme, alors même que la bataille idéologique faisait rage. Il est frappant de voir à la fois la modernité de la réflexion économique, sociale, culturelle et le peu d'intérêt pour l'idéologie politique.*

JD : En ne focalisant pas notre réflexion sur le point d'être pour ou contre le marxisme, ou quelle tendance du marxisme, nous voulions sortir de l'impasse dans laquelle, à notre avis, s'étaient engagés beaucoup d'hommes et de femmes de notre génération. Car cette obligation de se situer par rapport au marxisme faisait que, y compris à La Jeune République, à l'Union de la gauche socialiste, puis au parti socialiste unifié, on se concentrait sur des batailles théoriques. On utilisait des concepts, mais tout cela dans un mouvement qui nous éloignait de la réalité. Donc, sans aller jusqu'à dire que l'idéologie ne nous intéressait pas, ce serait excessif, on peut dire que le soubassement, l'implicite de notre attitude étaient une certaine volonté d'être concret.

DW : *Le thème de la culture populaire, dans sa version laïque ou dans sa version chrétienne, a marqué les années cinquante, soixante, et même soixante-dix. Depuis, ces mouvements, qui reposaient sur une volonté d'émancipation collective, ont beaucoup moins d'importance et de prestige, comme absorbés par la culture moyenne, voire par la culture de consommation. Les deux auraient-ils pu cohabiter ?*

JD : Si la culture populaire, déjà très présente avant la guerre, s'est développée ensuite, c'est parce qu'elle était liée, dans l'esprit des hommes et des femmes de progrès, à l'idée de promotion. Mieux comprendre le monde et mieux se comprendre soi-même pour devenir une personne à part entière, un acteur de la vie collective. Cette idée de promotion par la culture et par la compréhension, vous la retrouviez aussi bien dans le mouvement syndical, au Centre national des jeunes agriculteurs, au Mouvement de libération ouvrière, au Mouvement de libération du peuple, à La Vie nouvelle. Par conséquent, je vouais une grande partie de mon activité militante à jouer les conférenciers, les animateurs, dans ces différents mouvements. À la même époque, il y avait de grands mouvements de jeunesse. Non seulement des mouvements chrétiens, autour de la Jeunesse ouvrière chrétienne (JOC), de la Jeunesse étudiante chrétienne (JEC), de la Jeunesse agricole chrétienne (JAC) mais aussi les grands mouvements laïcs. C'était avant tout cette idée de promotion par l'éducation, la culture, la prise de parole, dans une perspective d'émancipation populaire dont la classe ouvrière était le symbole.

DW : *La question était-elle de se rapprocher de la classe ouvrière ?*

JD : Non. L'idée de départ était l'émancipation de la classe ouvrière, notamment par l'éducation. Comment se fait-il que ces mouvements aient perdu de leur importance ? Est-ce que chacun, replié sur lui-même, trouve, dans la télévision et la radio, les moyens suffisants pour s'informer et se cultiver ? Y a-t-il une plus grande fréquentation des musées et des salles de spectacle ? On polémique beaucoup sur cela. Mais j'avoue ma déception. Lorsque j'ai proposé le droit à l'éducation permanente pour tous, cela ne concernait pas seulement la vie professionnelle. Ce droit comprenait aussi, à mon sens, l'accès à tous les savoirs, permettant de se connaître soi-même et de mieux comprendre le monde. Or, cette dimension de l'éducation permanente n'a pas eu comme je l'espérais le même succès, essentiellement parce que, des trois acteurs de la formation permanente, le patronat, les syndicats et le ministère de l'Éducation nationale, seul le premier a été présent. Les syndicats, je le leur reproche d'ailleurs, n'ont pas saisi cette perche pour profiter des possibilités inouïes d'extension de la culture populaire. Quant au ministère de l'Éducation nationale, il est resté dans son ghetto et n'a pas joué son rôle. Voilà une des raisons, plus importante encore que le gaspillage des fonds, qui explique que, dans mon projet, qui a déjà plus de vingt ans, le verre est seulement à moitié plein. Mais la partie qui manque est sans doute pour moi la plus importante.

DW : *Vous vouliez lier le travail et l'éducation.*

JD : Oui, je souhaitais que chaque travailleur ait le droit à l'éducation permanente, soit pour se perfectionner professionnellement, soit pour s'enrichir culturellement, soit pour les deux, car les deux sont liés.

DW : *Paradoxalement, l'éducation permanente, votre idée des années soixante-dix, est la suite des mouvements d'éducation populaire.*

JD : Il n'y avait pas que cela. Il y avait aussi un impératif économique d'une économie en mutation rapide.

DW : *Aviez-vous déjà l'idée de relier éducation et économie ?*

JD : Oui. Je voulais relier les deux.

DW : *Est-ce possible ?*

JD : Oui. Et c'est indispensable.

DW : *Peut-on lier dans un même système deux valeurs de nature différente ? la culture et le travail ?*

JD : Ce ne sont pas des valeurs de nature différente. Il faut bien comprendre que c'est la problématique centrale de l'éducation qui est en cause. Un bon savoir-faire, sans un bon savoir, ne marche pas. Un excellent savoir sans aucun savoir-faire vous rend inutile dans la vie économique et sociale. Il faut unir le savoir et le savoir-faire. Cela dès l'éducation première et tout au long de la vie. Il est assez cocasse de voir que, lors des deux derniers Conseils européens, en 1994, le thème de l'éducation permanente a été considéré comme la grande merveille des années à venir.

DW : *Vous dites : « Dans la formation permanente on doit pouvoir faire les deux. » Il y avait quand même dans les mouvements d'éducation populaire, au sens large, une idée d'école du citoyen. Peut-on faire les deux ensemble ? Ne s'agit-il pas de logiques différentes ?*

JD : Si vous avez, d'un côté, le droit pour chacun de demander un crédit d'heures pour s'éduquer et se perfectionner, et si, d'un autre côté, les ressources financières existent, si, au surplus, chacun peut épargner pour accroître les possibilités de son congé-formation, alors il suffit que l'offre de formation comprenne à la fois des stages de formation technique et des stages de formation plus générale. Voilà quel était mon système.

DW : *Y compris de formation politique ou culturelle ?*

JD : Y compris culturelle. Si aujourd'hui il y avait de grandes associations de culture populaire, pourquoi ne pourraient-elles pas offrir des stages qui seraient financés, soit par la taxe sur les salaires qui soutient la formation permanente, soit par l'épargne-formation accumulée par un travailleur ? L'éventail de l'offre s'est réduit comme une peau de chagrin parce que c'est un problème d'« ingénierie » sociale. Parmi les acteurs que j'avais mis en mouvement, certains n'ont pas suivi, n'y ont pas attaché d'importance, n'avaient pas de stratégie. Au début de la formation permanente, les plus syndicalistes, les plus actifs voulaient opposer les formations désintéressées aux formations utilitaristes. Cette dichotomie n'était pas de mise.

DW : *Si cette loi sur la formation permanente avait été acceptée par les différents acteurs, aurait-elle permis à cette tradition des grands mouvements d'éducation populaire d'avoir un débouché et une continuité ?*

JD : Je suis allé plus loin. J'ai proposé, il y a déjà quinze ans, une banque du temps. Au-delà de dix-huit ans, chaque Français, et chaque Française, bénéficierait de l'équivalent de deux années d'éducation, qui seraient inscrites à son compte et dont il pourrait profiter tout au long de sa vie.

DW : *Vous pensez que les logiques qui sous-tendent les différents accès au savoir peuvent être mises ensemble, sans conflit ?*

JD : Bien sûr, il y aura des conflits, et même un peu de gaspillage, pas plus qu'aujourd'hui, mais la question est de savoir si on parle d'éducation permanente au sens étroit, centrée sur les exigences de la vie professionnelle, ou si on parle d'éducation permanente au sens large, ce qui peut se faire sans tourner le dos aux contraintes de la vie professionnelle et d'une économie en mutation rapide.

DW : *Vous avez choisi l'expression « formation permanente » et non « éducation permanente ».*

JD : J'ai pris l'expression « formation permanente » à l'époque, car le mot « formation » n'avait pas le même sens qu'aujourd'hui, et puis la distinction entre éducation et formation est moins forte qu'en anglais, entre *learning* et *training*.

DW : *Pour revenir aux années soixante, vous vous souvenez, je suppose, de la formule de* Citoyen 60 *: « la démocratie à* *portée de main ». Avez-vous le sentiment que quelque chose a changé dans la problématique ?*

JD : J'ai retrouvé là une phrase d'Alain qui correspond tout à fait à ce qui demeure ma conception de la démocratie : « La démocratie n'est pas le règne du nombre, n'est pas le pouvoir donné à une majorité d'écraser une minorité, elle doit permettre à l'inverse d'assurer l'égalité de tous au droit, de lutter contre toutes les tyrannies, et elle repose sur des citoyens libres et pensants. Elle n'existe donc que grâce aux vertus des citoyens. » Cette aspiration a toujours été la mienne. Quand nous disions : « La démocratie à portée de main », nous ne faisions que traduire dans le contexte cette position de principe qui, à l'époque, avait un retentissement particulier, sous la IVe République, et même sous la Ve République. Celle-ci avait simplifié le processus d'élection, puis de décision politique, en s'appuyant sur un État qui devenait le point de passage obligé pour toutes les actions de la cité. Mais elle ne résolvait pas la question de l'engagement personnel. L'élection au suffrage universel du président de la République a été un facteur de transparence dans la vie politique et un stimulant indiscutable à l'époque, mais, pour nous, le citoyen ne se résume pas à apporter sa voix dans les urnes une fois tous les sept ans ou une fois tous les cinq ans. Voilà pourquoi la démocratie à portée de la main était à la fois un plaidoyer pour une citoyenneté active et une démarche visant à la décentralisation des pouvoirs.

La politique

DW : *À l'époque vous partez de la société, de la réalité et pas de l'idéologie. Cela dit, vous avez toujours été en relation avec les partis politiques ou en semi-négociation avec eux. Rétrospectivement, pensez-vous que vous auriez dû être plus proche d'eux, éventuellement dans un rapport de forces plus réel, ou pensez-vous toujours que vous avez eu raison de vouloir rester à distance ?*

JD : La réalité est la suivante : il y avait deux genres de clubs politiques à un moment où les partis, notamment de gauche, étaient en difficulté. D'une part, des clubs axés avant tout sur la réflexion et sur l'éducation : le club Jean-Moulin, Citoyen 60, Rencontres, etc. Et d'autre part, des clubs plus politiques, qui essayaient de reconstituer la toile d'araignée d'une formation de gauche, au sein de laquelle le club des

Jacobins de Charles Hernu a joué un rôle essentiel. Mais, à partir d'un certain moment, tous ces clubs se sont retrouvés dans deux tentatives politiques. La première autour de Gaston Defferre, Horizon 80, a utilisé le levier de l'élection au suffrage universel du président de la République. Cette tentative a échoué en raison de l'impossibilité de trouver un accord entre la SFIO et le MRP. La seconde tentative a été réalisée à partir de la gauche non communiste. Prenant acte de l'échec de la première tentative, elle eut pour objectif de rassembler des militants de la gauche classique avec un certain apport de militants chrétiens, pour constituer une force socialiste, à côté de la SFIO, et entamer la longue marche qui allait aboutir au congrès d'Épinay de 1971 et à la création d'un nouveau parti socialiste. On peut donc dire que tous les clubs, quelles que soient leurs caractéristiques, ont, à un moment donné, contribué à l'effort de restructuration de la gauche non communiste.

DW : *On a d'ailleurs tendance à sous-évaluer un peu cet apport dans la naisance du parti socialiste. Deux choses à propos de cette époque. Vous n'avez jamais été un fanatique des grands programmes politiques puisque déjà, dans* Citoyen 60, *en décembre 1966, vous faites une critique assez forte du programme de la Fédération de la gauche démocrate et socialiste (FGDS) et du PSU. Vous n'êtes pas non plus d'un grand enthousiasme pour le Programme commun de 1972. Et il y en aura une critique dans* Échange et projets. *Pourquoi ?*

JD : Parce que mon pragmatisme et ma connaissance des faits me donnaient à penser que ces programmes s'éloignaient trop de la réalité. Mais je dois dire que cela révélait, à l'époque, une certaine allergie aux contraintes de l'action politique.

DW : *Il n'y a peut-être pas seulement de votre part une résistance à l'idéologie, mais aussi le fait que l'action politique requiert une attitude et un comportement spécifiques auxquels vous ne souhaitez pas adhérer.*

JD : C'est vrai, l'action politique a une logique propre. Il fallait à ce moment-là rassembler les forces qui avaient été marquées par l'Histoire, par les grandes confrontations idéologiques, par l'attraction du marxisme, par le caractère révolutionnaire de la démarche de beaucoup. Tout cela ne pouvait se faire que dans un certain langage, mais moi qui réfléchis à partir d'une certaine vision, j'ai besoin de confronter cette vision avec les faits.

DW : *Revenons à la reconstruction de la gauche non communiste dans les années 1958-1960. Vous savez qu'il y eut un débat assez fort entre deux petits mouvements de l'époque, l'Union de la gauche socialiste, plutôt révolutionnaire – certains arriveront au Parti socialiste autonome (PSA) et ensuite au PSU –, et un autre mouvement, plus modéré, l'Union des forces démocratiques. Ces deux petits mouvements, qui ont ensuite éclaté, donneront naissance aux autres forces politiques. N'avez-vous pas le sentiment qu'entre les « réformistes » et les « révolutionnaires » des années 1958-1960 vont se jouer une bonne partie des futurs choix politiques de la gauche, y compris jusqu'au Programme commun, à l'union de la gauche, puis à la conquête du pouvoir en 1981 ? Tout ne s'est-il pas joué là ? Autrement dit, dans les années soixante, se met en place un conflit entre une gauche réformiste, qui va finalement perdre, et une gauche de plus en plus idéologique qui fera le choix, avec la FGDS, à partir de 1965, d'une alliance progressive avec le parti communiste, et qui gagnera au prix d'un éloignement de la volonté de rester lié à la réalité ?*

JD : D'abord, au-delà de ce clivage qui a nourri nombre de débats, il faut bien indiquer que la figure emblématique des militants que nous étions, c'était Pierre Mendès France. Un homme, un style, des idées, une action. Action qui allait ensuite se poursuivre à travers les *Cahiers de la République*.

DW : *Je cherche à comprendre ce qu'il s'est passé après l'échec de la tentative de la troisième force dirigée par Gaston Defferre. La gauche réformiste a eu le choix entre rester minoritaire, ou bien choisir, ce qu'elle a fait avec François Mitterrand, la FGDS et l'alliance progressive avec le parti communiste. Choix différent du point de vue de l'analyse de la société et de la construction du discours politique. Choix qui éloignera la gauche de ce qu'a représenté la logique des clubs dans les années soixante, pour se rapprocher d'une logique plus strictement idéologique. Ce qui est étonnant, c'est qu'en faisant ce choix la gauche arrive progressivement au pouvoir, mais en renonçant à une partie du langage réformiste qu'elle utilisait pour rénover la gauche ! Réformisme d'ailleurs qu'elle ne cessera de critiquer à partir des années 1970-1975, au nom des options idéologiques. Et qu'elle pratiquera une fois au pouvoir...*

JD : Cela n'est pas étonnant, car François Mitterrand a fait une percée aux élections en 1965 et toute sa stratégie était d'amener la gauche au pouvoir. Sa démarche subissait une critique de gauche, venant du Parti socialiste unifié, et d'un autre côté il y avait les réticences de ceux que j'appellerais les réformistes de gauche, dont j'étais.

DW : *Et ce sont les réformistes de gauche qui ont perdu.*

JD : Non, à partir de 1974, je me suis aperçu que seule la stratégie employée par François Mitterrand pouvait amener la gauche au pouvoir et qu'il fallait en assumer le coût, du point de vue de mon approche. Bien sûr, en essayant tout de même d'agir, autant que possible, pour rapprocher le discours de ce que je considérais comme des réalités à prendre en considération, sinon incontournables. Mais, soyons franc, l'Histoire a donné raison à François Mitterrand contre Michel Rocard, d'un côté, et contre Jacques Delors, de l'autre. J'ai pris une leçon de stratégie politique.

DW : *La question est de savoir si le prix à payer de cette victoire d'une autre stratégie politique...*

JD : Je n'avais pas de stratégie de remplacement.

DW : *Le prix à payer de cette stratégie, qui a été effectivement gagnante, n'a-t-il pas été finalement de laisser de côté l'approche de la gauche réformiste, qui fut un bouillon de culture et de réflexion, des années 1958, 1960, 1964, 1965 ? Autrement dit, la gauche a gagné avec la stratégie de Mitterrand, mais le prix à payer n'était-il pas un langage de plus en plus idéologique qui éloignait la gauche de ses racines réformistes ?*

JD : Si, par hypothèse, j'avais fait une percée politique dans les années soixante et si j'avais dirigé le mouvement, la gauche aurait-elle accédé au pouvoir ?

DW : *C'est un accord sur la stratégie de François Mitterrand ?*

JD : Oui. Ensuite, il est évident qu'il a fallu rapprocher le discours programmatique des réalités, cela a demandé du temps. Mais c'est une leçon concernant le caractère supérieur de la politique, par rapport au reste. Notamment par rapport à une démarche économico-sociale comme la mienne, ou par rapport à une démarche de contestation radicale qui était celle du PSU et à laquelle Michel Rocard a mis fin en rejoignant le parti socialiste en 1974, tout en gardant ses idées.

DW : *Pensez-vous qu'avec la stratégie de François Mitterrand, qui a permis de gagner, il aurait été possible de conserver la tradition de la gauche réformiste intéressée par la transformation de l'économie et de la société ? Ou bien le prix était-il, de toute façon, de décrocher du réformisme ?*

JD : Pour rassembler les forces de gauche, il fallait une stratégie dite « de rupture », sans cela il n'y aurait pas eu le rassemblement nécessaire, l'accumulation des forces et des voix pour permettre à la gauche d'accéder au pouvoir.

DW : *Donc vous pensez qu'on ne pouvait pas avoir les deux.*

JD : Non.

DW : *Le prix fut donc de renoncer, pour un certain nombre d'années, à une analyse réaliste de la société, au profit d'une approche plus dichotomique, quitte à ce qu'après, au pouvoir, à l'épreuve des faits, on revienne...*

JD : Je vous laisse la responsabilité de votre parole.

DW : *Ce choix autour de 1965 représente trente ans de vie politique française...*

JD : Oui.

DW : *Pour revenir d'un mot sur les clubs et sur leur rôle dans la rénovation de la pensée politique, quel bilan tirez-vous ?*

JD : Les clubs des années soixante ont fourni à l'ensemble de la classe politique française les grands thèmes qui tournaient autour de l'adaptation de la France à la donne mondiale, la démocratie et la décentralisation, la planification et la modernisation de l'économie, la construction européenne. Si un jour les spécialistes de sciences politiques font une recherche sur l'origine des idées qui ont nourri le débat politique à partir de 1965, ils verront que 80 % proviennent du trésor des clubs.

DW : *N'ont-ils pas eu plus d'influence sur les thèmes de planification et d'action gouvernementale des années soixante que sur la gauche à partir des années soixante-dix ? Autrement dit, une influence assez élitiste ?*

JD : Non, les clubs ont influencé autant la pensée des socialistes au pouvoir, une fois qu'ils y étaient, que les positions politiques de tous ceux qui, dans les autres partis, sont responsables et soucieux d'adapter la France à son temps. C'est absolument certain. Ce n'était pas une mince fierté pour nous tous. C'est la différence entre le concepteur et l'architecte. Les clubs ont été des concepteurs, les architectes sont venus après et ont pris les idées des concepteurs. C'était d'ailleurs fait pour cela. Il ne faut pas s'en plaindre, au contraire, il convient de s'en féliciter.

DW : *Quelle différence y a-t-il entre les clubs et la deuxième gauche ? Quelles filiations ? La deuxième gauche n'a-t-elle pas finalement apporté l'idéologie dont se méfiaient les clubs ?*

JD : Personne n'a le droit d'accaparer cela. La gauche a de multiples racines : le syndicalisme ouvrier, paysan, les clubs des années soixante, les théoriciens réformistes opposés aux marxistes révolutionnaires, des intellectuels, la pensée et l'action du Commissariat du Plan dans les années soixante. Tout cela a contribué à ce courant de la deuxième gauche, mais n'essayons pas de faire une analyse critique des itinéraires des uns et des autres, ce serait trop sévère.

DW : *Pourquoi n'êtes-vous pas apparu comme étant un des leaders de la deuxième gauche, dans la mémoire des années quatre-vingt, alors qu'en fait vous en avez été l'un des acteurs ?*

JD : Cela tient aux limites de mon action spécifiquement politique. Et au fait que je ne veux pas apparaître comme monopolisant ou symbolisant une action qui a pris de multiples formes. Je suis resté moi-même. J'ai la même philosophie de l'existence qu'à l'âge de vingt ans, les mêmes référents fondamentaux, la même méthode de travail qui est d'entrer en dialectique avec des faits. Je n'ai pas changé de ce point de vue-là, je n'ai pas battu la grosse caisse pour que l'on reconnaisse mes mérites.

DW : *Vous le regrettez ?*

JD : Non, parce que je n'avais pas d'appétit de pouvoir. Je n'étais pas le rival de François Mitterrand. Je n'avais pas à symboliser une autre voie alors que j'ai toujours pensé, et je continue à penser, que la seule stratégie possible pour ramener la gauche au pouvoir était celle de François Mitterrand.

DW : *À l'époque vous êtes minoritaire, comme Michel Rocard, mais vous n'avez pas le même comportement.*

JD : Oui, je suis minoritaire du point de vue des idées, mais majoritaire du point de vue de la stratégie.

DW : *En février 1962, vous êtes nommé chef du service aux affaires sociales au Commissariat général du Plan. Pensez-vous faire un acte militant ou est-ce le vrai choix d'un travail d'expert ?*

JD : C'est d'abord ma fascination pour le service de l'État, et la fonction publique, et mon admiration pour les hauts fonctionnaires qui, à l'époque, servaient l'État : François Bloch-Lainé, Pierre Massé, Paul Delouvrier, et j'en oublie. Mon ambition était d'être un jour aussi brillant et efficace qu'eux. La seconde raison, c'est que, mes écrits le montrent, j'ai toujours été un grand partisan de la planification et, pour moi, c'était un bonheur que de travailler aux côtés de Pierre Massé, Jean Ripert et Paul Lemerle, et bien d'autres, à Paris, rue de Martignac, au siège du Commissariat du Plan où Jean Monnet avait œuvré. Ce n'était pas un choix de carrière, mais un choix qui correspondait à une aspiration. C'était déjà un peu une récompense.

DW : *À propos de Jean Monnet et de la rue de Martignac, vous savez que dans ses Mémoires il dit que le choix de ce petit hôtel particulier est très important. D'abord, il y avait la dimension symbolique de cet hôtel et ensuite celui-ci ressemblait à un théâtre. Il a dit : « Pour moi, cela avait été important de prendre cet endroit-là pour la dimension de mise en scène que je voulais donner aux relations sociales. » L'Union européenne n'aurait-elle pas dû choisir un lieu susceptible de symboliser des relations intergouvernementales ?*

JD : Oui, mais avec le départ de Jean Monnet de la Communauté économique du charbon et de l'acier (CECA), peu à peu, on a perdu le style de Jean Monnet. Style fondé sur une forte pensée de Jean Monnet : « Il vaut mieux faire que paraître. » Autrement dit, un style qui voulait que l'or et les apparats ne soient pas dominants, qu'il s'agisse au contraire d'un travail discret, dans l'ombre et dans un cadre accessible à tous. Je reste profondément attaché à ce style. Je me suis réjoui de notre passage, à Bruxelles, du gigantesque Berlaymont au petit immeuble Breydel, où nous sommes actuellement. C'est la stratégie anti-tapis rouge. Je dis cela parce que l'un de mes prédécesseurs voulait qu'il y ait des tapis rouges partout.

Chapitre 2

Le syndicalisme

DOMINIQUE WOLTON : *Le social est, chez vous, un thème récurrent, constant. Pourquoi cet amour du social ? Des hommes publics et des hommes politiques français, vous êtes l'un de ceux qui ont le plus milité, agi, pensé, écrit, dit pour essayer de légitimer l'importance du social. Pourquoi ?*

JACQUES DELORS : Pour moi, l'action publique, qu'elle soit politique, syndicale, patronale, n'est là que pour fournir aux individus les moyens de s'épanouir dans la diversité des personnes. Le social est pour moi l'élément essentiel de l'action publique. Le social est la finalité de toute ma réflexion et de toute mon action. Non pas que je veuille travailler pour accroître le « bonheur intérieur net » de la société, mais parce que je crois fondamentalement à la responsabilité individuelle. Pour cela, il faut accroître les marges de choix des individus et, selon ma vision personnaliste de la société, l'homme ou la femme ne peuvent s'épanouir que dans une appartenance voulue, consentie à des communautés.

DW : *Dans la mesure où vous vous êtes beaucoup battu pour contractualiser les relations sociales, ne risquez-vous pas de réduire la société à une contractualisation des relations sociales ?*

JD : Non. Le social, tel que je viens d'en parler, on pourrait l'appeler le sociétal. En réalité, ce qui compte, c'est le lien social et cela va bien au-delà du champ de ce que l'on appelle les « relations industrielles », c'est-à-dire les relations entre le patronat et les syndicats, ou bien entre l'État et les partenaires sociaux. Le social relève d'une conception beaucoup plus vaste.

Dans mon action, j'ai essayé de réformer les relations industrielles en France, mais les relations industrielles ne sont qu'une partie du social.

DW : *À propos du lien social, vous vous êtes battu pour les relations professionnelles, le travail, l'éducation, la politique, mais il y a un grand thème constitutif du lien social sur lequel vous n'êtes pas tellement intervenu, c'est celui des loisirs.*

JD : Oui, je me rappelle l'ouvrage de Joffre Dumazedier sur la civilisation des loisirs. Je n'ai jamais mené de réflexion dans ce domaine, car il m'a semblé qu'il relevait essentiellement de choix privés. Je pourrais simplement étudier les loisirs comme reflétant, à un moment donné, les valeurs et le comportement des individus et de la société.

DW : *Les loisirs de masse sont pourtant devenus en trente ans l'une des formes les plus importantes de la vie contemporaine.*

JD : Oui, c'est un sujet d'observation, et c'est aussi un élément du lien social.

DW : *Revenons au syndicalisme, auquel vous avez adhéré tôt. Quelle fut, pour vous, la spécificité de ce type d'engagement ?*

JD : Il s'agissait pour moi de lutter contre l'injustice sociale, et le terrain essentiel de l'action était le syndicalisme. D'autre part, j'y ai trouvé une ambiance qui me plaît. C'est l'endroit où je suis le plus à l'aise. Même s'il y a des conflits de personnes et des enjeux de pouvoir comme partout, cela se déroule sur un fond de fraternité. Le syndicalisme, c'est ma vie. Si j'avais pu, je n'aurais fait que cela.

DW : *C'est vrai, vous dites que c'est avec les syndicalistes que vous vous sentez le mieux, vous parlez de « ce climat de compréhension mutuelle qui ouvre la voie au dialogue, à la recherche de solutions ».*

JD : Aujourd'hui encore, quand je vais à une réunion syndicale, je suis heureux. Je ne le suis pas seulement par nostalgie d'une ère passée, mais parce que je m'y sens à l'aise, ce qui est moins le cas dans un parti politique. Là, je le fais par obligation – parce que le politique est incontournable –, jamais par plaisir. J'ai dû admettre, au fil des années, que l'action purement économique et sociale rencontrait ses limites et que, finalement, l'action politique est indispensable pour qui veut améliorer les choses...

DW : *Et pourquoi cette fidélité au syndicalisme ?*

JD : C'est cette ambiance de fraternité, ce lien assuré avec les luttes passées, ce militantisme difficile. Tout cela me convient parfaitement. Je ne parle pas d'une doctrine mais d'un choix personnel. Je comprends que d'autres ne partagent pas mon opinion et j'apprécie toute la grandeur et toutes les servitudes de l'action politique. J'ai donc beaucoup d'estime pour les militants et les responsables politiques dignes de ce nom.

DW : *C'est paradoxal car, la plupart du temps, on commence par le syndicalisme et ensuite on va vers la politique. La plupart ont fait cela.*

JD : Je dois dire franchement que je me sens à l'aise dans les milieux syndicaux. Mais bien que j'y sois resté très peu de temps, j'ai pris un très grand intérêt au métier de maire et j'aurais aimé pouvoir le continuer, mais c'était incompatible, juridiquement, avec ma tâche de président de la Commission européenne. J'ai pris et je prends beaucoup d'intérêt et de satisfaction à ma tâche de ministre, de président de la Commission. Mais en ce qui concerne les actions de masse, le militantisme de masse, je suis pleinement à l'aise dans le syndicalisme.

DW : *Vous adhérez à la CFTC en 1950*[1]*. Les thèmes de combat, à l'époque, sont : grève, anticolonialisme, internationalisme. Dans le climat de la guerre froide, pourquoi êtes-vous attiré par cette centrale chrétienne qui est minoritaire et largement combattue par le reste du mouvement ouvrier ?*

JD : Étant catholique pratiquant moi-même, je ne me voyais pas adhérer à un autre syndicat que celui-là.

DW : *Des catholiques ont adhéré à la CGT.*

JD : Oui, mais moi je me sentais proche des dirigeants de la CFTC, même si ma conception du syndicalisme était en étroite conformité avec celle de la minorité de Reconstruction. C'est pourquoi je me suis empressé de la servir.

DW : *Vous avez agi, quand vous étiez au Plan, pour construire un dialogue social et pour que les partenaires syndicaux*

1. Collectif, *Histoire de la CFDT. Soixante-dix ans d'action syndicale*, Paris, La Découverte, 1990.

puissent intervenir directement dans les consultations et, éventuellement, dans les grands choix économiques, politiques et sociaux de la société. Dans les rapports entre les syndicats et le Plan, la période 1962-1972 est d'ailleurs un grand moment. Puis le Plan est entré en crise, et il y a eu moins de conflits idéologiques sur la nature de la participation des syndicats à la planification. Pensez-vous que l'époque des relations étroites entre le Plan et les syndicats soit terminée ou qu'il y aura de nouveau des relations de ce type ? Quelque chose d'autre pourrait-il se renouer ?

JD : D'abord ressusciter le Commissariat général du Plan !

DW : *Disons : un organisme qui réfléchisse à l'avenir de la société et à la prévision.*

JD : Il faudrait que cet organisme soit pris au sérieux par les responsables politiques et les acteurs de la vie économique et sociale. À partir de là, les organisations syndicales, qui se sont affaiblies entre-temps, auraient tout intérêt à être présentes dans ce carrefour de la société française, carrefour pour la réflexion, le dialogue, l'exploration de l'avenir. C'est l'intérêt du syndicalisme d'être présent là où se discutent les finalités de la société, là où s'élaborent les stratégies de son développement.

DW : *Vous maintenez votre idée des années soixante selon laquelle le syndicalisme a intérêt à être présent à chaque endroit où se fait une réflexion sociale ? Il y a donc une déperdition ?*

JD : Oui, elle est due avant tout au fait que le Commissariat général du Plan ne joue plus le même rôle que dans les années soixante, en dépit des efforts louables de son responsable actuel, Jean-Baptiste de Foucauld. Il ne suffit pas d'un bon commissaire au Plan, encore faut-il que les pouvoirs publics, de gauche ou de droite, admettent la nécessité de garder pour la France une société ouverte, une société échappant à la consommation des faits, à la « fast food policy », à la tyrannie des médias, qui vont jusqu'à imposer le calendrier politique. Que l'on retrouve des endroits où l'on puisse faire une pause, où l'on puisse respirer et consulter, d'une manière calme, et à l'abri des turbulences et des émotions. Reconstruire des lieux de ce genre est indispensable. C'est une tâche qui appartient avant tout au pouvoir politique. Or, celui-ci a montré, tant à droite qu'à gauche, qu'il était plus préoccupé de cultiver son image médiatique, de passer à travers les gouttes des conflits, que de créer des lieux de rencontre, voire d'affrontement, qui permettraient d'enrichir la réflexion politique de la société sur elle-même. C'est une grande perte pour la société française.

Il est faux de dire que ce qui se faisait dans les années soixante ne peut plus être reproduit aujourd'hui. Les modalités peuvent changer mais le principe reste. Grâce à Pierre Massé et à ses collaborateurs, le Commissariat du Plan était devenu un lieu obligé pour tous ceux qui voulaient comprendre, participer, proposer. Il faut reconstruire ce lieu. Malgré mes multiples insistances quand j'étais ministre des Finances, il n'a pas été possible de faire comprendre cela au gouvernement socialiste et, encore moins, à des gouvernements de droite, puisqu'un politicien célèbre disait que le Plan, c'était « une machine à se foutre des coups de pied dans le cul ». Il voulait dire par là que la transparence était gênante. Or, aujourd'hui, dans une société menacée par une forme de totalitarisme implicite, celui de la consommation des images et des émotions suscitées et vite oubliées, il faut absolument, pour la santé de la démocratie, l'avenir de nos sociétés, recréer ce carrefour et lui donner tout le retentissement nécessaire.

DW : *Le syndicalisme n'est pas seulement lié, chez vous, à une vision de la société, il est aussi partie prenante de la politique. Vous avez d'ailleurs souvent dit que « pour changer la société, il faut la changer par une double action, politique et syndicale ». On a pourtant vu en France que l'action politique et syndicale n'a guère été coordonnée par la gauche, dans les quinze dernières années ! Quel type de coopération peut-il y avoir, puisqu'il n'y a pas eu cet accrochage ? Il y a même eu une forme de décrochage encore plus forte en France que dans l'ensemble des pays européens, entre partis politiques et syndicats.*

JD : Il faut d'abord s'interroger sur les raisons de l'affaiblissement du rôle des syndicats en France, mais aussi ailleurs, avec des intensités différentes. Je retiendrai trois causes : la première est la transformation des structures sociales et de l'organisation du travail, qui éloignent du collectif et sont davantage centrées sur l'individu. La deuxième est la diminution relative de la classe ouvrière, qui était porteuse d'un projet historique et au sein de laquelle le sentiment de l'intérêt collectif partagé était plus fort que dans les autres catégories de travailleurs. La troisième raison, conjoncturelle, est qu'en période de chômage massif le rapport des forces est favorable au patronat. Mais on peut espérer que cette dernière cause sera supprimée et l'évolution inversée. Le syndicalisme doit cependant réfléchir au moyen de persuader les travailleurs, quels que soient leur lieu et leur secteur d'activité, quelle que soit l'organisation du travail à laquelle ils participent, qu'ils ont des intérêts en commun à défendre. Soit parce que les acquis sont menacés, soit parce qu'il s'agit de trouver une nouvelle frontière de besoins à satisfaire. Parmi ces derniers, on peut penser à l'éducation permanente, à certaines formes d'organisation de la vie sociale, notamment dans les villes, aux services que pourrait rendre l'organisation syndicale pour tout ce qui est la partie du temps non liée au travail. Le syndicalisme doit réfléchir à ces nouvelles frontières et voir comment il peut y coopérer. J'ajoute enfin, c'est une banalité qu'il faut répéter, que la division syndicale est en France une cause supplémentaire d'affaiblissement, beaucoup plus manifeste dans cette période de déclin relatif que dans les périodes précédentes.

DW : *À propos du rôle contractuel du syndicalisme, on a beaucoup reproché aux syndicats, notamment en France, de n'être pas assez « raisonnables » et de ne pas être capables de définir des objectifs susceptibles de « négociations sérieuses ». La CFDT est le syndicat qui a le plus fait d'efforts dans ce sens, tout en souhaitant conserver une capacité de contestation. Considérez-vous, vingt ans après, que le bilan pour cette option soit favorable ?*

JD : Quand j'ai commencé à réfléchir aux relations industrielles, en dehors d'un syndicat, c'est-à-dire au Commissariat du Plan, quand j'ai pu ensuite mettre en œuvre mes idées, au cabinet de Jacques Chaban-Delmas, je contestais formellement le refus du face-à-face, qui caractérisait les relations du travail en France, avec le poids excessif des hiérarchies et la profonde réticence à rechercher des compromis. C'est pourquoi j'ai, sous le thème de la politique contractuelle, essayé de promouvoir le contrat comme étant, à côté de la loi, un élément constitutif des relations du travail et, plus généralement, des rapports sociaux. Nous avons obtenu des résultats qui n'étaient pas seulement des embellies. Certes, on est revenu sur une partie de mon ambition depuis, mais, cependant, on a gardé l'habitude de négocier les salaires, y compris dans le secteur public.

Je dois vous rappeler que, avant que je n'intervienne, les syndicats, dans une entreprise publique, apprenaient par le Conseil des ministres quelle serait l'augmentation des salaires pour l'année suivante ! La révolution que j'ai faite fut de les faire négocier. Ce qui a scandalisé à l'époque les partisans du « tout-État ». Dans l'évolution des relations industrielles, il reste quelque chose de ce que je me suis efforcé de faire et aussi, à ma suite, ceux qui pensaient comme moi, notamment Raymond Soubie. Bien sûr, on pourrait aller plus loin, mais on ne peut le faire que si les syndicats sont représentatifs. Même si la CGT a été l'opposant, en dernier ressort, de cette politique contractuelle, elle a fini, elle aussi, par négocier. Elle a accepté ces accords. Et dans les entreprises, où c'était plus discret, elle était souvent la plus apte à comprendre l'intérêt d'une bonne négociation. Nous vivons donc dans un monde où les organisations syndicales savent jusqu'où ne pas aller trop loin.

En résumé, la société avait dans ses profondeurs la capacité de réaliser des compromis dynamiques. Il lui manquait l'ingénieur qui lui révélerait ses possibilités et lui donnerait confiance. Ce que j'ai tenté de faire.

Aujourd'hui, la situation est différente. Nous vivons dans une société où tous les individus prétendent avoir des droits, une société de créanciers, non pas une société de citoyens où, à côté des organisations syndicales, apparaissent des mouvements qui n'ont plus l'idée que, à un moment, il faut s'arrêter de protester et négocier. C'est cela la mutation qui est intervenue depuis 1975. Elle est très importante. Et elle montre qu'un pouvoir politique, même de droite, a intérêt à aider les syndicats à retrouver leur influence. Car, en France, où la social-démocratie n'a pas fleuri, l'État a une responsabilité particulière pour régénérer le syndicalisme. Dans les autres pays, c'est différent. Dans les pays où a fleuri la social-démocratie, le syndicalisme a été à la tête du mouvement ouvrier et c'était lui qui souvent influençait et déterminait le programme du parti politique. C'était le cas dans les pays nordiques, en Grande-Bretagne, et, dans une certaine mesure, en Allemagne fédérale. Nous ne pourrons jamais avoir une social-démocratie de type classique en raison de la faiblesse des syndicats et de leur absence de lien avec le parti. Et j'ajouterai, de l'indifférence ou de la méconnaissance des pouvoirs publics.

DW : *Ils ont une lourde responsabilité ?*

JD : Certes, les organisations syndicales françaises ont un énorme travail de réflexion et de révision à fournir, mais le cas de la France est particulier en ce sens que l'État peut faire beaucoup pour les aider à retrouver leur rôle. Leur rôle est d'être des interlocuteurs représentatifs, valables, capables de négocier et de dessiner de nouvelles frontières pour l'action syndicale.

DW : *Oui, mais vous parlez comme si la gauche n'avait pas encore gouverné ! La France vient de connaître plus d'une dizaine d'années de gouvernement socialiste, et vous écrivez dans la revue* Esprit, *en novembre 1991, que « la gauche a complètement négligé le facteur syndical ». Pourquoi cet échec, et quelles en sont les conséquences ?*

JD : Je pense que la raison principale est presque d'ordre psychanalytique. Puisque la gauche est au pouvoir, puisque les syndicalistes sont nos frères, pourquoi aurions-nous des relations pouvoir/syndicats avec eux ? Voilà la racine de l'incompréhension, voilà l'erreur fondamentale ! Le jour où les frères socialistes, membres d'un parti politique, viennent au gouvernement, ils doivent être le pouvoir et se situer comme pouvoir par rapport aux organisations syndicales, et ne pas considérer qu'ils les représentent. Non ! Nous entrons à ce moment-là dans l'objectivité du rapport institutionnel et de la politique.

DW : *L'avez-vous dit aux dirigeants politiques socialistes ?*

JD : Oui, je l'ai dit, plusieurs fois. Je vais vous donner un exemple célèbre. Lorsque j'ai pensé qu'il fallait supprimer l'indexation automatique de tous les salaires, j'ai demandé au Premier ministre, Pierre Mauroy, de le négocier avec les organisations syndicales. Il ne faut pas oublier que lorsque j'étais ministre des Finances, il ne se passait pas de mois sans que je reçoive à ma table un des dirigeants des grandes organisations syndicales françaises, sans exclusive. Pierre Mauroy, soucieux de réalisme, m'a répondu que cela demandait trop de temps et qu'il valait mieux procéder par décret. Et depuis, on prétend que j'étais hésitant. Pourtant, j'ai indiqué que, depuis le deuxième choc pétrolier, nous étions dans une période très chahutée, nous avions hérité d'un taux d'inflation de 14 %. Dans ce contexte, et même si cette inflation avait plusieurs origines, il n'était plus possible de maintenir l'indexation automatique des salaires. Il fallait que toutes les catégories sociales se sentent responsables dans la lutte contre l'inflation, facteur de faiblesse économique et génératrice d'inégalités sociales.

DW : *Avez-vous dit nettement qu'il y avait un intérêt à négocier ?*

JD : Oui, c'était une affaire de deux mois. J'avais proposé que l'on se concerte avec les organisations syndicales sur une nouvelle politique des salaires, qui aurait comporté trois éléments : la partie liée à la plus-value ajoutée à la croissance, qui bénéficierait à tout le monde, une partie en fonction des performances de l'entreprise et la troisième partie pouvant résulter d'une promotion individuelle. Je voulais négocier cette nouvelle philosophie des salaires, que j'ai annoncée publiquement, en contrepartie de l'abandon de l'indexation automatique des salaires sur les prix. Simplement pour illustrer la différence qu'il y avait entre mes collègues socialistes et moi-même quant à l'attitude à observer vis-à-vis des organisations syndicales.

DW : *Un autre exemple qui va dans le même sens. On a souvent reproché aux syndicats de ne pas être des partenaires « sérieux » dans la négociation, d'avoir des revendications trop « exagérées ». Or si l'on fait le bilan des relations syndicats/parti politique, pendant la période de la gauche au pouvoir en France, on s'aperçoit que ce n'est pas à cause du type de revendication du syndicalisme que les relations ont été mauvaises, mais tout simplement parce que le pouvoir politique n'a guère souhaité construire un certain type de relation avec le syndicalisme. Autrement dit, cela invalide la critique constante faite au syndicalisme, à savoir son caractère « non réaliste » comme obstacle pour en faire un partenaire sérieux.*

JD : Vous avez raison, ce n'est pas un argument. Mais il y a une autre raison liée au contexte français. Nous ne sommes pas dans la situation classique de la social-démocratie, avec un ou deux syndicats liés au parti social-démocrate, nous avons chez nous une pluralité de syndicats. Par conséquent, il n'y a pas en France de relations privilégiées entre un parti et un syndicat. Tant mieux d'ailleurs, compte tenu de la pluralité syndicale. Par conséquent, que le parti socialiste ait des relations régulières avec les organisations syndicales, qu'il les entende, cela est possible, mais qu'il y ait un rapport quasi institutionnel, ce n'est pas concevable en France.

DW : *Depuis les années quatre-vingt, et même un peu avant, l'entreprise est devenue un lieu de négociation contractuelle de plus en plus régulier. Autrement dit, le mouvement d'institutionnalisation des relations du travail, au sens large que vous avez initié, a continué avec les gouvernements de droite puis de gauche. Nous retrouvons de ce point de vue la plupart des traditions démocratiques.*

JD : Que voulez-vous dire par là ?

DW : *Qu'il y a de plus en plus d'accords d'entreprise signés avec les organisations syndicales, avec un risque, à terme, que le syndicalisme perde sa spécificité dans cette double fonction critique et de négociation ?*

JD : Non, il doit assumer les deux. Le syndicalisme doit être porteur d'un projet de société, ou bien d'éléments fondateurs qui lui servent d'inspiration dans son action. Il doit explorer les « nouvelles frontières », s'interroger et faire des propositions en ce qui concerne la maîtrise du progrès scientifique et technologique, l'organisation du travail, l'aménagement des modes de vie en commun, à la ville comme à la campagne. Il doit s'occuper de tout cela, en fonction de son inspiration centrale qui figure en préambule de ses statuts. L'un des éléments de régénération du syndicalisme est de retrouver, à partir de son inspiration, une parole à dire, une proposition à faire sur tous les grands problèmes qui intéressent la vie quotidienne et la vie au travail des salariés. En même temps, il doit réfléchir aux conditions pour conserver le lien social qui fait la force d'une société. Mais, d'un autre côté, en tant que défenseur de toutes les catégories de travailleurs, au niveau de l'entreprise, il doit négocier les salaires et utiliser pleinement les possibilités qui lui sont offertes, notamment par les lois sur les nouveaux droits des travailleurs mises en place par le gouvernement Mauroy.

DW : *Oui, mais le syndicalisme a du mal à s'occuper des exclus et à les représenter.*

JD : C'est un autre sujet. Revenons à la question précédente : aujourd'hui, il y a plus de négociations au sein des entreprises et moins de discussions centralisées. Cela correspond à une évolution qu'il aurait été intéressant de noter. J'ai indiqué que le syndicalisme doit avoir une inspiration centrale, des finalités, des références à partir desquelles il se prononce, non seulement sur la défense des catégories sociales qu'il représente, mais également sur des grands problèmes de société qui conditionnent l'égalité des chances et les possibilités d'épanouissement de tous les citoyens. D'un autre côté, le syndicalisme doit négocier dans les entreprises et, là aussi, doit utiliser pleinement les possibilités qui lui sont offertes de manière à permettre aux travailleurs de devenir des acteurs conscients du travail.

Qu'est-ce qui, en effet, est en cause aujourd'hui ? Certains patrons modernistes disent : « La politique sociale de l'entreprise est avant tout une politique de communication. » C'est-à-dire que l'on veut renforcer le sentiment d'appartenance à la collectivité de travail, rendre les salariés fiers de leur entreprise.

DW : *Hier, on appelait cela les « relations humaines », et avant-hier, les « relations industrielles ». Parler de communication ne change pas grand-chose...*

JD : C'est vrai, mais je n'y vois pas d'objection, à condition que, d'un autre côté, le travailleur ne soit pas simplement un agent qui subit. Il doit pouvoir faire preuve d'initiatives individuellement, à son poste de travail, et collectivement, par l'entremise de ses représentants du personnel ou des représentants syndicaux. Ces deux formes de participation à la vie de l'entreprise sont des conditions pour en améliorer la compétitivité. Aujourd'hui, les formes tayloriennes de l'organisation du travail sont condamnées. Mais on ne peut pas remplacer « travaille sur ta chaîne et tais-toi » par « travaille selon les instructions et sois fier de ton entreprise ». Il faut que le travailleur se sente considéré et responsable. Sinon on dévalorise complètement le travail à un moment où certains, affirmant qu'il n'y aura pas d'emplois pour tout le monde, prônent la nécessité non seulement de libérer le travail, mais aussi de se libérer du travail ! C'est une thèse audacieuse et actuellement contre-productive, car elle encourage la société dans sa paresse, dans son refus de solidarité avec ceux qui n'ont pas de travail.

DW : *Le syndicalisme organise, par définition, ceux qui ont du travail. La difficulté majeure, depuis une quinzaine d'années en Europe, et particulièrement en France, est le chômage massif avec une question bien ancienne : le syndicalisme doit-il représenter les chômeurs ? De plus, une nouvelle catégorie sociale est apparue depuis une dizaine d'années : celle des chômeurs de longue durée, qui aboutit aux exclus. À partir de la définition classique du syndicat comme représentatif des travailleurs, comment résoudre cette question de l'exclusion ? Et surtout, comment faire pour que le syndicalisme s'occupe, comme vous le prônez, de questions plus larges comme celle du cadre de vie ? Autrement dit, pourquoi le syndicalisme, qui a toujours eu des difficultés à élargir son cadre d'action, même en pleine période d'expansion, le ferait-il quand il est confronté à un énorme problème de chômage et d'exclusion sociale ? Et doit-il élargir son cercle d'activités ?*

JD : Je distinguerais, pour un instant d'explication, le chômage de l'exclusion sociale. Je dirais que le syndicalisme doit absolument s'occuper des chômeurs. Il doit aller vers eux, en créant des sections locales, et non pas seulement des sections d'entreprise, en étant présent, comme un poisson dans l'eau, dans les quartiers. Je ne sous-estime pas l'ampleur de la tâche, mais il convient de le faire. À partir de là, le syndicalisme doit exiger la renaissance du Commissariat général du Plan, comme lieu de discussion sur le type de société que l'on veut, et la manière dont on va maîtriser les défis et les enjeux de l'avenir. Il doit, de la même manière, accepter la cogestion de la politique de l'emploi, surtout au niveau local, où l'on peut faire beaucoup pour créer de nouveaux emplois. C'est parce que le syndicalisme, en France, refuse toujours de cogérer qu'il est incapable de représenter l'ensemble des travailleurs. Y compris ceux qui sont au chômage. Il le pourrait à la condition qu'il ne considère pas la cogestion, comme il y a quarante ans, comme une caution donnée à un régime que l'on condamnait et comme un handicap dans la liberté d'action des syndicats pour défendre les intérêts des travailleurs ! C'était faux il y a trente ans, c'est encore plus faux aujourd'hui. Si le syndicalisme ne peut pas faire cette évolution, je crains beaucoup pour son avenir. Bien sûr, il sera toujours présent, il y aura encore des grands-messes entre le pouvoir et les syndicats, mais sans résultat concret, et leur influence ne fera que décliner. C'est un enjeu absolument vital, et chaque année perdue compte.

DW : *Et face à l'exclusion ?*

JD : L'exclusion sociale a plusieurs causes. L'une est le chômage de longue durée. Entrent aussi en jeu l'origine familiale et le lieu où l'on habite. On s'oriente vers une société des deux tiers, c'est-à-dire deux tiers qui sont dans le coup, qui peuvent espérer avoir un travail, ou qui en ont un, qui bénéficient pleinement de l'État-providence, et puis un tiers, oublié du travail, rejeté géographiquement, et oublié socialement. Ce tiers exclu se rappelle à nous, en envahissant les beaux quartiers et en cassant quelques vitrines. Tout le monde est scandalisé. Certes, c'est inacceptable du point de vue de l'ordre public, mais c'est un phénomène qui mérite une analyse plus approfondie et une autocritique de la part d'une société qui génère de tels phénomènes. Ce troisième tiers passe aussi à travers les mailles de la Sécurité sociale, il mérite donc un traitement spécial. N'oubliez pas non plus qu'il est composé, pour partie, d'enfants d'immigrés qui sont en quête à la fois de leurs racines et d'une appartenance à la société française. Que le syndicalisme s'associe à la recherche de solutions et à une action pratique, ce serait son honneur et ce serait aussi une source de rénovation. Il ne peut le faire qu'à condition de retrouver deux bases d'implantation, une base dans l'entreprise, une base dans les quartiers.

DW : *Qui devrait ensuite assurer cette prise en charge ? les partis politiques, l'ensemble des mouvements associatifs ?*

JD : Non, le syndicalisme a son rôle à jouer mais, à côté de cela, la lutte contre l'exclusion est un phénomène spécifique, car la société des deux tiers est un problème politique. Par conséquent, il y a toute une réflexion à mener pour empêcher la création de cette société des deux tiers. Dans le *Livre blanc* sur « croissance-compétitivité-emploi » que j'ai présenté en décembre 1993 au Conseil européen, et qui a été accepté dans ses grandes lignes, j'ai proposé une nouvelle solidarité entre ceux qui ont un travail et ceux qui n'en ont pas, tous les progrès de productivité allant à la création d'emplois et à l'investissement. J'ai voulu, sous une forme abrupte, qui aurait mérité sans doute plus de nuances – notamment en ce qui concerne les salaires modestes qui devraient être augmentés par priorité –, montrer qu'on ne luttera pas contre cette marche irrésistible vers la société des deux tiers par des petites mesures, par l'action humanitaire, par les seules organisations non gouvernementales. C'est un sujet politique essentiel.

Qu'est-ce qui est en cause ? La rupture du lien social dans son aspect le plus dramatique. Exemple le plus élémentaire de cette rupture du lien social ? Il est de plus en plus difficile aujourd'hui de retenir des travailleurs au sortir d'une entreprise ou d'une banque pour faire une réunion syndicale entre dix-huit heures et dix-neuf heures. C'est cela la rupture du lien social, qui met tant en difficulté les syndicats. Mais là où la rupture est dramatique, c'est dans l'exclusion. Toutes les expériences connues sont utiles car elles permettent de mieux connaître les raisons du mal. Si j'avais vingt ans aujourd'hui, je m'engagerais, comme en 1945, lorsque j'avais vingt ans, pour lutter contre l'injustice fondamentale, qui aujourd'hui prend forme dans l'ignorance, dans l'égoïsme, dans le contentement de soi, dans la bonne conscience d'une partie de la population.

DW : *Dans l'indifférence de cette société à trois vitesses, un autre problème se pose pour le syndicalisme, c'est la montée aux élections des représentants du personnel de listes non syndicales. D'autre part, dans l'exemple du conflit d'Air France, vous avez vu que, pour faire adopter le plan de réforme, un référendum a été organisé auprès des quarante mille salariés, en court-circuitant naturellement les syndicats. Il y a eu plus de 83 % de participation, et plus de 80 % des salariés favorables au plan ! Ce qui est intéressant dans ce sens, c'est l'augmentation de listes non syndicales, et, d'une manière générale, le fait qu'une partie des relations sociales se joue hors du syndicalisme. Y a-t-il là un risque pour la place du syndicalisme ?*

JD : Je ne peux pas établir une théorie générale à partir du référendum qui a eu lieu à Air France.

DW : *Que pensez-vous de cette initiative ?*

JD : Je pense qu'il ne faut pas en abuser, sauf si l'on veut accentuer le dépérissement du syndicalisme, car le problème essentiel pour le syndicalisme est de retrouver la représentativité et une certaine maîtrise des événements. Tout ce qui est en dehors du syndicat correspond soit à un renforcement, soit à une illustration d'une stratégie patronale, ou bien à l'éclosion de mouvements sociaux non contrôlés, dont je vous ai dit qu'ils ne savaient pas jusqu'où aller trop loin. On en revient toujours à la constatation de base : la faiblesse du syndicalisme est un extrême danger pour la santé d'une société. L'objectif n'est pas d'avoir une société sans conflits, mais d'avoir une certaine gouvernabilité. Alain Touraine illustre cela parfaitement dans son ouvrage *Qu'est-ce que la démocratie ?* [1] : « Nous sommes tellement habitués à parler de minorités, de marginalité ou même d'exclusion que nous oublions que ces termes contribuent à donner de la société une image pure de tout conflit essentiel. Ce qui réduit la démocratie à gérer les relations entre des demandes sociales dispersées et faibles et des exigences techniques et économiques auxquelles il est impossible de résister sans perdre sa compétitivité. »

DW : *À supposer que le syndicalisme résolve cette question de représentativité, quel pourcentage devrait-il y avoir dans l'avenir entre ces deux fonctions, expression et revendication, et d'autre part, capacité de négociation ?*

JD : Le conflit et la négociation sont les deux faces de la même monnaie. Eugène Descamps avait employé, dans les années soixante, le terme de « participation conflictuelle », qui expliquait bien la problématique syndicale. Il n'y a pas de société sans tensions ni conflits. Parfois le conflit doit éclater

1. Alain Touraine, *Qu'est-ce que la démocratie ?*, Paris, Fayard, 1994.

dans sa forme la plus brutale, non pas comme un exutoire mais comme la manifestation d'une opposition radicale entre les deux acteurs, ou bien comme expression d'un malaise, mais le jour vient pour la négociation. Le syndicalisme doit à la fois gérer le conflit et la manière d'en sortir, par la négociation.

DW : *Compte tenu de la tradition historique française, n'est-il pas utopique de penser que l'on puisse négocier en dehors des crises ?*

JD : Je répète que le syndicalisme français, malgré ses divisions, malgré le refus du face-à-face qui caractérise les relations industrielles en France, était capable, à un moment donné, de savoir arrêter un conflit et d'en tirer le meilleur pour le progrès de la société. Le déclin du syndicalisme ouvre des espaces plus larges à des conflits, sans possibilités de solutions ou bien avec un pouvoir politique qui se trouve en face de gens qui ont uniquement des droits à faire valoir, et ne sont pas aptes au compromis. Que fait le pouvoir politique ? Ou bien il résiste et l'on attend le prochain conflit, ou bien il cède et perd de son autorité, tout en affaiblissant le syndicalisme. Ce sont des situations extrêmement dangereuses pour l'avenir de notre société.

DW : *Deux dernières questions sur l'avenir du syndicalisme. Compte tenu de l'importance de la crise économique, et des effets de désocialisation qui en découlent en Europe, n'y a-t-il pas un risque de décrochage du rôle des syndicats dans leur représentativité ? Auprès des travailleurs comme des chômeurs ?*

JD : La situation du syndicalisme français est extrêmement difficile : diminution des effectifs, érosion de l'influence, maintien des apparences, tensions entre les différentes organisations syndicales. Tout cela se traduit par une diminution du pouvoir d'influence des travailleurs en général sur les relations du travail et sur l'évolution de la société. La situation est tragique, elle demande une prise de conscience et un redressement immédiats, n'en déplaise aux esprits conformistes qui se satisfont de la présente situation et des rentes qu'elle procure.

DW : *Les mêmes risques existent-ils ailleurs en Europe ?*

JD : Non. Dans les autres pays, le syndicalisme, bien qu'érodé par la situation de sous-emploi et l'évolution des valeurs de la société, résiste et continue à exercer une influence très importante, en Allemagne, au Danemark, en Suède et même en Italie.

DW : *Jusqu'à présent, dans l'histoire du travail, le syndicat était lié à une population et à un territoire. Aujourd'hui, les délocalisations, l'externalisation de l'entreprise conduisent non seulement à des multinationales, mais aussi à des entreprises éclatées sur différentes parties du territoire, voire sur différents pays. C'est un défi par rapport à la tradition du mouvement ouvrier, et par rapport à la tradition de la définition du rôle du syndicat. Quelle forme inventer pour adapter...*

JD : De même que les entreprises se sont mondialisées, le syndicalisme doit aussi se mondialiser. Et ne pas se limiter à l'appartenance à la confédération internationale des syndicats libres, mais trouver des formes de concertation et d'action. De ce point de vue, le texte que j'ai défendu, au niveau européen, sur l'information et la consultation des travailleurs dans les sociétés multinationales, va dans le bon sens, joue un rôle pilote.

DW : *Au niveau européen.*

JD : Oui, c'est déjà ça. Cela peut donner des idées pour une avancée à l'échelon mondial.

DW : *Les organisations syndicales y ont-elles été favorables ?*

JD : Toutes. Toutes ont soutenu cette proposition depuis vingt ans. Il a fallu dix ans de bataille, pour ma part, et un changement du traité pour l'obtenir. En ce qui concerne le niveau mondial et les dangers du dumping social, je peux vous dire que d'ores et déjà le syndicat allemand DGB ne s'oppose pas absolument aux délocalisations des entreprises de son pays, mais prend des dispositions pour faire en sorte que les conditions de travail, dans les filiales délocalisées, puissent être sous surveillance, et que des liens puissent être tissés entre les syndicats en Allemagne et les syndicats dans d'autres pays. Le syndicalisme ne doit pas continuer à accumuler des longueurs de retard sur l'évolution de l'économie qui se mondialise.

DW : *Je reviens un instant sur la situation française. Vous avez dit qu'elle était tragique. Après dix ans d'expérience du pouvoir socialiste, n'y a-t-il pas une responsabilité toute particulière de celui-ci dans la dégradation de la situation du syndicalisme ?*

JD : Je répète ce que j'ai dit. Dans la France telle qu'elle est constituée historiquement et sociologiquement, l'État a une grande part de responsabilité dans le devenir du syndicalisme. Autrement dit, l'État doit être l'animateur des relations industrielles, au sens étroit du terme, et des relations sociales, au sens général. Et c'est sans doute un des éléments constitutifs essentiels de la nation. C'est le champ d'action obligé pour le politique. L'État ne doit pas se substituer aux acteurs sociaux, mais les mettre en condition d'exercer leurs responsabilités.

Chapitre 3

La réforme

DOMINIQUE WOLTON : *L'engagement, chez vous, a toujours été synonyme de réforme. S'engager, non pour détruire la société fondée sur l'économie capitaliste, comme vous l'avez souvent dit, mais pour l'améliorer. Ce goût de la réforme que vous avez toujours revendiqué a longtemps été critiqué par votre famille politique, les socialistes ; ils y ont souvent vu une « insuffisance politique ». Ce qui m'intéresse ici, ce ne sont pas les réformes concrètes auxquelles vous avez participé, on en a évoqué certaines et on en évoquera d'autres dans les parties suivantes, mais plutôt de comprendre votre attitude à l'égard de la réforme. Plus exactement, quelle différence entre réforme et modernisation ?*

JACQUES DELORS : La réforme doit être dissociée de la modernisation. La réforme peut avoir plusieurs motifs. L'un peut être de moderniser l'économie, c'est-à-dire de l'adapter aux réalités du monde d'aujourd'hui et aux apports du progrès scientifique et technique. Un autre motif peut être d'améliorer le fonctionnement de la société, ou bien encore d'accroître les marges de manœuvre de chaque individu, de renforcer l'égalité des chances, d'améliorer la vie en commun, de renforcer la démocratie, bref la réforme peut s'appliquer à tous les terrains et il ne faut pas l'identifier au concept de modernisation.

DW : *L'image que l'on a de vous est plutôt celle de quelqu'un qui identifie réforme et modernisation.*

JD : Oui, je crois que cela plaît à certains de se faire appeler modernes. Être moderne, cela fait bien ! Je considère que la modernité est une notion extrêmement ambiguë et qu'elle cache plus souvent une soumission aux faits qu'une réelle inventivité.

DW : *N'avez-vous pas le sentiment de vous être parfois laissé enfermer dans la modernisation ?*

JD : Non, parce que, au lendemain de la guerre et pendant les années cinquante et soixante, il importait que la France épouse son temps. En ce sens, on pouvait employer le mot de modernisation. Nous avions des structures archaïques, incapables de survivre, dans les domaines économiques, sociaux et autres. Il fallait donc moderniser. Mais je refuse l'identification entre réforme et modernisation, d'autant plus qu'aujourd'hui on abuse du second terme. Si l'on veut discuter modernisation, discutons du couple dialectique tradition/modernité. Mais c'est un sujet différent.

DW : *Vous faites souvent l'opposition entre la dimension technique d'un problème et son analyse politique, pour distinguer ce qui relève du discours politique, idéologique, et ce qui relève d'une analyse rationnelle. Ce faisant, vous risquez toujours de tomber dans une approche qui exclut la dimension idéologique et politique d'un problème et qui devient technocratique. Comment arrivez-vous à distinguer la dimension technique de la dimension idéologique d'un problème de société ?*

JD : Je pense qu'il faut distinguer l'analyse des faits, leur poids, leur résistance au changement ou à l'action des hommes, d'une part, et d'autre part, la marge d'action que l'on peut avoir si l'on a fait une bonne analyse, si l'on est habile, si l'on sait persuader les intéressés. Voilà, je crois, la distinction à faire. Les faits ne doivent pas être colorés d'idéologie dans leur description. Ils peuvent l'être dans leur interprétation de l'Histoire et dans la manière de l'infléchir. Certes, la réflexion idéologique est vitale. À partir de cette double approche, on décide où on veut aller. Aussitôt se pose la question : comment le faire ? On ne peut réussir qu'en mettant en mouvement des acteurs : les membres d'une société doivent être les acteurs de leur propre changement. Aucun changement imposé d'en haut ne peut réussir durablement.

DW : *Il y a dans la vie politique française un homme dont vous avez parlé et qui a joué un grand rôle : Pierre Mendès France. Comme lui, vous êtes attaché à la réforme et ni l'un ni l'autre n'avez succombé à l'idéologie. Vous avez souhaité tous deux une approche démocratique et rationnelle de la réforme. Qu'est-ce qui vous rapproche de lui et qu'est-ce qui vous en distingue ? J'aurais tendance à penser que lui a beaucoup insisté sur la dimension du choix et que vous insistez davantage sur la dimension de la négociation.*

JD : Pierre Mendès France est l'un des personnages emblématiques de nos générations. C'est lui qui m'a fait passer de l'action par l'économique et le social à l'action par la politique. Il représente pour moi l'incarnation de ce que je considère comme fondamental dans l'action politique : l'honnêteté intellectuelle, la volonté d'expliquer, le refus de s'incliner devant les groupes de pression, la croyance dans des citoyens intelligents vis-à-vis de la chose publique. Bref, on retrouve là un peu la définition d'Alain, ce qui n'est pas étonnant puisque celui-ci est un des penseurs de la famille radicale. D'autre part, Pierre Mendès France a apporté de la rationalité, notamment dans le domaine économique, à un moment où la société française, déjà avant-guerre, s'enfermait dans les murs de la décadence, dans le refus d'une analyse scientifique des problèmes économiques. Il est l'homme politique qui a réhabilité, avant et après la guerre, la science économique comme aussi une science de l'action.

DW : *D'ailleurs, dès 1930, il avait écrit un livre sur* La Banque internationale. *Par rapport à vos responsabilités à la tête de l'Europe, c'est assez prémonitoire. Cela dit, y a-t-il quand même des choses qui vous distinguent de lui ?*

JD : Oui, il nous est arrivé, lors de nos entretiens, d'être en désaccord sur l'analyse de tel ou tel phénomène. Par exemple, je marquais plus de compréhension que lui pour la Ve République.

DW : *Oui, dans* Citoyen 60 *vous avez assez rapidement pris position pour l'élection du président de la République au suffrage universel.*

JD : J'ai voté oui au référendum de 1958 et à celui de 1962, pour cette raison. D'abord pour la réforme institutionnelle, qui allait donner plus de transparence et plus d'efficacité au système politique. Mais aussi parce que je pensais que le général de Gaulle – qui avait sauvé l'honneur de la France en 1940 – ne pouvait être partisan d'un pouvoir autoritaire. Et comme le montrent les articles publiés dans *Citoyen 60*, quelle que soit l'ambiguïté de la démarche, j'étais persuadé que lui seul pouvait trouver une solution politique et pacifique au drame algérien. Pour la réforme du système politique, j'avais trop déploré que les institutions de la IVe République, et l'usage qui en était fait, conduisent à l'instabilité gouvernementale, à l'impuissance dans l'action et au désintérêt des citoyens. Donc, pour en revenir à Pierre Mendès France, vous voyez qu'il y avait dans mes positions d'alors de nombreux sujets de controverse avec lui.

DW : *Le souvenir le plus fort qu'il vous reste de lui ?*

JD : Je pense que c'est – en dehors de la négociation de Genève pour arrêter la guerre d'Indochine et de sa visite en Tunisie, qui sont les deux points forts de sa trop courte présence au gouvernement – le dernier jour, lorsque, au grand dam de certains députés, il a voulu une dernière fois s'adresser à eux, après le vote de censure. J'ai vu là son désir de se faire comprendre, d'en appeler au peuple, d'en appeler à la raison civique, c'était très émouvant et en même temps très impressionnant. Cela me rendait d'autant plus incompréhensible son hostilité totale aux institutions de la Ve République.

DW : *Il n'a pas changé là-dessus...*

JD : Non. Mais il demeure pour moi l'homme démocratique par excellence. Homme d'État, mais grand artisan d'une rénovation de la démocratie, croyant au progrès de la société et au progrès des citoyens, à leur participation consciente à l'œuvre collective.

DW : *Vous avez été en contact et vous avez agi avec un autre grand réformateur, Jacques Chaban-Delmas. En juin 1969, il est nommé Premier ministre par Georges Pompidou, et de juin 1969 à août 1971 vous allez être son conseiller pour les affaires sociales et culturelles, et ensuite pour les affaires économiques et sociales. Avez-vous alors le sentiment de trahir ou de saisir une occasion ?*

JD : Le sentiment d'avoir saisi, au risque de trahir, une occasion. Dès qu'il fut nommé, Jacques Chaban-Delmas me tint à peu près ce langage : « J'ai déjà eu beaucoup de satisfactions dans ma vie publique. Je ne recherche donc pas les honneurs. Je veux prendre tous mes risques comme Premier ministre. » Et il les a pris. Nous avions été les témoins, tous les deux, des efforts désespérés du général de Gaulle pour instaurer une véritable participation des travailleurs. D'autres, qui furent, à cette époque, au cœur de l'État, expliqueront mieux que moi les résistances qui l'ont fait échouer et, dans une certaine mesure, conduit à se retirer après le référendum perdu de 1969. Jacques Chaban-Delmas se situe dans cette veine du gaullisme qui voulait transformer les rapports sociaux.

Cette orientation est une des dominantes de son discours sur la « nouvelle société ». Puis-je ajouter que, pendant ces trois ans passés auprès de lui, il ne m'a jamais demandé plus que mon expertise ? Et tout cela dans un climat de chaleur et de confiance qu'il savait créer au sein de ce qu'il appelait son équipe. Alors que, très vite, il allait affronter les réticences, puis l'hostilité d'une grande partie de la majorité censée le soutenir, il n'en resta pas moins, jusqu'au bout, fidèle à sa conception du gaullisme et à la ligne de la « nouvelle société ».

DW : *Étiez-vous nombreux à faire le choix ?*

JD : Non.

DW : *Combien ?*

JD : Une poignée. Une poignée de fonctionnaires de gauche qui, absolument abasourdis par la défaite cuisante des deux candidats non communistes aux élections de 1969, impatients de voir ce pays s'adapter à la nouvelle donne mondiale, et donc de se moderniser, avaient, après mûre réflexion, décidé de sauter le pas.

DW : *Ce qui vous intéressait le plus, était-ce la participation à la modernisation, ou l'introduction de réformes ?*

JD : On ne pouvait pas moderniser sans réformer. Vous ne pouvez pas opposer les deux termes. D'autre part, j'avais entrepris au Commissariat général du Plan une tentative pour rénover les relations industrielles en France, et je voyais là l'occasion de la poursuivre. D'autant plus qu'après les événements de Mai 68, la société était interloquée, désemparée et les hommes politiques, craintifs ou avides de revanche, notamment certains, à droite. Le climat était propice à l'introduction de deux ou trois réformes importantes. Pour ce qui me concernait au départ, j'avais en tête la politique contractuelle, la formation permanente et la lutte contre les inégalités.

DW : *Pour reprendre le couple réforme/modernisation, pendant ces trois ans, avez-vous le sentiment d'avoir pu faire davantage de réforme ou de modernisation ?*

JD : Au poste qui m'avait été confié, j'ai davantage fait de réformes que de modernisation. Mais je n'avais pas l'ensemble des portefeuilles en main. Et l'on n'a pas non plus laissé le temps à Jacques Chaban-Delmas de développer tous les aspects de son discours-programme de septembre 1969.

DW : *De votre discours-programme commun.*

JD : Non, de son discours, rédigé selon son inspiration et sa grande expérience de la société française.

DW : *À l'époque, vous reprenez les thèmes de Michel Crozier sur la « société bloquée » et vous allez, notamment par la politique contractuelle, puis par vos initiatives en matière d'éducation permanente, faire changer les choses. Pour la politique contractuelle, vous aboutissez à la signature des premiers contrats de progrès en décembre 1969, puis vous en faites signer un certain nombre – charbonnages, RATP – de 1969 à 1971. Le problème vient du fait que le gouvernement Chaban ne dure pas très longtemps. L'hostilité de la CGT complique aussi les choses. Au bout d'un moment, la procédure de politique contractuelle qui vous est très chère va se gripper. Avez-vous le sentiment que ce qui fut entrepris pour les relations contractuelles, dans les années 1969-1971, fut déterminant pour l'avenir ?*

JD : L'expérience n'a pas duré assez longtemps pour cela. Ce ne fut qu'une embellie. On a poursuivi ensuite les méthodes, mais cela ne suffisait pas à changer radicalement le climat des relations industrielles en France.

DW : *À propos de la réforme de la formation permanente, y a-t-il quelque chose que, rétrospectivement, vous auriez pu faire de plus net ?*

JD : Pour cela il aurait fallu que je ne démissionne pas de mon poste de secrétaire général à la formation professionnelle, en août 1973. Mais les règlements de comptes auxquels se livraient certaines personnes, ombres du régime, font que j'ai décidé de rompre. Je ne pouvais accepter ni les procès d'intention ni ma mise en tutelle par un secrétaire d'État, alors que j'étais rattaché directement au Premier ministre. Par conséquent, j'ai mis fin, par la même occasion, à ma carrière de haut fonctionnaire.

DW : *Dans le contexte de l'époque, auriez-vous pu faire avancer un peu plus votre réforme ou était-ce bloqué pour des raisons politiques ?*

JD : C'était la mise en œuvre qui était en cause, car elle est aussi importante que le cadre législatif et réglementaire. Or cette mise en œuvre impliquait la mobilisation de tous les acteurs. On ne réforme pas la société par décret, pour reprendre l'expression célèbre de Michel Crozier. Il y avait eu une préparation suivant la méthode qui est idéale pour moi : les partenaires sociaux s'étaient réunis, avaient abouti à l'accord interprofessionnel de 1970 sur la formation permanente. J'étais ensuite entré en négociation avec eux, et nous avions transformé cet accord en une loi, de façon à l'étendre et à montrer le caractère obligatoire de ce droit à la formation permanente. Le cadre était planté, les instruments existaient, il s'agissait ensuite pour l'État à la fois de piloter et de faire participer les différents acteurs. Je n'ai pas eu la possibilité de mener cette tâche jusqu'à son terme.

DW : *De votre passage au cabinet de Jacques Chaban-Delmas, quel bilan pouvez-vous tirer de la capacité à changer les relations sociales ? C'est un moment où vous avez été directement en prise avec une capacité d'action.*

JD : Pour résumer, j'ai dit qu'il s'agissait d'une embellie, mais enfin il faut revoir cette période et se pencher sur la méthode. Par quoi ai-je commencé ? Par une négociation entre l'État et les syndicats sur la revalorisation des catégories C et D de la fonction publique, c'est-à-dire les catégories les plus basses. Il y avait là deux sauts qualitatifs. Le premier : l'État acceptait de négocier avec ses fonctionnaires ; et le second : une volonté de lutter contre les inégalités. Ensuite, il a fallu s'attaquer aux bastions où les syndicats étaient très forts pour essayer de mettre en œuvre les procédures préconisées dans notre rapport sur la politique des revenus. Il existait des procédures qui associaient les syndicats, mais ce n'était pas vraiment la négociation. Nous avons négocié, mais nous étions en période de croissance, c'est-à-dire que l'on pouvait offrir des contrats avantageux. Avec cette idée qui m'est chère, associer les partenaires aux performances de l'entreprise, renforcer le sentiment de responsabilité de tous. Si la maison va bien, ils touchent davantage, si la maison va moins bien, ils touchent moins, leur salaire augmente moins.

À la suite d'une grève, nous avons commencé par EDF, qui était un bastion de la CGT. Nous avons obtenu qu'en contrepartie des avantages reçus les syndicats s'engagent à respecter un délai suffisant pour le préavis de grève. Tout cela n'était qu'un pas vers l'établissement d'un système de relations industrielles différent. Ce qui était culturellement le plus scandaleux pour beaucoup d'hommes politiques, à l'époque, c'était l'idée de la négociation avec l'État lui-même. À un Conseil des ministres, un homme politique célèbre de droite s'est scandalisé que l'État s'abaisse à négocier : « L'État est le responsable, il consulte puis il décide, mais il ne négocie pas. » C'était une véritable révolution culturelle. Tout n'a pas été facile par la suite, mais on peut dire que, jusqu'en 1972, le mécanisme ne s'est pas grippé. Comment les différents acteurs voyaient-ils cela ? Les responsables de droite étaient étonnés parce qu'il n'y avait plus de grève, il y avait la paix sociale. Les responsables de gauche, parmi les plus lucides d'entre eux, comme François Mitterrand, pensaient que c'était un feu de paille, qui ne pourrait durer, pour des raisons politiques : la majorité n'accepterait pas que l'on poursuive cette expérience, et il a eu raison. Quant aux organisations syndicales, elles y voyaient une augmentation de leur capacité à négocier, avec des avantages concrets pour le travailleur. La CGT ressentait sa participation aux négociations, et parfois à la signature des accords, comme une formidable contradiction entre son discours radicalement contestataire d'un côté et cette sorte de compromission à ses yeux que constituait, de l'autre, la signature. Mais enfin, voilà comment ont réagi les différents acteurs. Quand je suis parti, il en est resté deux choses. La première est que cette position nouvelle auprès du Premier ministre a subsisté, et a été remplie successivement par Yves Sabouret et par Raymond Soubie. Et, d'autre part, le cadre national de négociation a été gardé, notamment dans le secteur public.

DW : *Vous avez eu une influence ?*

JD : C'est ce que je voulais dire. Je pense qu'il faut le souligner, tout en disant que l'œuvre était inachevée.

DW : *Vous avez souvent dit : « Un système qui garantit de bonnes relations professionnelles est un système qui permet de connaître les aspirations, qui facilite la confrontation, qui permet la négociation et qui assure le progrès social. » Ma question est simple : où avez-vous déjà vu que cela existe ?*

JD : Dans d'autres pays. Mon action propre a été inspirée par une intime connaissance des modèles de relations industrielles, en Suède et dans l'ex-Allemagne fédérale, notamment. Ces modèles ne sont pas comparables, mais j'ai essayé d'en tirer ce qu'il y avait de mieux, et aussi d'adaptable aux spécificités françaises.

DW : *Oui, mais le contexte était différent. En tout cas, dans les années quatre-vingt, votre goût de la réforme continue. Je vais prendre trois exemples. Premièrement, dans un livre d'Échange et projets de 1981,* La Révolution du temps choisi, *vous avancez un thème auquel vous tenez beaucoup, celui du temps choisi. Avec plusieurs objectifs : la qualité de la vie sociale ; restaurer la ville, une politique d'investissements collectifs, et le travail en équipe. D'autre part, développer le tiers secteur. Ensuite, moduler les services avec les horaires creux. Enfin, permettre des échanges de temps. Vous avez mené, pendant près de dix ans, une longue bataille d'idées sur ce thème du temps choisi, avec des propositions de réformes. Quel bilan en faites-vous ?*

JD : Il faut voir que tout cela procède d'un itinéraire intellectuel que l'on peut résumer de la manière suivante : la comptabilité nationale a représenté, pour les spécialistes de l'économie en France, un progrès considérable. Elle permettait, par un tableau d'entrées et de sorties, de mesurer les progrès quantitatifs de l'économie française. Ce sont ces comptes de la nation qui servaient de base aux projections faites dans le cadre de la planification. À un moment donné, en parallèle avec notre effort pour essayer d'acclimater en France une politique de revenus, nous avions, au Commissariat du Plan, établi les bases d'une programmation indicative en valeur, c'est-à-dire en tenant compte des évolutions nominales des revenus et donc en mettant en lumière les liens avec l'inflation. Voilà donc un itinéraire intellectuel qui consistait, par une programmation indicative en valeurs, à mieux comprendre les flux des différents revenus et à fournir un cadre à une concertation très ambitieuse qui aurait amené les partenaires sociaux à se mettre d'accord sur des évolutions, correspondant à la fois à la croissance économique, à la lutte contre l'inflation et à une répartition souhaitée des revenus. Cet effort a été tué dans l'œuf par le plan de stabilisation de 1963, puis par les réticences manifestées, notamment par le Premier ministre de l'époque, Georges Pompidou, à l'égard des travaux qui ont suivi mon rapport sur la conférence des revenus. Mais vous imaginez que si nous avions aujourd'hui un tableau de bord indiquant les flux en volume et les flux en valeurs de l'économie française, nous serions mieux en mesure de savoir comment lutter contre les dérapages inflationnistes et contre les déséquilibres non souhaités en matière de répartition de la richesse nationale.

DW : *Pourrait-on faire encore cela en économie ouverte ? Le changement par rapport aux années soixante-dix est bien celui-là : la construction du marché européen n'était pas aussi avancée qu'aujourd'hui.*

JD : Même en économie ouverte. Ce qui est impossible en économie ouverte, c'est d'établir des programmations rigides.

DW : *Autrement dit, ce schéma intellectuel et politique que vous avez construit dans les années soixante vous paraît encore valable aujourd'hui...*

JD : Il peut éclairer la réflexion économique en liaison avec le débat politique et social.

DW : *Ce genre de politique est-il encore possible aujourd'hui avec la mondialisation ?*

JD : Oui, cette démarche était le reflet de deux préoccupations de nature différente. La première, une tentative pour mieux maîtriser l'évolution de l'économie, lutter contre l'inflation et aboutir à une répartition plus souhaitable des revenus. La seconde, d'enrichir l'approche de l'économie, pour ne plus avoir simplement des flux en volume, mais pour avoir aussi une connaissance des revenus et des mouvements en valeurs. L'objet, depuis cette période, a toujours été d'élargir la connaissance des phénomènes économiques et sociaux et d'en affiner la perception. Ensuite, j'ai publié l'ouvrage sur les indicateurs sociaux qui voulait montrer les limites de la comptabilité économique, et donc proposer quelques indicateurs pertinents concernant la situation sociale dans notre pays. Et mon ambition à l'époque était que, lorsque l'on présenterait le sixième Plan, on aurait donné, comme objectifs nouveaux, quatre ou cinq indicateurs économiques et quatre ou cinq indicateurs sociaux. Le mouvement de curiosité s'est ralenti, et on a fini par publier des statistiques sociales en les appelant « indicateurs sociaux », en oubliant que l'indicateur social est un indicateur synthétique procédant d'un travail d'élaboration intellectuelle ayant pour objectif de traduire une part de la réalité sociale.

DW : *On l'a pris au contraire comme une valeur statistique globale.*

JD : Voilà. On publie chaque année – c'est bien, d'ailleurs – des statistiques sociales mais ce ne sont pas des indicateurs sociaux. À la même époque, j'ai voulu, toujours à travers les comptes économiques de la nation, car c'est à partir de là que raisonnent les gouvernements, les hommes politiques et les experts, réhabiliter la notion de bien collectif, que j'avais mise en exergue dans mon rapport de 1961 au Conseil économique quand je représentais la CFTC. J'avais écrit : « Votre niveau de vie ne dépend pas seulement de l'argent que vous avez dans votre porte-monnaie et avec lequel vous pouvez acheter des biens et des services sur un marché, il dépend aussi de la qualité et de la quantité des biens collectifs à votre disposition : éducation, santé, transport, environnement urbain ou rural... » C'est cela qui avait séduit Pierre Massé et qui l'avait conduit à me demander de venir au Plan. Et ce rapport avait figuré sur la table d'un Conseil des ministres. À travers la notion d'équipement collectif, je ne faisais qu'essayer de rétablir l'importance des biens collectifs. Or, ces derniers ne sont pas évalués dans la comptabilité nationale de la même manière que les biens et les services particuliers. On ne les voit qu'à travers le poste « équipement collectif » ou « frais de fonctionnement ». J'ai demandé que l'on élargisse la comptabilité nationale de façon à ne plus avoir un poste « consommations privées » et un poste « consommations collectives ». En vain. C'était toujours l'idée d'avoir, à travers la comptabilité nationale qui, je le répète, est l'instrument sur lequel travaillent tous ceux qui font de l'économie, une vue plus exhaustive de la réalité économique et sociale.

DW : *Quel rapport avec la réflexion sur le temps ?*

JD : Parce que le niveau et la qualité de la vie dépendent des biens et des services que l'on peut acheter sur un marché, donc de son revenu net, après impôt. Ils sont liés aussi à la consommation des biens collectifs, et ils dépendent enfin du temps disponible. J'ai voulu réintégrer le temps dans le schéma économique. Et à ce moment-là, empruntant d'ailleurs une de mes idées au directeur des affaires sociales de l'OCDE, Gosta Rehn, j'avais proposé une banque du temps. Dans une société où la durée du travail, tout au long d'une vie, diminuerait, il était important que le temps devienne une valeur à laquelle on consacre sa réflexion. D'abord dans une évaluation quantitative. Ensuite on se serait penché sur la qualité du temps. Car entre le cadre supérieur, à l'époque, qui, ayant deux heures de liberté, avait le choix entre le tennis, le golf, le bridge ou un spectacle, et l'ouvrier, qui devait prendre sur ses deux heures une heure de transport pour rentrer dans une banlieue triste où il n'y avait qu'un bistrot, ouvert, l'écart était considérable. Donc, j'ai voulu travailler sur le temps, et, dans le club Échange et projets nous avons repris ces études. Nous avons ainsi publié *La Révolution du temps choisi*. Vous remarquerez que ce travail de pionnier redevient d'actualité puisque, aujourd'hui, avec l'aménagement et la réduction du temps de travail, la question du temps est à nouveau au centre du débat. Pour combien de temps, si je puis dire ?

DW : *Comment expliquez-vous que cette idée « révolutionnaire » du temps choisi ait été considérée comme une réforme banale et que l'on n'en ait pas vu l'importance ?*

JD : D'abord, pour qu'une idée rentre dans l'esprit des responsables de tous ordres, il faut du temps ! Il faut aussi qu'elle corresponde à une certaine nécessité. Par exemple, j'avais plaidé pour la politique contractuelle depuis 1950, mais dans l'indifférence. Il fallait un déclic. Ce fut en quelque sorte Mai 68, le désordre, les risques de morts, de conflits, des syndicats agressifs. Et c'était pour de mauvaises motivations que la droite tolérait l'action de Jacques Chaban-Delmas, afin d'assurer la paix sociale. Et non pour la motivation principale qui était la possibilité que les représentants des travailleurs, des entrepreneurs et de l'État, se concertant, gèrent les conflits et, en fin de compte, trouvent des compromis acceptables pour tout le monde. De même, pour la révolution du temps choisi, les propositions du club Échange et projets arrivaient trop tôt, n'étaient pas comprises. À quand le déclic ?

Quand, par exemple, j'ai lancé ces derniers mois le thème des quarante mille heures, c'était pour donner à la question du temps toute son ampleur. Ma position de départ est très simple : le progrès technique, dans les sociétés industrielles, s'est constamment traduit par une réduction du temps de travail. Le processus continue avec, notamment, les nouvelles technologies de l'information, qui vont bouleverser l'organisation du travail et de la société. En l'an 2020, celui qui aura la chance de travailler, au lieu d'y consacrer comme aujourd'hui soixante-dix mille heures dans sa vie, n'y consacrera plus que quarante mille heures. Que fait-on alors ? On attend que cela se passe spontanément ou bien on réfléchit dès maintenant pour essayer d'avoir un résultat optimal ? Je propose cela et, ce faisant, je dérange tout le monde. Ceux qui veulent faire rêver les gens avec la diminution du temps de travail débouchant sur la création de nouveaux emplois, et certains disent même : sans diminution de salaire ! Les conservateurs, qui se rendent bien compte qu'en mettant l'accent sur le temps choisi je mets le doigt sur les plaies de notre société : l'inégalité dans l'accès aux loisirs, l'inégalité dans l'accès à la qualité du temps, et donc à la possibilité d'épanouissement de chacun. C'est lié à une organisation de la vie, à notre manque d'attention pour le développement rural, et, généralement, à l'aménagement du territoire. Donc, je gêne ceux qui sont prêts à en découdre sur deux conflits simples : ceux qui trouvent absurde la réduction du temps du travail, et ceux qui la trouvent miraculeuse, car elle permettrait de réduire sensiblement le chômage.

Je dérange tout le monde et j'intéresse peu de gens. Il m'est arrivé la même histoire, on pourrait continuer, pour le *nouveau modèle de développement.* Je considère que la croissance des Trente Glorieuses est terminée. Par conséquent, dès 1975, j'ai rédigé des articles sur le nouveau modèle de développement, qui est dans la suite logique de tout cela : tenir compte des biens collectifs, du temps, de l'environnement, de l'accès à l'information – matière première essentielle de la société de demain –, de façon à avoir un modèle de développement plus respectueux des équilibres de l'homme et du capital nature. Depuis 1975, ou bien je m'exprime mal, ou bien cela ne passe pas. Et même pour le *Livre blanc* remis au Conseil européen, fin 1993, l'accueil sur ce thème a été mitigé. Sur les douze gouvernements, membres de l'Union européenne, un seul – le danois – a marqué de l'intérêt pour cet infléchissement majeur de notre modèle de croissance.

DW : *Cela ne vous donnerait pas envie de faire passer ces thèmes dans l'action ?*

JD : Je m'y efforce, mais cela ne passe pas. Peut-être parce que ma formulation n'est pas bonne, peut-être parce qu'il est incompatible de diriger la Commission avec ses multiples charges d'un côté, et, d'un autre côté, essayer de faire avancer des idées. Vous savez très bien que lorsque vous n'êtes pas en position de pouvoir, lorsque, comme c'est votre cas, vous n'êtes pas absolument obsédé par dix minutes de télévision, votre travail n'est apprécié que par un corps restreint de spécialistes. Vous aussi, dans les domaines qui sont vos spécialités, vous aimeriez que les idées passent, que des hommes de pouvoir s'en saisissent. En résumé, depuis le début des années soixante et après avoir été, avant 1968, un critique de la société de consommation, je m'efforce d'élargir le cadre conceptuel qui sert de référence à toutes les décisions en matière économique et sociale. Si un jour j'arrive à fournir de nouveaux éléments synthétiques et chiffrés de la réalité économique et sociale, alors regardera-t-on peut-être l'avenir différemment.

DW : *Une telle démarche permettrait-elle de relégitimer la logique politique ?*

JD : Oui, cela lui donne d'autres moyens. Autrement dit, dans cet effort, dont j'ai souligné les différentes étapes, avec ses pas en avant et ses échecs ou ses blocages, j'ai voulu vous montrer combien – et cela devrait être un réconfort pour les intellectuels eux-mêmes, pour les hommes de sciences –, combien, par un travail proprement intellectuel, sans même parler de l'idée politique de réformes, en regardant simplement la réalité, on peut la changer. Et, comme disait Pierre Massé à propos du cinquième Plan, « réfléchir et agir à partir d'une vision moins partielle de l'homme ». Cette formule est superbe. Simplement parce que, à l'époque, on avait ajouté les équipements collectifs, c'était mon premier pas. Vous voyez tout ce qu'il reste à faire et c'est cela qui est formidable dans la vie. On peut changer la politique par une vision de la société, on peut changer la politique par des idées de réforme, on peut changer la politique par un discours, mais on peut aussi changer la condition de l'homme et de la société par la recherche et le travail intellectuel.

DW : *Il y a une telle crise sociale, culturelle, politique liée au chômage, à l'exclusion, à l'impact des nouvelles technologies sur la division et l'organisation du travail, qu'une bonne partie des thèmes que vous avez avancés depuis trente ans sur le temps pourraient être entendus.*

JD : La philosophie d'une telle entreprise se résume à un slogan : « voir loin et large ». Voir loin, c'est-à-dire anticiper sur l'avenir, essayer de dégager les tendances lourdes et les faits porteurs d'avenir. Voir large, c'est-à-dire ne pas rester dans des schémas d'analyse qui fournissent une vision de plus en plus tronquée de la réalité de nos sociétés.

DW : *Dans les autres projets de réformes que vous avez portés, un thème, hélas, n'a pas eu de succès jusqu'à présent : c'est la proposition concernant le tiers secteur. Dans un numéro de* Échange et projets *de mars 1981, vous écriviez : « L'avantage du tiers secteur, c'est qu'il peut permettre de promouvoir une économie triangulaire entre une économie de marché, nationale ou internationale, et les administrations du secteur public et le tiers secteur. » Comment expliquez-vous que ce thème du tiers secteur, qui aurait pu, dans la crise, retrouver un certain intérêt, reste pour l'instant l'objet de peu d'attention ?*

JD : J'ai cru tout d'abord que, dans la foulée de Mai 68, se créerait une nouvelle classe d'innovateurs et d'entrepreneurs, puisque ces événements étaient dans le fond au carrefour de l'affirmation de l'individu et d'une volonté de prendre soi-même les choses en main. C'est-à-dire dans le droit-fil autogestionnaire. Par conséquent, j'avais pensé qu'il se créerait une politique de l'entreprise d'un type nouveau, et pas simplement pour reprendre les activités existantes comme à Lip, qui a été un beau combat. Et je me suis demandé comment créer un concept puis un environnement législatif et financier qui permettent d'ouvrir cette brèche. On voyait des jeunes qui voulaient s'installer réparateurs de motos, on en voyait d'autres qui souhaitaient rendre des services à leurs voisins. Bref, il y avait toute une gamme de possibilités. Et malheureusement, cela n'a pas suivi. Dans mon activité de directeur du Centre de recherche « Travail et Société » à l'université de Paris-Dauphine, j'ai mené une étude, pour le compte de la Commission européenne, sur le troisième secteur, pour essayer de voir comment on pourrait le définir et le rendre attractif.

Dans les années soixante-dix, j'ai publié quelques articles, mais sans grand prolongement. Pourquoi ? Sans doute parce que ceux qui auraient pu être les héritiers de Mai 68 et promouvoir cette innovation se sont noyés dans la société classique et dans l'économie de marché. Ou bien parce qu'ils sont devenus d'honorables enseignants et fonctionnaires comme leur papa et leur maman. Le mouvement social n'a ni précédé ni suivi le concept. Cependant, je crois qu'il est toujours valable pour les raisons suivantes. Premièrement, l'économie de marché, même mondialisée, ne permet pas de rentabiliser certaines activités qui sont pourtant utiles et viennent combler les trous créés par l'obsession de la rentabilité et du profit. En second lieu, l'administration voit son rôle limité par le manque de ressources. Il y a donc une marge entre les deux, un avenir pour le troisième secteur. Quand j'y ai réfléchi pour la première fois, j'étais toujours dans la pensée autogestionnaire et la revendication de l'autonomie de la personne face aux grands appareils, aux grands systèmes et à ce marché en voie de se mondialiser. Mais je ne désespère pas, lorsque je vois ce qu'il se passe dans les quartiers défavorisés : que fait-on si ce n'est essayer de créer des entreprises du troisième secteur ? Quand je saute la barrière et que je reviens chez les classiques et les conservateurs, de quoi parle-t-on ? D'alléger les charges pesant sur les artisans, les entrepreneurs et les petites entreprises. Par conséquent, il y a une intuition générale pour faciliter aujourd'hui l'émergence de telles innovations. Et quand elles ont réussi, trouver les financements nécessaires pour les poursuivre.

C'est pourquoi je continue à penser qu'un troisième secteur fortement structuré donnerait un autre visage à notre système économique et à notre société.

DW : *Ne craignez-vous pas que la formule « troisième secteur » arrive à s'imposer sans que l'on vous en attribue la paternité ?*

JD : Peu importe, mais je vais continuer à y travailler en me fixant sur une autre idée. Reprenons la dichotomie secteur administratif/secteur de l'économie de marché. Entre les deux, de nombreux services sont rendus, soit gratuitement au sein de la famille ou entre voisins ou amis, soit financièrement dans le cadre de ce que l'on pourrait appeler l'« économie parallèle ». La question est de savoir si le changement des structures familiales, la mutation des relations de voisinage, le repli sur soi-même, la diminution de l'influence des communautés traditionnelles comme les Églises, et même la vie associative ne vont pas conduire à une anomie de ces activités tierces, qui permettent de satisfaire à de nombreux besoins humains. Cela peut être une nouvelle chance pour le troisième secteur.

DW : *La crise pourrait donc servir à relancer ce troisième secteur. Troisième exemple : une réforme qui a réussi et a rencontré l'écho des pouvoirs publics et des forces politiques, c'est la réforme de l'entreprise. Vous y avez, avec Bloch-Lainé, contribué largement. L'entreprise a d'ailleurs été, si je puis dire, relégitimée, y compris par la gauche qui l'a découverte avec une certaine naïveté. Cette réforme de l'entreprise est un acquis par rapport à il y a trente ou quarante ans. Y a-t-il une autre forme de réforme pour l'entreprise à entreprendre ou le problème est-il réglé ?*

JD : Non, le problème n'est pas réglé. Il est évident que dans les années soixante, sous l'impulsion de François Bloch-Lainé, et de bien d'autres, on a cherché à penser l'entreprise, pour que chacun y soit à son aise et y ait le sentiment d'être un acteur respecté et participant. Les propositions de réforme étaient parfois audacieuses, mais elles se heurtaient aux réticences de ceux qui avançaient des arguments, soit au nom de l'efficacité, soit au nom de la lutte des classes, soit au nom du principe d'autorité ! On ne peut pas dire que la réforme de l'entreprise ait été faite. Ce qui a changé, c'est que l'ensemble des Français a adopté vis-à-vis de l'entreprise une attitude claire et positive : l'entreprise est considérée comme un lieu de création de richesses, l'élément indispensable sans lequel il n'y aurait ni progression ni préservation du niveau de vie. Au lieu d'avoir cette bataille idéologique entre les partisans de l'entreprise privée d'un côté, et les pourfendeurs de ladite entreprise de l'autre, les tensions se sont maintenant largement apaisées. Chacun reconnaît – c'est une culture moderniste – que l'entreprise a un rôle essentiel à jouer dans une économie de marché pour susciter les innovations et promouvoir le bien-être. Mais cela ne règle pas les problèmes à l'intérieur de l'entreprise. Ce qui est à penser à l'intérieur de l'entreprise, c'est l'épanouissement progressif de chacun dans son travail, ce qui d'ailleurs rendrait nos entreprises encore plus performantes. Il y a également dans cette orientation comme un parfum d'autogestion.

DW : *Prononcez-vous encore le mot « autogestion » ?*

JD : Oui.

DW : *Il a plutôt disparu du discours politique, en vingt ans.*

JD : Oui, je continue à le prononcer, notamment pour le troisième secteur. Mais il est vrai qu'en dehors du système allemand de cogestion qui continue à relativement bien « fonctionner », toutes les initiatives tendant ailleurs à des formes de cogestion ont échoué. En Suède, où la tradition est pourtant de progresser par la voie contractuelle, une loi a paru nécessaire. Les résultats ne sont pas très probants. Partout ailleurs, on a échoué et on en est maintenant revenu à des schémas classiques. D'un côté le chef d'entreprise, de l'autre côté le comité d'entreprise ou des représentants du personnel, qui sont confinés dans des tâches, soit de défense des intérêts des travailleurs ou de leurs conditions d'hygiène, de santé, de sécurité sur les lieux de travail, soit à la gestion des œuvres sociales, soit à une information régulière et plutôt formelle sur les conditions d'activité. Il n'y a plus dans le mouvement syndical français, et je le regrette, de poussée en vue d'une réforme de l'entreprise. Si l'on veut parler de démocratie économique, il faut admettre que celle-ci reste à faire, après la démocratie politique, et après la démocratie sociale. Il n'y a pas beaucoup de gens pour proposer dans ce domaine. L'autorité, l'indépendance et l'autonomie du chef d'entreprise sont reconnues. Les travailleurs assument leur tâche. Les représentants syndicaux font ce qu'ils peuvent. Mais nous sommes dans une période de basses eaux et on peut dire que le thème de la démocratie économique a disparu des programmes et des aspirations.

On pourrait terminer en disant que l'on ne peut pas faire le bonheur des gens malgré eux. Si les travailleurs et leurs représentants n'ont plus d'appétit pour prendre davantage de responsabilités dans l'entreprise, pourquoi serais-je le luron de service qui viendrait s'avancer ? Comme disait un communiste, « jamais plus de deux pas en avant de la classe ouvrière », alors jamais plus de deux pas en avant des travailleurs. Mais c'est bien regrettable, car je ne crois pas qu'une bonne politique de communication, aussi nécessaire soit-elle, puisse remplacer, dans la société de demain, une participation authentique des travailleurs ! Nous allons, en effet, vers des formes d'organisation du travail qui sollicitent de plus en plus l'engagement personnel du travailleur. Et cette question-là n'est pas résolue. Autrement dit, compétitivité et participation ne sont pas antagonistes mais complémentaires, et beaucoup plus qu'à l'époque du taylorisme. Ceux qui obtiendront le plus de succès seront ceux qui arriveront à mobiliser leurs travailleurs. Alors y a-t-il encore un mode capitaliste et un mode socialiste pour encourager la participation active des travailleurs ? Sans doute, mais pour cela il faut qu'il y ait une base sociale qui « bouge ». Or, pour l'instant, c'est, encore une fois, morne plaine. Je le regrette, mais je considère que l'entreprise française, avec ses systèmes de commandement, et malgré les progrès réalisés, ne tire pas encore le maximum de la seule richesse qui compte : l'homme ou la femme au travail. Il y a là tout un chantier à reouvrir.

DW : *On a légitimé l'entreprise comme lieu de production et lieu de richesse, mais pas comme lieu de richesse sociale.*

JD : Oui, l'innovation, c'est très bien. Je n'ai jamais été contre. Je défendais l'entreprise dans les années cinquante, dans les petits partis de gauche que vous connaissez, quand un célèbre homme politique socialiste m'avait traité de « produit aberrant de la pensée bourgeoise ». Je n'en suis que plus à l'aise pour dire aujourd'hui que l'on pourrait faire mieux. Encore faut-il qu'il y ait des acteurs ! Et une politique d'information en profondeur sur les réalités économiques et sociales.

DW : *La médiatisation peut avoir un effet pervers.*

JD : Absolument. Je m'inquiète un peu de ce qui se passe ces temps-ci où l'on consomme les faits comme on mange un « Mac Donald ».

DW : *Les médias comme recours contre la logique d'entreprise ?*

JD : Non, les médias font d'un chou un jardin complet. Là aussi il faut arrêter de consommer d'une manière effrénée les faits, d'en tirer tout de suite des conséquences définitives et de les oublier le lendemain. Ce sont toujours les inconvénients de la « fast-food policy ». Comme il y a trente ans, je crois à l'entreprise, comme lieu de création de richesses, lieu d'innovation, lieu de réalisation pour des hommes et des femmes qui y travaillent, et je considère qu'il y a encore beaucoup à faire pour en arriver là. Mais encore convient-il que ceux qui travaillent et ceux qui représentent les travailleurs fassent des propositions concrètes et aient envie de changer ! Et non pas qu'ils aient un langage pour les congrès annuels et une autre pratique dans les entreprises. D'ailleurs, je reste sur la douloureuse expérience de l'éducation permanente, où les syndicats auraient pu devenir les cogestionnaires de cette éducation permanente et où, dans une dichotomie facile entre formation utilitaire et formation désintéressée, ils se sont évadés et ont fui leurs responsabilités.

DW : *Par contre, les marchands, eux, ne se sont pas évadés.*

JD : Non.

DW : *Ils ont très bien trouvé leurs marchés.*

JD : Y compris les marchands de soupe.

Chapitre 4

Crises et conflits

DOMINIQUE WOLTON : *Il y a trente ans, on ne pouvait pas faire grand-chose à cause de l'inflation ; aujourd'hui, on ne peut pas faire grand-chose à cause de la crise ; quand pourra-t-on faire quelque chose ?*

JACQUES DELORS : La réforme pour la réforme n'est pas un objectif pour moi. Il est de bon ton en politique de parler de rupture, de nouvel horizon, de changement de perspective. On le verra à nouveau à propos de l'élection présidentielle, mais que de mots, que de mots ! En réalité, la réforme n'est utile que lorsqu'elle s'impose aux yeux de certains responsables et qu'ils peuvent faire partager leur sentiment à une majorité des acteurs. Après tout, une société peut très bien ne pas faire de réformes pendant dix ans et aller vers plus de progrès.

La réforme a été un mot clé, vous avez raison de le prononcer, depuis 1945, mais, aujourd'hui, on aurait tendance à en faire une incantation et ensuite de voir la montagne qui accouche d'une souris. Pas plus en 1950 qu'aujourd'hui, les Français et les Françaises ne sont prêts à accepter des réformes. Il faut leur expliquer, les convaincre et ensuite les rendre acteurs de leur propre changement.

DW : *La difficulté de réformer reste aujourd'hui la même qu'hier, alors que le contexte a changé. Hier, la réforme était freinée par les idéologies : mieux valait accentuer les contradictions du système plutôt que de les réduire. Aujourd'hui, il n'y a plus d'idéologies, mais il n'y a pas davantage de goût pour la réforme. Est-ce à dire que, pour exister, la réforme a toujours besoin de s'opposer à quelque chose ? Quand elle s'oppose, elle ne passe pas, mais quand il n'y a pas d'opposition, elle ne passe pas mieux. Bref, peut-on dire que la crise et les idéologies ont eu raison, en partie, du courant réformiste dont vous êtes en France l'un des principaux porte-parole ?*

JD : Si l'on comprend le message suivant lequel la réforme pour la réforme ne s'impose pas, alors on en vient aux réformes souhaitées et aux obstacles. Ces obstacles restent toujours de trois ordres. Il y a le révolutionnaire déclaré ou implicite, qui considère que la réforme est une manière de conserver l'ordre existant : ce type d'obstacle a diminué largement avec la perte des illusions, notamment au cours des années quatre-vingt. Le deuxième adversaire de la réforme rassemble les conservateurs, qui considèrent, à tort ou à raison, que l'ordre existant est le moins mauvais, sinon le meilleur possible. Et ils sont toujours aussi habiles pour maquiller leur refus par des propos désenchantés sur le prétendu conservatisme des Français. Et le troisième obstacle à la réforme vient de la part de ceux auxquels la réforme bénificierait, qui ne s'en rendent pas compte et qui par conséquent la refusent.

Et c'est tout l'art de la politique que d'expliquer aux citoyens que cette réforme est évidente et nécessaire. Nous sommes là au cœur de la difficulté politique. Comment dessiner un projet ? Le faire accepter en montrant non seulement les objectifs mais les voies et les moyens, pour le faire passer dans les faits en mobilisant ceux qui doivent agir. C'est toute l'ingénierie sociale qui est en cause. Mais, pour cela, il faudra tenir aux Français un langage de vérité. Par exemple, on ne peut pas leur promettre à la fois le maintien des avantages procurés par la Sécurité sociale et l'État-providence d'un côté, et d'autre part, la réduction des impôts directs, en même temps que la lutte contre le chômage. C'est incompatible. Pour lutter contre le chômage il faut, en particulier, mais pas seulement, diminuer les charges qui pèsent sur les salaires, notamment les salaires les plus bas, et si l'on ne veut pas réduire les avantages de la Sécurité sociale, les financer d'une autre manière. Et il n'y a que trois façons de les financer : l'augmentation de l'impôt direct sur les revenus, qui est un geste civique (je vous rappelle qu'en France un foyer sur deux ne paye pas d'impôt sur le revenu) ; l'augmentation de la TVA qui, bien entendu, freine la consommation ; ou bien un impôt sur le CO^2 qui serait en même temps un instrument pour diminuer la pollution et transmettre aux générations futures un meilleur capital-nature. Il n'y a pas d'autre moyen. On ne peut pas avoir à la fois, comme on dit, le beurre et l'argent du beurre. Ce n'est qu'une illustration parmi d'autres des difficultés du langage politique de la réforme et, en quelque sorte, de la misère de la politique.

DW : *Face aux difficultés actuelles des partis politiques, à l'effacement des syndicats et aux difficultés de l'entreprise, l'État n'est-il pas paradoxalement le meilleur garant de la réforme ?*

JD : Oui, mais pas un État qui fasse de l'anémie graisseuse parce qu'il veut s'occuper de tout et qui, en réalité, n'impulse ni ne maîtrise rien.

DW : *Comment voulez-vous qu'il ne « s'engraisse » pas quand on voit cette tendance à la bureaucratie depuis la guerre ?*

JD : Par la décentralisation, c'est-à-dire par des pouvoirs reconnus aux collectivités régionales et locales. De ce point de vue, en France, même si c'est un sujet explosif, un débat devra s'engager sur la simplification des structures décentralisées, allant même jusqu'à poser l'option : la région ou le département comme échelon politique doté de pouvoirs clairement définis pour tout ce qui concerne le développement économique et social. Réduire la centralisation, c'est aussi accroître la responsabilité des partenaires sociaux. L'État peut jouer un rôle utile en se dépouillant, en devenant l'État-partenaire. Le premier objectif est la promotion de l'État-décentralisateur, le second est la promotion de l'État-partenaire. Une fois ramené à ces tâches essentielles, outre celles de sécurité intérieure et de justice, l'État doit à la fois préparer l'avenir, en se concentrant sur les grandes tâches de l'intérêt collectif que sont l'éducation, la santé, l'aménagement du territoire, et, d'autre part, proposer au pays un projet de société assez large, assez ouvert, pour que toutes les forces sociales et tous les citoyens puissent – s'ils le souhaitent – y apporter leur pierre.

DW : *Vous pensez que c'est possible ? sérieusement ?*

JD : Sans de telles mutations, la France risque de perdre de sa puissance, de sa marge d'autonomie et de son bien-être. Car, autour de nous, le monde explose de tous les côtés, avec des forces plus ou moins régulées, d'autres plus ou moins sauvages. Le monde est dur et, face à ce monde dur, nous nous en sortons par l'exploitation de certains Français par d'autres. C'est inacceptable ! L'alternative consiste en davantage de participation politique, démocratique, économique et sociale. Et c'est cela l'esprit du projet. Plus de conscience morale, plus de vertu civique et avec un pouvoir qui donne l'exemple. Et ce pouvoir doit savoir se dépouiller de tout ce qui le sépare du citoyen, c'est-à-dire l'arbitraire, l'excès de tutelle, l'excès de réglementation et d'administration, le manque de transparence, la distance vis-à-vis des citoyens. Lutter contre cette dimension monarchique du pouvoir en France qui plaît tant à une partie des Français, et qui rend si difficile la réforme. Il faut un État à la fois fort et proche du citoyen. Fort dans ses prérogatives, dans les signaux qu'il délivre ; proche dans sa capacité à entendre les aspirations des citoyens, grâce au renouveau du Parlement, de la planification, du dialogue social. Bref, un État fort et capable d'accueillir les autres, puisqu'il ne peut pas y avoir de progrès sans une participation active des citoyens. L'autre alternative est une société de consommateurs, une société où les quatre cinquièmes des citoyens considèrent le travail comme une tâche ennuyeuse, mais s'en félicitent quand ils voient le nombre des chômeurs. Une société des deux tiers où l'égoïsme implicite fait que l'on ne s'occupe pas du tiers laissé au bord de la route. Ce scénario sinistre est possible. C'est un des grands enjeux politiques des années à venir. Pour cela, et c'est là où une partie des forces de gauche a tort en se cramponnant exclusivement aux avantages acquis, il faut redonner vie au beau concept de solidarité. Il ne faut pas simplement considérer que tout cela est acquis, que l'on a des droits, des créances. On a aussi des responsabilités. Et une société ne vit que par l'animation de ceux qui, consciemment, œuvrent pour une société ouverte à tous, plus solidaire, plus cohésive.

DW : *Plus modestement, qu'est-ce qui a changé dans votre conception de la réforme, entre-temps ?*

JD : Aujourd'hui, je la considère, bien entendu, comme plus difficile à réussir qu'il y a trente ans. Et d'autant plus que les réformes que j'avais dans la tête sont devenues le patrimoine commun d'à peu près toutes les forces politiques. Aujourd'hui, l'approche des réformes me distingue, sans doute, de la majorité de la classe politique dans la mesure où ce sont des réformes qui ne correspondent pas au spectacle habituel des oppositions politiques. Je me situe à côté ou en dehors, et je pense qu'il faut redonner de l'animation et de l'âme à tout cela, en conférant leur véritable sens aux mots « solidarité » et « citoyenneté ». La réforme à faire aujourd'hui est encore plus subtile car, plus qu'hier, elle dépend des mœurs, des mentalités, de la conscience civique des acteurs. Mais il ne faut pas non plus désespérer de la qualité du système éducatif, du tonus de la vie démocratique, du rôle que doivent jouer les parlementaires. Ceux-là ne doivent pas être de simples assistantes sociales, mais de véritables législateurs en liaison avec l'exécutif. Bref, plus de démocratie authentique peut contribuer à faciliter des réformes indispensables dans un sens ou dans un autre. Les miennes sont résolument de gauche parce que je crois au progrès relatif de l'homme et de la société sur eux-mêmes.

DW : *Le symétrique de la réforme est naturellement le conflit social, et la question qui vient à l'esprit est : le débat social, notamment dans un pays comme la France, peut-il être dédramatisé ? Les conflits sociaux ne sont-ils pas le seul vrai moteur du progrès social ? D'autant qu'une bonne partie des syndicats n'accepte les progrès qu'à la suite d'affrontements ?*

JD : La vie collective est parsemée de conflits. Il faut les accepter, non les provoquer. Je ne crois pas qu'un homme politique soit assez habile pour provoquer un conflit qui permettrait d'accoucher d'une réforme. Ceux qui se vantent d'avoir provoqué un conflit pour cela sont des politiciens qui – ne voulant jamais reconnaître leurs erreurs – rationalisent, *a posteriori* et à leur profit, ces erreurs. En revanche, il ne faut pas absolument tout faire, y compris des bêtises, pour éviter le conflit.

Le conflit doit exister, car il est le révélateur des difficultés d'une société dans sa recherche inconsciente d'un vouloir-vivre ensemble, malgré des oppositions d'intérêt ou d'égoïsme. Le conflit n'est pas l'antagoniste de la réforme. Des conflits peuvent empêcher des réformes, mais le conflit fait partie de nos sociétés et lorsque l'on refuse qu'il apparaisse, alors on risque l'explosion ou l'atonie, et dans les deux cas les résultats sont désastreux.

DW : *Que pensez-vous de cette phrase d'Alain Touraine : « Nous souffrons presque partout d'un manque de conflits, ce qui crée une ceinture de violence autour d'un système politique qui se croit pacifié parce qu'il a transformé ses revendications internes en menaces extérieures et parce qu'il est plus préoccupé de sécurité que de justice et d'adaptation que d'égalité*[1]. »

JD : Je pense que l'on ne peut pas soutenir que la société a transféré ses fantasmes de l'intérieur vers l'extérieur. Cela dit, une société ne peut pas être bien portante lorsqu'elle refoule à la périphérie ses principaux facteurs de conflit comme l'exclu-

1. Alain Touraine, *Qu'est-ce qu'une démocratie ?*, *op. cit.*

sion sociale ou bien lorsqu'elle plonge les citoyens dans l'indifférence, comme simples consommateurs de faits tragiques mondialisés, que l'on oublie du jour au lendemain. Par conséquent, cette société doit être sans cesse réveillée. Il vaudrait mieux que l'immense classe moyenne, qui constitue 70 % de la société, se rende compte qu'elle ne pourra pas vivre bien longtemps dans la quiétude et l'indifférence. D'ailleurs, le chômage massif est là pour le rappeler cruellement. M. Dupont est dans la classe moyenne, il a acquis son logement, sa voiture, ses vacances assurées, sa protection sociale, oui, mais que va devenir son fils ? Il a eu deux chocs à propos de son fils ou de sa fille. Le premier choc, c'est qu'il n'est pas sûr que son fils ou sa fille ait dans la société de demain une position sociale supérieure à la sienne, alors que notre société a connu un processus ascensionnel pendant trente ans. Et, en second lieu, il est même possible que son fils ou sa fille soit au chômage et ne connaisse jamais une vie professionnelle réussie. Donc, même ceux qui, aujourd'hui, vivent dans cette douce quiétude doivent être réveillés. J'espère que le prochain candidat à l'élection présidentielle présentera une charte non seulement des droits, mais aussi des devoirs du citoyen.

DW : *Peut-il y avoir un dialogue social, sans risque de conflits, dans une société à trois vitesses ? Avec un tiers d'exclusion ?*

JD : Le dialogue social n'est pas fait pour éviter le conflit. Il a pour but de permettre une participation plus active de chacun à la société, et donc un renforcement des chances de réussite collective. Mais les phénomènes d'exclusion sociale portent en eux, non pas des risques de conflits, mais des risques d'explosion pure et simple : la déchirure du lien social. L'exclusion sociale, c'est magnifique pour ceux qui jouent sur le sentiment sécuritaire, jusqu'au jour où les sociétés se rendent compte qu'à force d'espionner les citoyens, d'accroître les forces de police, de chasser les immigrés et d'interdire les manifestations, le mal demeure. Car le mal est dans le refus d'une société d'assumer ses responsabilités, les choses étant ce qu'elles sont. Et c'est dans ce sens que votre question de départ est juste. Qu'est-ce qu'un « sécuritaire », sinon quelqu'un qui veut absolument désarmer le conflit par de fausses solutions, un peu comme une famille qui aurait un enfant anormal le ferait vivre à la cave ? Ce n'est pas possible, c'est insoutenable, ce n'est pas comme cela que l'on construit une société. Bien entendu, toute société a besoin d'un minimum d'ordre, de règles du jeu. Mais, actuellement, l'exclusion sociale et la peur de l'immigration servent de prétextes à tous ceux qui jouent sur le phénomène sécuritaire, c'est-à-dire sur le comportement petit-bourgeois, le « beauf universel », pour reprendre une expression classique. Celui qui veut être « tranquille », et qui demande à la politique d'assurer sa tranquillité. Il veut bien voir les horreurs au Rwanda ou en Bosnie, ou en Somalie, sur l'écran de sa télévision, mais il s'impatiente de ce que font les hommes politiques, car il veut pouvoir passer ses vacances, tranquille, au Club Méditerranée ou ailleurs. Et, à un moment donné, le système craque, car la vie n'est un long fleuve tranquille pour personne.

DW : *Pour conclure, je voudrais avoir votre réaction sur trois enjeux importants : les nouvelles valeurs qui aujourd'hui justifieraient un engagement ? la question des rapports à reconstruire entre syndicats et partis politiques ? quelle relation entre l'analyse et l'action ?*

JD : Prenons d'abord votre première question. Nous devons évidemment tenir compte des bouleversements qui se produisent dans le monde, de l'émergence de nouveaux rapports de forces, de l'apparition de nouveaux compétiteurs qui menacent nos activités et nos emplois, des facteurs traditionnels qui, dans l'histoire, répandent la haine, l'hostilité ou le rejet de l'autre. Facteurs qui avaient été quelque peu, pour ce qui nous concerne, oubliés par la guerre froide. Face à cela, la question qui se pose pour la nation française dans sa continuité, comme pour l'Europe, est la survie. La survie est liée à notre capacité d'action sur notre propre destin, à nos marges d'autonomie et à notre rayon d'influence. À cette fin, il nous faut une nation cohérente, solidaire et capable d'accepter une analyse courageuse de la situation et des enjeux, à la mesure des défis qui sont là. C'est toute la grandeur de la politique que de provoquer ce débat devant les citoyens français.

DW : *Le rapport syndicats-partis ?*

JD : Vous avez tort de dire qu'en France il s'agit de renouer le dialogue.

DW : *Non, quel autre type de rapport ?*

JD : Je crois que ce n'est pas entre les partis et les syndicats que c'est le plus important, puisque, je vous l'ai dit, le pluralisme syndical français interdit ce genre de lien privilégié qui existe dans d'autres pays. Vous pourriez me poser légitimement la question de savoir quel sera l'avenir des relations entre le parti social-démocrate suédois d'une part, et les syndicats LO et TCO de l'autre, puisque ces liens se sont quelque peu distendus. Ils n'ont plus la forme quasiment organique et la complicité intellectuelle et programmatique qui les avaient caractérisés pendant des dizaines d'années. En France, ce qui est en cause, c'est avant tout ce que peut faire l'État pour animer le débat démocratique et le dialogue social, en faire la source d'une plus grande volonté nationale.

DW : *À propos des rapports analyse/action : comment faire pour que l'analyse soit moins dictée par le choix idéologique ?*

JD : Ce fut le vrai problème. Mais, aujourd'hui, je dirais que nous souffrons du contraire. Nous manquons d'interprétations de l'Histoire. Bien sûr, je suis heureux de constater que le mouvement intellectuel reprend en France, en Europe, et que se manifeste une nouvelle génération de penseurs. Je souhaite continuer le dialogue avec eux, car c'est un élément essentiel pour l'homme politique, un élément de ressourcement, d'autocritique, de remise en cause indispensable. Aujourd'hui, il n'y a pas d'action collective, politique, sociale ou syndicale sans idées, sans innovation intellectuelle.

DEUXIÈME PARTIE

La société

Chapitre 1

La cohésion sociale

Fragilités actuelles

DOMINIQUE WOLTON : *Le « social » devient presque une mode aujourd'hui, avec la crise économique. Tout le monde à droite parle d'exclusion et de solidarité ; au point qu'on ne voit plus tellement la différence avec le discours de gauche. C'est un peu la symétrie de la fascination pour l'argent qui saisit la gauche dans les années quatre-vingt. En France, vous avez été un des hommes politiques sensibles à la société, au point d'avoir été appelé l'« ingénieur social ». D'ailleurs, la plupart du temps, votre analyse ne consiste pas à appliquer un schéma politique sur la société, mais, au contraire, à partir d'une analyse des rapports sociaux pour en tirer les conséquences politiques. Cela vous a conduit à avoir plusieurs facettes : militant, expert, négociateur dirigeant, puis homme politique. Mais, dans cet intérêt pour la société, n'y a-t-il pas une coupure ? N'est-ce pas finalement la crise de 1973, crise économique et sociale, qui fait fracture ?*

JACQUES DELORS : Non, il y a une part d'immuable et une part de changeant. Ce qui est immuable, c'est une certaine conception de la société, de sa cohésion, du lien social, et la volonté de réaliser l'égalité des chances. Ce qui ne veut pas dire l'égalité des résultats, comme on confond parfois. L'égalité des résultats est hors d'atteinte ou alors elle aboutit à une société égalitariste où l'initiative, le mérite, la conscience professionnelle sont pénalisés. L'immuable, dans mon approche, renvoie à une société où chacun a sa part, peut tenter sa chance et contribuer à la construction de la société. Pour moi, l'individu est une personne, au croisement de son caractère, unique, et des liens sociaux qu'elle tisse avec sa famille, son voisinage, les communautés auxquelles elle appartient, en tant que citoyen. C'est la partie immuable. Ce qui a changé, c'est la dimension économique. Et vous avez raison de souligner qu'à l'époque la hausse du prix du pétrole annonçait une nouvelle période, caractérisée par une mondialisation progressive de l'économie, une globalisation des problèmes qui nous amènera vers ce que j'appelle – l'expression n'est pas la meilleure mais elle se comprend – le « village-planète ». Cette hausse du prix du pétrole a mis en péril les économies des sociétés industrielles, mais, dans le fond, ce n'était que la première marque d'un défi lancé par tous ceux qui n'étaient pas à la table de la prospérité et qui prétendaient y venir. Il y a encore quelques années, les États-Unis, l'Europe et le Japon représentaient 65 % de la production mondiale ; ils n'en représenteront plus que 40 % au début du siècle prochain. Ce chiffre montre à lui seul l'ampleur des changements à entreprendre si nous ne voulons pas que cela se traduise par une diminution de notre niveau de vie et de la justice sociale dans nos pays. À partir de là, nous nous sommes adaptés tant bien que mal.

Nous avons préservé le système de Sécurité sociale, l'État-providence, mais aux dépens de l'emploi, puisque nous avons remplacé le capital humain par un capital technique. Aujourd'hui, cela n'est pas suffisant, nous ne sommes pas sortis du tunnel, puisque le reste du monde représente plus de quatre milliards et demi d'habitants, alors que la triade représente à peine un milliard d'habitants. Pendant cette période, qui a été marquée par une certaine myopie, il y a eu une réaction en Europe contre la culture politique qui avait permis de formidables avancées, grâce aux théories de Keynes et de la social-démocratie qui a dominé intellectuellement la période des Trente Glorieuses. Il y a eu des réactions, sous la forme d'un néolibéralisme, mettant l'accent sur le marché, la main invisible, l'individu, l'intérêt personnel. Et cela s'est traduit, aux États-Unis, par la politique reaganienne et, en Europe, par la politique conduite par Margaret Thatcher, qui, par ailleurs, avait parfois de bonnes raisons de faire sauter les verrous qui conduisaient la société britannique au déclin. Mais l'un et l'autre sont tombés dans un excès de laisser-faire, et le résultat en est l'augmentation du nombre des pauvres et des inégalités sans que ces pays aient retrouvé des perspectives glorieuses pour l'avenir. Aujourd'hui, le moment est venu de faire le point et de ne pas réagir aux limites de ce néolibéralisme, à ses dangers, humains et sociaux, en revenant au passé avec la nostalgie de l'âge d'or.

DW : *Toute pensée sur la société sous-tend, naturellement, une certaine vision de la cohésion sociale. Quels sont les principaux facteurs qui, aujourd'hui, fragilisent la cohésion sociale ?*

JD : Une constante est, bien entendu, l'égoïsme individuel. Il est une des dominantes de nos sociétés. Pourquoi le nier ? C'est parce que certains ont voulu pratiquer une rupture, en croyant au progrès indéfini de l'homme, qu'ils ont terminé dans le totalitarisme et dans l'échec. Il y a une ligne de clivage entre ceux qui croient au progrès limité de l'homme et de la société, les plus raisonnables, dont je crois être, qui savent ce progrès jamais définitivement acquis, et ceux qui pensent, soit que l'on peut tout changer, soit que l'on ne peut guère changer. Je vous rappelle, d'ailleurs, que lorsque Keynes s'est exprimé et lorsque Mendès France a relayé sa pensée en France et en Europe, on leur a aussitôt opposé la théorie de l'ordre naturel d'Adam Smith. C'est-à-dire : abstenez-vous d'intervenir, faites le minimum en matière de sécurité interne et externe, et de droit, pour les individus, puis laissez jouer les mécanismes du marché. Les individus sont rationnels et choisissent toujours la meilleure voie. Cette addition des initiatives individuelles aboutit au meilleur résultat possible en matière économique et sociale. C'est contre cette thèse que je continue à m'insurger, tout en ayant été partisan du marché, mais dans les limites de ce que peut apporter le marché. Le marché est le plus grand ordinateur du monde pour traiter les offres, les demandes et les besoins des gens. Mais il est myope, car il ne prend pas en compte l'avenir, et il est limité, car il ne tient pas compte des biens collectifs. Personne ne pourrait croire que, si le marché avait été le moteur central et quasiment unique de la société, nous aurions abouti aux acquis sociaux qui sont les nôtres actuellement !

DW : *J'ai été frappé par un rapport qui vient d'être publié par l'Observatoire économique et statistique des transports (OEST)* (cf. Le Monde *21-22 août 1994) sur les questions liées aux modes de vie, et plus précisément sur la durée de transport pour aller au travail. L'OEST vient de calculer qu'entre 1975 et 1990 le temps de transport moyen et la quantité de kilomètres entre le lieu de travail et le domicile pour les Français ont doublé. Avant, il y avait sept kilomètres et, maintenant, il y a quatorze kilomètres. En 1975, 60 % des Français travaillaient dans leur commune de résidence ; ils ne sont plus que 40 % en 1990. C'est typiquement le genre de transformation invisible de la vie quotidienne qui a de lourdes réper-*

cussions sur la cohésion sociale. Les personnes travaillent de moins en moins là où elles habitent, se déplacent de plus en plus loin pour aller travailler, et perdent ainsi autant d'occasions d'échange au plan local.

JD : Par rapport à ce phénomène, le marché fait apparaître des besoins d'emplois, des besoins de logements, des besoins de transports. Par contre, il reste insensible à cette richesse, ce bien collectif qu'est le temps, et à la manière dont celui-ci est réparti ou s'impose à chacun. À partir de là, on peut tirer une leçon économique et une leçon sociale. La leçon économique est simple. Puisque l'on consacre le double de temps au transport, le résultat en ce qui concerne le produit national est une augmentation puisque l'on consomme plus d'essence. En revanche, pour l'individu, c'est une perte de temps. La comptabilité économique nationale ignore ce type de gaspillage. L'aspect social, c'est non seulement un changement du mode de vie collectif – peut-être inévitable puisque aujourd'hui la ville n'est plus, comme dans la société industrielle, concentrée autour des usines –, mais aussi le fait qu'en rentrant le soir chez lui, où il y a d'ailleurs peu d'équipement collectif, où la plupart des cafés sont fermés, le banlieusard a cent fois moins de possibilités de bien utiliser son temps que le cadre supérieur ou le travailleur indépendant aisé. Le temps est devenu un paramètre essentiel de la vie économique et sociale. Pourtant, personne n'en parle. Nous en revenons à notre échange précédant sur la nécessaire révolution du temps choisi.

DW : *Oui, c'est l'impensé de l'économie...*

JD : Oui, puisque l'économie dit même qu'on s'enrichit ! Les deux grands oubliés de la comptabilité économique, ce sont, en réalité, le capital naturel d'un côté, et le temps de l'autre. Il faut les réintégrer.

DW : *Le capital naturel, grâce aux mouvements écologistes et à la contestation, est en train, progressivement, d'être réintégré.*

JD : Oui, une prise de conscience s'opère, grâce aux écologistes. Ils ont rarement réussi en politique, ils n'ont pas réussi même à définir une écologie économique, mais, comme groupe de contestation et de pression, ils ont joué un rôle tout à fait essentiel dans la prise en considération que l'homme ne peut pas piller indéfiniment la nature sans qu'il en résulte des conséquences négatives pour lui, surtout pour les générations futures.

DW : *La cohésion sociale, c'est aussi la solidarité entre les différents groupes sociaux. Dans un numéro de* Échange et projets *de 1978, vous écriviez : « Il faut passer d'une solidarité horizontale, qui a souvent des effets antiredistributifs : jeunes, vieux, bien portants, malades... à une solidarité plus verticale qui serait les riches et les pauvres. » Mais ne risque-t-on pas là d'arriver à une espèce de segmentation de la société, chaque groupe social étant enfermé dans sa catégorie ?*

JD : La formule n'était peut-être pas très bien choisie, mais elle appelait deux types de réflexion. Premièrement, « ne crachons pas dans la soupe », l'État-providence, tel qu'il a été constitué, représente une formidable conquête pour nos sociétés. Et même d'un point de vue économique. Imaginez que la Sécurité sociale n'ait pas existé depuis 1973 : nous aurions connu une crise économique plus profonde que celle des années trente !

DW : *Ce n'est pas seulement de la protection, c'est aussi de l'intérêt économique ?*

JD : Oui, et, en quelque sorte, le développement de l'État-providence, dans un contexte qui s'y prêtait, a stimulé la croissance économique. Aujourd'hui, nous sommes dans un système inverse. La croissance économique n'est plus suffisante pour nourrir le développement de la Sécurité sociale, puisque, pour des raisons liées aux progrès de la médecine, au vieillissement de la population et – je m'en réjouis – à une meilleure qualité de la santé, les dépenses en question augmentent, en termes réels, plus vite que la croissance économique. Donc, il faut y consacrer une part croissante du revenu national aux dépens d'autres dépenses.

En second lieu, le système de protection sociale, malgré son caractère universel, s'est révélé un « panier percé », car il n'a pas empêché le développement de l'exclusion sociale, fondée, bien entendu, essentiellement sur le rejet hors du circuit du travail de millions de personnes. Par conséquent, en disant « solidarité verticale », j'appelais confusément à deux réflexions. L'une qui consiste à dire : si nous ne pouvons plus financer la Sécurité sociale dans les mêmes conditions, c'est-à-dire d'une manière universelle, ne faut-il pas consentir un effort supérieur pour ceux qui ont peu de moyens, par rapport à ceux qui en ont beaucoup ? Ce qui pose la question de la structure du financement de la Sécurité sociale. Deuxièmement, compte tenu de ce que sont les problèmes humains de nos sociétés, sans solidarité de proximité, il n'est pas certain que l'on puisse maintenir la cohésion de notre société. Nous ne garderons l'esprit de la Sécurité sociale que si nous l'améliorons par le haut et par le bas. C'est une des limites qu'a connue la social-démocratie, notamment là où elle a été le plus développée. J'ai moi-même suivi, depuis de très nombreuses années, l'évolution de ce qui se passait, notamment en Suède : l'État-providence a conforté une sorte de passivité du citoyen. C'est pourquoi toute ma réflexion tend à trouver les recettes pour une société active. C'est-à-dire une société qui se prend en charge et qui ne laisse pas simplement le soin d'assurer le lien social et la cohésion sociale à des mécanismes institutionnels, que ce soit l'État ou des organismes de Sécurité sociale.

DW : *Crise économique aidant, n'avez-vous pas le sentiment que nos sociétés, qui ont bénéficié de l'État-providence, sont un peu menacées par une forme de social-corporatisme ?*

JD : Le corporatisme a toujours existé dans le domaine de ce qu'on appelle les relations industrielles ou dans le champ du social. Des groupes ont des privilèges relatifs : la sécurité de l'emploi, un système de retraite plus favorable, des compensations plus importantes lorsqu'ils sont malades. Bien entendu, ces groupes veulent conserver leurs avantages, sans se rendre compte qu'en conservant ces avantages ils privent la société des moyens d'aller à la rencontre des besoins des plus démunis. C'est au syndicalisme de retrouver sa vocation universelle, de transcender ces corporatismes et d'établir une confrontation entre tous les intérêts pour en faire une synthèse. Une synthèse qui ne l'amène pas à se transformer en instance politique mais qui lui permette d'exprimer des revendications, avec un grand souci de l'intérêt national, du bien commun. Avec une attention particulière à donner à un mot que l'on prononce trop souvent, sans en tirer les conséquences : la solidarité.

DW : *À ce propos, il est beaucoup question de la réforme du système de protection sociale. Aujourd'hui, quelle est la part de ce qui devrait revenir à la solidarité nationale, et la part de ce qui devrait revenir à la prise en charge individuelle, proche d'une logique d'assurance, comme en a parlé François Ewald* [1] *dans ses travaux ? La proportion entre prise en charge collective et prise en charge individuelle devrait-elle aujourd'hui changer ?*

---

1. François Ewald, *L'État-providence*, Paris, Grasset, 1986.

JD : Le problème n'a jamais été posé dans toutes ses dimensions. On a donné des coups de pouce, pas toujours inutiles, pour lutter contre le laxisme dans les prescriptions médicales, éviter une consommation abusive de médicaments, ou pour gérer mieux l'hôpital. Mais il faut dire que le système français est particulièrement luxueux en matière de santé, même si ces propos peuvent choquer ceux qui ont pu un jour sortir de l'hôpital avec désespoir, sans rencontrer le médecin dont ils avaient besoin. Le libre exercice de la médecine, la coexistence de l'hôpital public et des cliniques privées, la liberté de prescription et la « socialisation financière », c'est-à-dire la socialisation de la couverture des besoins, font de ce système l'un des plus luxueux du monde.

Les Français ne veulent pas l'abandonner. Ils doivent donc en tirer les conséquences. Tout d'abord, une « pédagogie citoyenne » qui fasse que chacun comprenne que toutes ses angoisses ne peuvent être couvertes par une prescription médicale, et que, par ailleurs, le progrès technique entraîne un coût plus élevé, qu'il faut payer. Faut-il adapter davantage les contributions aux revenus des uns et des autres ? C'est la formule idéale, sera-t-elle suffisante ? Depuis, s'est dressé sur notre voie un autre obstacle de taille : 80 % du financement de la Sécurité sociale sont assis sur les salaires. Face au chômage et à la concurrence internationale, nous devons absolument alléger le coût du travail. Comme il n'est pas question de diminuer les salaires directs, il faut se demander si ce n'est pas à l'impôt de financer une part du manque des systèmes de Sécurité sociale. On retombe alors sur la contradiction que l'on peut énoncer en termes simples : est-il raisonnable, aujourd'hui, pour un homme politique, de préconiser la baisse de l'impôt sur le revenu d'un côté, et le maintien du système de Sécurité sociale de l'autre ? Je ne le crois pas. Il y a là une réflexion à mener. Je sais que trop d'impôt tue l'impôt, mais il faut bien que le citoyen choisisse entre deux systèmes. Ou bien donner plus de part au marché et à la main invisible, et vraiment, dans l'état actuel des connaissances de chacun, de l'inégalité des situations, ce serait la fin de l'esprit même de la Sécurité sociale, ou bien il faut arrêter de dénigrer l'impôt. C'est une faute civique.

Si l'on veut une société d'un certain type, le niveau de prélèvement obligatoire est relativement élevé. C'est la thèse la plus impopulaire qu'il s'agit de faire partager aux citoyens. C'est très difficile. On pourrait faire le même raisonnement pour les retraites, puisque, avec l'évolution démographique et l'importance du chômage, nous aboutissons à une impasse. Des réformes ont été réalisées, en allongeant la période pendant laquelle il faut travailler pour avoir droit au maximum de sa retraite. Mais l'une des erreurs faites en France a été de ne pas expliquer qu'au-delà d'un minimum décent il fallait faire appel, pour partie, à la retraite par capitalisation. Un socle commun et un complément par capitalisation. Le premier assure la solidarité pour tous, le second fait appel à la responsabilité et au sens de la prévoyance de chacun, pour assurer la situation matérielle de sa famille, à l'issue de la vie professionnelle active.

Les limites du modèle classique

DW : *Vous dites que la solidarité active est importante et que l'État ne peut pas, à lui seul, si je puis dire, assurer la solidarité sociale. À quelle échelle de la vie locale ou associative peut-on essayer de renforcer cette cohésion sociale ? Quel est, de ce point de vue, le rôle des associations dans un pays comme la France qui n'y a jamais beaucoup cru ? Dans* Échange et projets, *vous avez consacré, notamment dans le numéro 2 de 1974, un dossier en faveur d'un nouveau pouvoir de l'association. Vingt ans après avoir milité, écrit pour celle-ci, la crise économique et sociale peut-elle relancer une forme de solidarité active par le monde associatif ?*

JD : C'est absolument indispensable. Depuis cette époque, en termes statistiques, la vie associative s'est développée. En revanche, elle n'a pas échappé à deux risques. Le premier est celui de l'institutionnalisation avec des problèmes de direction ou de fonctionnement du même ordre que ceux d'une administration. L'association devient alors une sorte de groupe de pression, empêtré dans ses tiraillements internes et sombrant parfois dans le clientélisme que peut lui offrir le pouvoir politique. On voit cela même, hélas, aujourd'hui dans les disputes entre les mouvements d'aide humanitaire. La seconde limite vient du fait que les gens restent très peu de temps dans les associations. Il n'y a pas de travail continu. Déjà au lendemain de Mai 68, il y avait eu de grandes discussions sur ce qu'était la vie associative. Le risque le plus grave est l'insuffisance de renouvellement dans les associations. C'est ce que j'appelle l'importance du local. Le local, pour nourrir le lien social, pour étayer la solidarité et, par voie de conséquence, pour créer des emplois qui correspondent à ce qu'on appelle aujourd'hui, puisque la formule est entrée dans le langage politique courant, des besoins de proximité. J'en ai proposé une conceptualisation avec la création d'un troisième secteur. Celui-ci n'obéirait ni totalement à la logique de marché, ni totalement à la logique des administrations. Il aurait fallu créer un cadre juridique et fiscal permettant ces initiatives. Là est le lien entre le local et l'emploi pour développer ce troisième secteur qui comporterait, d'ailleurs, beaucoup d'entrepreneurs individuels d'un nouveau type.

DW : *Ce ne sont pourtant pas des réformes excessives à faire sur le plan institutionnel ?*

JD : Oui, mais enfin, les premiers textes que j'ai proposés sur le troisième secteur datent de 1975 et je n'ai jamais percé le mur de l'indifférence.

DW : *C'est vrai. Autant le thème de l'autogestion a disparu, autant celui de l'association perdure, mais autant le thème du troisième secteur, un moyen concret de lier économique et social, n'a jamais réussi à émerger. Il n'apparaît pas tellement non plus dans d'autres pays européens.*

JD : Non, il n'émerge pas, mais on le pratique, sous une autre forme, en Grande-Bretagne, où on a beaucoup dérégulé et mis beaucoup d'espoir sur des initiatives d'individus qui créent leurs propres entreprises dans le cadre de l'économie de marché, pour faire face à ses nouveaux besoins. Ce n'est pas mon approche. Mais, comme toujours, je me passionne pour les faits, sans préalable idéologique.

DW : *Pour faire apparaître le troisième secteur, la solution est donc de déréguler massivement !*

JD : S'il en était ainsi, des résultats pourraient être obtenus, mais au prix de l'affaiblissement de la protection sociale et de la solidarité ! C'est pourquoi je préfère ma propre conception du troisième secteur.

DW : *Autre thème pour contribuer à relancer la réflexion sur la solidarité locale, celui de l'autogestion. Après avoir été à la mode pendant une dizaine d'années, il a aujourd'hui totalement disparu. Vous avez consacré plusieurs numéros d'*Échange et projets *au thème de l'autogestion locale, notamment dans le numéro 6, en 1975, et le numéro 9, en 1976. Croyez-vous encore aujourd'hui que l'autogestion, sur le plan local, pour l'habitat, la vie quotidienne, pourrait être une* *forme d'organisation d'un mode de solidarité plus appropriée à la situation sociale actuelle ? Ou est-ce un thème idéologique et politique qui a disparu ?*

JD : On peut dire, pour aller vite, que l'autogestion a échoué comme mode d'organisation et de participation des travailleurs dans les entreprises. Au contraire, la cogestion est bien vivante, notamment en Allemagne. Mais l'esprit de l'autogestion reste là. De quoi s'agit-il ? Il s'agit de creuser – un trésor est caché dedans –, et ce trésor est tout simplement les potentialités d'initiative de chaque individu. Et je pense – votre question est très pertinente de ce point de vue – qu'au niveau local l'esprit de l'autogestion peut aboutir à la création, de fait, de ce troisième secteur. Mais encore faut-il que l'environnement législatif et fiscal y soit adapté.

Pour l'initiative, on peut prendre plusieurs exemples. Un jeune n'a pas réussi à l'école. Lui, ce qui le passionne, c'est la réparation des motocyclettes et des motos. On pourrait lui donner les moyens de tenter sa chance dans ce domaine. Un autre sera, en revanche, plus séduit par l'organisation d'une troupe théâtrale ou d'un ciné-club. Un troisième aimerait bien s'occuper des jeunes enfants qui sont à la rue, après l'école, et leurs parents travaillant, demeurent isolés pendant trois, quatre heures et ne bénéficient d'aucun appui scolaire. Un quatrième se rendra compte qu'il y a beaucoup de personnes âgées qui ne voient personne, puisque nous ne sommes plus à l'époque où, petit enfant, je courais dans un square de Paris, une personne âgée m'appelait, nous bavardions et j'apprenais. Ces formes de socialisation n'existent plus. Bref, il ne faut pas exagérer l'importance quantitative de cette source d'emplois, mais il est vraiment très regrettable de la négliger. Et cela rejoint aussi un point de vue de fond : il y a en chaque individu des possibilités d'initiative, de création, même de dévouement. Encore faut-il les stimuler, puis les former à toutes ces tâches qui ne sont pas des « petits boulots », parce qu'ils exigent une qualification professionnelle.

DW : *Le mouvement humanitaire a réussi, en quinze, vingt ans, à beaucoup mobiliser la volonté d'action.*

JD : Si on compare cette expérience professionnelle d'un côté à la « galère » ou même à un stage de formation professionnelle qui ne correspond pas au goût de l'intéressé, qui ne débouche pas sur un emploi, je crois que la formule est meilleure. C'est une des illustrations de la société active.

DW : *Vous avez parlé, d'un mot, de la fragmentation sociale avec la fin de la famille élargie, nous y reviendrons. Mais n'y a-t-il pas dans la multiplication des systèmes d'aide aux chômeurs un risque de segmentation ? Si on prend la liste des sigles qui se sont succédé : le SMIG, les RMI, les TUC, les CES, les CIP et leur succession, n'a-t-elle pas un effet du côté de la cohésion sociale ? Ces mesures, qui partent d'une bonne volonté du point de vue de l'inspiration, n'arrivent-elles pas, en fait, à accroître une forme de segmentation sociale ?*

JD : Il faut prendre ces tentatives au sérieux, et les examiner au regard de deux critères. Le premier : donner un revenu aux intéressés. De ce point de vue, le Revenu Minimum d'Insertion est une bonne mesure. Simplement, il exige une contrepartie qui est l'insertion professionnelle et donc une activité à remplir. Sans cela, on ne fait que conforter la société passive. Les autorités locales n'ont pas fait l'effort nécessaire pour proposer à chacun une activité professionnelle. En second lieu, quelles formes d'activité ? Pour les travaux d'utilité collective que j'avais moi-même proposés, en pensant toujours à ce fameux troisième secteur, le bilan est, somme toute, positif. Car, encore une fois, ce qui est important pour un jeune, notamment pour un jeune qui ne réussit pas sur le plan scolaire, c'est de pouvoir acquérir une réelle expérience professionnelle.

De même qu'à l'école il faut combiner le savoir et le savoir-faire, dans la vie il faut ajouter à l'enseignement théorique une expérience sociale. Or, dans la société d'hier, ces expériences sociales existaient plus facilement qu'aujourd'hui. Dans le monde tel qu'il est, les deux seuls éléments de socialisation sont la ville et la télévision. Mais la ville est de plus en plus fragmentée, offrant de moins en moins de sociabilité. Et la télévision fait de vous un voyeur, un émotionnel. C'est pour cela que, dès les années soixante, j'avais plaidé, avec Bertrand Schwartz en particulier, pour l'enseignement par alternance. Les premières fois que j'en ai parlé, j'ai été pratiquement hué, notamment par des enseignants. Et, malheureusement, on n'a pas réussi à mettre en place, avec une ampleur suffisante, des formes nobles d'enseignement par alternance.

Aujourd'hui, il y a une renaissance de l'apprentissage. Je ne vais pas faire la fine bouche ni rappeler les controverses que j'ai eues avec certains ministres du Travail ou certains ministres du Commerce et de l'Artisanat. Je suis prêt à dire oui à l'apprentissage si la contrepartie enseignement est valable. Après tout, s'il y a un bon équilibre entre le savoir et le savoir-faire, toutes les formules sont acceptables et peuvent donner de bons résultats.

DW : *Toute tentative pour intégrer la solidarité dans la société, surtout dans les nôtres, n'implique-t-elle pas, à terme, un compromis sur l'égalité des conditions ? N'y a-t-il pas, quelque part, un conflit que l'on ne veut pas trop aborder entre solidarité et égalité ?*

JD : Entendons-nous bien, nous parlons des sociétés européennes, et de la France en particulier. Les pays qui ont maintenu les systèmes universels de Sécurité sociale affrontent deux difficultés. D'un côté, le panier est percé, et de l'autre, le financement devient de plus en plus difficile. Mais de quoi s'agit-il si l'on parle des deux risques concernés ?

Pour la maladie : permettre à chacun d'accéder aux soins de santé, un bien collectif essentiel. Les progrès de l'assurance santé se sont traduits d'une manière spectaculaire dans notre société. Prenons l'élément statistique le plus évident : l'allongement de la durée de la vie. Ce qui, entre parenthèses, accroît encore les dépenses de santé puisqu'une personne âgée coûte plus cher de ce point de vue. Mais je ne vois pas pourquoi on remettrait le système en cause. Si l'on transférait le secteur de la santé uniquement au marché, alors on aboutirait à des abus, en ce qui concerne les coûts, à des rentes de situation d'un côté, et à une inégalité profondément choquante, de l'autre.

Pour les retraites, je crois que l'égalité du droit à une retraite après avoir travaillé un minimum de temps est aussi un des fondements de l'égalité. Il aurait fallu, par contre, en même temps, éduquer les citoyens, pour les amener à faire eux-mêmes, dans la mesure de leurs moyens, un effort de prévoyance individuelle. Faute de l'avoir fait, la France est dans une curieuse situation. Aujourd'hui, en France, le revenu moyen d'un retraité est supérieur au revenu moyen d'un actif ! Et, en second lieu, les écarts de revenus entre les retraités sont encore plus importants que chez les actifs. Car les catégories supérieures de la société se sont octroyé – grâce à des avantages fiscaux – des systèmes complémentaires de retraite qui aboutissent à ce résultat.

DW : *Et pour les autres risques ?*

JD : Quels sont les trois autres piliers de la Sécurité sociale ? Les accidents du travail : là aussi il est normal qu'il y ait une assurance pour l'entreprise et pour celui qui a été victime d'un accident dans son travail. Ensuite, il y a les allocations chômage, dont il faudra reparler, dans leurs relations avec une politique active pour l'emploi. Enfin il y a les allocations familiales. C'est une vaste question de société. Personnellement, je reste en faveur d'un système d'allocations familiales, modernisé, avec l'extension du congé parental. Mais cela est à mettre en rapport avec le réaménagement de la durée du travail. Comment faire profiter toute la société de cette extension du temps « hors travail » ? Comment l'utiliser pour revenir à une situation de plein emploi ? On retrouve le paramètre du temps comme une clé essentielle pour entrer dans les problèmes de la société d'aujourd'hui et de demain. Et pour en revenir à la politique familiale, on voit bien comment mettre ce temps à la disposition du père ou de la mère, pour s'occuper davantage des enfants.

DW : *Ces questions de solidarité, protection sociale, redistribution butent sur deux difficultés que l'on a bien vues en trente ans. La première est la bureaucratisation et la seconde les excès d'une sorte de « juridicisation ». Dans les pays à tradition social-démocrate, comme l'Europe du Nord, la bureaucratisation a même provoqué des effets de rejet politique. Nous, dans les pays latins, nous avons les mêmes risques, avec en plus un fort affrontement idéologique. Nous avons donc deux risques de bureaucratisation. Celle liée au fonctionnement des institutions et celle liée aux affrontements idéologiques. Comment pourrait-on maintenir des systèmes de protection sociale et de redistribution, tout en réduisant cette plaie ?*

JD : Tout grand ensemble, qu'il s'agisse d'une entreprise ou d'un organisme de Sécurité sociale, devient, par essence, bureaucratique. Cela a un coût en termes d'efficacité et pose le problème de la gestion de ces grands ensembles, au même titre que pour une administration classique ou une entreprise.

DW : *Dans l'entreprise, il y a la sanction du marché, dans l'administration on peut supposer que l'idée du service public régule, mais dans ces institutions de redistribution il n'y a quasiment pas de principe de sanction.*

JD : Oui, mais le coût de fonctionnement des organismes de Sécurité sociale varie, selon les branches, entre 3 et 5 %. Quand on compare ce coût à celui des compagnies privées d'assurances, on constate qu'il n'y a pas matière à critique ou à une remise en cause fondamentale. C'est plutôt l'excès de réglementation qui est en cause et permet à certains, plus habiles que d'autres, d'utiliser, voire d'abuser de leurs droits. L'une des conditions de la démocratie, de la participation, de la justice sociale, est l'invention de la simplicité. Il faut sans arrêt clarifier et alléger les règlements. Or, chaque fois que l'on se trouve devant un problème nouveau, on invente un nouveau texte qui vient compliquer la législation ! C'est une règle que m'a enseignée le Commissaire général au Plan, Pierre Massé : être inventeur de simplicité.

DW : *L'autre risque, évidemment, est l'institutionnalisation. La plupart des conflits débouchent sur les tribunaux, faisant finalement de ceux-ci l'instance de régulation du social. Comment éviter cette autre dérive, qui est apparemment un progrès, mais qui est de « juridiciser » l'ensemble des rapports sociaux ?*

JD : Pour l'instant, en France tout au moins, nous avons évité ces excès. Nous ne sommes pas au niveau de juridisme – d'une effroyable complexité – des États-Unis. Bien sûr, là aussi on doit aménager le droit du travail. Alain Supiot vient d'y consacrer une réflexion très stimulante [1]. Rappelons que, dans un système démocratique, au-dessus des relations entre la majorité et la minorité, il y a le droit et ce droit s'applique à tous. En cela je suis très anglo-saxon. Pour éviter qu'une minorité, de quelque ordre que ce soit, se voie imposer sans recours des décisions d'une majorité, il faut la supériorité du droit comme protecteur des libertés et des solidarités.

DW : *Dernière question concernant la cohésion sociale : le rôle des médias. Vous êtes sensible au thème de la cohésion sociale, par contre, vous n'avez pratiquement jamais abordé celui des médias. Pourtant, ils jouent un rôle, largement sous-estimé, dans la cohésion sociale, au sens où ils permettent à toute une société de partager les mêmes programmes, et donc d'y trouver une occasion d'échange, au-delà des différences sociales et culturelles. Vous n'êtes pas le seul à gauche, et ailleurs, à sous-estimer le rôle de la radio et de la télévision dans la cohésion sociale. Différents milieux socioculturels, que tout sépare, ont au moins en commun de partager les mêmes informations et une bonne partie des programmes de loisirs. Le partage de ces programmes est même une des seules activités collectives communes ! La gauche s'est progressivement intéressée aux loisirs, à la consommation, mais peu à la communication, si ce n'est pour la critiquer, comme tout le monde.*

---

1. Alain Supiot, *Critique du droit du travail*, Paris, PUF, 1994.

Pourquoi, finalement, ce peu d'intérêt à l'égard des médias, comme facteur de cohésion sociale ?

JD : Parce qu'en France les hommes politiques ne savent pas comment prendre ce problème, qui passionne le citoyen et qui devrait donner lieu à un grand débat démocratique. On y retrouve l'opposition entre télévision publique et télévision privée, émission culturelle et émission de délassement, et l'on dénonce, non sans raison, l'excès de violence à la télévision. En ce qui me concerne, je suis, et surtout après vous avoir lu, dans la position suivante, qui n'est pas encore une doctrine établie. Tout d'abord, vous avez raison de le souligner, il ne faut pas prendre, dans le domaine de la télévision comme dans celui de la démocratie, les gens pour des idiots ! Au bout d'un certain moment, ils intègrent cette dimension et savent choisir et distinguer. Cela ne veut pas dire que tout est pour le mieux dans le meilleur des mondes. Mais cela veut dire que l'on peut sortir de l'idée d'une élite, constituée soit par les dirigeants des chaînes de télévision, soit par un Conseil supérieur de l'audiovisuel, qui pourrait décider ce qui est bon pour le peuple ! Celui-ci est plus intelligent que ne le pense la classe politique et médiatique. On pourrait quand même y ajouter une précaution. Pourquoi, à l'école primaire, de même que nos instituteurs nous apprenaient à lire un journal, n'enseigne-t-on pas aux enfants comment écouter et regarder la télévision ? Il y a une préparation qui peut être très féconde. Dépassant le problème de la cohésion sociale, je dirai que la télévision a accru le caractère excessivement émotionnel de la société. Peut-être est-ce parce que la politique est défaillante ! J'en citerai une illustration parmi d'autres, où la télévision n'est pas la seule coupable. Aujourd'hui, l'action dite humanitaire sert de cache-sexe à l'absence de politique étrangère. L'aide humanitaire a beaucoup progressé grâce à la télévision, mais, par une sorte de déviation de l'esprit, elle est considérée par beaucoup comme une politique étrangère, ce qui n'est pas le cas.

Rony Brauman, l'ancien président de MSF, a eu l'immense mérite de bien marquer les distinctions. Certains font de l'aide humanitaire, au péril de leur vie, au détriment de leur carrière, c'est admirable. Mais, à aucun moment, les plus raisonnables d'entre eux, et Rony Brauman en fait partie, n'ont pensé que cela suffisait ! L'aide humanitaire au Rwanda, par exemple, était indispensable, et la France a pris une initiative très courageuse dans ce domaine. Mais, pour éviter à nouveau ces famines et ces tueries, il faut une solution politique. Comment faire émerger cette solution politique ? Qu'au moins la manière dont est dispensée l'aide humanitaire ne contrarie pas la recherche de cette solution politique. Et l'idéal serait de mener ensemble l'aide humanitaire, absolument urgente, et la recherche patiente, et souvent ingrate, d'une solution politique.

DW : *À propos du rôle des médias dans la cohésion sociale, reconnaissez que le fait d'ouvrir en permanence sur une information, notamment internationale, contribue à faire prendre conscience aux citoyens de la dimension mondiale des problèmes. Là il y a un rôle, indépendant de la dimension émotionnelle !*

JD : Oui, sans doute la télévision amène-t-elle peu à peu une meilleure conscience de l'interdépendance qui unit tous les peuples de la terre entre eux, base essentielle pour bâtir les politiques de demain, mobiliser les citoyens sur l'environnement, lutter contre le crime, prévenir les grandes maladies. Bref, comme la langue d'Ésope, cela peut être la meilleure ou la pire des choses. Mais il y a une sorte de réaction élitiste et fâcheuse dont il faut absolument se départir. De là aussi, on peut se demander si, dans le prolongement de la télévision, au croisement du téléphone, de l'informatique, de la télévision avec les nouvelles technologies de l'information, il n'y a pas des risques, comme d'immenses possibilités, pour des formes nouvelles de participation démocratique. Chacun pourra, à partir de son écran et de son micro-ordinateur, communiquer ses réactions, faire appel à d'autres pour agir dans des délais plus rapides.

DW : *Certes, il sera plus facile à chacun d'exprimer son opinion, mais la communication n'est pas seulement l'expression, c'est aussi l'échange, et cet échange médiatisé par les machines renforce les situations d'isolement, déjà nombreuses. Autrement dit, leur paradoxe est de favoriser les interactions, sans rapprocher les individus. Les individus ne seront pas moins atomisés et séparés les uns des autres avec ces techniques ! Paradoxalement, celles-ci renforcent la question : que faire pour que les individus puissent davantage se rencontrer physiquement ?*

JD : Oui, mais entre la télévision que je reçois et les nouvelles technologies de l'information qui me permettent de recevoir, de réagir et de communiquer, il y a un saut qualitatif. Il y a aussi des risques. Nous devons en parler et lancer une vaste réflexion.

Chapitre 2

L'État et le Plan

L'État

DOMINIQUE WOLTON : *Toute réflexion sur la cohésion sociale, les systèmes de prévoyance et de redistribution, débouche sur la question du rôle de l'État. Dans les années quatre-vingt, selon la formule de Pierre Rosanvallon, on parle de la « crise de l'État-providence*[1] *». Celle-ci a pris deux dimensions. D'abord économique, avec le rythme des dépenses publiques, liées aux politiques sociales et aux mécanismes de redistribution augmentant plus vite que la production. Ensuite idéologique, avec la question du bien-fondé des techniques de gestion des politiques publiques, et une interrogation sur les effets pervers de l'État-providence. Aujourd'hui, on arrive, d'une certaine manière, à une troisième crise, plus sociopolitique : quelle représentation se fait-on de la solidarité nationale, avec un chômage massif et des exclusions ? Autrement dit, à la question du coût de la protection et de la redistribution s'ajoute un autre problème, lié au rôle de l'État dans l'équilibre social. Faut-il, à l'avenir, réduire le rôle de la couverture collective au profit d'un engagement individuel plus fort ?*

JACQUES DELORS : Le danger actuel est celui d'une société, non pas de citoyens, mais de créanciers. Tout est acquis, tout est un droit, avec des modes de financement homéopathiques, même si on prélève 80 % du financement nécessaire sur votre feuille de paye ! Les hommes politiques adorent ça. Il y en a même qui préfèrent la TVA, impôt indirect, à l'impôt sur le

1. P. Rosanvallon, *La Crise de l'État-providence*, Paris, éd. du Seuil, 1981.

revenu, pour les mêmes raisons. Mais tout cela ne fait qu'aggraver le mal, puisque d'un côté on n'est guère sensible aux difficultés de financement, et de l'autre côté on veut préserver intégralement ses droits. Tel est le risque d'une société de créanciers qui estiment avoir ce droit et la possibilité parfois de l'utiliser avec excès. C'est le cas en matière de santé, et aussi un peu en matière de chômage.

Des créanciers à la mémoire courte, qui ne se rappellent pas le prix payé, notamment par le mouvement ouvrier, et le syndicalisme, pour obtenir ces avantages. Tout ceci reposait au départ sur une notion de solidarité qui se voulait active. Il y a donc tout un travail d'éducation à faire, qui n'est réalisé ni par l'État, ni par les organisations syndicales, ni par les associations qui essaient de se glisser dans les interstices du système. Bref, nous avons besoin d'un grand débat national sur la Sécurité sociale. Un débat sans fard. Est-ce utopique ? Je ne le crois pas. Est-ce dangereux ? Un ami me disait, lorsque j'étais au Commissariat du Plan et que je plaidais pour une politique des revenus : « Attention, pas trop de lumière crue, les gens ne supportent pas ; tout au plus, un coup d'éclairage dans un buisson. »

DW : *La société ne supporte pas la lumière crue ? D'une certaine manière, elle ne supporte que la lumière tamisée...*

JD : Oui, je disais cela à propos de la tentative de politique des revenus qui rencontrait l'hostilité du gouvernement, qui avait peur que cela n'accroisse les aigreurs, les frustrations et les revendications, celles du patronat qui ne voulait pas mettre à nu les profits et expliquer ce qu'il en faisait, et celles des syndicats qui craignaient de voir les salaires mis en coupes réglées. Aujourd'hui, on voit bien les conséquences de l'absence de politique concertée et consciente des revenus. Pour lutter contre l'inflation, on s'est livré à la toute-puissance de la politique monétaire, certes nécessaire, mais aux dépens, me semble-t-il, de la croissance économique et de la propension à investir, puisque les taux d'intérêt sont trop élevés. Et aussi au détriment de l'État. Je vais vous donner un exemple actuel, lié à la Sécurité Sociale. Je vous ai dit qu'à mon sens une plus grande partie des dépenses de Sécurité sociale devrait être mise à la charge de l'État. Question de principe. « Impôt indolore » ou « impôt Delors » ! Mais aussi question économique, car si les taux d'intérêt sont très élevés, on consacre, pour assurer le service et le remboursement de la dette publique, des sommes de plus en plus importantes alors que l'argent manque pour le logement social et l'aménagement du territoire ou la lutte contre l'exclusion. Autrement dit, le refus de la politique des revenus aboutit à faire peser des menaces plus grandes sur l'avenir des systèmes de Sécurité sociale ! Et c'est pour cela que, dans les années 1963-1965, avec Pierre Massé, nous nous étions battus pour une telle politique.

DW : *La politique des revenus est quasiment plus importante aujourd'hui, dans une période de crise et de récession, qu'elle ne l'était en période d'expansion.*

JD : Oui, car en période d'expansion, avec des taux de croissance de 5 %, il s'agissait de répondre à la grande revendication de l'époque : une meilleure répartition des fruits de la croissance ; en tout cas, une meilleure clarté. De quoi s'agit-il ? Rappelez-vous, j'ai été le premier à trancher durement, et à me battre, à peu près seul au début, pour un franc arrimé au Système monétaire européen. Je suis donc d'autant plus à l'aise pour dire que la primauté totale de la politique monétaire sur la politique économique est, dans certaines circonstances, un obstacle à la croissance et à un financement de la Sécurité sociale plus compatible avec des créations d'emplois.

Cela rejoint une autre mode de notre époque : la politique économique se résume au budget et à la monnaie ! Ce sont les deux seuls critères pris en compte sur les marchés, et chez nos théoriciens à la mode, alors que la politique économique nécessite l'appel à un ensemble plus souple et plus nombreux de moyens. Je lutte pour des réformes structurelles nécessaires de l'éducation et de la formation, du développement de la recherche, et donc aussi pour une politique consciente des revenus. La transparence totale rendrait, certes, la société invivable, et, pour l'éviter, il n'est de voie que dans le recours à la négociation sociale et au contrat.

DW : *Il ne peut y avoir de politique des revenus que dans un cadre relativement centralisé ?*

JD : À l'époque, les années soixante, nous avions tout le monde contre nous, sauf peut-être la CFTC et une partie éclairée du patronat. Mais nos propositions ont été jugées explosives par un pouvoir politique conservateur. En aurait-il été autrement par un gouvernement de gauche classique ? Franchement, je n'en suis pas sûr.

DW : *La gauche a été ensuite au pouvoir, elle n'a pas davantage fait cette politique des revenus...*

JD : La gauche ne s'est intéressée ni à la politique des revenus ni à la planification. Malgré mes multiples démarches, qui n'ont abouti qu'à une seule réforme : la possibilité de créer, dans les entreprises, des fonds salariaux comme levier d'une participation des travailleurs à la vie de l'entreprise.

DW : *Dans le cadre d'une réforme de l'État, une des premières choses à faire serait-elle de redéfinir une politique des revenus ?*

JD : Et d'une manière plus générale, dans une instance de planification, de retrouver la plénitude des moyens qui font le développement économique. Faute de quoi, il y a moins de croissance économique et de création d'emplois, moins de possibilités de maintenir nos systèmes de Sécurité sociale en les adaptant.

DW : *Le prix est-il d'abord économique ou politique ?*

JD : Il deviendra politique si demain le seul moyen de résoudre le déficit de la Sécurité sociale est de couper dans la partie dure. Ce jour-là, le problème social deviendra politique. C'est cette dialectique constante entre le social et l'économique qui est intéressante. Le social ne consiste pas simplement à répartir les fruits de l'effort économique, il peut contribuer à la réussite économique.

DW : *En est-il la condition ?*

JD : Les deux, dans une sorte de dialectique. Je me bats sur cette thèse depuis longtemps. Et notamment lorsque j'étais au cabinet de Jacques Chaban-Delmas. À l'époque, j'avais plaidé pour que les ministères sociaux aient le même pouvoir d'influence que le ministère des Finances. Ainsi, par exemple, j'avais obtenu du Premier ministre l'autorisation que des élèves sortant de l'ENA passent tous une année dans les ministères sociaux et le ministère de l'Éducation. Cela s'est traduit par un échec ! D'abord, parce que la nomenklatura de la fonction publique y était hostile, ensuite parce que les ministères n'ont rien fait pour que l'expérience réussisse.

DW : *La crise financière et économique de l'État se double d'une crise idéologique. Deux thèses sont en présence. L'une consiste à dire : il faut arriver à un modèle d'allocation universelle en dissociant, dans les revenus, la dimension économique et la dimension sociale pour assurer à chacun une espèce de revenu minimal. C'est une thèse radicale, d'inspiration anglo-saxonne.*

La deuxième thèse est beaucoup plus libérale : compte tenu des méfaits de l'État, de son engorgement, il faut valoriser l'individu, la solidarité la plus forte étant individuelle, quitte à compenser les excès de l'individualisation par la justice. Puis il y a la troisième thèse, plutôt européenne, qui joue sur le rapport entre l'État et la société civile et qui insiste sur la question du lien social. Je pense que vous n'êtes pas très favorable à la thèse de l'allocation universelle, ni à celle du modèle libéral, mais, pour la thèse plus européenne, comment réarticuler le rôle de l'État par rapport à la société civile ? Et que pensez-vous de ce thème du « citoyen social » ? C'est-à-dire accoler le mot « citoyen », qui appartient au vocabulaire politique, au mot « social », qui relève du vocabulaire sociologique ?

JD : C'est un jeu conceptuel, purement et simplement. Peut-être que l'allocation universelle a deux attraits. Le premier est de dissocier une partie des revenus de remplacement de la carrière professionnelle. Par conséquent, à condition de trouver des financements ailleurs, il en résulterait une diminution du coût du travail sans avoir à comprimer les salaires. Et son second mérite serait, si, hélas, nous entrions dans une société fragmentée, qu'une partie de la population puisse recevoir un revenu minimum, même si elle n'a pas la chance de travailler pendant une durée suffisante pour acquérir les droits correspondants. D'ailleurs, cette allocation universelle existe déjà sous la forme du RMI et de la retraite minimum. Tout, à mon avis, est concevable, à condition d'avoir un système financier solide. Premièrement, la retraite ne peut pas être définie sans lien avec le revenu d'activité et avec le nombre d'années de travail. Ce qui n'empêcherait pas de donner à certains un revenu minimum. Deuxièmement, celui qui travaille doit être mieux rémunéré que celui qui est en formation, et celui qui est en formation doit être mieux rémunéré que celui qui, étant en chômage, refuse tout effort pour acquérir une formation.

DW : *Le principe d'allocation universelle doit donc être lui-même différencié ?*

JD : C'est cela. Il faut une hiérarchisation des revenus qui combine l'incitation à travailler d'un côté, et le souci de ne pas laisser des individus complètement démunis de l'autre.

DW : *Ce principe assez généreux de l'allocation universelle ne risque-t-il pas d'accroître la tendance à ne pas travailler et à la mise sur pied de mécanismes bureaucratiques collectifs énormes ?*

JD : Non, parce qu'il y a de la tricherie, liée à la complexité de la législation. Mais je crois qu'aujourd'hui, je le répète, les deux impératifs dominants sont les suivants : redonner à la Sécurité sociale un caractère universel et donc éviter qu'une partie de la population passe par les trous du panier percé. Et, en second lieu, définir des bases de financement qui, contrairement à la situation actuelle, ne soient pas un obstacle à la création d'emplois.

DW : *Que pensez-vous de la formule « citoyen social » ?*

JD : C'est un jeu conceptuel. Le citoyen se rapporte à la nation, et l'acteur social se rapporte à un jeu économique et social dans lequel on lui demande d'être partie prenante et pas simplement un créancier. C'est en priorité la citoyenneté qu'il faut encourager.

DW : *La réforme de l'État est toujours à l'ordre du jour. J'ai retenu dans un colloque récent, en mars 1993, du club Clisthène – que vous présidez –, consacré à l'État et au service public, trois fonctions pour le rôle de l'État. Première fonction : l'État gardien de la sécurité intérieure et extérieure. Deuxième fonction : l'État stratège et animateur du développement. Troisième fonction : l'État rassembleur. Cette vision, superbe, formidablement idyllique, est-elle possible à réaliser dans ses trois dimensions ?*

JD : Nous reviendrons sur les philosophies politiques qui sont derrière certaines thèses de l'État, c'est très important, mais pourquoi ai-je proposé cette typologie ? Parce qu'en France il y avait un État centralisateur et tentaculaire. Tout le monde s'est acharné à critiquer cet État, au point d'oublier que certaines fonctions ne peuvent être remplies que par lui. C'est pour cela qu'au cours de ces vingt dernières années j'ai été amené à réhabiliter l'État, quitte à l'adapter aux circonstances changeantes.

Je crois que la première formule – l'État gardien de la sécurité interne et externe – est liée à la souveraineté. Elle est indiscutée. La seconde – l'État animateur du développement économique et social – est une formule encore trop vague qui peut amener à un ralliement superficiel de gens qui ne pensent pas la même chose. Puisque nous avons lié dans le même chapitre l'État et la planification, on voit bien ce que nous voulons dire par là. L'État pense, à moyen et long terme, le développement de l'économique et du social. Il en fait un grand sujet de débat national, lors des échéances électorales, au

Parlement, et au sein d'un Commissariat du Plan. Après avoir défini les grandes orientations, il fournit, en vue de sa réalisation, les moyens que le marché n'offre pas spontanément. Gaston Berger disait : « Regarder le long terme, c'est déjà le changer. » Il faut sortir de la myopie actuelle, de l'obsession du court terme et des sondages.

Quant à la formule « l'État-rassembleur », elle est un peu nouvelle dans ma bouche, puisque d'ordinaire je parlais d'« État-partenaire ». Mais il me semble qu'aujourd'hui nos citoyens sont déboussolés, comme écartelés entre des racines qu'ils ont du mal à conserver d'un côté, et cet appel de la mondialisation avec ses conséquences de l'autre. Nos lecteurs seraient surpris si on leur expliquait que, lorsqu'ils achètent une voiture, il y a des pièces qui ont été fabriquées dans vingt pays différents. Ils sont moins étonnés lorsque eux-mêmes vont faire des achats et se rendent compte qu'ils achètent des sandales d'Extrême-Orient, un article textile fabriqué en Turquie ou au Maroc... Dans ces conditions, l'État-rassembleur se voit confier, à mes yeux, la redoutable mission de maintenir l'identité nationale et de stimuler le vouloir-vivre ensemble. Nous reparlerons donc, plus loin, de la nation et du sentiment d'appartenance à cette communauté, fruit d'une histoire commune et d'un contrat constamment renouvelé entre les Français. La nation – et pas seulement l'État – apparaît ainsi comme la référence, le point d'ancrage, pour éviter ce sentiment de dérive dans un monde que nous ne maîtrisons pas, de banalisation, comme si nous avions perdu nos racines et nos repères.

DW : *Le principe de clôture relève-t-il de l'État ou de la nation ? Car il n'y a pas d'État sans nation. Il faut aussi revaloriser la nation.*

JD : C'est la nation, le principe de clôture, l'État étant là pour la servir.

DW : *Vous revalorisez donc les deux en même temps.*

JD : Voilà. Et certains seront surpris de voir que l'ingénieur en construction de l'Europe que je suis plaide pour cela. Mais je vous rappelle que ma vision de la construction de l'Europe n'a jamais été fondée sur l'idée du dépassement de la nation. Les nations continueront à exister, ce qui fait à la fois la difficulté et la beauté de cette Europe unie, mais riche de ses diversités. À partir de là, il y a un moment où je m'arrête, c'est lorsque j'entends parler de l'« État républicain ». D'abord parce que l'idée de république, à mon avis, s'est fondue, peu à peu, dans celle de démocratie, et c'est bien ainsi.

DW : *Vous préférez la démocratie à la république ?*

JD : Non. Si j'avais été citoyen, en essayant d'écrire ce livre, en 1795, je vous aurais dit : la république. Mais je constate que certains partisans de l'État républicain sont, à la fois, contre la construction de l'Europe, contre l'Europe unie, et demandent à l'État d'assumer l'intégralité de la cohésion sociale. Et pour certains le problème des émigrés doit se résoudre, aujourd'hui comme hier, par une assimilation totale. Je ne peux pas me situer dans ce camp-là. Par contre, je récuse l'idée d'« État modeste », car, dans la crise actuelle de la société française, il faut un État fort. Un État visible dans ses fonctions, dans ses devoirs, et dans ses missions, mais qui ne soit pas hors d'atteinte, un État avec lequel on puisse dialoguer, à travers une décentralisation clarifiée, et aussi dans ce carrefour de l'avenir que serait le Plan, comme lieu de confrontation entre les intellectuels, les groupes sociaux et les politiques.

DW : *Êtes-vous d'accord avec le politologue Bertrand Badie, qui dit : « Un État est obligatoire, et plus une société est fragile, et en crise, plus il faut d'État ? »*

JD : Oui. On dit souvent que les grandes lignes de ma pensée et les grandes valeurs sur lesquelles je fonde mon analyse et mes propositions n'ont pas changé. C'est vrai, mais, il y a vingt ans, mon combat portait plutôt sur la décentralisation, d'inspiration autogestionnaire, et la démocratie à portée de la main. C'est encore vrai, mais il ne faudrait pas que l'envahissement de l'international, la globalisation et la mondialisation fassent que la référence principale de la communauté nationale s'affadisse.

DW : *Je reviens à ce que nous disions. Vous revalorisez l'État et la nation, mais peut-il y avoir un État sans cadre national ? C'est-à-dire sans cet autre cadre de fermeture, car vous parlez beaucoup plus facilement de l'État que de la nation. Votre pensée serait plus forte si vous faisiez plus référence à celle-ci. On verrait le lien entre une communauté de valeurs, de tradition, d'histoire, de référence, qu'est la nation, et l'instrument d'action qu'est l'État. Cela permettrait de conserver une forme de cohésion sociale, dans un univers qui, par ailleurs, est nécessairement ouvert. Pourquoi ne liez-vous pas davantage la défense du rôle de l'État à la revalorisation de l'idée nationale ?*

JD : Je viens précisément d'illustrer l'idée que la nation est non seulement source de patriotisme et de civisme, mais aussi médiation indispensable entre le citoyen et ce que j'ai appelé le « village-planète ». Et dans cette défense et illustration de la nation, l'État a un rôle essentiel à jouer.

DW : *Oui, mais à force d'avoir trop de défenseurs d'un côté, elle n'en a pas de l'autre...*

JD : Oui. Mais nous avons de multiples occasions de rappeler que nous sommes une vieille nation, qui entend rester ce qu'elle est, et cultiver sa différence.

DW : *À propos de la réforme de l'État, il existe un rapport récent remis au Premier ministre, le rapport Picq. Êtes-vous d'accord sur un certain nombre d'idées de ce rapport ? D'abord, le rôle de l'État est important pour répondre à trois défis majeurs : renforcer la cohésion nationale, préserver la place d'une nation, la compétition et la justice.*

JD : C'est un rapport très stimulant avec lequel j'ai de nombreux points d'accord.

DW : *Le rapport propose notamment de diminuer le nombre de ministères ; de réduire le rôle excessif des cabinets ministériels ; donc d'augmenter l'autorité des directions d'administration centrale, d'organiser une administration centrale plus puissante ; de doter le département d'une capacité d'action plus forte, notamment en matière de politique sociale ; et de réorganiser certaines administrations sur le mode de la DDE ou de la DDA.*

JD : Les problèmes d'organisation et de répartition du pouvoir sont importants, mais il faut aller plus en profondeur. D'abord, « dégraisser » là où la confusion des responsabilités et l'excès de bureaucratie conduisent à l'impotence.

DW : *Qui veut bien « dégraisser » ?*

JD : Il faut convaincre les Français de le faire, c'est comme pour le reste. Mais mon but est de ne pas enlever à la fois la graisse et les muscles. Il faut enlever la graisse et renforcer les muscles. D'où un constant effort d'allégement et de simplification des législations qui constituent l'environnement de la vie personnelle et professionnelle de chacun, et qui représentent un réseau de droits mais aussi de devoirs. De façon que le citoyen comprenne mieux les règles du jeu et « qui fait quoi ». Et, troisièmement, une décentralisation allégée et plus claire.

De ce point de vue, je considère qu'entre la région, le département et nos trente-six mille communes, il y a peut-être un échelon de trop. La décentralisation a été une des grandes conquêtes du premier septennat de François Mitterrand et il avait dit qu'il fallait la faire très vite, sinon elle ne se ferait pas. Comme je le comprenais, car je savais les échecs que Jacques Chaban-Delmas avait subis lorsque nous avions voulu regrouper les communes ou bien encore promouvoir la région ! Mais je crois qu'aujourd'hui le travail à faire est celui de la simplification. Supprimer un échelon, du point de vue politique, mais pas du point de vue administratif.

DW : *Lequel ?*

JD : Si l'on arrive à regrouper les communes sous des formes acceptables, qui laissent à chaque commune son identité, si la région a les moyens de penser et de stimuler le développement économique et social, alors on doit s'interroger sur l'avenir des départements, tout en conservant une représentation des élus, au contact de ceux-ci et des cantons qui les composent. Mais je reconnais que c'est matière à un grand débat, avec consultation des responsables et élus locaux.

DW : *Donc il y aurait deux échelons : la région et les communes.*

JD : Et la ville. Quand je parle de la ville, ce n'est pas au grand défenseur du développement rural que je suis que l'on doit faire un procès. Je pense que les espaces ruraux ont aussi leur rôle à jouer, comme la ville.

DW : *Oui, mais ils sont seconds, hélas, sur le plan quantitatif et symbolique...*

JD : Ils sont devant les mêmes impératifs : créer des activités économiques et disposer de services qui permettent une qualité de vie sociale.

DW : *Vous dites que la décentralisation est la grande œuvre de la gauche, cela ne semble guère être partagé...*

JD : Parce que la gauche fait mal sa publicité ! Elle aussi, prise en 1980 par la boulimie de l'action, n'a pas su aller à l'essentiel, et par conséquent elle a fait œuvre antipédagogique. Les citoyens doivent devenir les propres acteurs de leur changement. Il faut le comprendre, mais à condition de leur donner des marges réelles d'action.

DW : *L'État peut-il garder encore sa grandeur, en temps normal ? N'est-il pas condamné – c'est la thèse soutenue par Christian Join-Lambert dans son livre sur l'État moderne*[1] *–, à n'imposer ses valeurs qu'en temps de crise ? Quel type de fidélité forte pourrait-on aujourd'hui créer ou affecter à l'État pour lui donner une forme d'autorité symbolique qu'il n'a pas ?*

JD : L'État a des missions que je me suis efforcé de définir et qui sont constantes. Par contre, la manière de les appliquer, la pondération entre ces missions, leur orientation peuvent diverger selon les majorités au pouvoir. Mais cet État doit être constamment présent, je le répète, également dans sa pédagogie et dans son rôle d'animation, pour que les citoyens aient le sentiment de vivre dans une communauté qui leur est commune.

DW : *Vous avez pourtant bien vu la politisation croissante de l'État depuis une trentaine d'années ?*

JD : Je suis contre.

DW : *Comment y remédier ?*

JD : Nous avons appliqué, chez nous, le système des dépouilles, dans un contexte qui n'est pas celui des États-Unis. J'ai vécu vingt années comme fonctionnaire, en étant libre de mes positions de citoyen : on ne me demandait pas mon bulletin de vote. Ce qui permettait d'avoir des fonctionnaires de qualité – ils le sont encore –, mais des fonctionnaires qui avaient d'autant plus de passion pour le service public que l'on respectait leur autonomie et leurs croyances personnelles, politiques ou religieuses. Il faut revenir à cette règle de fait. D'autant plus que le pouvoir politique est fort.

Bien sûr, on pouvait se plaindre sous la IVe République où les gouvernements changeaient tous les six ou neuf mois. Seuls les hauts fonctionnaires restaient, ce qui leur donnait un rôle très important, qui fut d'ailleurs positif pour la modernisation économique et sociale de la France. Mais c'est choquant, car la primauté est donnée aux politiques. Et le politique doit accepter d'avoir autour de lui des fonctionnaires qui peuvent être promus à des postes de plus en plus importants, sans considération de leur couleur politique. S'il en était ainsi, on

---

1. Christian Join-Lambert, *L'État moderne et l'administration. Nouveaux contextes, nouvelles éthiques, nouveaux experts*, Paris, LGDJ, 1994.

retrouverait beaucoup plus d'enthousiasme dans l'administration. Vous savez quel bonheur a été pour moi de passer de la Banque de France, qui était déjà le service public, au Commissariat général du Plan, où je côtoyais le service public de plus près encore ! On ne me demandait pas quelles étaient mes opinions politiques lorsque je préparais une note pour le Premier ministre. Et d'ailleurs, je ne me serais jamais permis de transmettre un double de ces notes à l'opposition, même si j'étais un militant de gauche. On m'aurait demandé à vingt ans ce que je voulais faire : je voulais entrer dans le service public. Aujourd'hui, j'ai du mal à le reconnaître. Je suis un peu sévère, il est vrai, mais il faut aussi que le lecteur comprenne où sont les difficultés.

DW : *Dans les projets de réforme pour l'État, on propose de mieux distinguer les fonctions de régulateur et d'opérateur. Pensez-vous que la distinction de ces deux fonctions suffise à revaloriser l'action, le rôle et la valeur de l'État ?*

JD : C'est ce que j'avais fait dans les années soixante-dix. Maintenant, je préfère la formule générale d'« animateur », qui peut faire appel soit à des actions de régulation (déterminer, pour ce qui concerne l'État, les conditions d'un développement soutenable, et durable, sans inflation), soit à des tâches d'opérateur, là où il peut impulser en mettant la main à la pâte. La politique d'aménagement du territoire est, pour moi, une sorte de combinaison entre l'impulsion de l'État et l'action désormais devenue plus autonome des collectivités décentralisées. En faisant cela, on évite le faux débat à propos du projet de Charles Pasqua sur l'aménagement du territoire, que certains ont accusé d'être un projet de retour à l'étatisme, alors qu'en regardant de plus près ces propositions on y voit la préoccupation de renforcer la cohésion nationale et l'égalité des chances sur tout le territoire. À partir de là, on peut, certes, diverger sur les moyens d'y arriver. J'espère que nous aurons droit à un autre grand débat national sur ce sujet, une discussion qui exigera du temps pour que s'approfondisse et s'élargisse la réflexion.

DW : *Autrement dit, vous n'êtes pas très favorable à l'une des thèses actuelles qui voudrait limiter l'État à un rôle procédural.*

JD : Oui. Et surtout, le plus grand danger est d'affirmer qu'on lui donne un rôle procédural modeste, alors qu'en réalité il détient encore presque toutes les clés.

DW : *Financières.*

JD : Oui, mais dans la clandestinité.

DW : *Le symbole de l'État demeure le service public, surtout en France, avec ses trois grandes règles : continuité, égalité d'accès et adaptation. Comment, à votre avis, peut-on aujourd'hui revaloriser l'idée de service public ? L'idée d'usager du service public est-elle encore une idée forte ? À quelles conditions la revaloriser ?*

JD : Dans le service public, il y a deux choses : le service public et les biens collectifs. Chaque agent de l'administration doit se rappeler tous les matins qu'il est au service du public, dans la mesure où celui-ci a besoin de prestations sous forme de services ou de renseignements. Et le secteur public est aussi producteur de biens collectifs, c'est-à-dire de biens que le marché ne fait pas émerger en temps utile, ou avec la qualité nécessaire, ni à travers une distribution équitable entre les couches sociales ou entre les différentes parties du territoire. Ces biens collectifs peuvent être dispensés, soit par une administration, au sens traditionnel, soit sous la forme d'une concession à des entreprises privées, comme c'est le cas pour la distribution d'eau. Le principe d'ensemble est que ces biens collectifs doivent être accessibles à tous les citoyens, dans la mesure de leurs besoins, et payés à un prix qui n'amène pas les contribuables à les financer, qui n'offre pas non plus de rentes injustifiées à des entreprises.

DW : *Au plan européen, vous essayez de favoriser cette généralisation du service public. Et vous avez présidé un colloque en février 1993, à Bruxelles, intitulé : « Vers un service public européen ». Je vous cite : « Les services publics ne seront à la hauteur de l'ambition que nous avons pour le modèle européen de société que s'ils savent se mettre à jouer leur offre, faire des progrès de productivité, transférer de façon sélective certaines tâches à la sphère privée ou associative, enfin, moderniser leur modalité de gestion, notamment par davantage d'innovations sociales et davantage de consultations des usagers. » Cette définition du service public européen n'a-t-elle pas quelque chose d'un peu idyllique ?*

JD : On aurait très bien pu dire cela aussi pour le service public français. Mais là, je me situe dans un contexte « adverse » où il est question de transférer au marché, à la loi de l'offre et de la demande, tout ce qu'on appelle les services publics, sous prétexte de dérégulation, de lutte contre la bureaucratisation, de choix entre la meilleure adéquation prix/qualité. Je n'y crois pas comme solution globale. Je ne suis pas un partisan effréné de la nationalisation. Je dirais même que, si j'avais à faire une privatisation en France, ce serait celle des télécommunications. Pour leur permettre de jouer pleinement leur rôle dans cette gigantesque redistribution des cartes que représente l'accès aux nouvelles technologies de l'information. Et je crois qu'ainsi conçues les télécommunications, dotées en plus d'un cahier des charges établi par le gouvernement sous contrôle de la souveraineté nationale, seraient mieux armées. En revanche, quelle que soit la formule – services rendus par une administration, par une entreprise publique, ou concession –, ces services doivent être accessibles à tous les citoyens, et sur tout le territoire. C'est la condition de la justice sociale et d'un bon aménagement du territoire.

DW : *Il n'y a pas non plus d'État sans fonction publique et là aussi, on observe depuis une quinzaine d'années une certaine crise. Le 2 mars 1994, a paru un article dans* Le Monde, *signé par un groupe de hauts fonctionnaires, qui s'intitulait « Malaise dans la haute fonction publique ». Il était dit que la fin de la croissance, la fin du dirigisme économique et la montée d'autres décideurs publics tels que les collectivités locales ou l'Europe, le ralentissement des carrières et une situation financière dégradée aboutissaient à une urgence : revaloriser la haute fonction publique. Partagez-vous cet avis ?*

JD : Le meilleur moyen de revaloriser la fonction publique est de retrouver, comme je l'ai déjà indiqué, la grande tradition de service de l'État : par l'autonomie retrouvée des fonctionnaires, par une meilleure rémunération, puisque l'écart entre les salaires du secteur privé et ceux de l'administration est vraiment trop grand. Il y a aussi un effort d'explication : l'État doit se « vendre mieux », de sorte que ceux qui continuent à y travailler se sentent honorés de servir l'intérêt général. Pour le reste, les causes qu'indique cette étude vont de soi. Rappelez-vous la fuite vers le privé des élèves de l'École nationale de l'administration, au moment où l'on parlait des « golden boys », de l'argent-roi, etc. Cela passe, ça va et ça vient. Mais l'effort ne doit pas être que financier, il doit être aussi politique et psychologique.

DW : *Par rapport aux hauts fonctionnaires des années soixante, du style de François Bloch-Lainé, avez-vous le sen-*

timent que le « niveau » des hauts fonctionnaires ait baissé en France ?

JD : Non. Il est vrai que leurs marges de manœuvre se sont réduites. Le temps des grands constructeurs est fini. Vous vous rappelez sans doute que Stanley Hoffmann, l'historien américain, a publié deux ouvrages sur la France, à vingt ans d'intervalle. Dans le premier, il disait : la France ne se modernisera jamais si elle garde cette fonction publique, composée d'énarques, d'ingénieurs des mines et de polytechniciens, aussi souveraine et aussi centralisatrice. Et vingt ans après, il reconnaissait que cette administration avait conduit le changement. Mais aujourd'hui, avec l'internationalisation de l'économie, le rôle plus important du marché, il est vrai qu'il y a moins de place pour les grands bâtisseurs.

DW : *Pourquoi vos propositions de réforme de l'ÉNA n'ont-elles pas été reprises ?*

JD : Parce qu'elles compromettaient l'élitisme ambiant. Elles avaient contre elles les membres de l'Inspection des finances et du Conseil d'État. Dans mon esprit, chaque fonctionnaire pouvait passer dix ans de sa carrière, soit à l'Inspection des finances, soit au Conseil d'État, soit à la Cour des comptes, c'est-à-dire dans les grands corps. C'était un système tout à fait différent, qui n'enlevait rien au lustre des grands corps. Mais cela permettait un épanouissement et un meilleur emploi de tous les hauts fonctionnaires.

DW : *La démocratisation des élites n'a pas mis fin aux inégalités, ni dans l'accès ni dans leur comportement. Que pourrait-on faire pour réduire ce phénomène de reproduction des élites, non contradictoire avec une certaine démocratisation ?*

JD : Le système français est loin d'être parfait. Mais, avant de le détruire, il faut savoir ce que l'on perdrait en voulant mettre en place un autre système. La haute fonction publique française reste franchement pour nous un atout. De même que nos grandes écoles. Peut-on combiner, pour dire cela vite, les avantages du système allemand avec l'enseignement par alternance dans le secondaire et le début du supérieur, avec ce système français des grandes écoles qui est admiré, même en Allemagne ? Il est possible, il est indispensable de combiner les deux.

Le Plan

DW : *Pour vous, il n'y a pas d'État sans revalorisation de la planification. Et la planification, tout au moins dans ses débuts, avait deux objectifs : moderniser l'économie et la société française ; arriver à contractualiser un peu mieux les rapports sociaux. Le premier objectif a été atteint. Le second n'a-t-il pas été soit un semi-échec, soit un moyen d'accompagner la modernisation ?*

JD : La contractualisation a toujours été en France un élément mineur de l'ensemble du système des relations économiques et sociales. J'ai pris plusieurs initiatives, lorsque j'étais au cabinet du Premier ministre, Jacques Chaban-Delmas, pour essayer de remédier à cette lacune. En imposant la négociation dans le secteur public, d'abord ce qui a déjà sous-entendu une autre définition de l'État. Puis, dans le secteur privé, avec les grands accords nationaux, comme celui sur la formation permanente, en 1970. Mais, enfin, dans le domaine social, la France procède plus par loi que par accord. Je le regrette.

DW : *Comment expliquez-vous que ce soit sous la gauche que le Plan, déjà bien affaibli à la fin du septennat précédent, ait quasiment reçu son coup de grâce ?*

JD : D'abord, on a eu un ministre du Plan. Ce n'est pas la qualité de Michel Rocard qui est en cause, il est un des meilleurs hommes politiques français, mais le fait est que le Commissariat général du Plan ne doit pas être un ministère. Il doit être une administration de missions, et se situer dans les interstices du pouvoir et de la société. Il doit se présenter comme le carrefour idéal, où peuvent s'exprimer les aspirations des uns et des autres, où les intellectuels se sentent aussi à l'aise que les patrons, les syndicalistes, les dirigeants agricoles, les fonctionnaires. Bref, en laissant aller le Plan, on a confondu deux de ses fonctions. La planification qui, elle-même, se heurte aux contraintes d'une économie ouverte, qui rend plus difficiles et la prévision et la programmation. Il faut donc passer de la programmation normative à une simple exploration du futur, puis à la définition de grands chantiers pour l'action collective. Enfin, la planification est aussi l'endroit où tout le monde peut se rencontrer et s'exprimer. C'est ce que j'appelle l'aspect carrefour. Nous manquons cruellement de ce carrefour à la fois des acteurs et des idées. Et voilà pourquoi votre fille est muette !

Quand on parle de planification, inutile de sortir son revolver, le débat ne peut avoir lieu que si l'on précise exactement ce qu'on entend par cela. Je rêve qu'un jour on puisse réinstaurer un Commissariat général à la planification qui redonne à la France cette boîte nationale à idées, dont nous avons tant besoin. La responsabilité est entre les mains du pouvoir politique. Veut-il, oui ou non, des débats transparents et innovateurs sur l'avenir ?

DW : *Vous venez de dire que la difficulté est de penser la prévision en économie ouverte. Avec l'enchevêtrement des centres de décisions et le fait que nous soyons dans une mondialisation des économies et des politiques, est-il encore possible, si je puis dire, de concevoir un lieu de prospective à caractère national ?*

JD : C'est une raison de plus pour le maintenir. Plus l'incertitude est grande, plus on a besoin d'une longue vue. L'approche peut être double. D'un côté, décrire les tendances lourdes de l'avenir. Par exemple, il est sûr que les nouvelles technologies de l'information arrivent. S'agit-il d'un progrès technique banal, ou d'un progrès technique englobant ? et porteur de multiples conséquences, bonnes ou mauvaises ? Autre exemple, la poursuite du phénomène d'urbanisation. On peut le quantifier, on peut analyser les fonctions des villes et leur paysage. C'est ce que j'appelle explorer le futur. Puis, il y a une autre méthode, que l'on n'emploie jamais. Le gouvernement s'apprête à prendre une décision, a-t-il mesuré toutes les conséquences à long terme de la décision qu'il prend aujourd'hui ? En fonction des données internationales, des rapports de forces, de la démographie, de l'évolution des structures de consommation, des tendances lourdes des finances publiques ? Ce travail est indispensable. Et il est avantageux de le faire dans un endroit où tout le monde se sente à l'aise, sans se sentir piégé et en pouvant s'exprimer en toute franchise.

DW : *C'est vrai, utiliser le Plan pour une réflexion sur l'avenir est probablement un des moyens de mobiliser les acteurs sociaux, par ailleurs difficilement mobilisables sur le présent. Mais cette planification démocratique de type français n'est-elle pas un peu contradictoire avec un projet militant ? Il s'agit tout de même d'une vision technocratique des rapports sociaux : on prend des représentants des forces sociales, on les assoit autour d'une table, on négocie avec eux, et on travaille sur des problèmes importants. Mais, en définitive, le risque de déconnexion de ces fameux représentants du reste de la société est très fort.*

JD : Tout est dans la santé des intermédiaires sociaux ! Si c'est le mode unique d'auscultation, cela ne va pas. Mais si, au contraire, il s'agit d'un des maillons d'une vie sociale stimulée par une représentativité plus grande des organisations syndicales ; par une réactivation des conseils économiques régionaux ; par une mobilisation des acteurs sociaux, pour faire face au problème de désertification rurale, au meilleur fonctionnement des bassins d'emplois, de lutte contre l'exclusion sociale, de rénovation des quartiers déshérités, alors, c'est la société entière qui bouge. On verra même que viendront de la base des innovations, des expériences réussies qui, synthétisées, enrichiront la réflexion menée au niveau national dans ce carrefour.

DW : *Si j'énumère six causes du déclin du Plan, quelles sont celles qui vous paraissent les plus importantes : l'Europe, la mondialisation des économies, la perte d'intérêt de la classe dirigeante pour cette structure, la déception des syndicats, la limite des exercices de prospective ou la crise économique ?*

JD : La perte d'intérêt de la classe dirigeante et la mondialisation de l'économie.

DW : *Dernière question. Doit-on revaloriser le Plan ou, au contraire, inventer une autre logique ?*

JD : Si demain vous faisiez une enquête auprès des vingt dirigeants politiques français les plus sérieux, et que vous leur parliez, soit du dialogue social, soit du Conseil économique et social, soit du Commissariat du Plan, ils vous répondraient qu'il s'agit de grand-messes obligatoires mais décevantes. Ils y participent, mais sans conviction. À ce moment-là, il vaut mieux arrêter, car nous sommes dans un genre faux. Pour prendre l'exemple du dialogue social, les gouvernements successifs savent que les syndicats sont faibles, et divisés, il suffit donc de les écouter, voire de les cajoler. Les syndicats savent que ce n'est pas la peine de prendre des risques puisque l'exercice ne servira à rien. Et le patronat, aujourd'hui, outre qu'il n'a pas donné à la dimension sociale toute l'importance qu'elle avait du temps de François Ceyrac, pense que l'essentiel de la politique sociale doit se jouer au niveau des entreprises. Et ce que je dis du dialogue social vaut pour les procédures du Commissariat général au Plan et aussi pour le Conseil économique et social. Si la société ne supporte pas la lumière crue, elle ne supporte plus, non plus, le conservatisme social, et les relations fondées sur le « cher ami » qui ne veulent plus rien dire, sinon une complainte discrète et stérile.

La société a besoin de vérité, et même de brutalité dans le dialogue et dans les échanges, pour pouvoir retrouver sa santé.

DW : *Quand pensez-vous être passé du statut d'expert au statut d'homme politique ?*

JD : En 1979, quand j'ai été élu député européen. J'étais depuis longtemps un militant politique, mais qui, dans l'essentiel de sa vie professionnelle, pensait le progrès de la société en termes d'outils économiques et sociaux. Le citoyen, bien entendu, s'intéressait à la politique. J'ai milité longtemps dans les partis, ensuite, surtout dans les clubs, mais je ne suis vraiment passé au cœur de la politique que lorsque j'ai été élu député européen.

DW : *Vous préférez la dénomination d'expert ou celle de fonctionnaire ?*

JD : Les deux peuvent être raisonnablement associées.

DW : *Je prends quelques situations. Quels sont vos meilleurs souvenirs d'expert ? Quand vous étiez à la CFTC ? Quand vous avez été chargé des affaires sociales au Plan, en 1962 ? Quand vous étiez conseiller auprès de Jacques Chaban-Delmas ? Quand vous avez été expert au comité directeur du parti socialiste ?*

JD : Je pense que la période professionnelle dont je garde le meilleur souvenir, du point de vue de la satisfaction que je tirais de mon travail professionnel, est celle du Commissariat général du Plan. C'était une position où l'on pouvait combiner réflexion et action, dialogue, écoute et influence. C'était une période au cours de laquelle on pouvait innover, explorer des sentiers nouveaux, sans se faire censurer. Une époque où l'on faisait vraiment de la prospective sans entrave d'aucune sorte. Mais ce n'était pas simplement cela. En réalité, les économistes, sociologues, hommes de science politique, qui s'intéressaient à la prospective, venaient. Il y avait une sorte d'encouragement, de compétition fraternelle entre ce qui se faisait au Plan et ce que faisaient Bertrand de Jouvenel et bien d'autres. Les intellectuels se sentaient encouragés, stimulés, considérés. D'un autre côté, nous étions consultés régulièrement par le pouvoir, et nous avons influencé le cours des choses. Pour moi, c'est la vie professionnelle, telle que je l'aime. J'ai aussi gardé un souvenir formidable de la période passée à la CFTC soit à mon apprentissage du mouvement ouvrier que fut la période de Reconstruction, soit aussi quand il s'est agi, avec le rapport Bonety, d'avancer la réflexion sur la politique des salaires et sur les négociations articulées.

Nous avions vraiment le sentiment, là aussi, d'explorer des voies nouvelles. C'était donc une chimie d'un type tout à fait particulier qui était en place : comment être à la fois un syndicat de revendication et de proposition. Quant à la période Chaban-Delmas, elle me permit de tester mes idées au choc des réalités. Je ne regrette rien.

DW : *En cinquante ans de carrière, vous avez fréquenté beaucoup de milieux, professionnels, associatifs, syndicaux, politiques, administratifs. Comment se constituent les réseaux de Jacques Delors, les cercles, les relations ? Comment se sont faits les passages d'une époque à l'autre ? Avez-vous gardé beaucoup de relations d'une période à une autre ? De la Banque de France à la direction de l'Europe, quelle continuité y a-t-il dans les relations et dans la construction de vos réseaux amicaux et professionnels ?*

JD : Pour ce qui est du cercle étroit des vrais amis, il y en a de toutes les périodes. Pour ce qui est de ce que j'appellerais l'« itinéraire de réflexion en commun », il y en a beaucoup plus. Qu'il s'agisse de la CFDT, de *Citoyen 60*, d'*Échange et projets*, du parti socialiste, du groupe Clisthène, qui a été fondé, au départ, par les anciens membres de mon cabinet, associés à d'autres, pour un travail discret d'échanges et de réflexion. Bref, il y a toujours eu une sorte de compagnonnage, plus fondé sur l'amitié et le goût du débat que ciblé sur une ambition politique.

DW : *Ce ne sont pas les mêmes univers culturels !*

JD : Non, mais ils arrivent à vivre ensemble, et cela est très important.

DW : *Vous ne voyez pas vraiment de discontinuité entre les différents milieux ?*

JD : Non, parce que j'ai gardé mes racines, et ce sont des gens qui correspondent à ces racines.

DW : *L'hebdomadaire américain* Newsweek *vous a consacré un long portrait en avril 1994, assez favorable. Naturellement, il y a tout de même un certain nombre de critiques. J'en relève une : « Il appartient aux élites, bien qu'il s'en défende. Il a développé l'habitude de prendre les décisions du haut, pour le bien de ceux qui se trouvent être en bas. » N'êtes-vous pas entré dans un jeu de pouvoir classique ?*

JD : Je subis, comme les autres, la contrainte du pouvoir. Ce qui veut dire qu'après avoir consulté, réfléchi, pesé le pour et le contre, je suis devant le dilemme classique : trancher ou non dans le vif.

DW : *Oui, mais n'êtes-vous pas devenu plus autoritaire ou plus solitaire ? Avec l'âge, l'expérience ou le pouvoir ?*

JD : Non, simplement, la construction de l'Europe est une bataille d'idées, et une stratégie de l'engrenage, un « spill over effect », comme disent les Anglais, avec un enjeu institutionnel. Vous ne pouvez pas éviter la compétition entre les différentes institutions : le Parlement européen, le Conseil des ministres et la Commission. Donc il a fallu que, dans un style volontariste, souvent énergique – je l'espère –, j'avance au nom de mon institution. Que cela soit prétexte à des critiques faciles, la technocratie, c'est une chose, mais nous ne vivons pas dans un monde unidimensionnel. Il n'y a pas la bataille pure des idées d'un côté, et de l'autre le conflit des institutions pour le pouvoir. C'est aussi un jeu d'échecs, et il faut aussi compter avec les institutions. Il suffit parfois que la Commission propose quelque chose pour que le Comité monétaire dise que la Commission n'a pas à s'occuper de cela, ou bien pour que le Comité des représentants permanents des États membres soit vexé que la Commission l'ait proposé. Si j'avais négligé la dimension de la lutte entre les pouvoirs, j'aurais sombré dans la naïveté et dans l'impuissance.

DW : *Le caractère s'est-il aigri en quarante ans ?*

JD : Non, je pense que je suis devenu moins sensible aux critiques. J'y suis toujours attentif, mais celles-ci me désarçonnent moins. Avant, quand j'étais jeune militant à La Jeune République, il suffisait, par exemple, que l'on me traite de « produit aberrant de la pensée bourgeoise » pour que je me sente tout d'un coup coupable, en quelque sorte, et que je me retire. Maintenant, quand je lis des articles désagréables sur moi, certains même injurieux, j'en prends et j'en laisse. Je prends ce qui doit m'amener à faire mon autocritique, et je laisse le reste.

DW : *Êtes-vous content de votre évolution ? Y a-t-il un aspect de vous qui vous fait penser : « Tiens, dans le fond, j'ai vraiment changé » ?*

JD : Non, malheureusement. Je n'arrive pas à régler au mieux mon moteur avec l'essence de la réflexion et le levier de l'action. Je ne suis pas long à prendre des décisions, mais je veux toujours en savoir davantage. Certains en prennent après avoir lu la note de leur cabinet et deux papiers de la direction générale, et, quand ils sont très ouverts, un papier de l'extérieur. Moi, je creuse, un petit peu comme un foreur de pétrole. J'ai besoin d'approfondir par moi-même, d'où cet aspect, agaçant parfois pour mes collaborateurs, de revenir sans cesse aux détails, car, comme le dit un proverbe allemand : « Le diable est dans les détails. »

Chapitre 3

Intégration et exclusion

Chômage

DOMINIQUE WOLTON : *Là où, hier, on parlait d'inégalités sociales, on parle aujourd'hui d'exclusion. Les lois et les multiples mesures pour réduire le chômage ont été en partie inefficaces. Six mois après la dernière loi actuelle, la loi Giraud, sur l'emploi, le travail et la formation professionnelle, on a l'impression que le bilan, là aussi, est modeste. La loi profite plutôt aux grosses entreprises, renforce un appareil législatif déjà lourd, et n'arrive pas à susciter l'embauche, au-delà des simples mécanismes du marché. Que faudrait-il faire, après tant d'initiatives, tant de législations, pour aborder autrement le problème du chômage ?*

JACQUES DELORS : D'abord partir de plus loin. C'est-à-dire clarifier les données. Bien sûr, la statistique du nombre de chômeurs, leur part dans la population active sont des données très importantes. Mais il faut distinguer le nombre et les causes du chômage. Il y a d'abord le chômage frictionnel : les gens sans emploi et qui retrouvent un travail en moins de trois mois. Aussi étonnant que cela puisse paraître, c'est un signe de santé de l'économie et de dynamisme du marché du travail. En second lieu, il y a le chômage conjoncturel, lié à un ralentissement de l'activité économique plus ou moins prononcé. C'est une des causes de l'accroissement du chômage que nous avons connu entre les années 1991 et 1994. Et puis il y a le chômage structurel, qui tient, lui, à des dysfonctionnements de l'économie et à un manque d'efficacité du système de l'emploi.

Cela me paraît résumer tous les facteurs qui interviennent dans le problème qui nous occupe. Je veux parler du marché du travail et surtout de la qualité des services publics de l'emploi, chargés non seulement de recenser les chômeurs, mais aussi d'orienter les chômeurs vers une formation, une activité, un travail. J'entends aussi par là l'organisation du travail dans les entreprises et le caractère plus ou moins épanouissant et adaptateur des fonctions de chacun. Et puis aussi les choix que fait l'entreprise au sein du marché interne du travail, où elle redistribue la main-d'œuvre en fonction des besoins. Elle « internalise » une partie des coûts et consacre davantage d'argent à la gestion de sa main-d'œuvre que celles qui « externalisent ». C'est-à-dire celles qui, dès qu'elles ont un problème, remettent la main-d'œuvre sur le marché. Et d'ailleurs, certains économistes pensent que l'on ne devrait pas traiter de la même manière les entreprises qui supportent les coûts de l'adaptation, et celles qui reportent les coûts sur l'ensemble de la collectivité. Il y a aussi, dans le système d'emploi, la qualité des institutions de formation permanente, les structures de l'indemnisation du chômage, qui incitent plus ou moins à retrouver un travail.

DW : *Il faut donc revoir sérieusement la forme de l'ANPE.*

JD : Oui, il faut avoir une vision globale et parler du « système de l'emploi ». Mais je dois, à ce point de notre échange, parler du chômage technologique, que Keynes avait caractérisé, dès les années trente, de la manière suivante : « Le progrès technique va plus vite que notre capacité à imaginer les nouveaux besoins. » Vision d'ailleurs optimiste sur l'avenir des économies industrielles, car il pensait que l'on trouverait toujours de nouveaux besoins à satisfaire ! Voilà donc les quatre causes de chômage. Il est évident qu'on ne les traite pas de la même manière. On peut traiter rapidement le chômage frictionnel. Par exemple, si, à un moment donné, le pourcentage de chômeurs est le même en Allemagne et en France, le problème est plus grave en France, car, en Allemagne, un chômeur sur trois retrouve un emploi dans un délai égal ou inférieur à trois mois. Voilà de quoi faire réfléchir !

DW : *Les solutions du problème passent-elles plutôt par la formation, le partage du travail, la semaine des quatre jours, des emplois de proximité, ou bien, au contraire, ces solutions restent-elles aujourd'hui encore trop timides ?*

JD : Si l'on admet cette typologie du chômage, les réponses doivent être multiples. Tâchons de poser quelques jalons, un peu prospectifs. Même si l'avenir les dément, au moins nous aurons eu des bases de départ. Tout d'abord, le taux de croissance de l'économie. La plupart des économistes pensent que nous reviendrons sur une moyenne période à un taux de l'ordre de 2 à 2,5 %. Autrement dit, c'en est fini des Trente Glorieuses (1945-1975). Pour créer beaucoup d'emplois avec un tel taux de croissance, il conviendrait de diminuer les taux de productivité du travail, en moyenne nationale, et donc de perdre de la compétitivité. C'est banal, s'il est essentiel de ne pas attendre de la seule croissance la solution au problème de l'emploi. Mais il faut tout de même de la croissance !

Deuxièmement, comme toujours, le progrès technique va se traduire soit par un progrès du niveau de vie, soit par une diminution du temps de travail, une augmentation du temps de loisir et de repos, soit les deux. La durée annuelle du travail était, il y a cinquante ans, d'environ trois mille heures. Elle est maintenant de mille six cents à mille sept cents. Et cela va continuer.

La question qui se pose est alors la suivante : laissons-nous les choses évoluer spontanément ou bien décidons-nous d'agir ? Si l'on pense le problème, il faut passer de la durée journalière, et même de la durée annuelle, à la durée autour de la vie. Que fera-t-on des heures libérées par le travail obligé ? Vont-elles bénéficier aux seuls qui travaillent ou permettre une redistribution du travail à d'autres ? L'augmentation du temps de loisir va-t-elle ou non créer de nouveaux besoins ? Les questions doivent être posées de cette manière.

DW : *Vous voulez dire qu'on ne différencie pas assez les problèmes autour du chômage et du travail.*

JD : Voilà. À partir de là, il faut réfléchir à ce que sera la société dans vingt, vingt-cinq ans. Quel sera le mode de vie ? Quelles sont, dès maintenant, les réflexions qu'il faut susciter pour mieux vivre dans une telle société ? On peut déjà faire quelques propositions. La phase de cette histoire humaine dans laquelle la vie était séparée en trois segments sera terminée : l'apprentissage, le travail, la retraite. Nous aurons un choix plus large et nous devrons, tout au long de la vie, exercer un travail salarié, retourner en formation, avoir une ou deux années sabbatiques, et amener ainsi, contrairement à ce que l'on pense, des gens de soixante-cinq ans à continuer de travailler, alors qu'actuellement la retraite est à soixante ans.

DW : *C'est souvent trop tôt.*

JD : Oui, sans compter les préretraites, mesure que l'on a prise au moment où il fallait adapter notre industrie à la nouvelle donne internationale. On l'a fait par substitution du capital technique au capital humain. Si l'on avait une comptabilité du patrimoine, on verrait tout ce qu'on a perdu en capacité humaine, en expérience professionnelle et sociale. Quel gâchis !

DW : *Gâchis de savoir-faire, de tradition, de relations humaines.*

JD : Dès maintenant, il est possible de préparer les nouvelles générations à ces nouveaux rythmes de vie.

DW : *N'est-ce pas présomptueux ?*

JD : Non, nous devons encourager les innovations et les expériences porteuses d'avenir. Pourquoi ne pas passer deux ans dans une association humanitaire, dans une activité de service social ou de préservation de l'environnement ? Pourquoi ne pas instituer un service civil, à côté du service militaire, un peu plus long mais qui permettrait d'aider les pays en voie de développement, de se familiariser avec des tâches sociales dans son propre pays ? Il faut repenser la ville pour qu'elle ne contraigne pas au cycle infernal : « métro, boulot, télé, dodo ». Et qu'il y ait des endroits où l'on puisse s'attarder. Si, par exemple, le choix se porte sur la diminution journalière de la durée de travail, la question se pose de l'utilisation du temps libre. Je rentre chez moi, ou je vais à mon syndicat, à mon association, rencontrer des amis pour jouer aux échecs, voir un film au ciné-club ? La vie doit être pensée en fonction de ce mode de vie. Et si je vous dis cela, c'est parce que, derrière ces différentes actions, il y a des emplois à créer. Je ne dis pas que cela suffira – j'ai parlé de la croissance –, mais c'est un moyen de le faire. Le rôle du local est également prépondérant. Ce n'est pas par une loi nationale que l'on arrivera à mobiliser les idées nouvelles, les énergies qui permettront, dans les villes, les communes, les espaces ruraux, de créer ces emplois correspondant à ces besoins nouveaux. Besoins nouveaux et multiples qu'il ne faut pas figer prématurément, pas plus qu'il ne faut idéaliser le local. Le local et l'emploi doivent être un des paramètres de la solution, mais ils ne sont pas les seuls.

DW : *On a longtemps cru au rapport entre formation et emploi comme condition d'émancipation. On en voit aujourd'hui les limites. Faut-il réellement le remettre en cause ?*

JD : Non. Ce n'est pas la formation qui crée les emplois, mais, sans formation adéquate, les emplois offerts ne trouvent pas preneur. La question est : comment mieux combiner savoir et savoir-faire ? Le savoir est la connaissance, ce que l'humanité a appris sur elle-même. Sans connaissance, on ne peut entrer dans un problème, philosophique, personnel, physique, social. Mais le savoir doit s'accompagner d'un savoir-faire qui permette de mettre en œuvre, dans un emploi déterminé, les connaissances. Il faut le savoir et le savoir-faire. C'est cela le mérite de l'enseignement par alternance, pour lequel je me bats depuis de nombreuses années. C'est aussi le mérite de la fin de la trilogie enseignement-activité-temps libre, puisque je peux ainsi m'arrêter un an, pour me tourner vers un autre métier. Il me faut le temps nécessaire pour me familiariser avec cet autre métier qui fait appel, sans doute, au même socle de connaissances mais également à d'autres que je dois acquérir.

DW : *Que penser du thème de la relance de la consommation pour remédier au chômage ?*

JD : Non, en principe. L'expérience de ces quarante dernières années montre qu'il n'y a pas de croissance durablement créatrice d'emplois sans stabilité monétaire. Un déséquilibre provisoire, soit du côté de la monnaie, soit du côté des dépenses publiques, soit du côté du commerce extérieur, et les trois vont souvent ensemble, peut créer une euphorie de quelques mois, mais ce n'est pas soutenable. Donc, ce n'est pas la solution. En revanche, dans une conjoncture donnée, une année donnée, on peut se demander si l'augmentation des revenus est suffisante, si l'épargne n'est pas trop abondante, s'il ne faut pas donner un coup de pouce à la consommation, par les moyens de la politique macroéconomique. Cela est une question qui se pose, mais on ne peut pas poser le problème en termes antagonistes de la monnaie contre l'emploi ou de la rigueur budgétaire contre l'emploi. Cela n'a pas de sens.

DW : *Il y a un thème peu abordé, surtout en période de chômage massif, c'est celui du peu d'envie de travailler de certains. On fait comme si tout le monde voulait travailler, mais chacun connaît autour de lui des personnes, soit qui ne veulent pas beaucoup travailler, et trouvent tous les moyens de le faire, soit utilisent tous les systèmes de protection et d'indemnisation pour travailler le moins possible. Pourquoi ce silence hypocrite ? Pourquoi n'aborde-t-on pas cette question, en laissant sous-entendre que tout le monde souhaite travailler ? D'ailleurs, vous-même, vous vous êtes élevé contre les effets pervers des systèmes d'indemnisation. Curieusement, dans la mesure où l'on est en période de chômage massif, on n'en parle pas beaucoup.*

JD : Je vous ai indiqué la nécessité d'une hiérarchie des revenus. Celui qui travaille doit gagner plus que celui qui se forme, celui qui se forme plus que celui qui est au chômage, ou qui est dans une situation passive de chômeur et qui refuse toute offre de formation, d'activité. Ce principe doit être appliqué rigoureusement, il ne l'est pas encore assez.

DW : *Pourquoi ne parle-t-on pas non plus des abus du système ?*

JD : Les gens en parlent entre eux, et on évoque les spécialistes dans l'art d'utiliser les différentes formes d'indemnisation, de chômage et de formation. Mais quelques tricheries ne doivent pas être l'arbre qui masque la forêt de nos carences politiques. Ainsi, par exemple, avec la qualité des services de l'emploi, j'espère que, maintenant, l'on a compris que l'Agence nationale pour l'emploi n'était pas, avant tout, un organisme chargé de recenser les chômeurs ! Cela devrait être un organisme composé de prospecteurs-placiers, de psychologues, de sociologues, d'équipes qui reçoivent un chômeur et traitent son cas. Les fonctionnaires de l'ANPE vous répondront qu'ils ont été débordés par la marée du chômage, c'est exact. Mais le moment est maintenant venu de doter les services de l'emploi des ressources humaines et financières qui leur permettront de passer d'une politique passive à une politique active de l'emploi.

D'ailleurs, quand on compare le montant des dépenses actives par rapport à l'ensemble des dépenses engagées pour l'emploi, on voit que c'est en Suède, au Danemark, en Allemagne que les pourcentages sont les plus importants. Et, comme par hasard, c'est dans ces pays que la lutte est la plus efficace contre le chômage.

DW : *L'ANPE ne doit donc plus être une administration de recensement des chômeurs ?*

JD : Elle a été mal conçue au départ. En 1967, François-Xavier Ortoli avait présenté, avec ma collaboration, un rapport sur les conséquences sociales de la modernisation. Nous avions visité la Suède, la Grande-Bretagne, l'Allemagne fédérale, pour nous rendre compte de ce qu'était le marché du travail dans ces pays, de l'organisation et de l'efficacité des services de l'emploi. À la suite de cela, nous avions fait des propositions qui, malheureusement, n'ont pas été suivies dans leur esprit.

On a créé une Agence nationale pour l'emploi, mais on ne l'a pas orientée dans le sens que nous indiquions, ni dotée des qualifications nécessaires. C'est une réforme indispensable à faire rapidement.

DW : *Qui ne sera pas la plus onéreuse, et qui aurait une portée symbolique et politique assez forte. Les conséquences du bouleversement du travail sont également fortes sur le plan sociopolitique. Hier, les travailleurs étaient organisés dans des métiers, des professions, des syndicats. Il y avait une espèce de représentation collective du travail et de la promotion sociale. Aujourd'hui, avec le chômage et l'exclusion, l'atomisation s'impose, accompagnée de la perte de solidarité collective.*

JD : Oui, il y a un mouvement dans ce sens, mais il y a aussi des faits qui suscitent la réflexion. Premier cas de figure : dans certaines entreprises, face à une menace de licenciement, on accepte de partager le travail et les revenus. Deuxième cas de figure : devant un problème d'emploi, on diminue les heures si l'activité se réduit, et on les augmente – même au-delà de trente-neuf heures par semaine – si l'activité s'accroît. Avec la conséquence de ne pas offrir d'emplois supplémentaires. Ce qui est la facilité. C'est le choix à faire entre la préférence pour plus de revenus ou pour plus d'emplois. C'est le problème éternel du syndicalisme de devoir transcender ses contradictions et amener les gens à un effort de solidarité. C'est toujours très difficile. D'autant que le rapport des forces ne lui est pas favorable sur le marché du travail. Mais il doit rester fidèle à cette fonction de synthèse des revendications, de ce qu'il est possible de faire en pensant à l'ensemble des salariés. Aujourd'hui, c'est plus difficile pour les syndicats, car nous quittons l'univers taylorien et les statuts monolithiques. Les travailleurs sont plus dispersés, avec des postes de travail diversifiés, que l'on ne peut plus définir dans les conventions collectives. D'autre part, les statuts sont différents : contrat à durée indéterminée, déterminée, temporaire, contrat d'emploi solidarité... Bref, je reconnais que la tâche du syndicalisme n'est pas facile. Mais elle n'était guère plus aisée au début de la société industrielle, lorsqu'il s'agissait de faire comprendre aux travailleurs l'exploitation dont ils étaient victimes. Et je vois avec plaisir que la réflexion est commencée. Par exemple, en Grande-Bretagne, où le syndicalisme a longtemps été rétif à toute évolution, les « trade-unions » ont demandé à un spécialiste de rassembler toutes les réflexions sur le syndicalisme ; une commission de la

Chambre des communes s'en occupe aussi. C'est cela l'intérêt général. Le syndicalisme doit aussi mener son autocritique et se mettre à jour.

De la lutte des classes à la lutte des places

DW : *Le syndicalisme, on l'a vu, s'occupe de ceux qui ont un travail. Mais comment résoudre la question structurelle de l'expression de ceux qui n'ont pas de travail ? Je retrouve un chiffre. Lors des élections européennes, quasiment trois millions de chômeurs n'avaient pas l'occasion de s'exprimer. Dans le même temps, la liste des chasseurs-pêcheurs regroupa à peu près le même nombre. Il y a quand même dans notre société un déséquilibre structurel entre ceux qui, d'une manière ou d'une autre, ont des possibilités d'expression et ceux qui, de plus en plus atomisés, soit en fin de droit, soit en partie désocialisés, sont exclus. Quel moyen d'expression trouver ? Car la solidarité sociale n'est pas seulement la protection et la redistribution.*

JD : En dépit d'admirables et nombreux militants qui animent les mouvements de chômeurs, il n'y a pas un monde plus éclaté que celui-là. La responsabilité est celle de la nation et de la société française. C'est notre responsabilité. Et je crois qu'une prise de conscience et une dramatisation peuvent provenir de deux phénomènes. Le premier est que, même dans les classes moyennes, il y a maintenant un chômeur ou deux par famille. Le second est que nous ne sommes plus dans la période d'ascension sociale qui a caractérisé les Trente Glorieuses. Dans une famille, on pensait que les enfants feraient mieux que les parents. Si l'on regarde la structure de l'emploi, il y a maintenant dix fois plus de cadres qu'avant, etc. Mais cette période s'achève. Aujourd'hui, il n'y a plus de telles possibilités pour la grande majorité de la classe moyenne. On passe de l'optimisme au pessimisme et cela se ressent sur le dynamisme d'une société. En dehors de la mobilisation de nos forces pour trouver un modèle de développement plus créateur d'emplois, il y a tout un travail pédagogique et politique à accomplir pour expliquer que nous sommes entrés dans une société où la promotion sociale devient plus difficile.

DW : *Avec près de dix mille allocataires du RMI supplémentaires par mois, c'est-à-dire au total entre sept cent et neuf cent mille depuis l'été 1994, n'est-on pas face à l'échec ? Le*

RMI, conçu initialement comme un système d'intégration, rassemble, finalement, les chômeurs en fin de droit. Son rôle de réinsertion, qui est tout de même un système de protection extraordinaire, se réduit à un échec.

JD : Votre remarque est tout à fait pertinente, mais ce n'est pas une raison suffisante pour supprimer tout revenu à ceux qui n'ont rien ! Je le répète, les mécanismes n'ont pas été mis en place pour que fonctionnent en même temps l'indemnisation financière et l'incitation à exercer une activité ou un emploi. Tout cela pour de nombreuses raisons. Ce n'est pas dans la tradition de nos services sociaux ; nous n'avons pas la culture des bassins d'emplois, ni d'ailleurs identifié ces bassins d'emplois ; les organisations syndicales ont refusé toute cogestion du marché du travail, même au niveau local... Bref, il n'y a pas une concertation des forces, une concentration des moyens pour rendre plus actifs, plus intenses, ces bassins d'emplois. Évidemment, cela rend d'autant plus difficile l'insertion des exclus.

DW : *En juin 1994, l'INSEE a publié une étude sur les tendances fortes de l'emploi en France, de 1970 à 1993. Il y avait trois caractéristiques intéressantes. Premièrement, l'emploi s'est concentré sur les 25-49 ans, ce qui d'ailleurs pose la question de l'injustice pour les jeunes et pour les plus âgés.*

Deuxièmement, les contrats à durée déterminée sont passés de 1,7 % de l'emploi total à 3,2 %. C'est la précarité croissante du marché du travail.

Enfin, troisièmement, c'est la place croissante des femmes, puisque le taux d'activité des femmes de 25 à 49 ans était de 50 % en 1973 et qu'il est de 80 % aujourd'hui. Donc, l'emploi masculin a baissé dans cette période de huit cent cinquante mille et l'emploi féminin a monté de deux millions.

JD : À partir de là, nous avons une grande matière à réflexion avec trois phénomènes. Le premier est négatif, car on coupe l'omelette par les deux bouts. Avec deux conséquences. Les études scolaires deviennent pour beaucoup une sorte de salle d'attente, dans la mesure où les motivations n'y sont pas et où la nature des études ne correspond ni aux goûts, ni aux vocations, ni aux qualités des intéressés. À l'autre bout, celui de la retraite anticipée, on se prive d'une main-d'œuvre qualifiée, riche d'expérience.

Le second phénomène est en partie inévitable. On ne peut pas, dans une période de forte incertitude, obliger les entreprises à ne conclure que des contrats à durée indéterminée. En revanche, on pourrait inciter les entreprises à donner la priorité à l'emploi. Je me demande si on ne devrait pas supprimer la taxe pour le logement social, la taxe d'apprentissage, la taxe sur la formation permanente et les remplacer par une seule taxe sur l'emploi qui serait, par exemple, de 2,5 à 3 % des salaires et dont pourraient s'exonérer les entreprises qui ont créé un véritable marché intérieur de l'emploi et permis à leur main-d'œuvre de s'adapter constamment aux données changeantes des qualifications et de l'organisation du travail.

Quant au troisième phénomène, positif cette fois, c'est un fait de société. Il n'est pas prouvé que l'augmentation du travail des femmes puisse être corrélée avec la diminution des naissances, dans la mesure où nous n'arriverions pas à maintenir le taux de reproduction. La perspective de diminution de la durée du travail devrait d'ailleurs permettre demain de mieux concilier les obligations du travail et les obligations de mère ou de père.

DW : *N'y a-t-il pas, du point de vue de l'exclusion, une urgence d'action aux deux extrémités de la vie : pour les jeunes et les personnes âgées ? Pour les jeunes, c'est la salle d'attente des études et pour les personnes âgées, l'exclusion prématurée. Situation d'autant plus paradoxale que, simultanément, le marché du troisième âge est en pleine expansion.*

JD : Oui, mais nous sommes là devant deux phénomènes différents. En ce qui concerne les jeunes, le prolongement des études pour tous n'est pas une panacée. Je dirais même qu'il peut être négatif pour des jeunes garçons, des jeunes filles, qui à partir de seize ans ont plus l'envie d'entrer dans la vie professionnelle que de continuer leurs études. Cette remarque peut paraître choquante à certains, qu'ils y réfléchissent. S'il est possible à ces jeunes de revenir ensuite à l'école, à l'université, alors pourquoi y rester si inutilement au début de leur vie ?

DW : *Ne vaut-il pas mieux les faire commencer plus tôt à l'école et leur donner la possibilité de revenir ensuite ?*

JD : oui, tout à fait. J'avais pensé, à un moment, que l'on devrait donner à chaque Française et à chaque Français un « chèque éducation », correspondant à treize années d'études. Ceux qui iraient à l'école de six à seize ans en épuiseraient dix et en garderaient trois pour plus tard, ceux qui feraient des études supérieures auraient épuisé leur crédit. Est-ce la meilleure manière de faire comprendre que cette réforme est indispensable ? En tout cas, c'est une illustration de ma pensée. J'ai souvent été consulté par des parents. Je recevais un enfant qui, par exemple, avait un baccalauréat, et je voyais que l'université ne correspondrait pas à sa manière de travailler ; en revanche, il réussirait très bien dans un institut universitaire de technologie. Dix fois j'ai donné le conseil, huit fois les parents ont mis l'enfant à l'université, car ils avaient dans la tête une hiérarchie de standing, qui est le sous-produit d'une société élitiste. Malheureusement, ces gens-là ne feront que rêver à l'élitisme, ils ne l'atteindront pas, pour la plupart. C'est un modèle social venu d'en haut, inadapté à l'ensemble de la société, et qui aboutit à l'effet contraire ! Au lieu d'accroître l'égalité des chances, on renforce les inégalités de fait.

Il est pourtant possible, grâce à la loi Debré de 1966 et à celle de 1971, de sortir aujourd'hui de l'école sans diplôme important, et de retrouver ultérieurement dans une formation le moyen d'accéder à un métier. Les techniques existent. Sont-elles suffisantes, c'est à voir. En ce qui concerne les chômeurs de longue durée – on peut l'être à tout âge –, nous revenons là à deux points essentiels : l'efficacité des services de l'emploi pour laquelle j'ai appelé à une réforme qualitative de ces services ; et aussi, entre le chômage et le travail, un statut d'activité qui ne serait pas considéré comme un travail de seconde zone, et dont les réalités montreraient que cela correspond à une tâche d'utilité sociale. Après tout, d'un point de vue psychologique, il vaut mieux avoir une activité que de rester au chômage ! Même si ce n'est pas un emploi durable et gratifiant. Mais cela n'est pas entré dans les mentalités de la société française, car cette société est le résultat de notre histoire politique et de l'État-providence : une société de créanciers. Quand le droit est épuisé, il n'y a plus rien. Voilà pourquoi, me semble-t-il, il faut, en réfléchissant à la place du travail dans la société, rénover la notion d'activité.

DW : *À propos du chômage des jeunes, notamment dans les zones rurales. J'ai là un chiffre que tout le monde connaît : la population agricole était de 30 %, en gros, en 1946, elle est de moins de 7 % en 1990. Et aujourd'hui, en France, un jeune sur cinq – ce qui est beaucoup – vit dans une commune de moins de cinq mille habitants. Donc n'a pas de formation suffisante. N'y a-t-il pas, dès le départ, compte tenu de l'implantation de la population en France, un risque d'exclusion et d'injustice que l'on ne trouve pas, par exemple, dans d'autres pays ?*

JD : Mon expérience personnelle, professionnelle et statistique ne va pas dans ce sens. En général, le niveau de vie est suffisant – l'allocation de bourse aidant – pour que le jeune puisse aller étudier à cent ou à deux cents kilomètres du lieu où il habite. Du point de vue strictement de l'égalité des chances, ce n'est pas un problème. En revanche, la racine du mal est le risque de désertification des zones rurales.

DW : *La charité revient avec le développement massif du chômage et de l'exclusion. Elle est même sur le devant de la scène avec ses aspects positifs, et parfois négatifs. S'agit-il d'une situation temporaire ou d'un changement profond dans les comportements collectifs ?*

JD : Il ne faut jamais décourager l'effort de solidarité, même lorsqu'il prend la forme de la charité. Il s'agit là d'un sang salubre qui doit circuler en grande quantité dans notre organisme social. Et je connais beaucoup de petites associations qui prennent en charge un, deux, trois ou quatre chômeurs pour essayer de les réinsérer dans la vie professionnelle. Ce n'est pas une solution globale au problème, mais, de grâce, encourageons ces expériences et tirons-en les leçons, car elles peuvent nous amener à prendre des mesures plus générales.

Immigration et intégration

DW : *La société de chômage que nous connaissons ne facilite pas l'accueil et l'intégration des populations étrangères. Comment une société, qui a déjà beaucoup de difficultés à intégrer ses propres milieux sociaux défavorisés peut-elle intégrer des populations étrangères* [1]*, de surcroît souvent décalées dans le niveau de formation ? L'exclusion n'est-elle pas inéluctable ?*

JD : Ceux d'entre nous qui refusent de jouer sur la corde – même la plus faible – du racisme rappellent qu'une grande partie des étrangers qui sont en France sont venus à notre demande. Et pour remplir des besoins en main-d'œuvre que nous n'étions pas en mesure, ou que les Français de souche ne voulaient pas satisfaire. Les immigrés sont là aujourd'hui avec les enfants de la première et de la deuxième génération. Nous

1. Patrick Weil, *La France et ses étrangers*, Paris, 1991, Calmann-Lévy.

devons assumer nos devoirs vis-à-vis d'eux. Ce n'est pas une raison pour, aujourd'hui, accueillir chez nous des gens qui veulent travailler alors que nous n'avons pas assez d'emplois à offrir à tout le monde. Nous ne faisons qu'aggraver le problème. L'immigration pour cause de travail est bloquée depuis de nombreuses années. Alors il reste, bien entendu, des raisons non économiques, notamment l'exercice du droit d'asile, c'est-à-dire la possibilité pour quelqu'un qui est brimé chez lui, menacé à tort et au mépris des règles et du droit, pour des délits d'opinion, de chercher refuge dans notre pays. Un pays digne de ce nom, comme la France, ne peut pas récuser le droit d'asile, ni en réduire l'exercice.

DW : *Ce problème de l'intégration est d'ailleurs paradoxal, puisque la plupart des organismes de statistiques, notamment l'INSEE, estiment que vers 2010 la France risque d'être encore confrontée à une pénurie de main-d'œuvre, raison pour laquelle on fit appel aux populations émigrées dans les années soixante. L'appel à l'immigration pourrait redevenir une nécessité.*

JD : On verra ce qu'il faudra faire, mais au-delà, il y a la politique générale à l'égard des émigrés. Je ne parle pas simplement de procédure de naturalisation. La France doit-elle mener une politique qui repose à cent pour cent sur l'assimilation ? On tourne autour du problème à propos d'incidents, le port du voile par exemple, et aussitôt, puisque nous sommes des gens de grands principes et de grands sentiments, chacun monte sur sa colline pour dénoncer le prophète d'en face. Je trouve magnifique l'idéal d'assimilation. Je pense que la France a de ce point de vue – cela devrait rassurer nos compatriotes inquiets – réalisé de grandes choses avec les Italiens et les Espagnols des années trente, avec les Africains du Nord des années cinquante et soixante.

DW : *Et les Polonais des années vingt.*

JD : Oui. La question qui se pose aujourd'hui, avec la mondialisation de l'économie, mais aussi des mœurs, des attitudes, des religions, est que nous devons accepter un peu plus de pluriculturalité. Nous devons créer un climat de tolérance. C'est une question extrêmement grave. Je la pose à tout un chacun, je ne prétends pas la résoudre. On voit de quel côté mon cœur penche, du côté de la reconnaissance d'un certain droit à la différence, dans la mesure où chacun respecte les lois liées à la sécurité interne et au respect des autres. Et, à partir de là, je me demande si nous ne devons pas – pour être dans la course du monde de demain, psychologiquement et politiquement – accepter l'expression de la différence, dans le respect des lois de la République.

DW : *Autrement dit, un peu plus de cohabitation culturelle.*

JD : Oui, mais une cohabitation acceptée, pas forcée.

DW : *Se repose alors la question de la conception de l'Europe. On peut d'autant plus accepter la cohabitation culturelle avec d'autres identités que, par ailleurs, on renforce l'identité nationale du pays. Dominique Schnapper*[1], *dans* La France de l'intégration, *explique que pendant la IIIe République et même le début de la IVe, le projet politique et la conception de la laïcité étaient les principaux facteurs d'intégration sociale et culturelle. Durant les Trente Glorieuses, ou les quarante dernières années, cela a été manifestement le travail. Aujourd'hui, il n'y a plus tellement de projet politique ni de travail. Quels pourraient être les principes de l'intégration ?*

JD : Notre société est toujours fondée sur le travail. Des millions d'émigrés travaillent et par là même trouvent une des voies pour s'insérer dans notre société. Et même pour s'assimiler à la nation française. Le problème n'est pas là, il est plutôt dans les inégalités, notamment en matière d'accès au logement et à la formation, dont sont victimes – pas uniquement, mais principalement – les émigrés. Le phénomène explosif de l'exclusion sociale doit être traité comme un cas d'injustice sociale, et non comme un problème d'immigration. Si on commence à le traiter sous la rubrique « immigration », on ne trouvera pas de solution. Si on le traite sous la rubrique « inégalité des conditions d'accès au logement et à la formation », on peut trouver des solutions, puisqu'on banalise le problème, on le dédramatise en quelque sorte.

DW : *La conception française de l'intégration, ou de l'assimilation, liée à l'idée de citoyen et à celle de la nation, est-elle finalement un meilleur principe d'intégration que le principe, notamment britannique, du simple respect des communautés ?*

---

1. Dominique Schnapper, *La France de l'intégration. Sociologie de la nation en 1990*, Paris, 1991, Gallimard ; Michel Wieviorka, *La Démocratie à l'épreuve : nationalisme, populisme, ethnicité*, Paris, 1993, La Découverte ; Pierre-André Taguieff, *Face au racisme*, 2 vol., Paris, 1991, La Découverte.

JD : Chacun sa tradition. La politique française d'assimilation demeure pour moi le système qui doit être appliqué en France, mais avec l'amendement, qui consiste à ne pas refuser – au nom d'une conception intégriste de la laïcité – le droit à une certaine différence. On dira : oui, mais où cela va-t-il vous entraîner ? Pas plus loin que là où l'on veut aller ! Si nous sommes dans une société de droits et de devoirs et si, en matière de relation interpersonnelle, les immigrés respectent les lois françaises et ont à tout moment la possiblité de s'assimiler et de demander la citoyenneté française !

DW : *Il n'y a pas d'assimilation en démocratie sans droit de vote. Le droit de vote aux élections locales a été, pour les ressortissants des pays de la Communauté vivant hors de chez eux, institué par Maastricht. Ne risque-t-on pas d'avoir ainsi une société à trois vitesses ? Des citoyens à cent pour cent qui votent dans leur État-nation, des demi-citoyens, qui sont les citoyens européens, résidant dans d'autres États que le leur, des citoyens de rien du tout qui sont les émigrés. De ce point de vue, n'aurait-on pas intérêt à reprendre rapidement le thème du droit de vote dans les élections locales et communales qui avait été l'une des promesses de François Mitterrand ?*

JD : Déjà, dans les douze pays de l'Union européenne, il y a plus de réticences pour appliquer les dispositions du traité de Maastricht qui visent à permettre aux Européens, non nationaux, de participer, soit comme élus, soit comme votants, aux élections municipales. Mon sentiment est qu'il faut le faire aussi pour les autres étrangers, et notamment les immigrés, à condition qu'ils soient là depuis une certaine période et qu'ils aient montré un grand respect de nos lois communes. S'ils payent des impôts et s'ils travaillent, il est normal qu'ils soient associés à la démocratie élémentaire que constitue le débat autour des élections locales : comment organiser la ville, la commune, pour que les conditions de vie s'améliorent pour tous.

DW : *La montée des identités culturelles et le thème des communautés pourraient conduire les sociétés européennes, et notamment la société française, à une espèce de cohabitation plus ou moins conflictuelle de communautés : les Noirs, les Asiatiques, les émigrés de première ou de deuxième génération. Autrement dit, passer d'une conception nationale, qui prévaut dans presque tous les pays européens, à une conception plus américaine de cohabitation entre communautés. Il ne s'agit pas du tout du même modèle.*

JD : Dans l'Union européenne, la condition de la réussite est l'acceptation de la diversité dans les modèles d'intégration. Il y a le modèle anglais, que vous venez de rappeler, puis le modèle allemand qui repose, en principe, sur la transition, les immigrés revenant chez eux après une certaine période. Il y a le modèle français d'intégration. Il n'est pas question de créer un costume unique pour tous ces pays.

Mais l'Union européenne ne pourra pas éluder longtemps le débat de sa politique générale d'immigration. Qui acceptons-nous ? Quelle est notre conception du droit d'asile ? Le droit d'asile est-il uniquement politique ? Peut-on accepter d'ouvrir nos frontières dans des périodes exceptionnelles, comme celles que nous avons connues avec la guerre civile dans l'ex-Yougoslavie, pour des raisons humanitaires ? Nous devons arriver à définir une attitude unique. Ensuite, il faut que chacun garde ses modèles d'intégration. Si l'on ne définit pas une position commune pour les situations exceptionnelles, et une plus souple, respectueuse des traditions nationales, pour les autres, nous aurons de graves difficultés à l'intérieur de l'Union européenne, entre les pays qui font un gros effort d'accueil – non sans connaître des difficultés internes –, et les autres qui sont moins accueillants.

Chapitre 4

L'ancien et le nouveau

Ville, campagne et aménagement du territoire

DOMINIQUE WOLTON : *Rétrospectivement, la politique en faveur de l'exode rural en France, menée entre les années soixante et la fin des années soixante-dix, n'est-elle pas un réel échec pour l'équilibre ville-campagne et, plus généralement, pour l'équilibre de la société ?*

JACQUES DELORS : Elle répondait à une nécessité.

DW : *Ce fut une politique de court terme.*

JD : Non. Le problème aujourd'hui se pose d'une manière aiguë, mais, à cette époque-là, il y avait manifestement trop de main-d'œuvre disponible dans le secteur agricole, et pas assez dans les secteurs industriels et de service. Au surplus, les lumières de la ville ont joué de leur attrait.

DW : *On a payé trop cher, du point de vue social et culturel, cet impératif de l'économie.*

JD : C'était le temps de la modernisation et l'industrialisation à marche forcée, par appel à la main-d'œuvre qui se situait dans les campagnes et par recours à la main-d'œuvre étrangère. À partir de là, il a fallu construire des logements, dans les banlieues des villes. Nous avons ensuite pensé à des villes nouvelles. L'expérience est trop récente pour en parler. Les Suédois et les Anglais avaient songé à cette formule bien avant nous, et le bilan général de ces villes nouvelles est plutôt favorable, puisqu'elles ont pu, en Grande-Bretagne comme en Suède, reconstituer un centre actif pour l'échange et offrir, du point de vue même de leurs équipements, des conditions de vie acceptables.

DW : *En février 1965, il y a à peu près trente ans, vous consacrez un numéro spécial de* Citoyen 60 *à « Urbanisation, notre nouvelle frontière ». Et vous écrivez : « La ville est le symbole du changement parce qu'elle assimile et utilise tous les progrès de la science et de la technique, toutes les innovations qui marquent notre société. Qu'il s'agisse d'habitat, des modes de transport, des moyens d'information, des techniques du travail, toutes ces innovations se retrouvent dans la ville. » Ensuite vous proposiez un modèle d'aménagement, que vous appeliez des « plans d'urbanisation équitable ». Trente ans après, cet hymne à la ville n'est-il pas trop optimiste, et la politique de la ville un des plus grands échecs de tous les gouvernements, y compris de la gauche qui avait promis de « changer la ville » ?*

JD : Ce numéro spécial de *Citoyen 60* montre que nous étions très attachés à la démarche prospective. Nous avions l'intuition que 80 % des habitants de la France allaient vivre dans des communes de plus de deux mille ou de cinq mille habitants, et que ce mouvement précipité poserait bien des problèmes. Malheureusement nous n'avons pas été écoutés. La nécessité l'a emporté sur la vision. Et aujourd'hui nous vivons ce que l'on appelle, selon votre formule, les « dégâts du progrès ». C'est-à-dire, d'une part, une organisation territoriale de la ville qui favorise l'exclusion, et, d'autre part, une perte assez sensible de l'acquis architectural, historique ou artistique de certaines de nos villes. Nous sommes donc perdants sur les deux tableaux alors que la ville a été l'une des constituantes de l'histoire européenne. Et c'est autour de la ville que se sont développés des instrument de l'économie : le commerce, les autres échanges, la monnaie...

DW : *La grande différence, par rapport à hier, n'est-elle pas que la ville n'a plus le même pouvoir d'intégration sociale et culturelle ?*

JD : Oui, c'est une réalité. Mais attention, c'est un peu l'affaire de la poule et de l'œuf. Aujourd'hui, la ville doit absorber également les chocs venus de l'extérieur. Autrement dit, la ville n'a pas la force socialisante qui lui permettrait d'intégrer les nouveaux venus, ce qui montre déjà combien l'approche politique de la ville doit combiner une pensée nationale et une pensée locale, une action nationale et une culture locale.

DW : *La ville a moins de pouvoir d'intégration qu'il y a cinquante ans et, en même temps, elle a aujourd'hui plus de pouvoirs et de moyens financiers ! Il y a une espèce de contradiction entre la décentralisation qui lui a donné les moyens d'agir et la crise du modèle social et culturel.*

JD : Nous continuons à parler de la ville alors qu'il faudrait parler des différentes sortes de villes. Les mutations importantes sont aisées à définir. Tout d'abord, la ville est devenue un agent économique au sens plein du terme, qui apporte sa propre valeur ajoutée. Son apport n'est pas seulement dans l'addition de ses activités, il est aussi dans la mise en rapport de ses activités. Aujourd'hui, la ville est, et le sera encore plus demain, un élément essentiel de toute réflexion sur l'aménagement du territoire. En second lieu, la ville a hérité de maux qui lui sont extérieurs, mais elle les a concentrés d'une manière spectaculaire, et dans une certaine mesure aggravés. Et notamment pour les phénomènes de ségrégation : mauvais logement, déficience de l'éducation, absence d'emplois, pénurie des services de proximité. Enfin, troisièmement, la ville a résisté tant bien que mal à l'érosion de son patrimoine. Et on constate avec bonheur que, depuis quelques années, cet aspect de la ville qui était essentiel au Moyen Âge, au XIXe siècle, redevient prioritaire pour de nombreux responsables. Voilà donc les trois points autour desquels il faut tourner : l'économie, le social et la mémoire. La mémoire et les racines.

DW : *Dans les années 1945-1950, plus de 30 % de la population française vivait en zone rurale, et aujourd'hui moins de 7 %. L'exode rural aboutit à transformer les campagnes en une sorte de continuum urbain, de demi-banlieue des grandes métropoles. La conséquence négative de l'exode rural n'est-elle pas de faire disparaître la différence de nature qui existait entre l'espace urbain et l'espace rural ? Différence de « nature » qui était une altérité nécessaire.*

JD : Il y a, dans une typologie sommaire, trois formes d'espaces ruraux. Il y a les espaces ruraux situés entre les villes et autour d'elles. Certains correspondent à des zones très prospères en matière agricole. Il y a des espaces ruraux ordinaires, ayant une productivité agricole moyenne, avec cependant des atouts lorsqu'il s'agit de spécialités ou de produits labellisés. Et puis il y a les zones rurales enclavées, à l'écart des grands moyens de communication, et qui se situent généralement dans les zones de montagne. Là est le danger de désertification. Je me souviens avoir visité, il y a quarante ans, le sud du département du Puy-de-Dôme. Déjà, à l'époque, on trouvait un fermier tous les quinze kilomètres. Vous imaginez ce que pouvait être la vie sociale de ces Français et de ces Françaises ? J'ai été un des premiers à tirer la sonnette d'alarme en matière de développement rural. Des programmes ont été intégrés dès 1987 dans les politiques structurelles européennes.

J'ai été relayé en France par Jean François-Poncet, l'un des meilleurs connaisseurs de ces questions. Mais il reste maintenant à mener une politique d'ensemble qui, bien entendu, aura un coût. Il ne peut en être autrement. Et, à propos de coût, je ne citerai que deux exemples.

Il est évident que l'on pourrait avoir une agriculture française hautement compétitive, exportatrice, avec seulement trois cent mille agriculteurs. Mais que deviendraient les zones les plus délaissées ? C'est pourquoi la politique agricole commune, que j'ai préconisée et qui a été réformée dans ce sens, non sans mal d'ailleurs, est fondée sur le maintien à la terre, pour la France, de six cent à sept cent mille agriculteurs. Car, contrairement à ce que l'on dit, il ne peut y avoir de développement de certaines zones rurales sans agriculteurs.

Le second aspect de la question est que si, pour des raisons de rigueur budgétaire ou de rentabilité, on calcule le coût marginal des services, et que, à partir de là, on supprime des services dans certaines zones rurales, il n'y a pas de salut possible. Voilà les deux conditions préalables à la préservation des zones rurales attractives, pas simplement grâce à des résidences secondaires, ou à des résidences de vacances, mais aussi par une vie locale active et intense.

DW : *Aujourd'hui, le développement rural est davantage dans les esprits, il est même parfois à la mode, mais avec une définition de plus en plus exclusive. Pourtant, le rural n'est-il pas d'abord défini par l'agriculture, sous peine, là aussi, de perdre toute spécificité ?*

JD : Le rural est fondé sur l'agriculture car l'entretien des routes, des chemins, des paysages, des haies, le respect d'une certaine qualité de la nature, la diversité des plantes, les possibilités de vie des animaux, sont l'apport des agriculteurs au monde rural. Pas seulement pour que les agriculteurs « entretiennent le paysage », mais pour qu'ils puissent également produire et vendre leurs produits. Bien sûr avec des subventions, comme cela devrait être considéré comme normal, et comme je le considère normal.

DW : *Malgré ce que vous dites, le monde rural est de moins en moins accepté pour ce qu'il est. Il est pensé dans une sorte de continuité de la logique de la modernisation. Ce qui annule cette altérité apparemment reconnue. Dans la société industrielle, il existait une dualité de valeurs, de représentations entre les intérêts des différentes classes sociales qui la composaient. Par contre, dans la manière de concevoir aujourd'hui la société rurale, on retrouve les mêmes modèles intellectuels et culturels que dans la société industrielle. Autrement dit, il n'y a plus le respect de deux univers. Simplement, on demande au second de s'adapter aux valeurs du premier, tout en prônant les vertus de la différence. Il y a là une sorte de domination implacable de la logique modernisatrice.*

JD : Oui, mais, d'un autre côté, les régions rurales ne peuvent s'enfermer dans une mentalité d'assisté. Il faut des subventions pour certaines activités agricoles, et maintenir des services publics, mais il faut aussi inventer des logiques de développement qui ne soient pas copiées sur des segments du développement urbain. De ce point de vue, tout ce que nous avons dit sur les nouveaux gisements d'emplois, les nouvelles activités, le troisième secteur, peut s'appliquer avec efficacité au monde rural. Non, il ne faut ni banalisation ni domination. Regardez, dans de nombreuses régions, les produits de l'agriculture sont personnalisés, et contribuent ainsi à leur renommée. On assiste également dans le domaine de la petite industrie, de l'artisanat, à un phénomène de même nature. Les zones rurales revivent en plongeant dans leurs racines et en jouant de leurs avantages naturels.

DW : *Peut-on revaloriser le monde rural, et le monde agricole, sans une revalorisation de l'écologie... ?*

JD : Non, bien sûr. Le côté « marche forcée » de la modernisation de l'agriculture a changé la nature de nos paysages, avec des conséquences écologiques. Trop a été sacrifié à la rentabilité.

DW : *Là vous avez une vision un peu idyllique, car l'agriculture, pendant vingt-cinq, trente ans, a choisi l'industrialisation.*

JD : C'est ce que je viens de dire.

DW : *Le prix à payer est élevé : désertification des campagnes, affaiblissement de structure sociale, pollution...*

JD : Je vous ai dit que c'était un fait. Sur la base d'une typologie sommaire des espaces ruraux, il faut les conditions économiques dont nous avons parlé. Et il convient également de bien noter ce mouvement de « personnalisation », si je ne trouve pas d'autre mot, des zones rurales. Bien sûr, cela implique également la recherche de moyens de production moins polluants, à mettre en valeur auprès des consommateurs. Bien entendu, cela n'est possible qu'avec les progrès du niveau de vie. Et d'ailleurs, il est très intéressant de noter que, depuis dix ans, les consommateurs recherchent des produits de qualité. Avec cette parenthèse de la crise conjoncturelle récente où le consommateur s'est rué sur les biens moins chers, quitte à ne pas avoir la marque ou le label. Je crois qu'il faut à nouveau encourager ce mouvement de différenciation.

DW : *Il est difficile de revaloriser le monde rural sans poser la question de l'affrontement entre une partie de ce monde rural, très moderne, très industrialisée, très performante, et une autre partie, dont les modes de travail, les cultures, ne rentrent pas dans cette logique. Il y a un conflit d'intérêt et de valeurs entre les deux formes d'agriculture.*

JD : Ce conflit est inéluctable, puisque maintenant la nouvelle politique agricole commune demande un effort à la grande agriculture pour permettre de financer le maintien de l'autre agriculture. Jusqu'à présent, les mouvements agricoles avaient fait preuve d'une remarquable unité, les gros mettant en avant les petits ! Maintenant, nous n'avons plus les moyens de cette politique qui sécrétait des rentes de situation au profit d'une minorité. Les agriculteurs doivent eux-mêmes se méfier de ceux qui viennent leur proposer, tous les deux ou trois ans, un nouveau machinisme agricole qu'ils ne pourront pas amortir. Dans ces conditions, vous avez raison, les types de comportement des agriculteurs vont se diversifier et aboutir à deux logiques qui devront coexister. L'une qui est celle de la grande agriculture exportatrice, mondialement compétitive, un des atouts majeurs de la France et de l'Europe, et l'autre, qui soit vend des produits de qualité, soit, au contraire, doit être subventionnée pour maintenir sa production.

DW : *Le monde rural en gérant, d'une manière ou d'une autre, deux dimensions importantes qui sont l'espace et le temps, revalorise deux valeurs, qui ont été profondément trans-*

formées par la modernisation. Revaloriser le monde rural, n'est-ce pas s'inscrire à contre-pied du modèle de la conquête du temps et de l'espace ?

JD : L'enjeu a été de gagner de l'espace et de gagner du temps. C'est-à-dire de produire de plus en plus sur un espace de moins en moins grand, en réduisant de plus en plus le temps nécessaire pour fabriquer un produit. Bien entendu, cela est contraire à la logique du développement rural. Mais, en réintroduisant les notions d'espace, et plus généralement celle de préservation du capital naturel, ainsi que la notion de temps, c'est-à-dire la capacité de vivre, de répartir des moments divers au cours d'une journée, d'une année, d'une vie, nous nous rapprochons de cette logique du nouveau modèle de développement que j'appelle de mes vœux. La société du troisième type se situe entre le modèle de la société industrielle qui aura toujours comme obsession de gagner de l'espace et surtout du temps, et un modèle qui, au contraire, privilégiera l'espace et le temps. En combinant les deux nous nous éloignons du type de croissance forte des années soixante, la croissance à tout va, sans tomber dans la croissance zéro du club de Rome qui représentait une utopie dangereuse. Sommes-nous capables d'avoir une intelligence assez complexe au niveau politique pour gérer ces deux modèles ? Pour cesser d'être devant des obsessions monolithiques ? Il faut que la démarche soit à la fois culturelle, politique et sociale.

DW : *C'est la raison pour laquelle je voulais aborder la question de l'agriculture par ce biais. L'aménagement des zones rurales et de l'avenir de l'agriculture pose une question plus générale pour la société, celle du statut d'une société généraliste par rapport à une société spécialisée. En effet, on peut très bien concevoir les rapports entre le monde urbain et rural sur le mode de la spécialisation, on reste alors dans le modèle classique, industriel. Au contraire, si on admet réellement une dualité et une égalité de valeurs entre les deux mondes, on reconnaît par là la nécessité d'une société qui organise la cohabitation des valeurs, et non pas leur hiérarchie. Ce n'est pas la même idée de dire que la société repose sur un modèle généraliste permettant une cohabitation de valeurs, de représentations, de symboles, de mondes économiques, et de dire que la société est composée de secteurs modernes, en avance, contre d'autres anciens. Autrement dit, ce débat sur le statut du monde rural dans notre société a une valeur symbolique, révélatrice du choix entre deux modèles de société. Il ne suffit pas de vanter les mérites du monde agricole pour adhérer au modèle généraliste de société. Les plus fermes partisans de la logique de la spécialisation parlent eux aussi sans cesse des vertus indispensables de l'agriculture ! Là peut-être encore plus qu'ailleurs, les mêmes mots ne renvoient pas aux mêmes choix. Il y a quelque ironie à constater que l'attitude à l'égard du monde rural est en réalité un des lieux de lecture les plus symboliques des enjeux centraux de nos sociétés.*

JD : C'est un combat de titan qu'il faut mener, car les valeurs vécues, les slogans, actuellement, vont tous dans le sens d'une conception vulgaire et pauvre de la modernisation. Une fois atteint un certain niveau, il faut entrer dans un univers plus sophistiqué, plus diversifié. Si nous revenions maintenant à la ville et à l'industrie, nous verrions la fin du taylorisme, avec des organisations du travail beaucoup plus diversifiées et qui laissent une marge de manœuvre au travailleur. On voit, y compris dans un des temples du taylorisme qu'était l'industrie automobile, combien l'ouvrier n'est plus un ouvrier à la chaîne, mais un responsable de la qualité du produit. Le recul de la standardisation dans le milieu industriel donnera, à un moment donné, une mentalité différente, y compris au monde urbain.

DW : *C'est une vision optimiste...*

JD : Oui, nous sommes là pour indiquer les chances et les opportunités. Le monde agricole a été tenté, en quelque sorte, par le taylorisme à haute productivité. Et il était normal d'ailleurs, si nous voulions rester une « puissance verte », nous la France et nous l'Europe, que nous en passions par là. Il arrive un moment où les spécificités du monde agricole apparaissent fort heureusement. Par exemple, la gestion du temps. Si vous êtes éleveur de bêtes, si vous êtes producteur de lait, vous avez des contraintes. Votre temps ne sera pas le même si vous êtes producteur de céréales : vous avez des mois très occupés et des mois beaucoup moins chargés. Les données propres au rythme de la vie agricole façonnent aussi le monde rural.

DW : *La différence dans le rapport au temps est la source de l'altérité dont je parlais tout à l'heure.*

JD : Il est très difficile, et ce n'est pas encore gagné, de faire accepter ce compromis entre modernité et tradition au monde agricole. Et pas simplement aux anciens, mais aussi aux jeunes auxquels on dit toujours : il faut que vous ayez pour votre exploitation un « projet d'entreprise ». Et maintenant on leur explique qu'ils doivent mettre en jachère 15 % de leur terre ! Ou que la production est trop forte cette année, et qu'ils ont eu tort d'investir dans une porcherie absolument modèle. C'est un choc pour eux. Et cela explique, dans une certaine mesure, l'addition des mécontentements, même si les motivations sont diverses. Et puis l'agriculteur est, par nature, un homme attentif à la nature, et économe.

Je peux raconter une histoire vraie : mon grand-père avait cinq hectares en Corrèze, et sept enfants. J'allais l'aider quand j'étais petit, je l'accompagnais et j'étais émerveillé par les plantes qui poussaient, le blé, le maïs, l'élevage, la prairie, les vaches, l'alimentation des porcs... Un jour, je me promenais avec lui dans sa ferme et tout à coup il se penche, il voit un clou, il le prend et va le mettre dans sa boîte à outils, car les conditions étaient dures. Il ne lisait qu'un journal par semaine, mais il avait une compréhension très bonne de la chose publique. Quarante ans après, je me promène avec un de ses petits-fils, donc mon cousin, qui dispose, pas sous forme de propriété mais de location, d'une quarantaine d'hectares. Tout à coup il s'arrête, voit un clou, le ramasse et va le mettre dans sa boîte à outils. Vous comprenez mieux, dans ces conditions, combien il est difficile de faire accepter aux paysans la mise en jachère obligatoire de leurs terres.

J'ai infiniment de respect pour leur attitude qui prouve à quel point un ministre de l'Environnement avait eu tort de lancer en France, sans précaution, une attaque contre les agriculteurs qui polluaient l'environnement. Il est vrai que certaines formes d'engrais, trop massivement utilisés, peuvent avoir des conséquences néfastes sur la qualité de l'eau. Mais ce n'est rien en France à côté de ce que l'on voit aux Pays-Bas où l'élevage est industrialisé. L'agriculteur est fort capable de comprendre cela. Je ne parle pas des quelques centaines de grandes exploitations où l'on vit sur un autre pied et dont, sans doute, les propriétaires figurent parmi les Français aux revenus les plus élevés. Je parle des agriculteurs en général. Donc il est possible d'expliquer à l'agriculteur qu'il est aussi l'agent numéro un d'un développement rural soucieux de l'environnement. C'est pour cela qu'en dépit de l'avis de certains politologues, l'attention portée au monde agricole se justifie par la place éminente des agriculteurs dans ce qui pourrait être demain un modèle de développement plus équilibré.

Le neuf : « les autoroutes de l'information »

DW : *Si l'on en vient maintenant à l'opposé de la société, à ce qui paraît le plus « neuf », voire le plus « moderne », on découvre les projets des autoroutes de l'information, c'est-à-dire la mise sur les mêmes supports de fibre optique, des sciences du téléphone, de la télévision, de l'informatique. Techniquement, cela favorise un accroissement considérable de la circulation des informations, même si, pour le moment, les marchés et les besoins à satisfaire sont plus incertains.*

Le progrès technique a fourni régulièrement, dans l'Histoire, de nouveaux horizons de changements. Certains ont été positifs, d'autres négatifs, d'autres enfin, souvent les plus nombreux, n'ont correspondu ni aux attentes ni aux prévisions. Mais, à chaque époque, ils ont pour un temps « enchanté » l'avenir. Aujourd'hui, ce sont les autoroutes de l'information qui jouent ce rôle de projecteur vers l'avenir. D'ailleurs, elles sont, avec le nucléaire, les technologies du vivant, les technologies qui suscitent le plus d'attention. Mais comme ces technologies portent sur la communication – ce qui depuis toujours intéresse les êtres humains –, elles sont l'objet d'une attention tout à fait particulière. Et notamment en termes de promesses d'emplois : pourtant, en matière d'emploi et de technologies d'information, nous avons un certain recul. Si l'informatique a permis, dans un premier temps, la création d'emplois, cela est aujourd'hui beaucoup moins vrai.

JD : De toute manière, nous devons maîtriser ces nouvelles technologies, non seulement pour des raisons de compétitivité économique, mais aussi pour en tirer le meilleur du point de vue de la société. On voit bien les avantages du télétravail, du télé-enseignement, de la télémédecine, des téléloisirs. On en mesure aussi les risques, surtout si une partie de la population n'est ni culturellement ni matériellement en mesure d'accéder à ces techniques et de pratiquer l'interactivité. On voit bien aussi se dessiner un monde à la Orwell, où les lieux de rassemblement et de sociabilité se feraient de plus en plus rares. Une nouvelle version de l'homme solitaire, dans la foule des ordinateurs et des écrans ! Mais à quoi bon se faire peur ! Tâchons plutôt d'intégrer ces technologies dans une vision conviviale où la ville, les espaces ruraux, les entreprises seraient aménagés de telle sorte que je puisse rencontrer l'autre, échanger, agir avec lui. Vaste mais excitant programme !

Allons un instant jusqu'à ce qui peut paraître étrange à certains : le lien entre ces technologies et la citoyenneté. Il suffit, par exemple, d'utiliser un télécopieur, pour prendre une technique qui est déjà connue, soit demain son micro-ordinateur, pour informer tous les militants de l'environnement dans le monde d'un risque menaçant celui-ci. Cet exemple n'est pas choisi par hasard. Il est tiré de faits concrets.

Revenons aux aspects sociaux : en ce qui concerne l'aménagement des villes et des campagnes, les conséquences seront considérables. Y aura-t-il, par exemple, une grande extension du travail à domicile, et donc une diminution de la durée consacrée aux transports des personnes ? Puisque l'on peut envoyer des informations, on peut coopérer ensemble. Va-t-il en résulter une nouvelle organisation territoriale de la ville ?

DW : *Le travail à domicile ne résout pas le problème de la sociabilité ! Les êtres humains ont besoin de se rencontrer et surtout de faire des choses ensemble.*

JD : Je poursuis sur les liens avec l'aménagement du territoire. Est-ce que l'attrait économique des grandes métropoles va diminuer ? Si oui, la hiérarchie sera modifiée entre les villes, redonnant des possibilités aux villes secondaires et moyennes. Les nouvelles technologies de l'information permettent l'accès à l'information, le dialogue, l'interaction sans avoir à s'installer dans la grande métropole, où actuellement se concentrent les nombreux services nécessaires à l'entreprise. De même, l'équipement des zones rurales pourrait contribuer à rompre un certain isolement, et désenclaver des espaces actuellement marginalisés.

DW : *Votre hypothèse est optimiste pour les zones enclavées. L'accès à la modernisation que ces technologies faciliteront a un prix réel. Ne mettra-t-il pas en péril les valeurs autres que ce monde rural ?*

JD : Je raisonne, pour l'instant, en termes strictement économiques.

DW : *Oui, mais l'utilisation des outils a un certain impact sur les comportements culturels et les rapports à l'espace et au temps.*

JD : Le défi de la sociabilité est beaucoup plus complexe. Peut-être mon approche est-elle très conservatrice, mais je continue à penser que la sociabilité est la rencontre physique, au sens général du terme, entre des personnes et qu'elle ne se résume pas à un coup de téléphone, un échange de fax, ou même au visage de votre interlocuteur sur un écran.

La sociabilité est liée à des activités menées en commun, je dirais presque au coude à coude. Cela peut être le lieu de travail, la politique, les loisirs, la vie associative. Il faut toujours qu'il y ait des lieux où des hommes et des femmes se rencontrent. De ce point de vue, le monde rural a beaucoup plus souffert que le monde urbain. Car il a vieilli et les gens restent chez eux, d'autant plus qu'ils ont la télévision et le téléphone. Pour reprendre l'histoire de mon grand-père et de son petit-fils, chez mon grand-père, on tuait le cochon, on faisait le pain, on triait les châtaignes, ce qui offrait des occasions de vie conviviale. Aujourd'hui, ce n'est plus le cas. Alors, maintenant dans les petites communes françaises, les personnes âgées restent chez elles. On pourrait, à la limite, penser que le budget d'une commune ne comprendrait plus que deux postes, le déjeuner mensuel des personnes âgées et le voyage annuel de ces mêmes personnes âgées ! Je grossis le trait à dessein !

DW : *Il y a une sorte d'analogie entre les autoroutes de l'information et les grands équipements des années 1950-1960. Simplement la différence vient du fait que ces équipements étaient plus neutres, et le projet politique qui était derrière, assez simple. À l'inverse, les autoroutes peuvent contribuer à réduire la sphère publique au profit de la sphère privée : l'usager est seul devant ces différentes techniques, même interactives. Et là se pose la question des valeurs collectives susceptibles d'être accolées à ces technologies de l'information : elles risquent d'être plus du côté privatif que du côté collectif.*

JD : La thèse des avocats de la société de l'information est que celle-ci permettra au citoyen de s'exprimer, de se mobiliser pour des grandes causes, grâce à des facilités extraordinaires de communication et d'échange.

DW : *Aujourd'hui, avec les moyens d'information traditionnels, les citoyens savent déjà très bien ce qui se passe ! En même temps, ils ne peuvent pas en permanence s'occuper de tous les malheurs du monde.*

JD : Oui, bien sûr, mais il est possible que cette perspective utopique ne se limite qu'à quelques phénomènes marginaux et spectaculaires. Vous avez prononcé le mot clé. C'est le mot « usager ». Sommes-nous seulement des usagers de la vie ? Et c'est là où j'aimerais citer une réflexion de Heinrich Mading, économiste et sociologue de Berlin : « La ville européenne ne se définit pas simplement par ses bâtiments, par ses lieux, par sa centralité, mais par le rôle que joue l'habitant de la ville en tant que citoyen. » Est-ce que la ville est pour nous un gigantesque self-service auquel n'a accès, d'ailleurs, qu'une partie de la population, les autres étant rejetés à la périphérie ? La ville « self-service » est un vrai danger susceptible de devenir le lieu essentiel du conflit social. La plupart des films de violence se situent dans la ville, et dans les quartiers dits difficiles. On est habitué à ces confrontations dans les sous-sols des garages, dans les coins de rues désertés, bref tous les maux de la ville figurent sur nos écrans de télévision. Ce qui renforce encore le caractère symbolique et accroît le risque de graves déséquilibres sociaux dont la ville serait le théâtre et l'expression. C'est pour cela que la politique de la ville demeure à mon sens un des grands problèmes de l'avenir.

DW : *Par rapport à ces questions, les nouvelles technologies de l'information et de la communication n'accroissent guère la sociabilité...*

JD : Non, mais elles peuvent changer la structure de la ville, la répartition du temps entre travail, transport, rencontre... Dans la plupart de nos villes européennes, plutôt épargnées, la voiture et le métro ont pris l'ascendant sur le reste, aux dépens de la qualité de la vie et de l'esthétique du paysage urbain. Bref, les nouvelles technologies de l'information peuvent modifier cette évolution. Mais je n'en attends pas pour autant une solution miracle aux problèmes de l'exclusion et des quartiers défavorisés.

DW : *Deuxième problème. Ces nouvelles technologies de l'information ne risquent-elles pas de renforcer les inégalités entre les générations, entre les régions, et ensuite entre le Nord et le Sud ? Cette révolution de l'information et de la communication, au lieu d'améliorer les « relations » et de favoriser les échanges, ne risque-t-elle pas de réifier un peu plus les processus d'inégalité ? Pourquoi serait-elle égalitaire ?*

JD : Une personne de soixante-dix ans s'adaptera moins vite qu'un jeune homme de vingt ans. Certes, l'éducation et la formation devront fournir à tous les moyens de maîtriser ces technologies. Quant aux pays du Sud, ils ne devront pas être oubliés, d'où l'intérêt de la proposition du vice-président des États-Unis, Al Gore : créer un système mondial d'infrastructures de l'information, ouvert à tous, *via* notamment le satellite et la fibre optique.

DW : *Ce n'est peut-être pas aussi simple, mais, de toute façon, la question concerne aussi le télescopage. Nous, il nous a fallu soixante-dix ans ou un siècle pour passer d'un modèle préindustriel à un modèle industriel et parfois à un modèle postindustriel avec la communication. Eux, d'un seul coup, font ce chemin en vingt ou trente ans, mais on ne sait pas à quel prix anthropologique.*

JD : Peut-être suis-je trop optimiste, mais, quand je regarde les « tigres » du Sud-Est asiatique, et même la partie la plus dynamique de la Chine, je m'aperçois qu'ils sont entrés de plain-pied et sans détour dans les technologies les plus avancées.

DW : *Les trois secteurs d'activités particulièrement concernés par les autoroutes de l'information sont l'informatique, les télécommunications et l'audiovisuel, trois secteurs dominés par des acteurs industriels américains. Cela ne pose-t-il pas un problème ?*

JD : C'est un vrai défi pour l'Europe.

DW : *Un problème de politique industrielle, de politique commerciale et de modèle culturel ? Les autoroutes de l'information sont une expression devenue à la mode en peu de temps, alors que les techniques existent depuis une vingtaine d'années, à savoir mettre sur un câble de fibre plusieurs types de services, téléphone, informatique et audiovisuel. Ce qui a changé, c'est le vocabulaire et la perspective industrielle. Cette expression, « autoroute de l'information », fait rêver. Sans doute parce que l'autoroute reste l'un des acquis de la richesse présente et que l'information allie la modernité et une sorte d'image de l'universalité.*

JD : Certes, mais le mouvement s'est considérablement accéléré. On a connecté les systèmes, offert de nouveaux services et multiplié par cent les possibilités d'y recourir. Nous avons devant nous le spectacle d'un grand marché dans lequel se disputent, à coup d'innovations, les grandes entreprises de télécommunication, de l'informatique et de l'audiovisuel.

Si nous n'y prenons garde, si l'Europe ne réagit pas avec vigueur et dans un temps rapide, elle risque de laisser le monopole des sources d'information aux États-Unis, voire au Japon. Et, par conséquent, d'en être tributaire. Ce qui pose des problèmes d'inégalité économique entre les différents producteurs. Nous avons déjà beaucoup de mal à défendre nos expressions culturelles dans le domaine audiovisuel, si demain nous perdons cette bataille, nous éprouverons beaucoup de mal à maintenir nos traditions de création artistique, dans le domaine du cinéma et de la télévision et *a fortiori* dans celui des autres industries de la communication. Donc il y a un lien très étroit entre la force industrielle et la possibilité de continuer à exprimer sa richesse culturelle.

DW : *Oui, mais vous savez que l'économie, comme toutes les sciences sociales, est tributaire de certains modèles culturels, de représentations, et de modes. Le discours sur le bienfait des autoroutes peut en faire partie...*

JD : Indépendamment des problèmes classiques de la compétition, l'Europe ne peut pas perdre ces deux batailles, celle des nouvelles technologies de l'information et celle de la biotechnologie. Il se trouve que ces deux secteurs posent des problèmes éthiques de première importance et, si nous les perdons, qu'ils sont de nature à nous couper de nos racines, c'est-à-dire de nous-mêmes.

Le temps nécessaire pour s'adapter à une nouvelle découverte est toujours important en termes de compétition. Et là nous vivons une véritable accélération dans ces deux domaines. Deux années perdues peuvent être fatales.

DW : *N'y a-t-il pas une opération de « dumping » à dire que tout est extrêmement pressé ?*

JD : Si une société de télécommunication se met d'accord avec une grande société de production audiovisuelle qui possède le dixième des cinémathèques mondiales, un nouveau géant naît, avec des risques pour l'identité culturelle de chaque nation, et pour une concurrence équilibrée.

DW : *Il ne faut pas confondre performance supplémentaire et équilibres socio-économiques. Même dans les promesses de télétravail, vous savez que les prospectives des chiffres sont aléatoires. J'ai commencé à travailler sur l'informatique et son impact social en 1974, cela fait vingt ans qu'on parle du télétravail ! Pendant quinze ans on s'est aperçu, en définitive, que les possibilités de télétravail étaient beaucoup plus faibles que ce que l'on pensait, mais, depuis trois, quatre ans, on reparle plus fortement du télétravail, surtout avec l'apparition miraculeuse des autoroutes de l'information. Il y a comme un risque de mode ou de fuite en avant.*

JD : Je le répète : l'Histoire s'accélère dans ces domaines. Effectivement, depuis deux, trois ans, aux États-Unis, des centaines de milliers d'emplois ont été créés dans le télétravail. Mais n'en déduisons pas que celui-ci va devenir la principale forme d'activité – tant s'en faut –, ni *a fortiori* nous conduire au plein-emploi.

DW : *Quelle disproportion entre l'intérêt plutôt bienveillant à l'égard des promesses de la société de l'information et de la communication et la méfiance à l'égard des médias traditionnels, qui sont déjà les premières formes des autoroutes de l'information ! Pourquoi tant de méfiance à l'égard des uns, et de confiance à l'égard des autres, qui seront en bonne partie les supports des premiers !*

JD : Non, je crois que l'émergence des nouvelles technologies correspond à un fait sur lequel se sont ruées quatre industries qui, tour à tour, avaient dominé le secteur de la communication : les télécommunications, l'électronique, l'informatique et l'audiovisuel. Il se trouve que ces quatre secteurs vont former une branche d'activité qui, par sa puissance technique, et sa possession de nombreuses sources de connaissance, sera vitale pour notre développement économique, social, et culturel. Si, dans le *Livre blanc*, j'ai tant insisté sur ce secteur, c'est précisément pour cette raison. Les nations européennes y jouent une partie vitale pour leur indépendance et pour la préservation de leur identité culturelle.

DW : *Vous voulez dire que, dans le* Livre blanc, *vous y voyez moins un moyen de sortir de la crise qu'une occasion de mobiliser l'Europe pour maîtriser ce changement.*

JD : Voilà.

DW : *Reconnaissez quand même avec moi qu'autour du thème de la société de l'information fleurit une étonnante idéologie technique, cela ressemble au remède miracle ! Autrement dit, l'on investit ces techniques d'une capacité à changer profondément la structure de nos sociétés. Comme si des techniques avaient suffi à définir une société. C'est d'ailleurs cela, l'idéologie technique : prêter à des outils, quels qu'ils soient, un pouvoir social, politique, culturel bien au-delà de leur sphère d'application.*

JD : Je ne me laisse pas hypnotiser par une sorte de mirage technologique. Je veux simplement que l'Europe, la France ne soient pas demain absentes de cette bataille, incapables de maîtriser ces techniques et, par conséquent, subissent un effet de domination, pas seulement économique, mais aussi culturel.

DW : *Oui, il y a un enjeu industriel réel, mais ce n'est pas la même chose qu'un modèle de société. Or on lie beaucoup trop les deux. Comme si les choix technologiques entraînaient un modèle de société... En choisissant l'expression « société de l'information », on donne une sorte de légitimité à une bataille industrielle, on reprend le vocabulaire des grands groupes américains. Personne ne peut savoir à l'avance si la généralisation des techniques de l'information créera une société de l'information ! Pour les biotechnologies, on ne parle pas de la société biotechnologique ! En reprenant ce mot, vous prenez partie dans une bataille symbolique. Pourquoi associez-vous les deux ? Pourquoi ne pas en rester au niveau plus simple des techniques d'information, sans leur donner la légitimation d'un modèle de société ?*

JD : En utilisant parfois la formule « société de l'information », je veux inciter à réfléchir sur la manière de maîtriser ce progrès scientifique et technique, au service de l'homme et de la société. Les nouvelles technologies de l'information vont affecter encore plus le mode de production, l'organisation du travail, et donc l'organisation de la société. Je ne dis pas qu'elles sont le remède miracle, mais simplement qu'il faut y réfléchir.

D'ailleurs, nous avons indiqué les bases techniques pour que l'Europe soit en mesure de maîtriser ces nouvelles technologies. Celles-ci sont une certaine dérégulation, pour ne pas être prisonnier de statuts qui empêcheraient nos entreprises de télécommunication d'avancer et d'agir dans les réseaux. Par ailleurs, il faudrait de nouvelles règles du jeu, une régulation, notamment pour protéger le droit de propriété, le secret de la vie privée, etc. Maintenant que nous avons pris ces dispositions, les Européens peuvent gagner. Nous sommes actuellement en train d'étudier les conséquences sociales et sociétales de tout cela.

DW : *Vous partez peut-être d'un point de vue technique et économique, mais vous vous rendez bien compte qu'en même temps vous prenez parti sur ce thème de la « société de l'information », qui est dans l'air depuis une vingtaine d'années ?*

JD : L'éducation permanente aussi.

DW : *Oui, absolument, mais l'éducation renvoie d'abord à des valeurs, les techniques sont secondes, tandis qu'avec le thème de la « société de l'information » on fait l'inverse, on part de techniques pour définir une société ! De plus, le recul que l'on a depuis vingt ans permet d'être plus prudent. L'impact des nouvelles technologies d'information sur la division et l'organisation du travail n'a pas toujours rendu les espoirs qu'on avait attendus en une vingtaine d'années ! La question est la suivante : comment dissocier ce qui relève d'un défi industriel par rapport à une bataille idéologique ? Vous passez facilement de l'un à l'autre.*

JD : Il n'y a pas de tels propos dans le *Livre blanc*.

DW : *Non, mais le rapport Bangemann, sur le même thème, va nettement dans ce sens.*

JD : Le rapport Bangemann sur les nouvelles technologies de l'information ne signifie qu'une chose : se mettre en mesure de ne pas prendre de retard dans l'utilisation de la maîtrise de ces technologies. Le problème reste entier de savoir quelles seront les conséquences sociales et sociétales. Et, de toute façon, ce rapport n'est pas celui de la Commission.

DW : *Pour finir notre discussion sur la société, je voudrais votre réaction sur un sujet de fond. N'y a-t-il pas une certaine naïveté dans le retour du thème du social, de la société ? Comme s'il suffisait, à un moment où il est difficile d'ignorer les déchirements liés à la crise, de saupoudrer partout du social ! Mais le social et la société, c'est toujours violent ! Cela ne correspond pas toujours à l'angélisme avec lequel on en parle aujourd'hui.*

JD : Il y a tout d'abord un fait politique. Le retour du social est réel dans les préoccupations des hommes politiques, dans un contexte marqué par la marée du chômage et la montée des phénomènes d'exclusion. Personnellement, je suis d'accord avec l'idée que le social est essentiellement l'affaire de la nation. L'Union européenne peut certes créer certaines formes de solidarité, à travers les politiques structurelles, établir un socle minimum des droits des travailleurs, mais l'essentiel des responsabilités demeure au niveau national. À partir de là, s'ouvre au sein de notre pays un débat entre ceux qui mettent l'accent sur la mission essentielle, centrale, de l'État républicain dans le social, et ceux qui plaident soit pour plus de marché, soit pour plus de décentralisation. Il faut bien distinguer les deux débats. D'accord avec les partisans de l'État républicain pour le rôle central de l'État dans le social, mais pas d'accord pour en déduire le rejet de la construction européenne et le refus de la décentralisation. C'est-à-dire un mouvement vers le large, dont l'Union européenne représente non l'aboutissement, mais l'instrument pour maîtriser la mondialisation, et le mouvement par le bas parce que la société française était trop centralisée et qu'elle tuait les initiatives dans l'œuf. Pour le reste, je suis, comme toujours, préoccupé par l'injustice sociale et par la rupture du lien social. Que vaudrait une société des deux tiers ? Deux tiers qui s'en sortiraient relativement et un tiers qui se trouverait en marge de la société.

Nous sommes confrontés à deux problèmes qui ont des racines communes. Car le combat contre l'injustice sociale et pour l'égalité des chances doit sans cesse être relancé et adapté aux nouvelles circonstances. Ce n'est d'ailleurs pas par des moyens classiques que l'on luttera contre les deux causes principales de l'injustice sociale, d'un côté le chômage massif et de l'autre les conséquences des difficultés de financement des systèmes de la Sécurité sociale.

Le lien social, par contre, mérite un autre traitement. Il permet à une société d'être vivante, aux générations de dialoguer entre elles, de se transférer l'acquis, il assure aussi le dialogue entre les différentes catégories sociales. Et nous avons vu que la modernisation « à marche forcée » s'est faite aux dépens des liens sociaux traditionnels. Nous avons vu également que de nouvelles menaces se profilent à l'horizon, à travers les progrès techniques que nous devons maîtriser. Aujourd'hui, il est donc essentiel de créer, à travers toutes les politiques, la ville, le développement rural, l'emploi, l'organisation du travail dans les entreprises, des schémas qui permettent aux individus de se voir, de se parler, d'agir ensemble, de façon que la société demeure une réalité vivante.

DW : *Cette revalorisation soudaine du social, même si elle sous-estime souvent la complexité de nos sociétés, a au moins l'avantage d'être une sorte d'hommage indirect aux hommes, fort peu nombreux, comme vous, qui depuis toujours soulignent l'importance de la société. Le risque, néanmoins, est de continuer à penser les problèmes de société dans les mêmes termes qu'il y a une trentaine d'années, alors qu'il y a eu depuis des changements structurels. J'en citerai deux.*

Le premier concerne la représentation de la société qui va progressivement apparaître. Si on veut éviter la segmentation sociale et l'évolution vers un modèle de société où cohabitent des groupes et des communautés plus ou moins indifférents les uns aux autres, il va falloir repenser le statut de la solidarité, et surtout celui de la société généraliste. Que faire pour préserver ce modèle de société généraliste sans laquelle il n'y a pas de démocratie de masse et qui est aujourd'hui assez menacée par les évolutions contradictoires que traversent nos sociétés européennes ?

Le second est, dans une société ouverte comme la nôtre, l'importance de la question de la fermeture. La fermeture est essentielle pour préserver un minimum de cohésion et d'identité. Le statut de la société généraliste d'une part, et le principe d'une fermeture d'autre part montrent le point commun entre une problématique de la société et celle de la communication. Dans les deux cas, il faut arriver à organiser des relations entre des éléments qui ont tendance à partir dans tous les sens. La société, vers une segmentation sociale ; la communication, vers une segmentation de marchés. Une réflexion sur la structure de nos sociétés introduit donc une problématique de la communication sociale et de la relation entre les groupes. Le grand changement est donc peut-être de penser ensemble, aujourd'hui, communication et société.

JD : Avec la disparition de la typologie classique de la société en classes sociales, avec la volonté de déréguler, toute la pensée politique s'est concentrée sur l'individu, et, par voie de conséquence, a dévalorisé la société et le sentiment d'appartenir à celle-ci. Certes, les défuntes idéologies totalitaires avaient trop tiré dans le sens contraire : la fabrication d'un homme nouveau par la société. Et comme l'homme était rétif, le totalitarisme a fini par échouer. D'où cette réaction, également excessive, qui en arrive à tout fonder sur la main invisible, économique et politique. Le citoyen n'aurait plus qu'un droit, vaquer à son bonheur propre, et laisser à des élites, qui peuvent d'ailleurs changer, le soin de s'occuper du reste ! Je ne veux pas, pour autant, passer sous silence les aspects positifs de ce tournant, un plus grand sens de la responsabilité, des économies plus efficaces, et plus décentralisées. Mais avec quels dégâts aussi, dont l'égoïsme est sans doute le pire. L'individu a tendance à se replier sur lui-même, il s'embourgeoise et, à partir de là, se crée une distance de plus en plus grande entre ceux qui gouvernent et ceux qui sont gouvernés. Dans la structure des classes sociales, dans la diminution du rôle joué par l'école, les Églises, le coup de barre a été trop fort. Il faut un redressement.

Le balancier doit revenir aujourd'hui vers une conception qui est tout à fait simple à décrire : l'individu ne peut se développer complètement qu'en étant un être social, et donc en participant à la société. Mais à une condition : que la société ne prétende pas étouffer l'individu. Et tout cela ne peut se faire uniquement grâce à la main invisible ou au marché. Le retour authentique du politique doit se traduire par un approfondissement de la démocratie, de nouvelles formes de la délibération démocratique, la connaissance beaucoup plus lucide des possibilités qui sont offertes à chacun d'être un citoyen conscient à la fois de ses droits et de ses devoirs. Ce n'est pas du moralisme, dans le sens où ma conception de la chose publique est de tendre vers plus de participation démocratique, de redonner un sens à notre vie collective en tant que nation.

TROISIÈME PARTIE

La démocratie et la responsabilité

Chapitre 1

L'exercice du pouvoir

Avec les socialistes au pouvoir : entre la culture de gouvernement et l'idéologie

DOMINIQUE WOLTON : *Dans la grande euphorie de la victoire de 1981, vous avez été un des premiers à souligner qu'il ne fallait pas aller trop loin. Vous avez même dit très tôt : « L'heure n'est pas à la cueillette des cerises. » Quand l'avez-vous dit ?*

JACQUES DELORS : Pendant la campagne législative qui a suivi l'élection présidentielle.

DW : *Cela n'a pas dû être dans la température de l'époque ! D'ailleurs, dès le deuxième tour des législatives, en juin 1981, vous déclarez : « Notre succès est trop grand, nous allons faire des bêtises. » Vous avez souhaité allier le raisonnable à l'application du programme. De fait, vous serez considéré assez vite comme un empêcheur de tourner en rond. Vous prêchez dans le désert puisque le projet de budget de 1982 est adopté sans votre accord et plusieurs fois vous marquez votre désaccord. Aviez-vous les moyens de vous opposer politiquement aux mesures et au style de la politique économique qui allait être menée ?*

JD : Je n'en avais pas les moyens. Au début, mon attitude était celle d'une compréhension de la logique du politique et de sa nécessaire conciliation avec la logique économique. Où en était l'économie française ? Comme d'autres économies, elle n'avait pas digéré les deux chocs pétroliers et, surtout, les Européens n'en avaient pas tiré les enseignements. En d'autres termes, les deux chocs pétroliers annonçaient une nouvelle donne internationale et une redistribution des cartes qui nous faisaient perdre certains de nos avantages relatifs. Tant que dominait la triade États-Unis, Japon, Europe, nous pouvions fixer les prix des biens exportés, à un niveau qui nous permettait de financer nos activités moins productives, et nos systèmes de Sécurité sociale. D'autre part, l'accumulation de l'épargne se faisait également à notre profit. Dans le cadre des débats sur les relations entre le Nord et le Sud, j'avais souvent indiqué que les transferts financiers nets, certaines années, se faisaient au détriment des pays en voie de développement !

En ce qui concerne la France, je rappelle la situation par deux données. Tout d'abord, le taux annuel d'inflation en 1981 était de 14 %. Bien sûr, cela ne pouvait continuer ainsi. D'autre part, nous avions accumulé du retard dans l'adaptation de notre appareil industriel au nouvel environnement mondial. Ce qui explique d'ailleurs que le thème de la modernisation ne soit apparu dans le discours dominant des socialistes qu'avec le Premier ministre Laurent Fabius. Par conséquent, nous n'avions pas hérité d'un pactole !

Mais, après des années d'opposition, dans un pays marqué encore par l'antagonisme droite-gauche, comment vouliez-vous que le président de la République et son gouvernement ne donnent pas un minimum de satisfactions à ceux qui se considéraient en dehors de la société ou défavorisés dans la répartition des fruits de l'activité nationale ? Il faut se replacer dans le contexte de l'époque. J'étais d'accord pour des mesures sociales, notamment en faveur des groupes défavorisés. Simplement, j'avais voulu attirer l'attention pour pondérer les décisions prises de façon à ne pas trop aggraver la situation.

DW : *Parce qu'en 1981-1982 les déficits publics se creusent, il y a des dévaluations.*

JD : Oui, bien sûr, parce que nous étions sur la lancée des mois précédents. Comment envisager d'inverser le funeste engrenage de l'inflation, sans pratiquer le blocage des prix et une politique d'austérité qui n'aurait pas été comprise en 1981 ? Dans des moments historiques forts, de changement de majorité, et dans le contexte français de l'époque, qui n'est plus celui d'aujourd'hui, il fallait combiner ce que j'appelle la nécessité économique et la logique politique. À partir de là, mon effort en tant que ministre de l'Économie et des Finances était de faire en sorte que nous ne dérapions pas. Bien sûr, dès le début, on s'est posé la question : faut-il dévaluer le franc pour solder la facture des années précédentes ? Le président de la République a pensé que ce n'était pas opportun ; nous avons donc essayé de tenir avec un franc dont je savais, dès le départ, qu'il était surévalué. Si vous ajoutez une méfiance des milieux financiers internationaux à l'égard de l'expérience de gauche et l'incapacité de l'appareil français de production de répondre à une modeste relance de la consommation, vous avez, je crois, l'explication d'une situation qui allait se détériorer, plus sur le plan psychologique que sur le plan physique.

La gauche faisait alors l'apprentissage du pouvoir, et comme nous vivions déjà dans une économie ouverte, même si nous avions un contrôle des changes, les deux années qui ont suivi allaient être marquées par les ajustements nécessaires de la parité du franc dans un environnement défavorable, où la spéculation jouait contre notre monnaie pour des motivations à la fois politiques et psychologiques. D'autre part, il n'est pas besoin d'être un expert en politique pour comprendre les difficultés que j'ai rencontrées pour faire accepter un plan de rigueur qui soit à la hauteur des difficultés de l'économie française. Bien sûr, il était de mon devoir de persuader le président de la République et le Premier ministre d'aller dans cette voie. Mais quand le bilan de ce premier septennat sera fait, il ne faudra pas oublier, d'une part, que le peuple a reçu des satisfactions légitimes et que, d'autre part, le président de la République a tout de suite engagé la grande réforme de la décentralisation. Par conséquent, il est difficile d'accuser les socialistes d'étatisme, d'avoir voulu renforcer l'État jacobin, alors que l'un des antidotes à un État trop centralisateur et trop omniprésent est, précisément, la décentralisation. Il faut porter un jugement équilibré sur cette période, sans pour autant passer sous silence les erreurs qui ont pu être faites.

DW : *Si l'on revient à la politique économique, avec l'expérience politique que vous avez aujourd'hui, pensez-vous rétrospectivement que vous auriez dû être si rigoriste ? Pourquoi ne pas payer le prix de cette politique, même si cela se traduisait par un certain nombre de grands déséquilibres ?*

JD : Je ne suis pas sûr que, si j'avais été moins rigoriste, l'expérience de gauche aurait pu se continuer pendant quatorze ans. Et, très souvent, dans tout gouvernement, le ministre des Finances est contraint de jouer les empêcheurs de tourner en rond.

DW : *Votre rigueur fut-elle la condition de la durée du gouvernement de gauche ?*

JD : Oui, c'est ma conviction.

DW : *À l'époque, on disait au contraire que vous étiez un « fossoyeur ».*

JD : N'oubliez jamais que l'alternance a un coût économique, surtout après vingt-cinq ans d'opposition. Il y a eu d'autres périodes dramatiques où l'on a « lâché » encore plus. Rappelez-vous le gouvernement de droite en Mai 68 ! Par conséquent, je crois qu'assimiler aujourd'hui les quatre premières années de l'expérience socialiste à l'image de la facilité et de l'ignorance est absolument malhonnête et n'est pas conforme aux faits. C'est ignorer l'héritage, sur lequel je suis moins sévère que d'autres, car personne n'avait eu la conscience de ce changement radical de l'environnement mondial. À partir de là, j'ai assumé ma tâche de ministre des Finances, et quand j'éprouvais du mal à me faire entendre, j'en ai appelé à l'opinion publique. D'où cette phrase prononcée au Grand Jury RTL-Le Monde, en novembre 1981 : « Il faut une pause dans l'annonce des réformes. » Je voulais dire par là qu'il était impératif de retrouver un juste équilibre entre la nécessité politique, les réalités économiques et un contexte mondial qui nous était encore défavorable du point de vue économique et politique. N'oubliez pas que nous avons engagé une relance, limitée je le répète, dans un contexte marqué par le ralentissement des économies de nos partenaires.

DW : *Par votre orthodoxie des dix-huit premiers mois, n'avez-vous pas fait payer trop cher aux Français la rigueur économique ?*

JD : Si vous regardez le bilan à la fin du premier septennat et à la fin 1985, vous constatez que la situation sociale des catégories défavorisées s'est améliorée, le pouvoir d'achat a légèrement augmenté. L'économie française était alors en situation de pouvoir emprunter un sentier vertueux, tournant le dos à l'inflation et aux déséquilibres de nos comptes extérieurs. Il n'y a pas de croissance durable, fortement créatrice d'emplois sans une monnaie stable. Je préfère l'expression de monnaie stable à celle de monnaie forte, car cette dernière a pris une connotation monétariste qui a servi de leitmotiv aux critiques des partisans d'une autre politique.

Mais je suis content, même si cela a été oublié, d'avoir, à un moment donné, pris l'initiative de provoquer les changements nécessaires. Bien sûr, en mars 1983, le choix s'est fait entre deux voies diamétralement opposées, sous la forme d'une simple question : faut-il ou non rester dans le Système monétaire européen ? En mars 1983, je savais que c'était la dernière chance et, par conséquent, en annonçant le programme d'austérité, j'y ai été très fort. Parce que je savais que, sans cet effet d'annonce et le contenu même du plan de rigueur, la France ne convaincrait pas nos partenaires de la Communauté européenne et les marchés internationaux. D'autre part, je pouvais expliquer aux Français, par une pédagogie un peu violente, que nous étions dans un monde qui ne nous faisait pas de cadeaux. La mesure la plus symbolique de cela fut le carnet de change, puisqu'on a vu des gens manifester devant le ministère, au nom de « les socialistes nous privent de notre liberté ». Croyez-moi, c'est la mesure qui était la plus pédagogique. C'est un peu comme si on coupe brutalement les vivres à un fils prodigue, insensible jusque-là au fait qu'une grande nation ne peut vivre à crédit. Cette mesure a eu un impact psychologique encore plus important que ses conséquences financières et a permis d'éviter une hémorragie de devises, qui aurait été mortelle pour l'expérience de gauche.

DW : *Mais retrouver les équilibres fondamentaux comme condition à des réformes ultérieures, n'est-ce pas le préalable que l'on met toujours en avant, sans toujours qu'il y ait de suite ? N'est-ce pas d'ailleurs ce qu'il s'est passé après 1985 ?*

JD : Oui, mais, parallèlement à cet effort d'austérité, j'ai essayé de construire les bases d'une structure plus solide par une loi sur l'initiative économique qui encourageait toutes les formes possibles de création d'entreprises et d'emplois, et aussi par la création des fonds salariaux. Ces derniers répondaient, dans mon esprit, à deux objectifs. D'une part, créer une épargne supplémentaire de la part des salariés, puisque l'économie française souffrait d'un déséquilibre entre l'épargne et l'investissement. Et, d'autre part, associer les travailleurs à l'entreprise, puisque ces fonds salariaux permettaient d'investir dans l'entreprise. Ils donnaient donc le droit aux représentants des salariés de débattre de la politique d'investissements avec les managers. Il se trouve qu'ensuite on a supprimé ces fonds salariaux, au nom, sans doute, de l'idéologie.

Je cite cet exemple parce que, dans mon esprit, après la démocratie politique, nous avons eu la démocratie sociale sous la forme de l'État-providence, puis nous voulions aussi une certaine forme de démocratie économique, par une bonne représentation des travailleurs, mais aussi par leur participation responsable à la vie même de l'entreprise. Les fonds salariaux s'inscrivaient donc dans une perspective de démocratie économique.

DW : *Vous avouerez qu'il y a un paradoxe. De 1981 à 1983, la politique économique, financière et budgétaire n'est pas très rigoureuse, vous êtes le seul à lutter et vous obtenez gain de cause avec Pierre Mauroy en 1983. Mais c'est le moment des grandes réformes. Après 1983, la politique économique est plus rigoureuse, mais il n'y a plus de grandes réformes.*

JD : Non, à partir de 1983 et 1984 a commencé à émerger le thème de la modernisation.

DW : *Oui, mais moderniser, ce n'est pas réformer !*

JD : La modernisation voulait dire qu'après avoir jeté des bases solides pour consolider les grands équilibres (une monnaie stable, une réduction progressive du déficit budgétaire et du déficit du commerce extérieur) on s'attaquait aux structures, en contraignant les secteurs en difficulté à s'adapter au marché mondial et à la compétition internationale. Cette phase était également nécessaire. On avait sommeillé depuis 1973 ; il s'agissait maintenant de se réveiller. C'était une phase douloureuse menée d'abord par Pierre Mauroy, puis par Laurent Fabius. Elle a permis une adaptation réussie des secteurs traditionnels, ceux qui constituaient la base de la deuxième société industrielle. Je veux parler notamment de la sidérurgie, des chantiers navals et des industries mécaniques. Mais c'était très difficile, du point de vue de la culture économique des Français, de gauche comme de droite.

DW : *Ces mesures de politique industrielle, avec le fameux plan acier du 29 mars 1984, qui a été à contre-courant de la culture politique de gauche, des représentations et des traditions de gauche, n'ont-elles pas été ce qu'il y avait de plus courageux ? Le plan acier prévoyait la suppression de vingt mille emplois. Cela fut courageux, mais le plan acier ne fut-il pas aussi un peu la fin du rêve de la gauche ?*

JD : Non, pas du tout. C'est la fin du « socialisme démocratique dans un seul pays » ! C'est la prise de conscience que l'économie française ne pouvait prospérer dans le cadre d'une forteresse inexpugnable. Toujours la prise en compte du nouveau monde qui était en train de surgir.

DW : *Oui, mais il y a là encore un paradoxe. La gauche est courageuse en politique industrielle à propos de l'un de ses symboles les plus forts, l'industrie, pourquoi ne l'a-t-elle pas été pour les réformes de l'État, de la fiscalité, de l'aménagement du territoire ou de la politique sociale? C'était très difficile de faire ce qu'elle fit sur le plan de la politique industrielle, mais elle l'a fait. En revanche, là où l'on attendait des réformes structurelles de l'État, la fiscalité ou même la ville, il y eut beaucoup moins de choses.*

JD : Deux règles banales. Tout d'abord, ne pas aller plus vite que la musique. D'autre part, se limiter, dans les réformes, à ce qui peut être absorbé, puis mis en œuvre, par la société. Ainsi, l'urgence, du point de vue de la politique sociale, était de fournir des satisfactions aux catégories de la population au niveau de vie le plus modeste. Cela a été fait. Bien sûr, chacun se rendait compte que le système de Sécurité sociale devrait un jour être réformé. Ce serait injuste de ne pas mentionner ce qu'a fait Pierre Bérégovoy dans cette voie, lorsqu'il était ministre des Affaires sociales. En ce qui concerne la réforme de l'État, la décentralisation constituait la priorité des priorités, pour diminuer l'omniprésence de l'État central.

DW : *On a le sentiment qu'elle a donné naissance à des baronnies locales et régionales, plutôt qu'à une vraie décentralisation...*

JD : Votre position de sociologue vous rend à même de comprendre qu'une réforme nécessite du temps. Simplement, ce qui avait été refusé à plusieurs reprises, lorsque la droite était au pouvoir, à Jacques Chaban-Delmas de 1969 à 1972, c'est-à-dire le rééquilibrage du pouvoir entre l'État central et les collectivités décentralisées, fut réalisé d'une manière franche.

DW : *La réforme a-t-elle abouti ?*

JD : Elle a abouti plus qu'on ne le croit, car, aujourd'hui, beaucoup de vocations se font jour pour s'occuper d'une région, d'une ville ou d'un département. Des hommes et femmes politiques, notamment dans la génération des quarante et cinquante ans, préfèrent une importante responsabilité locale à un poste de ministre à Paris.

DW : *On le doit à la loi sur la décentralisation ?*

JD : Absolument. Il reste, bien entendu, la fameuse question des nationalisations, dont nous n'avons pas encore parlé.

J'étais, pour ma part, partisan de la nationalisation des entreprises industrielles à 51 %, et pour une limitation du secteur public dans le domaine bancaire. Mais, en ce qui concerne l'industrie, je dois vous dire que, lorsque nous sommes arrivés au pouvoir, les entreprises intéressées distribuaient plus de dividendes qu'elles ne faisaient appel à des augmentations de capital pour investir et se moderniser ! La nationalisation a introduit un actionnaire, l'État, qui a fait son devoir. Un actionnaire conscient et organisé qui a fourni les fonds propres, permettant à ces entreprises de progresser et d'être aujourd'hui parmi les meilleures européennes et mondiales. On l'oublie trop facilement. En revanche, la nationalisation comme thème idéologique, comme volonté de rééquilibrer les pouvoirs entre la nation et le « grand capital » (comme on dit !) constitue pour moi une solution qui n'est pas adaptée au contexte économique actuel. Nos entreprises doivent être en mesure de nouer des relations avec des firmes étrangères et d'investir là où le marché mondial offre des opportunités. Il leur faut donc échapper à l'image d'étatisme qui ferait reculer des partenaires possibles. Enfin, l'État a d'autres moyens, aujourd'hui, de faire prévaloir l'intérêt national, par une politique macroéconomique, par la lutte contre toutes les formes de corruption...

DW : *Vous n'étiez pas favorable à leur privatisation ultérieure ?*

JD : Pour moi, ce n'est pas un problème essentiel. Entre-temps, la culture économique a changé. D'ailleurs, ce sont souvent les mêmes dirigeants qui sont restés, et tant mieux puisqu'ils étaient bons. Au total, mon point de vue est réaliste et tient compte des nécessités internationales. La nationalisation des grands groupes industriels a été une contribution majeure au réveil de l'appareil productif français. Aujourd'hui, donnons-nous les atouts pour être performants face à la nouvelle donne internationale.

DW : *Rétrospectivement, ne pensez-vous pas qu'une ou deux autres grandes réformes structurelles auraient marqué l'imaginaire politique et historique de la France, même si elles s'étaient faites au prix de certains déséquilibres passagers ? Plus tard, on se serait davantage souvenu de ces grandes réformes que de la bonne gestion socialiste.*

JD : Peut-être, mais ne jugez pas sans vous rappeler le contexte particulier de cette époque, les risques d'échec et la non-adaptation de notre économie, dont j'ai déjà parlé. Le fait que, de 1982 à 1994, se soit peu à peu acclimatée en France l'idée qu'on ne résoudrait pas nos problèmes en jouant d'une monnaie fondante et de dévaluations compétitives, constitue un changement culturel et me paraît un progrès vital. Il a été réalisé grâce à la présidence de François Mitterrand. De même, la mentalité générale des chefs d'entreprise, en France, est devenue beaucoup moins protectionniste, beaucoup moins dépendante des interventions ponctuelles de l'État. Il y a là aussi une mutation positive.

DW : *Oui, mais le prix fut l'absence de différence visible entre la gauche et la droite !*

JD : Non, il y en a, et ce livre le montre.

DW : *Dans la politique économique ?*

JD : Ce qui est nouveau en France, et il faut s'en réjouir, c'est la possibilité de grands débats démocratiques, lors des campagnes électorales, tout en ayant un socle de positions communes, de bon sens. Ce fonds commun, en matière économique, est une monnaie stable et une économie ouverte. Cela me semble acquis. Bien sûr, les partisans d'une autre politique, qu'ils se recrutent à gauche ou à droite, mènent régulièrement des offensives. La dernière a eu lieu en août 1993, après la secousse qui a marqué le Système monétaire européen. Il ne s'agit pas du tout d'une dispute conjoncturelle, mais d'une question de principe. L'exception française, dans ce domaine, est en train de disparaître. Tant mieux !

DW : *La création de ce fonds commun est à mettre nettement au crédit de la gauche ?*

JD : Bien sûr ! Autrement dit, la France a accompli, sans s'en rendre compte, une grande mutation. Je pense que les historiens en attribueront le mérite à ces deux septennats.

DW : *C'est un raisonnement paradoxal. Ce que certains considèrent comme une trahison des valeurs de gauche a, au contraire, permis à la gauche de constituer ce fonds commun, condition d'une alternance sans rupture.*

JD : On pourrait presque dire, vous me pardonnerez cette facilité : seul le général de Gaulle pouvait faire la paix en Algérie et seule la gauche pouvait convaincre les Français que l'on ne peut être prospère, puissant et généreux que si l'on a une monnaie stable et que si l'on affronte victorieusement la compétition internationale.

DW : *Voilà donc un bilan positif, un peu paradoxal par rapport au discours commun...*

JD : Oui, mais ce n'est pas à moi à dresser un bilan détaillé. Nous sommes partis dans cette expérience collective et j'ai connu des moments difficiles – car il n'est jamais agréable de se sentir seul –, mais, à partir de là, j'ai pu expérimenter, dans une réalité bien vivante, le conflit qui existe toujours entre, d'un côté, les contraintes économiques, et d'autre part une logique politique. J'y étais préparé, cela n'a pas été une surprise, puisque tout au long de mon combat militant j'étais apparu aux yeux de mes camarades comme un canard dans une couvée de poussins. J'avais toujours mis l'accent sur la part incontournable du réel, et je n'ai jamais changé de position sur ce point. Par conséquent, j'étais dûment préparé à cet affrontement entre ces deux pôles antagonistes.

DW : *Finalement, une de vos grandes joies n'est-elle pas d'avoir contribué à ce que la gauche fasse cette lecture sur elle-même ?*

JD : Je n'ai pas été le seul. Au début, c'était plus difficile car certains avaient l'impression que je défendais les thèses des hauts fonctionnaires du Trésor, ou bien que j'étais trop timide, ou bien encore que je sous-estimais l'attente politique. Mais ensuite, juste avant mars 1983 et juste après, le tandem Mauroy-Delors a pu agir dans un rapport de forces tel que nous avons pu consolider les acquis sociaux et fait emprunter à l'économie française la seule voie qui, à mon avis, lui garantit un avenir prometteur.

Et c'est le moment pour moi de rendre l'hommage qui lui est dû à Pierre Mauroy, qui était et demeure le symbole des espérances et des frustrations de ce qu'il faut appeler le peuple de gauche.

Je me souviens notamment des soirées passées, avec lui, à l'hôtel Matignon, où il nous gardait à dîner, après une longue séance de travail. Alors il parlait, avec une justesse inégalée et avec cette élégance qui lui est propre, du passé militant, des combats menés. Il exprimait une volonté, intacte malgré les difficultés, d'agir dans le droit-fil de son idéal. À lui seul, il incarnait les aspirations comme les angoisses de tous ceux qui avaient placé leurs espoirs dans la gauche. Il eut d'autant plus de mérite de se placer à la tête du mouvement pour l'assainissement économique et la stabilité monétaire. Sans lui, la bataille n'aurait pu être gagnée.

DW : *Si l'on dressait un bilan rapide des années 1981 à 1984, que mettriez-vous en positif et en négatif ?*

JD : Le plus négatif est d'avoir surestimé l'attrait que pouvait représenter, pour les entreprises françaises, une augmentation, même limitée, de la demande intérieure. Nous avons commis l'erreur, moi comme les autres, de croire que les entreprises françaises saisiraient les occasions de cette relance pour sortir du climat de récession et investir. Or elles ne l'ont pas fait. Aux historiens de l'économie de porter un éclairage plus net sur les raisons, psychologiques, financières, voire politiques, de ce comportement patronal.

DW : *Mais la gauche aurait-elle pu, dans cette période, faire à la fois l'extraordinaire révolution, dont vous parlez, à savoir contribuer à construire ce fonds commun, et, en même temps, continuer à faire apparaître en politique économique, sociale, symbolique, la différence entre une politique de gauche et une politique de droite ? Aurait-elle pu accomplir les deux simultanément ou, finalement, avec le recul, admettre que les choses se font les unes à la suite des autres ?*

JD : Du point de vue de la pédagogie démocratique, la grande erreur a été d'appeler cette période de rigueur une « parenthèse ». Il fallait aller jusqu'au bout de la démonstration et montrer que la rigueur était le préalable à tout nouveau progrès social, et que les pays européens, et notamment la France, allaient vivre dans un contexte beaucoup moins facile que dans les Trente Glorieuses.

Et puis, il y a un social de crise comme il y a un social des périodes de grande expansion. Ce social de crise s'inspire, comme l'autre, des valeurs de solidarité. Sa réalisation supposait une relation différente entre le pouvoir socialiste et les organisations syndicales. Il aurait fallu profiter de cette période pour permettre aux syndicats de prendre conscience des réalités de la situation. Et surtout ne pas procéder à une identification entre pouvoir socialiste et syndicats. Il fallait que les syndicats demeurent des partenaires indépendants et qu'ils puissent eux-mêmes, par l'innovation, participer à une reconstruction, ayant pour but un meilleur équilibre entre l'économique et le social.

DW : *Maintenir la dualité radicale entre la logique syndicale et la logique politique.*

JD : J'ai dit une fois, et la formule était méchante, que « certains dirigeants socialistes pensent qu'ils n'ont pas à trop écouter les syndicats, puisque ce sont leurs frères ». En réalité, ce n'est pas une question de pensée commune ou d'orientation partagée, c'est une question institutionnelle. Le gouvernement et l'État ont leur spécificité, leurs contraintes et leurs devoirs. Les organisations syndicales ont d'autres contraintes et parfois d'autres devoirs. Elles ont à refléter les aspirations et les préoccupations des salariés et, dans une perspective social-démocrate, à proposer des solutions pouvant aller jusqu'à la prise de responsabilités dans la gestion : la Sécurité sociale ou la formation permanente, par exemple.

DW : *Y a-t-il un autre exemple où la gauche au pouvoir aurait pu adhérer à ce fonds commun de politique économique et montrer simultanément une altérité dans la conception de la politique ?*

JD : Encore une fois, il ne faut pas trop raisonner en théorie. Je le répète, l'œuvre accomplie est immense. La quantité du travail gouvernemental était imposante, car nous n'avons pas parlé des réalisations impressionnantes dans le champ culturel, des avancées en ce qui concerne la politique de l'éducation, où il reste tant à faire. Et comment ne pas souligner, avant tout, l'action remarquable menée par Robert Badinter qui, dans le domaine de la justice, a renforcé l'État de droit et fait reculer l'arbitraire ?

S'il y avait un autre thème que j'aurais aimé, si j'étais resté au gouvernement français, mettre en discussion, c'est probablement celui de la question posée aux syndicats : acceptez-vous de prendre vos responsabilités dans la gestion du système d'emploi ? Et la même question aurait été posée pour l'avenir des systèmes de protection sociale afin de clarifier les responsabilités respectives de l'État, du patronat et des organisations syndicales. Ou bien encore la part de financement qui revient à l'impôt et celle qui revient aux charges sur le travail. J'aurais aimé pouvoir traiter très vite cette question en créant un grand débat national autour de deux questions : d'une part, comment maintenir une assurance-santé en facilitant l'accès des soins à tous, quand les dépenses augmentent plus vite que la croissance économique (c'est-à-dire le gâteau à répartir) ? D'autre part, comment conforter nos systèmes de retraite, tout en faisant une part plus grande à la responsabilité personnelle et à l'esprit de prévoyance ?

Malheureusement, je ne suis pas resté assez longtemps au gouvernement pour susciter, en profondeur, de tels débats. Il y a toujours eu, pour moi, deux idées en ce qui concerne l'attitude à tenir vis-à-vis des dirigeants syndicaux. Même s'ils sont mes frères, même s'ils pensent comme moi, du jour où je suis ministre, je dois leur laisser la distance nécessaire pour qu'ils accomplissent leur propre tâche. Au surplus, le syndicalisme français, divisé comme il est, ne pouvait, à l'époque, avoir une chance d'enrayer son déclin, notamment la diminution du nombre d'adhérents, que s'il s'engageait davantage dans la bataille pour l'emploi. Non seulement en exigeant de la croissance économique, ou des mesures pour le réemploi des travailleurs licenciés, mais aussi en acceptant de cogérer les marchés locaux du travail et la formation permanente.

DW : *Cette idée n'a pas réussi à faire son chemin depuis quinze ans, pourrait-elle être acceptée plus facilement aujourd'hui ? À savoir l'insertion des syndicats dans la gestion des problèmes de l'emploi comme légitimation de leur rôle ?*

JD : Si j'avais à conseiller demain un prince... je lui rappellerais les leçons de ma propre expérience. Notamment lorsque je suis arrivé chez Jacques Chaban-Delmas, j'ai parlé de concertation sociale et d'extension de la négociation collective. Il y avait peu de gens pour parier sur ma réussite. Et pourtant, en trois ans, les progrès ont été impressionnants ! Hélas, ils n'ont pas duré, la France est retournée à un système de relations sociales fondé sur la routine, les faux-semblants et les grands-messes.

DW : *Dans l'ordre des schémas de gauche, pensez-vous que la mutation des raisonnements économiques soit acquise ? La mutation des schémas ne serait-elle pas aussi à faire pour les rapports sociaux ? Cette mutation pourrait-elle être acquise plus facilement aujourd'hui, y compris sous un gouvernement de droite ? Ou bien faut-il le retour de la gauche au pouvoir ?*

JD : Cela ne dépend pas que du pouvoir, cela dépend aussi des dirigeants syndicaux.

DW : *S'ils changent de rôle, ils doivent pouvoir obtenir quelque chose en contrepartie.*

JD : Oui, mais je constate aujourd'hui une sorte de résignation de leur part. Ils ont été reconnus et légitimés par la loi : le comité d'entreprise, les délégués du personnel, les sections syndicales... Mais le système tourne au ralenti et ne produit pas les résultats escomptés. Le déficit de responsabilité est aussi patent chez les organisations patronales.

Or, dans ma conception de la démocratie, il doit exister des médiateurs entre les citoyens d'une part et le pouvoir politique de l'autre. C'est encore plus nécessaire avec l'irruption, dont nous avons déjà parlé, des nouveaux moyens de communication.

Or ces médiateurs ne remplissent pas leur mission d'une manière satisfaisante, pour combler le vide dangereusement croissant entre le pouvoir et les citoyens. En d'autres termes, la loi et le marché ne peuvent produire, à eux seuls, une société active et responsable.

DW : *Le paradoxe est effectivement que les lois Auroux, qui ont donné plus de possibilités d'intervention aux organisations syndicales dans l'entreprise, n'ont pas contribué à ce changement de culture.*

JD : Ces lois ne sont pas négligeables. Il y a aujourd'hui beaucoup plus de négociations au sein des entreprises.

DW : *Mais elles n'ont pas facilité, finalement, ce passage à un autre rôle.*

JD : Elles n'ont pas facilité ce passage car les organisations syndicales n'ont pas saisi leur chance non plus. Elles auraient pu, à partir de ces nouveaux droits, élaborer cette stratégie dont je dois reconnaître qu'elle était plus risquée car demandant davantage de prises de responsabilités vis-à-vis des adhérents et des salariés en général. Les torts sont partagés.

L'expérience politique

DW : *Vous quittez le gouvernement en juillet 1984 parce que vous êtes nommé, à partir de janvier 1985, à la tête de la Commission européenne. Quel bilan dressez-vous de votre expérience dans le milieu politique français ?*

JD : J'ai quitté le gouvernement de mon plein gré et non pas, comme le disent certains, parce que je n'avais pas été nommé Premier ministre. Je ne m'y attendais pas après ce qui s'était passé en mars 1983 et j'abordais avec beaucoup d'enthousiasme cette phase de mon action consacrée entièrement à l'Europe, et, en quelque sorte, déjà bien amorcée avec la bataille menée en 1983 pour le maintien du franc dans le Système monétaire européen. Ce que j'ai le plus regretté fut d'abandonner mes fonctions de maire de Clichy.

DW : *On a pourtant l'impression que cette expérience de maire ne vous a pas beaucoup intéressé !*

JD : Si. C'était très difficile à cumuler avec un poste de ministre, mais j'aurais bien aimé m'y consacrer entièrement. C'est passionnant de gérer et d'animer une ville de cinquante mille habitants dans laquelle apparaissent tous les maux de la société tels que nous les avons recensés : la ségrégation entre les races et leur incommunicabilité, les jeunes sans emploi. Nous avions créé une mission pour l'emploi et pour les enfants qui étaient laissés à eux-mêmes, après l'école, dans cette ville-dortoir. Ville-dortoir pour partie, Clichy est également un grand et sympathique village où existent de multiples occasions de rencontre et de convivialité.

DW : *Votre meilleur souvenir de ministre ?*

JD : D'avoir fait voter par les deux Chambres, quasiment à l'unanimité, la réforme bancaire et la loi sur l'initiative économique.

DW : *Et le souvenir le plus désagréable ?*

JD : L'inévitable : les querelles entre personnes, les grandes et petites ambitions.

DW : *Vous appelez cela l'inévitable ! D'une manière générale, dans votre vie politique, vous vous êtes battu contre le libéralisme et aussi contre le marxisme. Arrivé au pouvoir, beaucoup de vos idées ont eu du mal à passer. Avez-vous le sentiment qu'une politique de centre gauche, que vous représentez à peu près, reste impossible en France ? Même si, dans la réalité, la gauche au pouvoir a pratiquement fait votre politique !*

JD : Vous savez, on ne peut pas comprendre ce que je suis vraiment, sans essayer de pénétrer ce mélange de pragmatisme et d'utopie qui m'anime. Être pragmatique, c'est prendre en considération les faits tels qu'ils sont, c'est aussi s'efforcer de surmonter les contradictions. Et la partie utopique, c'est croire aux progrès de l'homme et de la société sur eux-mêmes. Tout en sachant que toute avancée peut être constamment remise en cause, par la nature même de l'homme, par des forces contraires...

Ce n'est pas centre gauche. C'est une approche atypique qui, en essayant d'appliquer ce mélange de pragmatisme et d'utopie à la réalité, peut rencontrer des forces qui acceptent de faire un bout de chemin avec elle. Évidemment, dans les pesanteurs politiques, ces forces se situent à la fois dans la tradition socialiste, dans le mouvement démocrate-chrétien, mais aussi chez tous les atypiques, autogestionnaires, écologistes et autres, qui ont au cœur, avec moi, la volonté de concrétiser l'utopie, tout au moins partiellement.

DW : *Vous prononcez le mot « autogestion ». Cela fait référence aussi aux thèmes de la deuxième gauche dont vous avez été un des principaux fondateurs, partenaires et dirigeants.*

JD : Pas fondateur.

DW : *Inspirateur et animateur.*

JD : Pas plus.

DW : *Cet aspect-là n'a finalement pas eu d'effet dans la politique de la gauche au pouvoir. En tout cas, il n'a pas laissé de trace.*

JD : La deuxième gauche a fortement imprégné la société française et les politiques menées, sans jamais que l'on puisse dire : voilà la politique de la deuxième gauche. Mais notre influence a été considérable au cours des quarante années passées.

DW : *N'est-ce pas la même chose que pour les écologistes ? Ils ont beaucoup influencé la politique, sans jamais accéder au pouvoir.*

JD : La différence est que les personnalités de la deuxième gauche, notamment Michel Rocard et moi, ont pu accéder au pouvoir et se frotter aux responsabilités.

DW : *On peut trouver l'analogie dans le fait que la deuxième gauche et l'écologie ont beaucoup inspiré, sans forcément triompher.*

JD : Oui, mais la deuxième gauche se voulait une approche globale de la société et de la politique.

DW : *Y a-t-il une mesure politique qui la symbolise ?*

JD : Disons plutôt un état d'esprit et une méthode.

DW : *Avez-vous le sentiment que, dans le jeu politique français, vous êtes un outsider ?*

JD : Un atypique.

DW : *L'homme destiné à être contre ?*

JD : Non, l'homme destiné, selon les cas, à influencer, à coopérer, à exercer certaines responsabilités. Mais je suis atypique à la fois par ma pensée, ma conception de l'action, de l'ingénierie sociale. Il est difficile, dans ces conditions, de m'assimiler avec l'un des grands courants de l'histoire politique française.

DW : *Par rapport à il y a vingt ans, avez-vous l'impression d'être plus entendu aujourd'hui ?*

JD : Certainement.

DW : *Cela vous donne-t-il envie de proposer d'autres choses ?*

JD : Je continue à penser que l'on fait progresser la politique et la société autant par le mouvement des idées que par l'action.

DW : *Il y a une caractéristique assez forte : la permanence de votre popularité. Comment l'interprétez-vous ?*

JD : Laissons cela aux spécialistes des enquêtes d'opinion.

DW : *Vous pouvez éprouver une certaine satisfaction à constater aujourd'hui qu'après avoir été longtemps minoritaire vos idées politiques sont mieux comprises et suscitent même un écho assez fort dans la population ! C'est une satisfaction pour un homme public, puisque vous y avez consacré votre vie.*

JD : Satisfait, je le suis sans doute, mais en relativisant. Car quelle est la part qui tient à mon style personnel, à la représentation que les gens ont de moi, ou aux idées que je défends ?

DW : *En tout cas, votre popularité est assez liée aux médias, à l'égard desquels vous avez un comportement assez ambigu. Vous êtes méfiant à leur égard, comme beaucoup d'hommes politiques, mais vous êtes aussi un « enfant des médias », au sens où vous avez su, à juste titre, faire passer plus d'idées par l'intermédiaire des médias que par l'intermédiaire des groupes politiques. Si chacun voit l'aspect négatif des médias, qui est la simplification, la spectacularisation, l'émotion, on voit moins comment, dans un jeu démocratique, ils permettent à des personnalités minoritaires, comme la vôtre, de passer plus facilement par-dessus les obstacles de la classe politique.*

JD : La télévision et la radio sont aujourd'hui des moyens importants pour expliquer, pour communiquer avec les citoyens. Chacun son style, moi j'ai choisi comme approche de dire ce que je pense, sans précaution tactique, sans préparation spéciale.

DW : *Sans spécialiste en marketing politique ?*

JD : Non, sans conseiller en communication.

DW : *Vous savez que Pierre Mendès France a innové dans la communication politique en étant un des premiers à utiliser la radio. Il croyait beaucoup à la pédagogie de l'action gou-*

vernementale. Un de vos talents est également la pédagogie et la simplicité dans l'explication. Vous auriez pu comprendre que les médias, la radio et la télévision pouvaient jouer un rôle essentiel pour nouer ce dialogue, expliquer, construire cette pédagogie avec les citoyens.

JD : Pierre Mendès France a innové dans les années cinquante. Il s'agit de faire appel à l'intelligence et au bon sens des citoyens, en pensant que c'est un élément essentiel de la vitalité démocratique. Ce n'est pas le seul. Il y a la vie des partis, il y a le débat au Parlement, il y a les consultations électorales. Ce dialogue direct entre les responsables et les citoyens est un élément qui doit cependant être utilisé avec précaution. Et certainement pas avec comme résultat malheureux l'effacement du Parlement et des formations politiques, lesquels doivent redevenir les acteurs centraux de la délibération démocratique.

Gauche-droite : changements et permanence

DW : *Si l'on prend la vie politique française sur une plus longue distance pour y dégager les permanences et les changements, quels sont les plus importants ? L'affaissement de la gauche communiste ? La fin de l'antagonisme laïc-chrétien ? L'expérience socialiste ?*

JD : Au risque d'être banal, je rappellerai tout d'abord que nous sommes sortis, en France comme dans d'autres pays, d'une période marquée par l'affrontement idéologique sans pitié, et sans compromis possible. L'effondrement du communisme a mis un terme à cette période. En outre, la stratification sociale de la société française s'est modifiée. Cette évolution a, en quelque sorte, accompagné le déclin des idéologies. Aujourd'hui, il y a encore des groupes sociaux, des classes sociales, mais elles ne se situent pas dans l'univers dichotomique qui était le nôtre avant la guerre et dans les années qui ont suivi la victoire. Chacun le sait, pendant longtemps, le mouvement syndical et les partis politiques ont été dominés, c'était normal, par la classe ouvrière. Celle-ci lui a fourni, outre des dirigeants admirables, ses motivations pour le combat politique et syndical. Aujourd'hui, la situation est différente. La société française est composée d'un grand groupe central aux intérêts et aux caractéristiques parfois divergents, mais ayant en commun un mode de vie et une certaine peur devant le changement. À côté se situent d'autres groupes : les travailleurs indépendants, les agriculteurs, les salariés les plus démunis, et ceux déjà entrés dans la spirale de l'exclusion. Or ce groupe central est difficile à caractériser d'un point de vue politique, il n'est pas d'un seul camp, il est plus volatil dans ses comportements électoraux. Mais je simplifie à l'excès, en ne traitant que de la dimension nouvelle. Je n'aurai garde d'oublier les traditions existant dans ce groupe central, avec des tempéraments, des héritages de droite et de gauche.

DW : *L'opposition gauche-droite demeure-t-elle malgré les mutations sociologiques ?*

JD : Oui, pour des raisons sociologiques, et aussi, pour reprendre une formule de Charles Ferdinand Ramuz, que j'utilise peut-être à l'excès, parce que « la nature est à droite, et l'homme est à gauche ». L'esprit de droite est comme dominé par un certain scepticisme devant la possibilité pour la société de changer profondément, et surtout pour l'homme de marquer un progrès sur lui-même. À gauche, au contraire, existe une croyance dans le progrès de l'homme et de la société. Certains étayent leur foi sur une vision rationnelle de l'histoire, ou sur la science comme moyen pour la société de mieux maîtriser ses contradictions. Ces thèses m'ont toujours laissé sceptique.

Je crois, en revanche, qu'il n'est de richesse que l'Homme. C'est dans l'homme, dans son cœur, dans son esprit, dans sa volonté, que se joue l'essentiel. Les progrès techniques et technologiques sont importants, ils modifient les faits économiques et sociaux, ont un effet sur le comportement des individus, et leur mode de vie, mais fondamentalement la question demeure philosophique.

Est-on sceptique, ou moins sceptique, sur les possibilités d'améliorer les choses par l'action collective, et notamment par l'action politique ? C'est cela qui me fait et qui m'a toujours fait « bouger ». Mais, n'ayant jamais été du côté des marxistes et des révolutionnaires, je savais doser mon espoir à la dimension de mon réalisme et des enseignements de l'histoire.

DW : *La différence entre la gauche et la droite vient de ce que la première est animée par une volonté de réformes structurelles. Mais on a l'impression que l'apprentissage du pouvoir par la gauche française s'est traduit par un gel des idées depuis une quinzaine d'années. S'il n'y a pas beaucoup d'idées à droite, il n'y en a pas beaucoup plus à gauche ! La formule des clubs, des associations, des mouvements de pensée qui ont eu un rôle si important dans les années soixante pourrait-elle rejouer le même rôle aujourd'hui, ou bien non, au contraire, de par la différence des contextes ?*

JD : Le vide intellectuel, à gauche comme à droite, est le résultat d'une période de confrontation idéologique très forte, qui faillit se traduire par le choc des deux blocs, sur le plan international. Il y eut, en effet, pendant deux générations, confusion entre deux grandes puissances et deux grands systèmes politiques. Après cette période – qui a suscité la réaction ultralibérale, laquelle a, je pense, atteint ses limites –, nous sommes entrés dans une période d'attente. Je parle du point de vue de la classe politique, car je ne voudrais pas sous-estimer le regain de l'activité intellectuelle, notamment en France, à travers les propositions des intellectuels, les revues... Mais il reste à nouer le dialogue entre intellectuels et politiques, à fonder de nouvelles synergies, à définir de nouvelles frontières.

DW : *Trouvez-vous normal que Pierre Mendès France et Charles de Gaulle restent les deux seules grandes figures ?*

JD : Cela confirme, tout simplement, le fait que les hommes exceptionnels sont peu nombreux et qu'ils jalonnent l'histoire, en restant pour nous des références et des sources d'inspiration, mais à condition de ne pas exploiter leur nom ou leur mémoire pour un profit personnel. C'est dans le silence de sa propre réflexion que doit se situer l'influence de ces grandes personnalités.

DW : *Le modèle social-démocrate qui devait sa force à un double compromis, capital-travail et État-marché, est lui aussi relativement en crise, y compris en Europe du Nord où il avait trouvé naissance et son plus grand développement. Quelle interprétation faites-vous de la crise de ce modèle ?*

JD : Je pense qu'il y a deux raisons à cette crise. La première est l'internationalisation de l'économie qui rend plus difficile le compromis entre un marché devenu mondial et un État demeuré national. La seconde raison est que l'avancée vers la démocratie sociale, puis la démocratie économique n'était possible que si aux politiques de redistribution équitable du revenu s'ajoutait une prise de responsabilité par l'ensemble de la société.

Autrement dit, que l'État-providence n'engendre pas une société de créanciers, mais une société d'hommes et de femmes responsables, prenant leur part dans l'œuvre commune. Malheureusement, la tendance contraire s'est affirmée, avec une forte poussée de l'individualisme, et aussi – même si cela passera – le triomphe factuel et médiatique de l'argent-roi. Mais le modèle social-démocrate n'est pas à bout de souffle. Il doit simplement prendre en considération ses propres limites et relancer l'offensive vers plus de responsabilité, et donc plus de démocratie.

DW : *A-t-il encore la capacité d'innovation ?*

JD : Oui, absolument, mais à certaines conditions. Élever le débat au niveau européen, car le rapport des forces devient plus équilibré entre les autorités politiques et les marchés. Convaincre patiemment l'individu qu'il n'y a pas de pleine liberté sans exercice par chacun de la solidarité concrète et sans participation à l'aventure collective, nationale et européenne. De même que la république s'est épanouie dans la démocratie, de même le socialisme pourrait signifier demain un approfondissement de la démocratie.

DW : *C'est la thèse optimiste. La thèse pessimiste ne pourrait-elle pas être, à la suite de la réussite et de la fatigue du modèle démocrate, une renaissance d'un certain modèle plus libéral ? Celui-ci, à l'opposé du modèle social-démocrate qui voulait lier l'économie et la politique, prônerait au contraire une séparation beaucoup plus grande des deux, afin de renforcer la liberté et l'autonomie de l'individu. Autrement dit, se recentrer sur l'individu, non pas dans sa relation avec la société, mais dans son rapport à la liberté.*

JD : Vaste programme ! Sous tous les régimes, le rapport d'une personne avec la liberté est un enjeu de vie, qui va plus loin que la politique. Pour en revenir à elle, je dirais que la démocratie se mérite. Il y a constamment une menace d'affadissement : d'un côté les hommes et les femmes vaquent à leur vie privée, se distancient de la participation démocratique, ce qui ne les empêche pas de voter régulièrement ; de l'autre, les forces politiques se disputent le pouvoir à coups de stratégies médiatiques et de techniques de communication. Avec, au total, quand ils sont dans l'opposition, un brin de démagogie et, quand ils sont au pouvoir, la recherche de boucs émissaires. Viendrait s'ajouter alors à la main invisible économique une sorte de main invisible politique qui se traduirait par une réduction du citoyen à la fonction d'électeur, sans plus. Certes, l'élection est essentielle, mais elle n'est pas suffisante pour assurer une participation démocratique. J'ajoute que, pour la France, il y a un autre risque : une sorte de répartition implicite du pouvoir entre les forces économiques et les forces politiques. On peut craindre alors qu'une majorité de droite ait tous les atouts en main, pouvoir économique à l'appui. La minorité n'aurait alors que ses beaux yeux pour pleurer et, comme seul recours, la radicalisation : le « niet niet », après le « ni ni ».

En plus du jeu indispensable de l'alternance et de la confrontation entre majorité et minorité, il faut, au-dessus de cela, l'État de droit, afin qu'au pouvoir ou dans l'opposition chaque responsable soit soumis aux mêmes exigences. Ainsi, le citoyen qui se sent oppressé, opprimé peut toujours faire appel, au-delà du clivage politique, à l'exercice de la justice pour lui garantir la préservation de ses droits essentiels. Si l'on considère que mon utopie démocratique est de gauche, et que tout le monde ne peut pas l'accepter, au moins tous peuvent admettre avec moi que l'existence d'un état de droit est un élément fondamental pour la survie de la démocratie. Je n'ai pas le sentiment que ces conditions soient parfaitement réalisées en France.

Comme tout citoyen, je m'émeus de ces fuites dans la presse, à propos de telle ou telle enquête judiciaire, mais je m'inquiète tout autant de ces instructions qui n'en finissent pas, de ces procès dont on attend toujours la conclusion. Est-ce parce que la Justice manque de moyens ou bien est-ce que le gouvernement, par le Parquet, influence exagérément l'action de la Justice ? Ces questions, beaucoup de Français se les posent, car ils ne sont pas avides de sensations ou de mises au bûcher. Ils veulent simplement avoir la certitude que nous ne sommes pas, comme dans la fable de La Fontaine : « Selon que vous serez puissant ou misérable... »

DW : *L'idéologie de la déréglementation, qui est un peu le complément de l'idéologie libérale depuis une quinzaine d'années, en réaction contre ce modèle social-démocrate, est-elle en train de s'affaiblir ou au contraire de perdurer ?*

JD : Il était nécessaire de déréglementer, ou mieux, d'alléger et de simplifier. Quand un citoyen, un travailleur, un chef d'entreprise, est pris dans un écheveau de plus en plus complexe de lois et de règlements, il ne peut ni exercer ses responsabilités, ni être efficace. La démocratie doit donc inventer la simplicité et la transparence pour permettre à chacun de s'épanouir et de faire fructifier ses initiatives au profit de tous. De ce point de vue, la déréglementation était nécessaire. Mais là où il y a débat, c'est lorsque l'on veut s'attaquer au minimum de droits sans lesquels un individu seul ne peut vivre d'une manière digne dans la société.

Le marché est absolument indispensable, mais il ne doit pas être la jungle. Les individus ne sont pas égaux en intelligence, et en capacité de « se défendre », dans la société et dans l'économie. Lorsque la déréglementation s'attaque à ce minimum de droits, il s'agit non seulement d'un recul social, mais aussi d'un risque pour la cohésion et l'équilibre de la société.

DW : *Si l'on se penche de l'autre côté, à gauche, comment repenser le modèle social-démocrate, l'intérêt pour les politiques publiques et pour la réglementation, sans retomber dans les travers qui ont justement donné naissance à cette idéologie libérale des années 1970-1980 ? Ce n'est pas parce que la crise revalorise aujourd'hui le rôle de l'État et du social qu'il est possible d'oublier les effets négatifs antérieurs de bureaucratisation et de rigidification. Sinon, les mêmes causes produisent les mêmes effets.*

JD : Attendez pour parler de retour du social et de l'État. N'oubliez pas le contexte préélectoral. Certes, il y a des prurits, il y a des bouffées, il y a des attrape-mouches. Mais nous ne sommes pas encore au point d'avoir des débats clairs sur le rôle de l'État dans la société française, ni sur ce que devrait être aujourd'hui la dimension sociale. Le politique doit laisser au social sa marge d'autonomie, et l'État ou la loi ne doivent intervenir que lorsqu'il y a risque de rupture du lien social. C'est pour cela que nous avons parlé des politiques de la ville, et du développement rural, des réformes du système de l'emploi, des liens entre le local et l'emploi. Il s'agit là de multiples directions qui devraient permettre à la politique de se réapproprier une vision correcte du social, qui ne débouche, ni sur la société à irresponsabilités illimitées ni sur la fable du renard dans le poulailler.

DW : *Diriez-vous que la gauche a réussi la modernisation économique et qu'il lui reste aujourd'hui à réussir la modernisation sociale ?*

JD : La gauche a contribué à la modernisation de l'économie française, c'est indiscutable. Mais elle n'a pas su la concilier avec un social adapté à l'évolution de l'économie et de la société.

DW : *Sur quels thèmes, demain, la gauche pourrait-elle se différencier de la droite ?*

JD : Il y a trois thèmes essentiels : un internationalisme bien compris, qui n'est pas l'effacement de la France, mais au contraire un rôle adapté à son histoire et à son génie propre. Notre pays ne pourra y parvenir qu'à travers la construction européenne. Deuxième thème : l'approfondissement de la participation démocratique, au-delà de l'élection, avec des citoyens qui, chacun selon ses goûts et ses capacités, participent à la vie collective. Troisième thème : la justice sociale conçue dans un sens où il faut admettre que certaines personnes naissent sans les moyens de pouvoir assumer leur destin dans la liberté.

Et on revient à la fameuse controverse entre l'inné et l'acquis. Si votre philosophie politique est fondée complètement sur l'inné, alors vous prenez votre parti des inégalités et des injustices. Si, au contraire, vous ne mettez l'accent que sur l'acquis, vous attribuez à la politique des pouvoirs qu'elle n'a pas et vous créez une société qui étouffe l'individu. Un bon compromis est à trouver entre l'inné et l'acquis, et notamment dans l'éducation, qui est au cœur de tout projet sociétal. Je me suis toujours battu, parfois dans des conditions difficiles, pour indiquer que la politique de l'éducation avait pour but de réaliser l'égalité des chances. Le socialisme échoue chaque fois qu'il confond égalité des chances et égalité des résultats.

DW : *Quelles sont les chances de la gauche sur le plan européen ?*

JD : Elle trouve, au niveau européen, le moyen d'assurer des équilibres qui ont été rompus au niveau national entre l'État et le marché d'un côté, entre les patronats et les syndicats de l'autre. Je n'irai pas cependant jusqu'à dire, comme certains, que l'Europe sera socialiste ou ne sera pas. Je dis simplement que la construction européenne offre de nouvelles frontières à la social-démocratie.

Chapitre 2

Nord/Sud : les grands problèmes

Les effets de la mondialisation

DOMINIQUE WOLTON : *La mondialisation de l'économie aboutit à la constitution, surtout depuis 1971, qui a vu la fin de la convertibilité du dollar, à une bulle financière dont les effets sont considérablement négatifs sur le développement de l'économie mondiale. Véronique Maurus, dans* Le Monde *(juin 1994), résume assez bien la situation actuelle. L'article s'intitule « Pagaille ». Je vous le lis.*

« Pauvre Keynes ! S'il revenait aujourd'hui, cinquante ans après la conférence de Bretton-Woods qu'il avait dominée de toute sa lucidité, le grand prêtre de l'interventionnisme des États serait bien marri des résultats. Car, jamais comme en cette fin de siècle, les marchés financiers, qu'il redoutait, n'ont eu une telle puissance, un tel pouvoir de nuisance sur l'économie " réelle ". Déréglementés, internationalisés, informatisés, nourris par d'énormes fonds de pension, ils sont devenus réellement " globaux ", alors que les politiques économiques restaient le plus souvent nationales. On le voit depuis quelques semaines, aucun État, même les États-Unis, n'a plus les moyens d'endiguer la chute de sa monnaie ou l'envolée de ses taux longs.

« Jamais comme aujourd'hui l'économie mondiale n'avait eu besoin d'une organisation supranationale pluricompétente, investie de vrais pouvoirs et de moyens suffisants pour garantir une croissance stable, et faire pièce au pouvoir désordonné des marchés. Or, en face, que trouve-t-on? La pagaille. Le FMI, garant théorique de l'orthodoxie monétaire, s'occupe en fait de la dette et du développement, rôle dévolu à la Banque mondiale. L'OCDE, qui n'a pas de pouvoir de décision, lutte

avec le GATT *pour le contrôle de la future Organisation mondiale du commerce* (OMC)*, tandis que le* G7*, qui n'a pas de secrétariat, s'occupe du chômage, domaine du* BIT*... Une vraie banque mondiale, un système monétaire stable et indépendant, les vieux rêves de Keynes n'ont jamais été aussi actuels. »*

Que pensez-vous de cette description de la situation nationale de l'économie mondiale ?

JACQUES DELORS : Elle est globalement juste.

DW : *Ce n'est pas enthousiasmant quand on parle de mondialisation !*

JD : Le problème est de savoir si on peut effacer ces réalités, aussi embarrassantes soient-elles, ou bien si on peut vivre avec elles, sinon les maîtriser. Telle est la question.

DW : *Mais cette bulle financière, où les transactions financières sont cent fois plus importantes que les transactions physiques, dont la capacité de rotation est accrue encore par l'informatisation de l'ensemble du marché, n'est-elle pas devenue un obstacle à tous les projets de développement économique ?*

JD : C'est excessif. Il est vrai que ces marchés fonctionnent vingt-quatre heures sur vingt-quatre et sont interactifs. Ils offrent à chacun la possibilité de se couvrir, mieux qu'avant, contre les risques. Ils accentuent, par leurs processus, la concentration sur le court terme. Tout cela est vrai, on ne peut pas dire d'eux, à la lumière de quinze années d'expérience seulement, qu'ils sont les maîtres de l'univers. Simplement, il s'est créé une distance trop grande, un manque de relation entre l'évolution des économies réelles d'un côté et l'évolution des marchés financiers de l'autre. Les marchés financiers obéissent à leur logique propre. Il n'y a pas d'ailleurs de grands maîtres derrière. Ce n'est pas en partant de la seule bulle financière que l'on pourra, en raisonnant, aboutir à un ordre mondial plus efficace, plus stable et plus juste.

DW : *Mais ces dégâts financiers, grâce aux médias, le citoyen les voit tous les jours ! Comment éviter que l'extension du capitalisme, qui crée inévitablement une augmentation de la spéculation, et des scandales financiers en conséquence, crée un sentiment d'écœurement et favorise une espèce de colère à l'égard d'un système incontrôlable et qui profite à une partie des spéculateurs internationaux ?*

On ne peut pas à la fois dire aux citoyens, il faut que vous soyez conscients des problèmes mondiaux, et en même temps que ces citoyens constatent combien toutes les organisations mises sur pied pour essayer de réglementer échouent !

JD : Tout d'abord, en dépit des précautions qu'ils prennent, les spéculateurs ne gagnent pas toujours. Et lorsqu'ils essuient des pertes, à la suite d'une action résolue des institutions financières publiques, ils s'en souviennent. C'est le petit commencement de la sagesse. L'impuissance n'est donc pas totale, mais le contraste est fort entre l'influence qu'exerce le marché financier d'un côté, et la maîtrise que l'on peut prêter aux responsables politiques, soit sur le plan national, soit sur le plan des grandes organisations internationales. Il ne faut pas non plus que, par une sorte de facilité, les dirigeants politiques se mettent à faire des grands marchés internationaux les boucs émissaires. Imagine-t-on que la solution consiste à détruire les places financières et leurs ordinateurs ? Et après ? Ils les reconstruiront. D'ailleurs, tout le monde en a besoin aujourd'hui, même les grandes entreprises industrielles, qui gèrent des sommes importantes et qui doivent, elles aussi, tenir compte des marchés. Par conséquent, ce n'est pas en prônant la vertu contre le vice que l'on arrivera à trouver une solution.

DW : *Vous ne diriez pas la finance contre la croissance ?*

JD : Non. Je dirais un univers financier qui n'est pas assez corrélé avec les performances des économies réelles, ce qui est regrettable. Un univers financier trop autonome et plein de contradictions dans ses réactions. Ce qui rend plus difficile l'action des pouvoirs publics. Mais la résignation n'est plus à l'ordre du jour. Les gouvernements prennent conscience des dangers. Je m'en suis rendu compte lors de la dernière réunion du G7 (le sommet des pays industrialisés) à Naples. Ils ont accepté, après mon intervention, de réfléchir à un ordre monétaire mondial plus fort et plus stable.

DW : *Quelles réformes de quelle institution internationale permettraient, selon vous, d'arriver à mettre, indépendamment des réunions du G7, un peu d'ordre dans ces transactions ?*

JD : Revenons un instant à l'économie réelle. Les pays de la triade États-Unis-Europe-Japon voient leur part décroître dans la production mondiale ; d'autres pays s'assoient à la table du festin économique. Pas tous, mais cela prouve que le monde bouge, que la bulle financière n'est pas un obstacle infranchissable à la promotion des pays en voie de développement.

Deuxièmement, les organisations internationales font leur travail. Nous ne sommes pas là pour parler de la répartition des tâches entre le Fonds monétaire international et la Banque mondiale. Simplement, il n'y a pas d'instance internationale qui soit à la mesure de l'interdépendance croissante des économies. Comme il serait trop facile de préconiser un gouvernement mondial, il convient cependant d'entrer dans la voie d'une organisation progressive de l'économie et des finances du monde.

À partir d'un constat : il n'y a plus le Nord et le Sud ; il y a un Nord et des Sud ! Entre l'Afrique qui demeure malheureusement le continent oublié du développement, l'Amérique latine qui, avec la démocratie, retrouve des perspectives économiques positives, les pays d'Asie qui font des bonds de géant, la Chine qui n'en est plus à s'éveiller, mais qui connaît une croissance très forte, même si elle se poursuit dans des conditions d'inégalité qui poseront problème, l'Inde qui réalise son chemin et qui sera aussi une grande puissance, il y a des changements ! Bref, il est en train de se dessiner une nouvelle carte des rapports de force. Et nous, les Français, les Européens, qui sommes le bout de nez d'un immense continent, nous devons en avoir conscience. Nous en restons à nos raisonnements et à nos comportements, comme si nous étions dans le monde d'avant 1940 ou même d'avant 1914.

En revanche, nous ne devons plus, comme dans les années 1950-1960, développer dans nos rapports avec le Sud un sentiment de culpabilité. À l'époque, cela était normal, car il y avait une sorte d'impérialisme économique des grandes sociétés industrielles. Aujourd'hui, nous sommes à la fois sollicités moralement, car le développement du Sud se fait d'une manière inégale, et défiés économiquement, car ces pays deviennent de plus en plus compétitifs.

Le grand débat Nord-Sud mérite donc d'être reconsidéré. Comment procéder ? J'ai lancé depuis un an l'idée d'un conseil de sécurité économique. Après avoir constaté que le sommet des pays industrialisés, le G7, pouvait être utile mais en aucun cas servir de laboratoire expérimental pour essayer de résoudre les problèmes du monde. Je constate également que les initiatives qui sont prises par l'Organisation des Nations unies, fort méritoirement d'ailleurs, sur l'environnement, ont du mal à déboucher. J'ai donc proposé que, dans le cadre de l'Organisation des Nations unies, notamment à l'occasion de son cinquantième anniversaire, l'an prochain, on recherche une formule qui permettrait d'embrasser d'une manière horizontale tous les problèmes économiques. Bien sûr, il ne faut pas en attendre tout de suite des miracles, mais on sortirait à la fois du verticalisme des organisations, et, en même temps, d'une très grande différence d'influence entre elles. Par exemple, entre le Fonds monétaire, puissant et efficace, et le Bureau international du travail, qui, lui, travaille bien, mais n'a pas les moyens de faire respecter les normes qu'il édicte.

Ce conseil de sécurité économique comprendrait cinq membres permanents (États-Unis, Russie, Union européenne, Chine, Japon) et un représentant de chaque grande organisation territoriale (Amérique centrale et du Sud, Afrique, Asie, Moyen-Orient...). Ce conseil se réunirait une fois par an au niveau des chefs d'État et de gouvernement, et à l'échelon des ministres responsables dans l'intervalle. Il essaierait, peu à peu, de prendre une vision globale des grands paramètres de l'évolution du monde ; économie, monnaie, finances, social, environnement, population, etc. À partir de là, peu à peu se créerait une conscience réelle des relations entre ces problèmes. Cette institution aurait également le mérite d'associer le monde entier et non pas d'apparaître comme un club fermé de riches. Bien sûr, cela n'ira pas sans poser des problèmes de susceptibilité, mais l'important est de créer un forum qui soit un embryon non pas de gouvernement mondial, mais d'une institution capable d'avoir une perception plus aiguë et plus exhaustive des problèmes mondiaux. Bien sûr participeraient également à ces réunions les représentants des grandes organisations internationales, le Fonds monétaire international, la Banque mondiale, la nouvelle Organisation mondiale du commerce, le Bureau international du travail, l'UNESCO, etc.

DW : *L'idée paraît séduisante et rationnelle, mais une objection me vient à l'esprit : le risque d'une institution supplémentaire. Pourquoi ne pas utiliser une institution déjà existante en lui adjoignant une autre fonction ?*

JD : Non, car aucune n'a la capacité d'embrasser l'ensemble des problèmes, en raison de sa culture et de ses traditions. Par exemple, pourquoi donner la priorité au Fonds monétaire sur la Banque mondiale ou l'inverse ? Pourquoi ne pas essayer de promouvoir le Bureau international du travail, dont l'influence pratique devrait être beaucoup plus grande ? Pourquoi ne pas introduire les paramètres du social et de l'environnement dans l'Organisation mondiale du commerce ? À l'instar du Conseil de sécurité de l'ONU qui gère les problèmes politiques et militaires, je propose un concept analogue pour l'ensemble des problèmes économiques, financiers et sociaux. Prendre progressivement en charge les problèmes qui nous sont communs et auxquels chaque pays ne peut apporter à lui seul une solution.

DW : *À propos des autres structures, seriez-vous d'accord avec les propositions du directeur du FMI pour renforcer les pouvoirs de cette institution dans le cas des gestions de crises, et pour pouvoir intervenir plus vite sur les marchés des changes ?*

JD : Il me semble que le FMI s'est, en quelque sorte, spécialisé dans la gestion des crises de paiement et des déséquilibres qui affectent les pays en voie de développement. Nous sommes là d'ailleurs loin de l'esprit de Bretton Woods. Même si l'on considère la thèse dominante qui l'a emporté au lendemain de la guerre, il allait de soi que le FMI devait pouvoir gérer les crises entre les grands pays industrialisés. Il faut lui redonner cette possibilité. C'est indispensable. Sinon, nous continuerons à vivre dans l'instabilité et avec les caprices du dollar. Il faut d'ailleurs remarquer que plus nous renforcerons les pouvoirs du FMI pour la gestion des déséquilibres, plus nous délivrerons des messages forts aux marchés et à la bulle financière. *A fortiori* avec le fonctionnement du Conseil de sécurité économique dont je préconise la création.

DW : *La bulle financière est d'autant plus puissante qu'elle ne reçoit pas de messages directs ?*

JD : Vous avez raison, il n'y a pas de signaux qui lui soient adressés et qui lui paraissent assez puissants – donc suivis de faits – pour changer ses comportements.

DW : *Toujours dans le cadre de l'organisation de ce paysage international, que pensez-vous d'un rééquilibrage du FMI vers les pays du Nord également, ainsi que pour la Banque mondiale ?*

JD : La Banque mondiale est une organisation qui, comme le FMI, a accumulé beaucoup d'expériences et qui associe énormément de compétences. Elle doit continuer à jouer un rôle central dans les politiques de décollage et de développement. La grande difficulté à laquelle nous nous heurtons est la suivante : quand un pays est en difficulté, c'est parce que sa monnaie est attaquée et se déprécie, que ses réserves de change s'épuisent, et que son budget est en déséquilibre croissant. Que lui propose-t-on ? De réduire son déficit budgétaire, en pratiquant la vérité des prix, ce qui a des conséquences sociales, notamment pour la partie la plus modeste de la population.

Généralement, pour réaliser cet effort de rigueur budgétaire, les dépenses d'avenir sont sacrifiées : l'éducation, la santé, les investissements publics. Bref, il y a un risque de mourir guéri ! Il faudrait donc que le FMI et la Banque mondiale s'efforcent de coordonner leurs efforts pour que, tout en soignant le malade à court terme, on lui donne des forces pour pouvoir vivre et se développer à long terme. Malheureusement, ce n'est pas encore le cas.

De telles questions pourraient être examinées par ce Conseil de sécurité économique, de telle sorte qu'émerge une approche plus équilibrée des politiques à mener. L'expérience française, nous en avons parlé, a montré combien il est difficile de soigner le malade tout en renforçant ses muscles. Il y a une période de soins intensifs, une phase de convalescence, et puis ensuite, à nouveau le développement. Aujourd'hui, le risque est trop grand pour ces pays de subir une cure d'austérité qui les affaiblisse, avec, à terme, des risques sociaux et politiques. Ce Conseil de sécurité économique pourrait donc s'attaquer aux grands problèmes économiques de notre temps : l'instabilité monétaire, la mauvaise orientation des flux financiers, l'insuffisance de l'épargne mondiale, les obstacles au libre commerce, le risque de dumping social qui peut accompagner une trop grande ouverture des marchés, la lutte globale de l'ensemble de l'humanité contre la détérioration du capital naturel, la maîtrise des évolutions démographiques.

DW : *À propos de la spéculation internationale, pensez-vous aussi, comme la plupart des analystes, qu'elle trouve son origine dans la fin de l'étalon-or le 15 août 1971, qui a provoqué cette abondance des capitaux à court terme dont les déséquilibres font la bulle financière ?*

JD : Si l'on avait pu maintenir l'étalon-or, il n'est pas certain que nous aurions échappé à toutes les manifestations de la bulle financière.

DW : *Vous ne pensez pas que la fin de la convertibilité...*

JD : Un système international fondé sur l'or avait quelque chose d'artificiel. D'ailleurs, Pierre Mendès France l'avait critiqué, puisqu'il avait proposé un étalon-marchandise, difficile à réaliser, mais séduisant dans sa conception des rapports Nord-Sud de l'époque. Elle consistait à prendre comme fondement de la valeur des monnaies, en plus de l'or, un assortiment de matières premières. Ce stock de matières premières pourrait être réévalué, et l'on pourrait, selon les époques, en acheter davantage ou en vendre pour renforcer la stabilité monétaire internationale, et cela dans l'intérêt des pays producteurs de matières premières. Mais ce système a été récusé, soit pour des raisons doctrinales : certains y étaient opposés au nom des thèses libérales les plus orthodoxes, soit pour des raisons pratiques ; la mise en place d'un tel système se heurtait à trop de difficultés.

Nous connaissons aujourd'hui au niveau international ce que nous avons connu au niveau national, c'est-à-dire « les prêts font les dépôts », mais en plus, avec les techniques nouvelles, la monnaie est sans cesse détruite et recréée, l'argent se transférant en moins d'une minute. Si on ne peut pas revenir sur ce phénomène, on peut essayer, par une nouvelle organisation monétaire internationale, et par la création d'un interlocuteur puissant, pour reprendre votre formule, de créer des conditions qui évitent que cette spéculation empêche le développement des échanges et de la croissance économique, au profit de tous dans le monde.

DW : *Pour revenir au dialogue Nord-Sud, vous avez dit : « Il faut sortir d'une vision dichotomique, simpliste, du Nord impérialiste et du Sud victime. » Dans la mise à plat de ce dialogue Nord-Sud, quels seraient les deux ou trois éléments fondamentaux pour repenser le problème ?*

JD : Il faut d'abord traiter des pays comme ils sont. Certains pays se développent actuellement grâce à de nombreux facteurs. Pour certains, ce sont des ressources naturelles, pour d'autres, c'est la qualité de la main-d'œuvre et du système éducatif, notamment dans certains pays asiatiques. Quel est le risque ? Que ces pays ne fassent pas profiter l'ensemble de leur population des progrès matériels réalisés. À partir de là, l'exploitation de leur main-d'œuvre aboutit à des conséquences néfastes pour nous, par l'importation de biens ou de services trop bon marché, créant ainsi une pression intolérable sur notre niveau de vie et nos avantages sociaux et renforçant le chômage.

On peut dire que l'Europe, pour maintenir ses systèmes de sécurité sociale et son niveau de vie, a déjà fait beaucoup. Elle a supprimé cinq millions d'emplois depuis le premier choc pétrolier, en remplaçant le travail humain par du capital technique. Par conséquent, vis-à-vis des pays qui ont réussi leur décollage, la condition d'une certaine stabilité du monde est que ces pays élèvent le niveau de vie et de protection sociale, au fur et à mesure qu'ils enregistrent un progrès économique.

Pour les autres, ceux qui n'ont pas réussi leur développement, les causes sont généralement multiples. On peut même voir s'additionner la rareté des matières premières, une trop grande sensibilité au climat, une pauvreté de base, une incapacité de la classe dirigeante, et la corruption. À ces pays-là, on peut dire « aide-toi, le ciel t'aidera ». Mais ce n'est pas suffisant, nous devons les aider.

DW : *Êtes-vous d'accord pour mettre une sorte de conditionnalité de l'aide financière ou de l'aide économique au développement du régime démocratique dans ces pays ?*

JD : Oui, mais avec beaucoup de compréhension pour l'histoire et les particularités de ces pays. Car ces derniers ne peuvent pas, du jour au lendemain, adopter les formes qui sont les nôtres ! D'autre part, il y a plusieurs expressions possibles de la démocratie. Par contre, on peut leur demander de respecter le pluralisme, y compris ethnique et religieux, d'organiser régulièrement et librement des élections, et de s'engager à défendre les droits de l'homme. C'est une base indispensable. D'ailleurs, même s'il n'existe pas de panacée, on peut voir – c'est une raison d'espérer – que la démocratie revenue dans les pays de l'Europe de l'Est n'a pas été un obstacle à la solution de leur problème économique, bien au contraire. Autre illustration : le décollage économique de ce magnifique continent qu'est l'Amérique latine s'est produit au moment où les régimes militaires ont dû céder la place à des régimes démocratiques, au sens où nous l'entendons. Par conséquent, il y a une sorte d'adéquation entre économie ouverte, mise en œuvre de la démocratie et développement.

DW : *Dans les tâches que vous avez évoquées pour le Conseil de sécurité économique, vous parliez des problèmes d'environnement. La tragédie de Tchernobyl et aujourd'hui le marché noir de plutonium ne constituent-ils pas le prélude d'une vraie menace sur l'environnement international ?*

JD : Il faut bien distinguer deux aspects différents. Le premier, qui rejoint le constat à l'origine de notre entretien : la pollution ne connaît pas de frontière. Par conséquent, s'il y a un problème pour lequel il y a une prise de conscience internationale, marquée par la conférence de Rio, c'est bien celui de l'environnement. Il reste donc à développer toutes les formes de coopération qui permettent de lutter contre les dégâts faits à l'environnement. Cela va de la sécurité des centrales nucléaires à la protection des forêts, en passant par la diminution des émissions de CO_2. C'est pourquoi, d'ailleurs, la Commission européenne a proposé aux pays de l'Union d'adopter une taxe sur le CO_2. Les effets en seraient bénéfiques à la fois du point de vue de l'environnement et du point de vue de l'emploi, puisqu'elle apporterait ses ressources en remplacement des charges trop lourdes qui pèsent sur l'emploi. L'Union européenne a, au surplus, adopté des normes communes et a inclus des clauses concernant le respect des règles de l'environnement dans ses accords de coopération avec tous ses partenaires. L'Union européenne est donc à la pointe du combat, à la fois pour fixer des normes ambitieuses d'environnement et pour diffuser ces bonnes pratiques au reste du monde.

Le second aspect relève de la criminalité internationale. Il y a lieu de s'inquiéter. N'allons-nous pas vers des formes encore plus dangereuses de criminalité, avec des bandes, des groupes qui disposeraient de l'atome, de l'arme bactériologique et des armes chimiques ? La diffusion dans ces trois domaines est déjà très inquiétante. C'est pourquoi, puisqu'on ne fait que discuter sans fin au plan international, là aussi l'Union européenne a décidé de constituer un organisme, Europol, qui permettra aux pays membres de l'Union de coopérer entre eux. Ils peuvent contribuer beaucoup à lutter contre la criminalité internationale. Dès maintenant, les dégâts causés par les trafics de drogue sont impressionnants, et les risques représentés par le commerce des organes ne le sont pas moins. Le chancelier Kohl y insiste depuis longtemps auprès de ses collègues européens. Puisqu'il n'est pas possible d'obtenir, dans le cadre de l'ONU, une action ou même un début d'action, l'Europe doit agir. Vous voyez bien, si je puis me permettre cette parenthèse, que l'Union européenne a non seulement des objectifs en soi – la paix entre les peuples, la compréhension mutuelle, la coopération –, mais qu'elle représente aussi une sorte d'avant-garde dans l'organisation internationale ; un ensemble capable de traiter concrètement des problèmes transnationaux. Son exemple peut devenir contagieux, dans le bon sens du terme.

DW : *Voulez-vous dire que la construction de l'Europe a des avantages mondiaux qui sont trop ignorés en Europe même ? Dans le cadre des grands ensembles, elle peut être un fer de lance pour un certain nombre de politiques internationales qui peuvent plus facilement être faites par l'Europe.*

JD : Elle peut déjà donner l'exemple d'une coopération multinationale, l'étendre ensuite à travers ces accords de coopération, et, la réussite aidant, montrer comment, peu à peu, il est souhaitable d'aboutir à des formes de gouvernement mondial.

L'Union européenne est l'instrument le plus concret par lequel nous traitons certains des problèmes nés de la mondialisation.

DW : *On voit combien est difficile une régulation au niveau international, car la logique de l'économie est celle de l'intérêt. Du point de vue des valeurs, quels principes de solidarité pourrait-on progressivement essayer de mettre en place au niveau international pour équilibrer cette logique de l'intérêt ?*

JD : Le plus simple est de transposer le « fordisme » à l'échelon international. Que s'est-il passé dans nos sociétés industrielles ? À un moment donné, la classe des propriétaires et des dirigeants d'entreprise s'est aperçue que ses investissements allaient devenir trop importants par rapport aux débouchés. Qu'ont-ils fait, sous la pression, d'ailleurs, des mouvements ouvriers ? Ils ont distribué du pouvoir d'achat. C'est-à-dire alimenté la machine économique. Voilà pourquoi nos pays ont pu connaître une formidable augmentation du niveau de vie ! Aujourd'hui, ce principe devrait être étendu à l'échelle mondiale. Si, par exemple, les échanges mondiaux progressent de douze ou quinze pour cent par an, chacun en tirera profit. Mais le grand adversaire, c'est le protectionnisme, sous toutes ses formes, accompagné d'ailleurs de tout ce qui nuit à la concurrence internationale : les subventions publiques, le dumping économique, le maintien de la population à un niveau social trop bas. J'espère que la nouvelle organisation mondiale du commerce ira plus loin que le GATT et que, grâce à l'ouverture des marchés et à des pratiques loyales de concurrence, elle permettra de mieux alimenter la machine économique mondiale.

Mais il ne peut plus y avoir aujourd'hui de gains durables d'un groupe de pays contre un autre. Ce n'est plus possible. De ce point de vue, le Sud a gagné sa bataille. C'est-à-dire que l'impérialisme du Nord a ses limites. Il est attaqué de différents côtés. Par les pays qui ont réussi leur décollage et qui les menacent de dumping social, et par les pays qui n'ont pas réussi ce décollage et qui les menacent par de grandes poussées d'immigration, ou pire encore, d'actions militaires ou terroristes, créant des facteurs contagieux de déséquilibre dans le monde. Par conséquent, il y a encore beaucoup à faire en termes d'assistance économique, technique et sociale pour aider le développement de ces pays, mais le Sud n'est plus dans la situation d'infériorité, voire d'isolement qui était la sienne, il y a trente ans.

DW : *Si l'on revient du côté des pays développés ou des pays européens, un des problèmes, lié à l'internationalisation de l'économie, est une sorte de peur collective face à un « monstre » économique que personne ne contrôle. La perception, dans les pays d'Europe face à la mondialisation, est : qui décide ? pourquoi ? comment ?*

Comment donner le sentiment, simultanément à l'ouverture des marchés et des économies, qu'il demeure des centres de décisions identifiables et responsables pour éviter une perception de menace ? Celle de se sentir totalement démuni dans la capacité de compréhension et d'action ? Tout va tellement vite, la plupart du temps si loin de chez soi, avec des critères difficilement compréhensibles, qu'un sentiment d'impuissance se crée. Accentué aussi par la rapidité des moyens d'information. Pour les citoyens, mais aussi pour les pouvoirs publics, se développe un sentiment d'« incontrôlabilité ».

JD : Nous avons déjà parlé de la bulle financière et des moyens qu'il y aurait de limiter son pouvoir aveugle. Mais vous abordez maintenant un autre sujet. Je suis citoyen du monde, j'ai compris que je vis dans un monde de plus en plus interdépendant et que je dois en tenir compte. Mais qui décide ? Ai-je mon mot à dire ? Certains répondent : il y a le marché. Vous connaissez ma position de principe. Elle est valable au niveau national comme au niveau international : on ne bâtira pas un monde relativement meilleur uniquement sur le laisser-faire, laisser-passer. Le marché est important. C'est lui qui est le mieux à même d'adapter l'offre à la demande, de permettre aux pays pauvres de vendre leurs productions. Toutefois, un monde meilleur n'est possible qu'en combinant, comme à l'intérieur de l'Europe, compétition, coopération et solidarité.

La coopération doit se manifester par le jeu des organisations internationales. Quant à la solidarité, elle implique un effort mondial en faveur des plus pauvres. C'est ce qu'on a appelé l'aide publique au développement. Vous savez que l'on s'était fixé un objectif en pourcentage de produit national brut, 1 %, et que cet objectif n'a été rempli que par quelques pays. Il y a donc là aussi une tâche importante ! Au niveau mondial, compte tenu encore une fois du resserrement de notre planète, il faut appliquer ces trois principes. Participent de cette vue ma proposition d'un Conseil de sécurité économique ou bien la manière dont l'Union européenne coopère avec les autres pays, en incluant les dimensions de l'environnement et du social. En ce qui concerne les affaires du monde, il est difficile de faire des élections chaque année pour désigner les membres du Conseil de sécurité. Il faut donc accepter le passage par les gouvernements nationaux, mais à condition qu'une information correcte nous parvienne et que l'on arrête ces réunions qui sont de simples démonstrations médiatiques, sans suivi effectif.

L'indispensable réforme des institutions internationales

DW : *Vous en avez connu beaucoup de « grands-messes » sans suite ?*

JD : Il y en a davantage que de réunions qui débouchent ensuite sur des actions positives !

DW : *C'est le décalage entre votre témoignage sur ces réunions et la perception que nous en avons à travers les informations qui est étonnant. On a le plus souvent l'impression qu'il s'agit d'événements sérieux.*

JD : Quand se tient une réunion internationale, elle peut avoir une première conséquence heureuse : les responsables se rencontrent, se connaissent mieux et, grâce à ce dialogue, arrivent à une perception meilleure des situations. Cela arrive souvent. Un autre objectif, rarement atteint, est de prendre les décisions en commun qui apportent des solutions après un diagnostic réputé exact. Je fais partie de ceux que les réunions internationales intéressent, car j'y apprends beaucoup, mais je suis aussi découragé par le climat de scepticisme qui y prévaut.

C'est pourquoi il faut dès maintenant réfléchir à une réforme de l'Organisation des Nations unies, pas simplement dans le domaine large de l'économie, mais aussi dans celui de la politique. L'ONU est intervenue positivement dans certains cas, mais elle a ses limites, comme on l'a vu au Rwanda, en Somalie, au Cambodge et dans l'ex-Yougoslavie ; il faut donc en prendre acte et trouver une doctrine adaptée à notre temps. Pour l'économie, il me semble que le Conseil de sécurité économique est le laboratoire expérimental qui permettra à l'Humanité de progresser. Mais, bien entendu, même si la stabilité économique et monétaire, la diffusion du développement apportaient leur contribution à la paix, il n'en reste pas moins que les aspects politiques méritent une réflexion approfondie et très délicate.

DW : *Quel type de réforme politique l'ONU appelle-t-elle ?*

JD : Deux questions me paraissent se poser. La première est celle de l'action humanitaire. Bien entendu, il existe un Haut-

Commissariat pour les réfugiés, sous l'égide des Nations unies, auquel nous apportons, nous Européens, les ressources financières et matérielles nécessaires. Nous en sommes d'ailleurs les plus grands contributeurs avec les États-Unis. Mais la question est de savoir si l'action humanitaire ne doit pas disposer aujourd'hui, non seulement de réserves immédiatement disponibles, mais aussi de moyens permettant de les acheminer dans des conditions d'efficacité et de sécurité. Je songe à un corps permanent composé de spécialistes de l'aide humanitaire, d'un minimum de troupes de sécurité, des moyens de transport et aussi des ressources financières facilitant la mobilisation rapide, et à un niveau pertinent, des ressources nécessaires : denrées alimentaires, médicaments, infrastructures provisoires.

Faut-il envisager de créer cet instrument au niveau mondial, avec le risque, là encore, d'une bureaucratisation et d'une moindre efficacité ou ne vaut-il pas mieux confier, dans chaque continent, à une organisation régionale le soin de se doter des moyens nécessaires ? Actuellement, nous travaillons le plus souvent grâce à l'action des Organisations non gouvernementales que nous finançons. Les ONG font preuve d'un très grand professionnalisme et d'un dévouement sans limites. Mais que peuvent-elles lorsqu'elles sont confrontées à des bandes armées ou à des pillages ? D'où, me semble-t-il, la nécessité de constituer ce corps permanent qui travaillera, bien entendu, avec les ONG. De cette manière, on donnera plus de substance et de réalité à ce que beaucoup réclament, au nom du droit d'ingérence humanitaire.

On en arrive au plus délicat. Peut-on envisager, pour prévenir les guerres et les drames, un droit d'ingérence politique, conçu comme une action de prévention des crimes ? C'est impossible à traduire dans les faits, sans une modification de la Charte des Nations unies. En effet, les Nations unies peuvent intervenir lorsqu'il y a un conflit entre deux États, mais elles ne le peuvent quand il s'agit d'un conflit à l'intérieur d'un État. Elles interviennent alors par la médiation, avec plus ou moins de succès. D'ailleurs, il est intéressant de savoir que l'ONU a été autant sollicitée pendant ces dix dernières années qu'elle l'avait été depuis sa création. Cela ne veut pas dire qu'il y a davantage de conflits, mais qu'avec la fin de la guerre froide les conflits localisés sont montés en première ligne.

Ce sont des questions très redoutables qui mettent en cause le fonctionnement du Conseil de sécurité politique. On ne peut pas faire l'économie de ce débat. La paix est menacée bien entendu par l'insécurité économique mais aussi par les déséquilibres de toute sorte, l'hypernationalisme, les revendications ethniques, religieuses et autres. Faut-il commencer par des solutions au niveau de l'ONU, ou bien, là aussi, procéder par des expériences menées au niveau régional ? C'est-à-dire laisser aux voisins le soin de régler leurs problèmes entre eux, par exemple, les Européens entre eux ?

C'est à cette idée que correspondait la création de la Conférence pour la sécurité et la coopération en Europe, qui remonte à 1975, au moment de la guerre froide. Mais cette organisation ne progresse pas actuellement. Pourquoi ? Elle est très large, cinquante-trois pays en sont membres, de Vancouver à Vladivostok, ce qui ne facilite pas la prise de décision. Et ses organismes permanents n'ont pas encore montré une très grande efficacité. Mais laissons-lui le bénéfice du doute et ne désespérons pas de lui voir apporter sa pierre à l'édifice de paix en Europe et dans l'ex-Union soviétique. En attendant, et à l'initiative du gouvernement français, l'Union européenne a proposé un *pacte de sécurité* pour l'Europe, pour essayer de résoudre préventivement les conflits sur notre continent. Actuellement, le cadre a été admis par tous. Deux problèmes sont en train d'être traités, pour illustrer les difficultés : les questions soulevées par les minorités hongroises dans d'autres pays, et les relations entre la Russie et les pays baltes. Peut-être faut-il commencer par des expériences régionales. Si je prends le cas du Rwanda, je ne suis pas sûr que l'ONU – en supposant qu'elle y ait été autorisée d'un point de vue juridique – aurait trouvé la bonne solution. En revanche, pour trouver le bon équilibre entre les deux principales ethnies, les Hutus majoritaires et les Tutsis minoritaires, mais relativement puissants, la contribution des pays africains pourrait être décisive.

L'esprit qui devrait caractériser cette réforme devrait être celui du bon voisinage. Si ce concept devait demain servir de base à la réflexion et à l'action, on voit en quoi une gestion « décentralisée » des crises, si je puis dire, pourrait apporter un début de solution.

DW : *Ce qui me frappe en dialoguant avec vous, c'est le nombre d'idées de réformes que vous avez au niveau international. Vous avez des idées sur le plan économique avec le Conseil de sécurité, sur le plan humanitaire pour l'ONU, sur le pôle politique et militaire de l'ONU... Vous avez autant d'idées de réformes sur le plan international que vous en avez sur l'Europe et sur la société française !*

JD : Cette réflexion nous est imposée par un phénomène de mondialisation, et par la fin de la guerre froide. Je ne peux pas simplement le constater, en déplorer les effets néfastes. Cela m'oblige à réfléchir aux moyens d'apporter un peu de progrès et de stabilité dans le monde, tout en sachant que ma génération et celle qui suivra ne verront certainement pas l'aboutissement de ces efforts. Là comme ailleurs, l'expérimentation s'impose. Quand on a la modestie intellectuelle de constater qu'il n'y a pas une solution « clés en main », comment pourrait-il y en avoir quand ce qui est en cause est non seulement la guerre et la paix, mais aussi l'interrogation que l'on peut avoir sur le tragique de l'Histoire face aux risques du monde post-guerre froide : la montée des hypernationalismes, la confusion entre nation et ethnie, les poussées d'intégrisme religieux. Bref, des formes sans cesse renouvelées d'intolérance et de rejet de l'autre.

Comment pourrait-on aujourd'hui avoir l'audace de proposer une solution définitive ? En revanche, mettre en marche des mécanismes de dialogue et de coopération, et renforcer les possibilités d'aide humanitaire pour lutter contre la faim et la maladie, tester des procédures de conciliation entre les peuples et les ethnies qui s'opposent ; voilà les directions que je recommande. Placer nos efforts sous le signe du bon voisinage et donc donner la priorité à des solutions régionales entre partenaires proches géographiquement.

Pourquoi ne pas mettre en place, sur la base des principes que j'ai indiqués, des expériences, le plus proche possible de ceux qui sont au cœur de la crise, avec la notion de bon voisinage ? Résoudre le conflit dans l'ex-Yougoslavie était avant tout de la responsabilité des Européens. Ils auraient dû être les mieux placés pour le faire. De même, résoudre la crise au Rwanda est avant tout l'affaire des Africains. Et même trouver une solution définitive pour le Cambodge est avant tout entre les mains des peuples asiatiques. Bien entendu, ces nouvelles pratiques devraient, en tant que de besoins, être couvertes par des résolutions de l'ONU.

DW : *Comment sont accueillis vos projets de réformes sur le plan économique, avec l'idée du Conseil de sécurité économique ?*

JD : L'idée est apparue trop audacieuse à certains. Pour les uns, elle dérange l'ordre établi et les positions acquises, pour d'autres enfin, les fanatiques du marché et du laisser-faire, qui ne veulent pas d'interventionnisme, fût-il international, cette idée est à rejeter comme le diable.

Si je puis en croire mon expérience parfois chaotique de

réformateur, ce sera comme pour la formation permanente ! J'ai commencé à en parler au début des années soixante, je n'ai reçu en écho qu'indifférence, voire des critiques agressives de la part des milieux enseignants, ou encore des cadres supérieurs qui estimaient que je voulais donner une deuxième ou troisième chance à ceux qui ne la méritaient pas. Puis, l'idée a fini par faire son chemin. Et quand elle s'est traduite dans la loi, on n'a pu, comme dans la Bible, se reposer le septième jour, car il a fallu mettre en œuvre la loi ! Il faut que les intéressés deviennent les acteurs de leur changement.

Cette parenthèse pour montrer que la réforme est un processus long, demandant beaucoup de pédagogie et de patience. Cette stratégie du changement vaut aussi bien, si vous me permettez cette audace, pour la formation permanente en France que pour la sécurité économique internationale ! C'est ce qui explique ma méfiance à l'égard des grands schémas et ma préférence pour des réformes qui puissent se faire pas à pas, et progresser au rythme d'expérimentations réussies.

DW : *En dix ou vingt ans, sentez-vous un écho plus fort auprès des hauts fonctionnaires, des experts, des gouvernements de ces thèmes internationaux ?*

JD : Non, car on se heurte là à plusieurs obstacles. Le premier est la domination du laisser-faire, laisser-passer, ses partisans ayant d'ailleurs des arguments, puisque le protectionnisme est non seulement un obstacle au développement des pays les plus pauvres et des pays riches, mais peut provoquer des guerres. On l'a vu dans le passé. L'idée du couple compétition-coopération n'a pas encore beaucoup de partisans. Or c'est la voie que je propose sur le plan international.

Le second obstacle est dû au fait que, ces dernières années, la pensée en matière de politique internationale s'est transformée. Elle est devenue, elle aussi, même dans les chancelleries, plus émotionnelle. La culture de la guerre froide n'a pas été remplacée par une culture réaliste du monde nouveau qui m'avait amené à dire, dans un discours prononcé en 1990 : « Attention, le monde de l'après-guerre froide sera plus risqué intellectuellement et politiquement que le monde de la guerre froide. » Un grand travail intellectuel est devant nous. Les chancelleries auraient pu l'entamer. Mais la chute du communisme a provoqué un tel choc émotionnel que celles-ci en ont perdu leur culture historique, qui est pourtant immense !

On a donc vu fleurir sur le devant de la scène la confusion entre aide humanitaire et politique étrangère ! En agissant ainsi, on se donnait bonne conscience, mais on oubliait que l'histoire est tragique, et que l'agressivité, la volonté de puissance et le refus de l'autre ressurgissent sans arrêt aux quatre coins du globe.

DW : *« L'Histoire est tragique », disait Raymond Aron...*

JD : Oui, c'est essentiel. Ce tragique de l'Histoire ne doit pas nous conduire à la lassitude ou à l'abandon. Simplement, nous devons savoir que nous ne pouvons pas tout résoudre ! Nous serons jugés au mal que nous aurons réduit ou évité. Il faut donc retrouver cette dimension tragique de l'Histoire et aussi le concept du « temps nécessaire » pour résoudre ces problèmes.

Aujourd'hui, au contraire, que voit-on ? L'opinion publique internationale voit, sur l'écran de la télévision, les horreurs en Somalie ou au Rwanda. Elle réclame dans les huit jours une solution. Ce malheur, elle ne veut pas le voir trop longtemps. Elle est prête à contribuer à une action humanitaire. Mais qu'ensuite on ne lui en parle plus ! D'où cette attitude banalisée qui ignore précisément le tragique de l'histoire, la pesanteur des faits, et la nécessité du temps pour les résoudre. Il faut donc réintroduire ces données absolument classiques, qu'en son temps Raymond Aron et quelques autres avaient exposées. L'Histoire est ainsi faite, mais ce n'est pas une raison pour nous en dégager ; nous avons la responsabilité, chacun à notre place, d'éviter le pire, d'arrêter les engrenages tragiques, d'esquisser des formes spécifiques de coopération ou de résolution des conflits. Je le répète, nos chancelleries ont accumulé, au cours de dizaines et de dizaines d'années, parfois de siècles, les éléments d'une culture politique internationale ! Je suis donc d'autant plus surpris, quand j'assiste aux réunions des grands de ce monde, de voir comment parfois ils réagissent avec émotion, en oubliant ce que l'humanité a appris sur elle-même.

DW : *Pourquoi votre intérêt et votre compétence pour les problèmes internationaux sont-ils si peu connus en France ? On vous connaît comme homme politique français, évidemment comme président de la Commission européenne. Mais on ignore l'intérêt que vous accordez aux problèmes internationaux, alors qu'il existe évidemment un lien entre cet intérêt et l'Europe. Pourquoi ce décalage ?*

JD : Comme président de la Commission européenne, j'ai des compétences dans les domaines qui sont fixés par le traité et qui, pour simplifier, sont essentiellement d'ordre économique, financier et social. La Commission a le droit d'initiative, c'est-à-dire de faire des propositions à l'instance décisionnelle, le Conseil des ministres. En revanche, en matière de politique étrangère, elle n'est qu'associée à la coopération entre les États membres. Jusqu'au traité d'Union européenne, dit traité de Maastricht, les pays se rencontraient dans un cadre consultatif et ne faisaient qu'élaborer des propositions communes. Depuis, ils peuvent décider d'actions communes en matière de politique étrangère. Malgré tout, quand ma conscience étouffe, comme ce fut le cas pour la Yougoslavie, je prends la parole. Et j'ai saisi l'occasion d'une réunion du Parlement européen, en août 1992, pour dénoncer notre immobilisme et notre manque de fermeté vis-à-vis de l'idéologie de mort à l'œuvre dans cette guerre civile. J'invoquais, en quelque sorte, la clause de conscience. Mais, dans l'ensemble, voulant rester dans le cadre strict des responsabilités qui m'ont été confiées, je ne m'exprime pas, à l'extérieur, sur les grands problèmes de politique étrangère. Mes collègues en charge de ces dossiers et moi-même soumettons nos analyses et nos positions dans le cadre des débats internes du Conseil des ministres.

DW : *Vous avez une responsabilité à l'UNESCO, sur le problème de l'éducation. Auriez-vous envie de poursuivre, compte tenu de votre expérience, une politique de réforme au plan international ?*

JD : Oui. Pendant mes dix premières années de vie professionnelle et militante, je me suis intéressé beaucoup plus que d'autres Français à ce qui se passait dans les pays étrangers. Pour une raison simple, c'est que la minorité de Reconstruction à laquelle j'appartenais voulait expliquer aux adhérents de la CFTC de l'époque que les salariés français faisaient partie d'une histoire du mouvement ouvrier, d'un mouvement international, que des expériences très intéressantes avaient été faites dans d'autres pays et que, par conséquent, le syndicat en question ne pouvait pas rester à l'écart. J'en ai conçu une grande curiosité pour les expériences étrangères et les affaires internationales.

Ce fut, au vu des événements des années soixante-dix et quatre-vingt, une raison supplémentaire pour militer pour la construction de l'Europe. Car mon slogan, à l'époque, n'était pas seulement « la paix entre nous » mais « pour l'Europe, attention, le choix est entre la survie ou le déclin ». À partir de là, je me suis intéressé de plus en plus aux relations internationales. Aujourd'hui, je sais que je ne peux pas dresser ma tente sans savoir comment les autres tentes pourraient être plantées à côté. La planète est devenue en quelque sorte un gigantesque village.

Le Nord et les Sud

DW : *En vingt ans, qu'est-ce qui a changé dans votre perception des problèmes du monde ? Jeune, à la CFTC ou au Plan, vous vous êtes intéressé aux économies ouvertes, mais, depuis, votre échelle d'intervention a changé. Dans ce changement, par quoi avez-vous été le plus troublé ?*

JD : J'ai changé dans mon approche des problèmes Nord-Sud. Les conflits entre pays développés et sous-développés étaient un des grands thèmes dominant le débat politique dans les années cinquante, avec ses deux phases : la décolonisation puis l'indépendance. À ce moment-là, mon intérêt était uniquement porté par la générosité, qui n'allait pas sans une certaine naïveté. Je pensais que, parce qu'ils étaient exploités, ils ne réussiraient pas à se développer.

DW : *On disait à l'époque : si le cours des matières premières était stable, les pays du Sud pourraient se développer.*

JD : Oui, nous étions les méchants, ils étaient les bons. Depuis, j'ai appris que, lorsqu'un pays n'arrive pas à décoller, c'est autant sa faute que celle du monde entier.

DW : *C'est un sacré changement d'attitude culturelle dans le rapport Nord-Sud. Le tiers-mondisme a disparu.*

JD : Il est vrai que les solutions envisagées après la phase de décolonisation étaient d'un trop grand simplisme. J'étais très jeune à l'époque et j'étais séduit par la générosité des propositions faites. Mais, avec trente ans de distance, je m'aperçois que ceux qui avaient élaboré ces thèses sur le développement se faisaient beaucoup d'illusions, tout en ayant souvent bien cerné les obstacles au développement. Je leur dois donc beaucoup.

DW : *Un des effets paradoxaux de l'interdépendance des économies, de la création des grands ensembles du type de l'Union européenne, n'est-il pas d'obliger à renforcer le rôle de l'État dont on a plusieurs fois parlé ?*

JD : Je pense que cela a surtout renforcé le rôle des organisations intermédiaires. Ce qu'on appelle, en termes de droit international, les organisations régionales. Il existe un grand débat sur ce point entre ceux qui disent que les organisations régionales vont être un obstacle à la liberté des échanges humains, commerciaux, intellectuels, culturels, et ceux qui, comme moi, pensent exactement le contraire. Les organisations régionales constituent, à mes yeux, une transition indispensable pour maîtriser progressivement tous les aspects de la mondialisation. Bien sûr, c'est une solution qui présente des risques. On peut demain avoir un conflit majeur entre l'ALENA [1], qui regroupe les États-Unis, le Canada et le Mexique, et l'Union européenne. Mais il n'empêche que, de même qu'en tant que Français, nous avons du mal à comprendre la perspective européenne, de même en tant que citoyen d'un État-nation, nous éprouvons des difficultés à passer directement à l'échelon mondial. En dehors de l'idéal qui nous anime, nous les Européens, nous offrons à nos compatriotes un instrument sans pareil, original, pour apprendre à connaître, à gérer, et demain à construire un monde de plus en plus interdépendant.

DW : *Pour dire les choses autrement, il y a trois niveaux : l'internationalisation avec la création des grands ensembles régionaux comme l'ALENA, l'Union européenne, l'ASEAN, et, avant d'arriver aux individus, le stade intermédiaire essentiel des États-nations.*

JD : Oui, mais l'État-nation joue déjà un rôle essentiel entre le citoyen, les élus nationaux et les institutions européennes. L'État-nation continue à être le lien entre les problèmes mondiaux et les organisations planétaires. Mais ce qui peut être vrai pour les grandes nations ne l'est pas moins pour les petites. D'où, pour reprendre l'exemple de l'Union européenne, la volonté de ces dernières de défendre mieux leurs intérêts, grâce à une coopération entre nations. D'où leur profond attachement à une Europe unie.

DW : *Vous voulez dire que ma réaction est celle d'un Français appartenant à un grand État-nation. Si j'étais Belge, Néerlandais ou Irlandais, j'aurais plus de chance d'intervenir en passant par l'intermédiaire d'une organisation comme l'Europe que par l'intermédiaire strict de mon État-nation ?*

JD : Certes, mais il ne faut pas que les Français surestiment leur position. Si l'État-nation, du point de vue identitaire, est incontournable, il est évident que, pour réaliser les objectifs

1. Association de libre-échange nord-américaine.

qui sont les leurs, les petits pays sont plus enclins que les grands à saisir l'utilité des organisations régionales. Cette tension est très visible, d'ailleurs, au sein de l'Union européenne. Vous en entendrez très souvent parler.

DW : *Pensez-vous que la maîtrise des matières premières soit encore un enjeu de puissance au niveau international ?*

JD : Dans une certaine mesure, oui. Il ne faut pas désespérer des organisations qui existent pour chaque produit. Elles ne réussissent pas toujours, mais, dans certains cas, elles ont pu éviter des cycles aberrants ou des mouvements trop brusques et trop forts, aux conséquences parfois dramatiques pour des pays à monoculture, ou à monomatière première.

DW : *Que pensez-vous de l'idée d'un plan Marshall pour l'Afrique ?*

JD : Les ressources sont là pour l'Afrique. On peut, bien entendu, les augmenter un peu, mais la solution du problème réside d'abord dans l'organisation interne de ces pays, la responsabilité de leurs dirigeants, leur aptitude aussi à coopérer entre eux. Pour prendre un exemple agricole, nous pouvons considérer que notre politique consiste à leur donner ou à leur vendre – selon les cas – les denrées alimentaires dont ils ont besoin. Ce n'est pourtant pas la solution d'avenir. Il est préférable, grâce à l'aide technique, que ces pays comprennent qu'ils ont des ressources naturelles et qu'il faut les gérer en bon père de famille. Par exemple, qu'il ne faut pas brûler la forêt et désertifier les terrains, qu'il faut coopérer.

Il y a en Afrique des vallées très bien situées sur le plan géophysique et qui permettraient des productions agricoles abondantes... Mais les pays concernés sont-ils prêts à travailler ensemble dans ce domaine et dans bien d'autres ? Je ne prétends donc pas, à travers cet exemple, que nous devons avoir bonne conscience. Non ! Mais nous devons faire appel à la responsabilité de ces peuples et de leurs dirigeants.

Autrement dit, c'est le lien pervers entre ex-colonisateurs et colonisés qu'il faut briser. Dire aux Africains : vous êtes responsables, vous êtes des citoyens du monde, vous avez le droit de vous développer et vous pouvez compter sur notre coopération. Notre assistance aussi, mais non pas notre charité qui nourrit votre dépendance.

DW : *Ne pensez-vous pas que les groupes de communication, les autoroutes de l'information, dont on a parlé, risquent de ne pas assurer d'égalité mais de créer de nouvelles sources d'inégalités ?*

JD : Non, je ne crois pas. Comme vous l'avez dit, il ne faut pas en exagérer l'importance, c'est un progrès technique dont on ne peut se passer. Il aura un impact positif sur la croissance. Il ne faut pas y voir là un élément d'infériorité considérable pour les Africains. À moins que le modèle de développement dont ils rêvent soit le nôtre. Cela a été une des grandes erreurs de la période postcolonisatrice. Ils ont commis deux erreurs : copier notre modèle, notamment en matière d'éducation, de santé ou de croissance, ou bien se laisser abuser par les sirènes marxistes.

DW : *Dans un premier temps, on leur a plutôt vendu notre modèle, sans trop leur laisser le choix...*

JD : Il faut dire aussi que l'ex-colonisé avait une certaine fascination pour le mode de vie et le mode de pensée du colonisateur. Et puis, il en restait des traces. Regardez, par exemple, la différence entre les administrations des ex-colonies françaises et celles des ex-colonies anglaises. Mais les erreurs ont été encore plus dramatiques quand ils ont écouté les conseillers marxistes.

DW : *Deux questions à propos de la démographie. La Méditerranée, le Rio Grande ou le Pacifique sont les frontières des grands flux migratoires internationaux. D'ailleurs, on sait que l'une des grandes spécificités du XXe siècle aura été la taille des déplacements de populations*[1]*. Quelle politique structurelle de réglementation mettre sur pied, au plan mondial, face à ces mouvements de population ?*

JD : Les mouvements migratoires ont de multiples causes. L'oppression politique, tout d'abord. Les pays démocratiques y répondent par le droit d'asile. La pauvreté surtout : nous devons les aider à trouver leur voie propre de développement. Et puis, il y a des gens qui ne veulent pas rester dans leur pays, qui préfèrent abandonner leurs racines pour aller ailleurs et vivre mieux. Bref, les migrations ont toujours existé. Aujourd'hui, elles constituent une des peurs principales de ce siècle finissant. Bien sûr, comme nous l'avons dit, on ne va pas accepter des centaines de milliers de travailleurs dans notre pays, si nous

1. Gérard Chaliand, *Atlas historique des migrations*, Paris, 1994, éd. du Seuil.

n'avons pas d'emplois à leur offrir, alors qu'il existe, chez nous, un chômage massif.

Il me semble que les migrations doivent être régulées. Il faut s'attaquer aux causes des migrations qui revêtent un aspect dramatique ou excessif. Et puis, certaines peuvent être provisoires. Je citais l'exemple de l'ex-Yougoslavie. Il y a un million et demi de personnes déplacées. On peut espérer qu'un jour elles pourront rentrer en quasi-totalité chez elles, pour y vivre en paix. L'histoire des migrations est, bien entendu, connotée avec chaque période historique, mais les causes demeurent toujours les mêmes.

DW : *Vous savez que la conférence du Caire du mois de septembre 1994, consacrée à la démographie, a fait couler beaucoup d'encre, car on y a retrouvé l'opposition classique entre les malthusiens et les antimalthusiens. Aujourd'hui, il y a cinq milliards et demi d'habitants sur terre. On pense qu'il y en aura six milliards en 1998, et les prévisions sont de huit et demi en 2025. Pour cette conférence, un rapport des Nations unies met l'accent sur le rôle essentiel de l'émancipation de la femme pour le contrôle de la démographie. Que pensez-vous de la position de l'Église catholique qui est hostile depuis toujours aux politiques de contrôle des naissances volontaires, contrôlées par les États ? D'ailleurs, la plupart des religions mettent en garde contre l'idéologie du surpeuplement. Elles craignent que le contrôle de la fécondité aboutisse à un contrôle des naissances contraignant. Au-delà du contrôle des naissances, se joue un débat sur la finalité du contrôle des naissances. S'agit-il d'abord de la femme ou de la famille ? Ce débat mêle démographie, sociologie, morale et religions.*

JD : Si demain, comme certains le prévoient, nous sommes huit milliards et demi, que pouvons-nous craindre ? De ne pas pouvoir nourrir tout le monde ? Je ne le crois pas. La plupart des experts agronomes pensent que nous serons à même, grâce aux progrès techniques, de lutter contre la faim et la malnutrition.

Des dégâts pour l'environnement ? C'est bien possible. Mais alors la question doit être posée à la conscience mondiale. Que puis-je demander en tant que citoyen du monde ? Que chacun accède à la connaissance, c'est-à-dire à la connaissance de son corps, de la nature humaine, des conditions de sa santé. Je pense que, si ces conditions sont réunies, chacun choisira, selon sa conception de la vie, sa spiritualité, son mode de vie, sa conception de la famille. Ce qui est frappant actuellement, les religions doivent le comprendre, c'est l'état d'ignorance dans

lequel sont, notamment, de nombreuses femmes, mais aussi les hommes. En ce qui concerne les relations entre eux, la maternité, la santé physique et morale, les capacités personnelles, que d'ignorance, que de situations d'intolérable exploitation, notamment des femmes. Je m'insurge quand on oppose à ce droit à la connaissance des principes religieux ou autres. Quant aux relations entre la fécondité et l'émancipation des femmes, elles sont bien réelles. Mais je suis sûr qu'à partir d'un certain stade de l'évolution, différent selon chaque pays, le mari et la femme – y compris quand celle-ci travaille – retrouveront le goût d'avoir des enfants et une famille.

Si je m'attarde un instant sur la situation de l'Afrique, c'est que les conditions que je viens de décrire ne sont pas réunies : éducation des femmes à la vie sexuelle et à la maternité, conditions d'hygiène et de santé, situation concrète de la femme africaine. Alors que celle-ci est véritablement l'avenir de l'Afrique. Il suffit de voir l'ampleur des tâches qui lui incombent ou encore le rôle décisif de certaines femmes dans la vie associative et dans l'innovation sociale.

DW : *Si l'on prend du recul, quels sont les événements les plus marquants en une génération ? L'effondrement du communisme, la fin de la dichotomie simple : le Nord exploite le Sud ? La fin de la démographie comme cause principale du non-développement des pays du Sud ?*

JD : L'effondrement du communisme et la disparition des remèdes miracles ont amené tous les pays en voie de développement à plus de réalisme et à plus de sagesse. En second lieu, il est vrai que nous sommes sortis de cet angélisme, selon lequel le Nord était seul comptable des malheurs du Sud. Il n'en reste pas moins que certaines formes d'impérialisme demeurent dont sont victimes certains pays du Sud. Mais on peut avoir demain une situation toute nouvelle ; celle d'un grand pays du Sud qui maintient sa population sous la férule, devient ultra-compétitif sur le plan économique, nous prend des marchés, des emplois, sans faire profiter sa population des bienfaits de la croissance. À ce moment-là, les exploités, ce serait nous, et les exploiteurs, ce serait eux ! Je pousse le raisonnement à l'extrême pour bien montrer qu'il faut être vigilant. Et argumenter, à nouveau, en faveur de régulations internationales. En matière démographique, je resterai plus prudent. Je pense qu'en Afrique la surnatalité est un obstacle au développement, dans la mesure où les pays africains n'ont pas les moyens d'assurer à leur jeunesse les niveaux de santé et l'éducation souhaitables.

Chapitre 3

Fragilité et avenir de la démocratie

Société et politique

DOMINIQUE WOLTON : *La démocratie a triomphé contre le communisme. Elle a même triomphé beaucoup plus vite qu'on ne le pensait. Mais elle n'en a retiré aucune joie ! La démocratie est un peu triste de sa victoire, ou, comme dirait Olivier Mongin : « Elle est presque fascinée par le vide*[1]*. » Comme si la démocratie occidentale, notamment européenne, ne pouvait vivre sans adversaire extérieur. Qu'en pensez-vous ?*

JACQUES DELORS : Je pense que la démocratie a tendance à s'affadir lorsqu'elle n'est pas menacée de l'extérieur ou de l'intérieur. Tocqueville l'a très bien analysé et expliqué.

DW : *Il dit qu'elle a été menacée par la liberté et l'égalité. D'ailleurs, est-ce la démocratie ou le capitalisme qui a triomphé du communisme ?*

JD : Les deux : la démocratie et la réussite économique de l'Occident.

DW : *Quel facteur principal mettriez-vous en avant ? À quoi aspiraient les peuples de l'Est ?*

JD : Le facteur numéro un a été la liberté, le formidable attrait de la démocratie, plus que la vitrine de la société de consommation.

DW : *Autrement dit, les valeurs plus que la logique de l'intérêt. Historiquement, la démocratie a été liée au marché,*

1. Olivier Mongin, *La Peur du vide. Essai sur les passions démocratiques*, Paris, 1991, éd. du Seuil.

mais l'on voit maintenant les dégâts du marché. Ensuite, la démocratie a été liée à l'individualisme, mais l'on voit aussi maintenant les limites et dégâts de cet individualisme triomphant. Comment la démocratie occidentale, aujourd'hui, sans adversaire extérieur, pourrait-elle élaborer une troisième voie entre le marché et l'individu qui sont, historiquement, les deux pieds sur lesquels elle s'est constituée ? Que faudrait-il pour qu'elle conserve ses valeurs, tout en échappant aux excès de l'individualisme et à ceux du marché ?

JD : Je ne suis un adversaire ni du marché ni de l'individu. Je crois l'avoir montré. Mais il me semble que le marché est très insuffisant, pour fonder, en termes économiques et sociaux, une société solidaire et prévisible. Et je crois que l'individualisme, poussé à l'extrême, aboutit à la rupture du lien social et ensuite au déclin du civisme. Schématiquement, le débat, aujourd'hui, se situe entre ceux qui acceptent intégralement les philosophies du marché et de l'individualisme et qui se contentent du minimum démocratique, c'est-à-dire l'élection, au contraire de ceux qui considèrent que la démocratie est fondée sur la vertu et exige un dépassement du citoyen par sa propre participation à l'œuvre collective.

DW : *Du point de vue du fonctionnement de la démocratie, comment corriger, cette fois-ci, les effets négatifs de la mondialisation ?*

JD : J'en reviens à mon obsession. Il s'agit d'avoir les pieds dans ses racines et la tête dans le monde d'aujourd'hui. Le lien entre les deux ? C'est la nation. Puisqu'elle est le fruit d'une histoire commune et pas simplement d'un contrat. Par cette histoire commune, on a accumulé des raisons de vivre ensemble, des traditions communes, des traits de personnalité, et il ne faut pas que le spectacle envahissant du monde nous fasse perdre cette personnalité. Les références, en dehors de celles qui sont liées à l'humanisme personnel, sont données par la nation. Il n'est donc pas question, selon moi, de fonder la construction européenne sur le dépassement de la nation.

DW : *N'est-il pas paradoxal de constater que plus on parle d'ouverture et de mondialisation, plus la revalorisation de l'identité nationale émerge ?*

JD : Oui, mais la dialectique doit aller subtilement. Je vous ai indiqué tout à l'heure les tentations. Trop souvent, les militants les plus fervents de la construction européenne ont choisi comme cible la nation ou l'État-nation comme obstacle à leur projet. Trop souvent, ceux qui s'inquiétaient de la disparition possible de la personnalité nationale ont, au nom du nationalisme, refusé tout effort d'intégration politique. Il s'agit de divergences qu'il faut expliquer, parfois dramatiser, mais qui ne portent pas sur l'option entre la survie ou la disparition de la nation. Dans un ouvrage qui vient de paraître, *La Communauté des citoyens* [1], Dominique Schnapper nous rend sensibles aux risques qui pèsent sur la nation. Elle pose la question : « Les élections peuvent-elles suffire pour assurer le lien politique, donc l'intégration sociale ? » Et de s'inquiéter « des conflits inévitables que provoque le partage des ressources dans une démocratie productiviste », ou encore « des comportements inspirés par le sentiment d'appartenance ou d'identification à des communautés ethniques ». Juste interpellation qui nous concerne directement, et dans notre manière de construire l'Europe, et dans notre volonté d'une démocratie participative, où les conflits peuvent s'exprimer, puis être résolus, grâce à un réseau interne de médiateurs politiques et sociaux. C'est ce que j'appelle la société active.

DW : *À l'inverse, à propos des limites de l'État, on a, en vingt ou trente ans, épuisé deux solutions alternatives aux méfaits de l'État. La première fut de revaloriser l'individu contre l'État, et on en a vu les risques, en matière de segmentation et de repli sur les communautés.*

La seconde a été le recours à la société civile. Quel pourrait être l'équilibre entre individu, État et société civile pour rendre de nouveau attractif cet État dont on découvre qu'il est indispensable au fonctionnement de la société actuelle ?

JD : La phase de transition que traverse peut-être encore la société française s'est traduite par de multiples offensives contre la centralisation étatique, d'où la décentralisation, l'autogestion, l'appel à la société civile pour « décoloniser » l'État.

Je n'aime pas beaucoup cette dernière formule car elle porte, *a priori*, condamnation de la classe politique. Dans une période où l'on attendait tout de la politique, cet appel à la société civile a nourri le sentiment de mépris pour la classe politique, sans apporter un sang très neuf. Car, je vous pose la question : une fois qu'une personnalité de la société civile est entrée en politique, qu'est-ce qui la distingue, en pratique, d'un politique classique ?

1. Dominique Schnapper, *La Communauté des citoyens, op. cit.*

DW : *Pour l'avenir de la démocratie européenne, la fracture sociale entre les exclus et les autres n'est-elle pas aujourd'hui la principale menace ? Autrement dit, la recherche d'un minimum de solidarité et de cohésion n'est-elle pas l'objectif principal, d'un point de vue politique ?*

D'autant que la grande différence, par rapport à il y a cinquante ans, est que les médias permettent à chacun de voir beaucoup plus vite qu'autrefois la pauvreté ou la richesse des autres.

JD : La plus grande menace est le repli sur soi et l'indifférence par rapport au collectif. À partir de là, l'exclusion sociale devient presque insoluble. Si les Français et les Françaises se replient sur eux-mêmes et si les partis politiques mettent uniquement l'accent sur les droits et non pas aussi sur les devoirs, alors la démocratie entrera en léthargie. Puisqu'elle est fondée sur la vertu, elle ne va pas de soi. Elle exige sans arrêt un dépassement de soi-même. C'est pour cela que, tout en ayant beaucoup insisté, lorsque nous parlions de la dimension sociale, sur l'importance d'un socle de droits, j'insiste tout autant sur la responsabilité personnelle.

DW : *Comment peut-on résoudre la contradiction actuelle liée au fait que les citoyens occidentaux, ceux des pays libres et riches, sont de plus en plus informés des problèmes du monde alors que, simultanément, ils ont une très faible capacité d'action sur eux ? Autrement dit, le citoyen est un géant en matière d'information et de communication, et un nain en matière d'action politique.*

JD : Il ne peut pas en être autrement. Déjà, les dirigeants des États nationaux sont en difficulté. Ils tâchent, pour apaiser les mécontentements, d'expliquer aux citoyens les limites de leur action. Comment voulez-vous que le citoyen n'éprouve pas le même sentiment ?

Les crises de la représentation

DW : *Une des crises de la démocratie occidentale concerne la représentation. C'est-à-dire le décalage entre l'état des forces sociales, le discours politique et la représentation politique. L'origine de cette crise de la représentation politique ne vient-elle pas d'abord du fait que nous manquons d'une représentation de la société ? Hier, il y avait des classes sociales, puis il y eut un fractionnement avec l'apparition des techniciens, des cadres... Depuis une vingtaine d'années, les repères continuent de se dissoudre. Il ne reste plus qu'une vaste classe moyenne avec une dominante tertiaire. Cet effritement des identités socioculturelles a nécessairement des répercussions sur les discours et la représentation politiques.*

JD : Peut-on vraiment parler de crise de la représentation ?

DW : *C'est ainsi qu'on explique notamment la désaffection à l'égard du politique.*

JD : Pour que les citoyens aient le sentiment de vivre une crise de la représentation, il faut qu'il y ait dépolitisation. On s'interroge depuis quarante ans sur la dépolitisation de la société française. Ne cultivons pas l'âge d'or ! On peut s'inquiéter, année après année, de l'augmentation du nombre des abstentionnistes, mais, dans les rapports entre la politique et la société, s'il y a crise du politique, c'est parce qu'il y a crise de la société. Et c'est bien ainsi, car cela montre que le politique n'est pas une construction artificielle posée au-dessus ou à côté de la société.

DW : *Avez-vous le sentiment que les élus « représentent » à peu près les électeurs ?*

JD : Oui. Je pense que les élus, dans notre pays et dans les autres pays européens, sont très proches des électeurs et essaient de comprendre leurs aspirations. Ils en négligent, parfois, leur autre mission qui est de transcender les contradictions et les égoïsmes des groupes pour les faire participer aux grands objectifs du destin collectif. Il y a eu des périodes historiques où le politique a compliqué la tâche de l'économie ou a menacé la société. Surtout dans un pays où l'État était trop fort. Mais telle n'est pas, présentement, la situation.

DW : *Nous avons une multiplication d'institutions qui, sur le plan politique, social, syndical, sont toutes sur le modèle démocratique, donc sur le modèle de la représentation, et qui peuvent donner le sentiment que nous avons un processus de représentativité efficace. Il y a donc un décalage entre, d'une part, la perte des repères de nos structures sociales et, d'autre part, la multiplication d'institutions qui, pour asseoir leur légitimité, ont un caractère représentatif. Pour être légitime, tout doit être représentatif. Ce phénomène est renforcé par le fait que nous vivons dans des sociétés avec beaucoup de sondages. Il y a d'un côté des institutions de plus en plus représentatives, car c'est la règle de la démocratie, des progrès dans les techniques de représentativité des sondages, et de l'autre une représentation sociale plus faible de la société !*

JD : Il faudrait étudier les relations entre les sondages et les mouvements de la vie publique, et savoir quelle est vraiment leur influence ? Peut-on caricaturer la vie politique en disant que le responsable attend de connaître le résultat du sondage pour prendre sa décision définitive ?

DW : *Ma question ne portait pas sur les sondages, mais sur le décalage entre l'existence de techniques qui permettent de plus en plus de « représentativité » et des « représentations » de la société française – et européenne – qui sont de moins en moins nettes.*

JD : Un des grands mérites de la démocratie élective, peut-être pas immédiatement, mais à long terme, est de traduire par le vote l'inadéquation de certains discours politiques, ou bien encore la naissance de nouvelles aspirations et de nouvelles réalités sociales. C'est en cela que c'est un bon système.

DW : *Si, du point de vue social, on ne voit plus bien les forces qui structurent une société, les mécanismes politiques permettent-ils finalement de retrouver une certaine représentation ?*

JD : Oui, même si certaines de ces manifestations suivent l'élection, ou bien elles se produisent trop tardivement, alors que le mal est déjà fait, ou bien elles ont un caractère temporaire. Mais cela n'enlève rien à leur caractère pleinement significatif. Ainsi, lors des dernières élections européennes, les succès des listes non classiques, Tapie et de Villiers, constituent un sérieux sujet de réflexion pour les partis traditionnels, mais aussi pour ceux qui, comme moi, essaient de mieux comprendre les réalités françaises.

DW : *Comment expliquez-vous le déclin des institutions représentatives et l'accroissement des prérogatives de l'exécutif ? Est-ce le résultat d'une fatigue à l'égard des affrontements politiques, de l'effondrement idéologique, ou d'un mécanisme classique de concentration des pouvoirs ?*

JD : Il y a d'abord, en France – ce n'est pas le cas dans tous les pays –, les effets du changement de constitution. La constitution de la Ve République a été conçue pour remédier à l'inefficacité et à la paralysie de la IVe République. Elle a donc donné à l'exécutif une plus grande autorité et de plus grands moyens, par l'élection directe au suffrage universel du président de la République, et par la limitation des pouvoirs du Parlement.

D'autre part, dans tous les pays, se produit une personnalisation du pouvoir. Même dans les régimes à dominante parlementaire, où des partis politiques s'affrontent, le combat est aujourd'hui personnalisé. Ce sont encore, bien entendu, des partis avec leurs références, leurs doctrines qui motivent l'électeur, mais celui-ci prend de plus en plus en compte la personnalité qui va diriger le gouvernement. D'ailleurs, là où des sondages donnaient victorieuse une formation, celle-ci a parfois perdu les élections, parce que son principal dirigeant était moins charismatique, ou inspirait moins confiance que son adversaire. Ajoutons aussi la complexité croissante des décisions à prendre, et vous comprendrez mon plaidoyer pour une clarification du débat politique et une simplification des règles du jeu.

DW : *Que pensez-vous du modèle anglo-saxon de représentativité à travers la reconnaissance du jeu légitime des lobbies, lobbies officiellement présents également dans le système politique européen ? Est-ce un moyen supplémentaire d'avoir une meilleure représentation de la société ?*

JD : Il s'agit de groupes de pression représentant, généralement, des intérêts économiques auxquels se sont ajoutés des groupes de pression défendant des causes plus générales comme l'écologie, les consommateurs... Ce mouvement est naturel et sain. Il vaut mieux qu'il se passe au grand jour plutôt que d'être clandestin ! D'autant plus que vous savez combien est compliqué le financement des partis politiques. Par conséquent, la Commission européenne elle-même a demandé qu'on établisse une liste des groupes de pression auprès de ses services comme du Parlement européen. Après tout, il n'y a rien de déshonorant au fait qu'un secteur, une branche d'activité, une profession viennent défendre son point de vue et ses intérêts. Mais dans la transparence.

Les nouveaux enjeux

DW : *Du point de vue de l'équilibre des rapports entre société et politique, quel est, pour l'avenir, le problème le plus difficile ? Arriver à mieux connaître les structures de notre société ou bien arriver à améliorer la performance des institutions représentatives ?*

JD : Les deux. Sans une bonne connaissance de la société, de ses aspirations, des valeurs qu'elle vit réellement, il est impossible de lui proposer un projet qui puisse retenir son attention et qui puisse aboutir. Mais, par ailleurs, sans des institutions représentatives, écoutées et efficaces, il n'est pas possible de surmonter les contradictions, de clarifier les débats et, en bout de course, de trouver des solutions qui confortent le consensus national.

DW : *Comment pourrait-on arriver à réduire le déséquilibre constant entre les institutions et les associations ? Comment donner plus de force au tissu associatif ?*

JD : Le terrain d'élection des associations est local. Je dis cela sans sous-estimer le rôle mondial des associations non gouvernementales sur le plan humanitaire. Au niveau local, l'association est un élément essentiel du tissu social et de la performance collective. L'association est avant tout un noyau d'individus décidés à agir, et, par l'exemplarité de leur action, capables de faire bouger la société. À l'échelon local, l'association peut être très utile, même si elle demeure de petite dimension. Au niveau international, en revanche, la situation est différente, car une association qui a réussi a besoin de moyens importants. Un contrat doit donc être passé entre les institutions et les associations, autrement dit les organisations non gouvernementales. Mais il est possible qu'au bout d'un certain moment les associations se bureaucratisent et s'ossifient. Tout cela, c'est l'aventure humaine. Mais, d'une manière générale, les associations qui agissent au niveau international ont besoin du concours technique et financier des institutions internationales et des États nationaux.

DW : *Dans l'évolution des démocraties, deux risques de fractionnement ou de déséquilibre apparaissent. Le premier est celui d'anomie ou de désintégration sociale, notamment en Europe, avec la crise économique et sociale. Le second, c'est plutôt celui de la dérive américaine avec le modèle d'une « société politiquement correcte », où les individus sont enfermés dans leur groupe et leur communauté. Quelle menace vous paraît la plus dangereuse ?*

JD : Ces deux facteurs sont toujours à l'œuvre dans nos sociétés démocratiques. En France et en Europe, le risque le plus grand est celui de la rupture du tissu social, car nous sommes des sociétés plus douces que la société américaine. Chez elle, le risque est l'accent excessif mis sur l'esprit communautaire conduisant à une certaine intolérance. C'est aussi un danger. Mais attention, le terme de communauté a une acception différente aux États-Unis et en France. Pour moi, la communauté est un groupe ouvert de personnes qui se construisent elles-mêmes, en travaillant avec les autres.

DW : *Reste que, dans les deux cas, la question de la communauté est non seulement celle de sa constitution, mais est aussi celle de ses interactions avec le monde extérieur. Dans le personnalisme, la communauté est toujours tournée vers l'extérieur, tandis que, dans le risque de dérive du mouvement communautaire américain, elle est plutôt tournée vers le renforcement de l'identité.*

JD : Oui. En même temps, ce mouvement « politiquement correct » prétend édicter, voire imposer, des normes de conduite. Ce qui est proprement inadmissible. Alors que, dans ma conception des choses, le couple personne-communauté est considéré comme supérieur au couple individu-société. Ce n'est pas un jeu de mots ! C'est cela qui a toujours été pour moi la ligne de force de mon personnalisme. L'individu a le droit de s'épanouir mais pas aux dépens de l'intérêt général et de la société, et celle-ci peut imposer certains devoirs à l'individu, mais sans vouloir pour autant empiéter sur ses droits ou sur son autonomie. Ce que je récuse, ce sont toutes les théories politiques qui mettent trop l'accent sur l'individu ou trop l'accent sur le groupe ou la société.

DW : *Si vous comparez la France à ses voisins, quelles sont, d'après vous, les forces et les faiblesses de notre pays ? Ce qui a le plus changé aussi, en une génération ?*

JD : Même si nous sentons le besoin de les réformer, l'État et les administrations sont un atout pour la France. Son système éducatif a toujours su engendrer des élites qui ont une grande maîtrise conceptuelle et technique. Ce qui ne veut pas dire qu'il soit sans faiblesses, notamment pour l'égalité des chances et pour la combinaison entre savoir et savoir-faire ; de grands progrès restent à accomplir. Notre économie, de son côté, s'est beaucoup améliorée, en termes d'ouverture sur l'extérieur et de compétitivité. Cette observation englobe naturellement notre agriculture, une des meilleures du monde... La liste serait longue, mais je voudrais souligner un caractère particulier : les Français ne se résignent pas à voir l'influence de leur pays diminuer, c'est une chance. Le peuple français est capable de sursauts permettant au pays, à travers son identité et son histoire, d'exercer une influence, parfois à la limite de l'arrogance, seuil à ne pas franchir. Ce qui nous manque, c'est d'avoir tiré tous les avantages de la décentralisation pour diversifier les élites et pour prendre des décisions plus près des citoyens, pour tirer le meilleur parti des innovations locales, et enfin pour combiner cette culture élitiste avec une culture de masse, qui permettrait à chacun de jouer sa chance dans la vie en général, et dans la vie professionnelle en particulier.

DW : *Dans* Citoyen 60, *vous dénonciez trois idéologies, caractéristiques selon vous des défauts de la France. L'idéologie de la compétence, celle de l'avenir, et celle de la croissance. Cela n'a pas l'air d'avoir tellement changé...*

JD : Dans la France de la fin des années cinquante et du début des années soixante, l'État centralisé se défendait au nom de l'idéologie de la compétence. Les décisions étaient prises par des techniciens et beaucoup d'entre eux avaient surtout une mentalité d'ingénieur, non de chef d'entreprise, apte aussi à organiser et à vendre. L'ingénieur exerçait une sorte de fascination dans les processus de décision.

À l'idéologie de l'avenir est liée l'époque où triomphe la prospective, dont je dis beaucoup de bien par ailleurs. Mais il ne faut pas que l'idéologie du futur occulte les oppositions de nature politique, sociale, économique, au point de prétendre effacer les véritables tensions qui parcourent la société et qui doivent être regardées en face. L'idéologie de la croissance voulait qu'avec l'augmentation du gâteau à répartir on résolve tous les conflits liés à la répartition des revenus et des biens. À l'époque, nous avons voulu, au contraire, traiter franchement des problèmes de répartition et élargir le débat, notamment par une réflexion sur les biens collectifs dont je vous ai déjà parlé.

Enfin, il me semblait que cette croissance à marche forcée se faisait en ignorant les paramètres de l'environnement et du temps. C'est pour cela que, quelques années plus tard, j'ai fait travailler les étudiants de l'École nationale d'administration sur les indicateurs sociaux, pour montrer que la croissance devait s'apprécier aussi au vu d'indicateurs de bien-être, des possibilités d'emploi, de l'égalité des chances, du niveau d'éducation, des normes de santé, etc.

DW : *Quelles sont aujourd'hui les idéologies qui traversent la société française ?*

JD : Aujourd'hui, je m'inquiéterais plutôt qu'il n'y ait plus d'idéologies, ce qui explique d'ailleurs cette controverse absurde entre culture de gouvernement et culture d'opposition. Chacun sait qu'en démocratie on tient un langage différent lorsqu'on est dans la majorité au pouvoir ou dans l'opposition. Il ne faut pas en abuser, ni d'un côté ni de l'autre.

Mais pourquoi ce débat ? Précisément parce qu'il n'y a pas d'analyse et de cadre de pensée qui permettent à des partis politiques de se positionner, en indiquant quelle est leur conception de l'existence, de l'avenir de la France et de notre société. Comme il n'y a pas de réflexions approfondies sur la société, ni de lignes bien marquées pour les valeurs à promouvoir, on en arrive à ce débat ridicule, alors que, pour un parti politique, le véritable problème est d'adapter son projet à la société sans l'obsession de savoir si les autres partis sont d'accord avec lui sur certains points. Comme si c'était un handicap que d'être d'accord entre tous les Français, dans des domaines jugés essentiels pour l'avenir de la nation.

DW : *Que pourrait-on faire pour relancer l'idée de progrès, qui fut l'idée mobilisatrice pendant un siècle ?*

JD : Le progrès a été considéré, dans la foulée de la période des lumières, comme lié à la rationalité et au progrès scientifique. C'est une vision que je ne partage pas, car je crois que tout est dans le cœur de l'homme. D'où l'importance de l'éducation et de la connaissance, du dialogue et de l'échange, de la convivialité et de la fraternité. Toujours plus de démocratie ! Aujourd'hui, l'humanité dans son ensemble, les Français et les Françaises en particulier, doivent considérer leur avenir en termes de qualité de la société et des relations interpersonnelles, des possibilités d'épanouissement individuel dans le cadre des diverses communautés auxquelles ils appartiennent. Il faut revenir aux racines éthiques de la politique pour retrouver le sens de l'action collective.

DW : *Il n'y a pas de politique sans utopie. L'utopie démocratique a réussi en grande partie. Quelle utopie faudrait-il aujourd'hui susciter pour mobiliser les citoyens ?*

JD : Faut-il conduire le peuple avec des songes ? Ce n'est pas mon opinion. Et si je reconnais que le politique doit faire rêver les citoyens, ce ne doit pas être au détriment de la connaissance du possible. Le politique doit être à l'écoute, mais développer, en même temps, ses talents d'éducateur au réel.

DW : *S'il y avait un mot pour caractériser l'utopie aujourd'hui, que diriez-vous ?*

JD : Le progrès raisonné de l'homme sur lui-même et de la société sur elle-même.

QUATRIÈME PARTIE

L'ambition européenne

Chapitre 1

La relance de la construction européenne (1985-1989)

Objectif 1992

DOMINIQUE WOLTON : *Jacques Delors, dans votre direction à la tête de la Commission européenne, quatre grandes actions peuvent être distinguées : la mise en place de l'Acte unique en juin 1985 ; le renforcement de l'Union économique et monétaire, en juin 1988 ; le lancement de l'Union politique, à partir d'avril 1990, qui aboutira au traité de Maastricht et le* Livre blanc, *accepté en décembre 1993. S'y ajoutent un certain nombre d'initiatives concernant l'Europe sociale.*

Pouvez-vous rappeler ce qui différencie ces quatre étapes qui ont marqué votre intervention, votre action, votre responsabilité à la tête de la Commission ?

JACQUES DELORS : Lorsque je suis arrivé, fin 1984, j'étais assez familier des mécanismes de la construction européenne, puisque j'y avais été associé depuis longtemps. D'abord en tant que syndicaliste, ensuite comme haut fonctionnaire, dans les années soixante, par ma présence au cabinet du Premier ministre Jacques Chaban-Delmas, puis dans les années soixante-dix, comme expert. Enfin, j'ai été membre du premier Parlement européen élu au suffrage universel en 1979 et élu, à ce titre, président de la Commission économique et monétaire. L'Europe m'était familière. La base de ma réflexion et de mon action était simple. La construction européenne n'a jamais été, ne sera jamais un long fleuve tranquille. En 1984, celle-ci avait à peine trente ans d'âge et, durant ces vingt-sept années, avaient alterné des périodes de dynamisme, la plus notable étant celle qui va du traité de Rome à 1963, des périodes de crise, dont les deux plus célèbres sont celles provoquées par le général de Gaulle avec la chaise vide, pour des raisons institutionnelles, et l'autre, initiée par Margaret Thatcher, portait sur la contribution financière de la Grande-Bretagne. Durant ces vingt-sept ans, il y avait aussi eu des phases de stagnation.

Nous étions dans l'une de ces phases, mais j'arrivais avec un atout : au Conseil européen de Fontainebleau, François Mitterrand, qui à l'époque assurait la présidence, avait réussi à régler les contentieux qui s'étaient accumulés depuis le « I want my money back » de Margaret Thatcher. Plus d'une dizaine de problèmes restaient en suspens et le président de la République, par un engagement personnel et des contacts bilatéraux, avait dégrippé la situation. La question posée était donc celle d'une relance, mais comment ? À ce moment-là, j'avais en tête les objectifs que l'on retrouvera ensuite et qui pouvaient fournir matière à un redémarrage : *une défense commune*, sujet aujourd'hui d'actualité après le défilé de l'Eurocorps le 14 juillet 1994 ; *l'union monétaire*, la monnaie unique qui n'était pas une nouveauté puisque, en 1970, il y avait eu le rapport du Premier ministre luxembourgeois, M. Werner, qui traçait les lignes d'un projet devant aboutir à une monnaie unique. Ce beau projet allait être mis en pièces par le détachement du dollar par rapport à l'or et la première hausse spectaculaire des prix du pétrole ; *la réforme institutionnelle* afin de rendre la Communauté à la fois plus efficace et plus démocratique. Ces trois objectifs, je les ai « testés » au second semestre 1984, après ma nomination, auprès des neuf chefs de gouvernement, puisque à l'époque nous étions dix.

DW : *Lequel de ces trois objectifs avait le plus de chances d'être accepté ?*

JD : Aucun de ces projets ne recueillait l'unanimité. Par conséquent, j'ai dû me rabattre sur un objectif plus pragmatique correspondant aussi à l'air du temps, puisque à l'époque il n'était question que de dérégulation, de suppression de tous les obstacles à la compétition et au jeu du marché.

DW : *Cela n'a pas beaucoup changé depuis...*

JD : Si, un peu, on le verra par la suite. Je leur ai dit : « Le traité de Rome prévoyait la création d'un Marché commun. Et si enfin on le faisait ? » Compte tenu de l'air du temps, cette proposition a recueilli l'accord unanime des dix États membres de la Communauté.

DW : *Cela alliait l'idée de la dérégulation et celle des pères fondateurs.*

JD : Oui. C'était dans le traité. Nos dirigeants avaient vis-à-vis de l'objectif des pères fondateurs une forme d'obligation et, d'autre part, chacun sentait que nos économies étaient engourdies, fractionnées, accablées de réglementations et d'obstacles aux échanges. Je suis donc parti de cet objectif. Bien sûr, à l'époque, ceux que j'appellerais, sans connotation péjorative, les « fédéralistes » ont trouvé que j'étais plus pragmatique que visionnaire, mais j'avais là un moyen de remettre la mécanique en marche à condition de fixer une date limite.

DW : *Quand vous arrivez en janvier 1985, quelle est votre plus grande surprise ?*

JD : Aucune. Ayant participé à la vie communautaire comme haut fonctionnaire ou comme expert, je connaissais la maison et beaucoup de ses responsables personnellement. Dans ces conditions, je n'avais pas le sentiment d'être étranger à l'ambiance de la Commission.

DW : *Même dans les trois ou quatre premiers mois ? Dans quel état était la Commission quand vous êtes arrivé ?*

JD : Il y a toujours un exercice difficile qui est la répartition des portefeuilles, puisque je rappelle que le président de la Commission n'est que le *primus inter pares.* Dans un État national, le Premier ministre choisit ses ministres en fonction de sa conception du gouvernement et des qualités des uns et des autres. En ce qui me concerne, je devais composer avec chacun, et je me rappelais que mes prédécesseurs avaient eu à affronter ce qu'on appelait la « nuit des longs couteaux », longue tradition de la maison, au cours de laquelle il fallait, la lassitude aidant, d'innombrables heures de discussion pour aboutir à un résultat. Durant cette nuit, les chefs de gouvernement téléphonaient au président de la Commission pour insister pour que soit attribué tel ou tel portefeuille à l'un de leurs nationaux. J'ai donc voulu éviter cela. J'avais vu chaque commissaire en tête à tête et nous avons réparti les portefeuilles de manière paisible, à la satisfaction de tous. À l'époque, les membres de la Commission arrivaient là avec le même sentiment que moi : la construction européenne est sortie de sa crise, mais elle n'avance pas. Par conséquent, au fur et à mesure que l'on allait faire des progrès, la cohésion de la Commission allait s'accroître. C'est l'ambiance de la première Commission que j'ai eu à présider de 1985 à 1988.

DW : *Quand vous avez fait le tour des dix chefs d'État et de gouvernement entre juillet 1984 et janvier 1985, ceux-ci ressentaient-ils la nécessité de relancer la construction européenne ? Y avait-il un sentiment d'urgence ?*

JD : Oui, ils voulaient avancer. Ils cherchaient une idée, une voie, une stratégie. Par conséquent, c'était à moi de leur proposer.

DW : *Ce sera l'objectif 1992, c'est-à-dire la mise sur pied de l'Acte unique. Comme vous l'avez dit, vous optez pour l'objectif initial du Marché commun, suscitant ainsi l'adhésion des chefs de gouvernement, et vous allez mettre en œuvre votre méthode « un homme, un calendrier, un objectif, un mécanisme ». Finalement, entre le sommet de Milan, en juin 1985, et le sommet de Luxembourg, en décembre 1985, on arrive au* Livre blanc.

JD : J'annonce l'objectif 1992, c'est-à-dire le Marché unique, avec bien d'autres propositions, lors du débat d'investiture en janvier et ensuite je charge un de mes collègues, lord Cockfield, de rédiger le *Livre blanc*, c'est-à-dire le cahier des charges pour réaliser le grand Marché sans frontières.

DW : *L'adoption aura lieu en décembre 1985. Pourquoi lord Cockfield n'est-il pas tellement reconnu ? Pourquoi a-t-il, pour le moment, disparu de la mémoire ?*

JD : Cet homme formidable, d'une très grande culture et d'une expérience professionnelle remarquable, est en même temps un homme discret, entièrement au service de sa tâche. Une fois le *Livre blanc* adopté, il restait un problème : construire la législation nécessaire pour permettre la libre circulation des personnes, des biens, des services et des capitaux, et pour supprimer tous les obstacles aux échanges. Il y avait l'obstacle du vote à l'unanimité par le Conseil des ministres, qui a souvent bloqué des projets, comme j'en ai fait moi-même l'expérience, avec, par exemple, le projet refusé pour la création d'une société de droit européen. Dès les premiers mois, j'ai donc sensibilisé les gouvernements à l'idée qu'ils devraient se mettre d'accord, au moins pour s'abstenir, chaque fois qu'un texte serait voté. Cela pouvait être fait par convention, sans modifier le traité, même si ma préférence était pour une modification du traité.

Au total, je voulais faire reposer la construction européenne sur trois piliers : la compétition qui stimule ; la coopération qui renforce ; la solidarité qui unit. Parallèlement, je jouais à l'honnête courtier pour faciliter la bonne fin des négociations de l'adhésion de l'Espagne et du Portugal. Dans ce sens, j'ai testé l'idée de solidarité, en proposant des programmes intégrés méditerranéens, pour calmer les appréhensions des régions du Sud qui craignaient la déstabilisation de leurs économies par l'entrée de l'Espagne et du Portugal.

DW : *Comment se sont passés les deux conseils de Milan et de Luxembourg, qui ont joué un rôle essentiel dans la relance européenne ? Comment vous y êtes-vous pris pour passer outre la semi-objection britannique et les hésitations italiennes ? Rétrospectivement, l'impression est que ce fut simple, mais il suffit de se souvenir des différentes crises européennes intervenues depuis pour se rendre compte combien il est difficile d'avancer d'un pas. Comment avez-vous fait ?*

JD : Quand je suis arrivé à Milan, j'avais dans mon dossier une formule permettant d'obtenir des décisions sans modifier le traité. Mais quelle ne fut pas ma surprise de constater que les Allemands et les Français avaient élaboré un texte ambitieux, qui intégrait le marché intérieur et qui voulait aller vers une Europe politique. Ce texte ne m'avait pas été soumis auparavant. Je l'ai étudié et me suis aperçu que c'était un plan Fouchet numéro trois. Cette formule peut paraître obscure au lecteur, mais il suffit de rappeler que, dans les années soixante, lorsque le général de Gaulle était opposé aux visées supranationales du Benelux et de l'Allemagne, on avait chargé M. Fouchet d'élaborer un schéma institutionnel qui satisfasse le général de Gaulle. La première version n'a pas été acceptée par nos partenaires et la seconde, de guerre lasse, a fini par obtenir leur accord. Au dernier moment, le général de Gaulle a renforcé ce projet dans le sens intergouvernemental, et ce fut l'échec. Or le texte préparé par les collaborateurs du chancelier Kohl et de François Mitterrand ressemblait à la philosophie du plan Fouchet. Je l'ai expliqué aux intéressés, ils n'ont pas insisté.

À partir de là, nous avons commencé à examiner les propositions de la Commission, notamment celles sur le *Livre blanc*, et j'ai dit : « Vous avez le choix entre une convention explicite entre vous impliquant l'abstention de celui qui est contre ou bien une modification du traité. » La presse a eu vent de cette proposition. Dans une Italie alors très européenne et très fédéraliste, et devant cette poussée de la presse en faveur d'un nouveau traité, le président en exercice du Conseil européen, Bettino Craxi, m'a dit : « Je vais prendre la tête du mouvement ! » C'est ainsi qu'il a proposé la convocation d'une conférence intergouvernementale, cadre nécessaire entre des États souverains pour leur permettre de modifier le traité. Deux pays n'en voulaient pas : la Grande-Bretagne et le Danemark. Bettino Craxi a fait un coup de force, il a dit : « On considère qu'il y a huit pays qui sont pour, deux qui sont contre, je convoque la conférence intergouvernementale. » C'était une surprise, aux yeux de certains, presque un viol, puisque le Conseil européen, qui est un organisme purement intergouvernemental, décide à l'unanimité. La percée était faite, il restait à élaborer ce traité. J'ai eu la chance, qui ne s'est pas reproduite pour le traité de Maastricht où la Commission était surveillée, alors qu'à l'époque elle ne l'était pas encore. On peut dire que l'Acte unique a été rédigé à 95 % par cette petite équipe de la Commission, avec le secrétaire général Émile Noël et moi-même.

Notre traité est passé. Je l'avais voulu, non comme le traité de Rome, mais comme celui qui a créé la Communauté européenne du charbon et de l'acier, c'est-à-dire « sec », de façon à ne pas formuler des promesses que l'on ne tiendrait pas. Il y avait dans ce traité des points très importants, surtout institutionnels : le vote à la majorité était institué pour tout ce qui avait trait au marché intérieur, la dimension monétaire figurait dans le traité (alors que jusque-là ce n'était pas le cas, puisque le Système monétaire européen avait été créé en 1979, à côté du traité), l'environnement, la dimension sociale, ce qui n'a pas été facile, et, enfin, l'amorce de ce qui allait être la cohésion économique et sociale par des références explicites à une solidarité active entre les régions riches et les régions pauvres. Pendant quatre ans, la Commission a proposé les moyens de réaliser les bases de la maison Europe.

DW : *On a beaucoup parlé, entre 1985 et 1988, de la « méthode Delors ». En quoi le lancement de l'objectif 1992 est-il l'illustration de la méthode Delors ? Comment vous y êtes-vous pris ?*

JD : Proposer, et non posséder. Faire en sorte que les chefs de gouvernement puissent s'attribuer le mérite des progrès réalisés.

DW : *Que ce soit leur propriété ?*

JD : Oui, qu'ils aient la conviction que, dans le fond, ils en étaient à l'origine. Bien sûr, il y a, du point de vue de la méthode, un parallèle avec les deux autres fonctions que j'avais exercées auparavant. Au Commissariat général du Plan, où la maïeutique est essentielle et, d'autre part, dans la négociation syndicale qui implique aussi l'appropriation des idées par les acteurs, afin qu'ils puissent les revendiquer. C'est la même chose avec les nations souveraines ! Éviter les susceptibilités et essayer de rapprocher peu à peu les points de vue. Le résultat psychologique est un jeu à somme positive où personne n'a l'impression d'avoir cédé.

Le deuxième point de la méthode, c'est le calendrier, avec obligation de résultat. C'était un peu la première fois qu'on avait fixé des objectifs. Par exemple, dans le plan Werner, pour la création du Système monétaire européen, on avait indiqué des étapes, on ne les a jamais franchies. Là, il fallait que cet objectif 1992 soit contraignant et aussi mobilisateur, ce qu'il devint. À partir de là, je leur ai expliqué qu'une mesure en appelait une autre. C'est un petit peu la même chose qu'en matière de recherche. Vous faites une découverte, un autre en fait une deuxième et cela en amène une troisième. C'est le système « pyramidal ». Les États membres entraient ainsi dans une sorte d'engrenage vertueux.

DW : *Ce type de méthode peut-il être encore utile ou bien les circonstances étaient-elles exceptionnelles ?*

JD : Cette méthode n'était valable que lorsque la construction européenne était considérée, par les opinions publiques et les classes politiques nationales, comme allant de soi, progressant parallèlement à la vie politique nationale, et n'ayant pas de relation dialectique avec elle. Une nouvelle crise européenne est intervenue le jour où les enjeux européens sont entrés dans la vie politique nationale et ont été considérés comme matière à débat par les citoyens.

DW : *Vous voulez dire que désormais il y a trop de méfiance ?*

JD : Oui, tel a été le choc provoqué par le traité de Maastricht.

DW : *Vous aviez donc une certaine autonomie par rapport aux politiques nationales.*

JD : Non, pas moi ni la Commission. C'étaient les politiques nationales qui n'avaient pas intégré la dimension européenne. À partir du traité de Maastricht, la construction européenne est sortie de cette clandestinité pour surgir, à la grande surprise des uns, au grand espoir des autres, dans la vie politique nationale. À partir de ce moment-là, et ce n'est pas encore réalisé, il faut que les opinions publiques et les responsables politiques intègrent la construction européenne comme un élément indissociable des grands débats sur l'avenir de notre pays.

DW : *Il y a eu, me semble-t-il, deux phénomènes. D'une part, le fait que le traité a obligé les politiques nationales à intégrer la problématique européenne, mais, d'autre part, la fin du communisme et la fin de la guerre froide ont, d'une certaine manière, modifié l'autonomie de la construction européenne. Le paradoxe de Maastricht est d'avoir remis l'Europe au cœur des débats politiques nationaux, au moment où la fin de la guerre froide rendait cette construction politique moins urgente. Il fallait beaucoup plus d'implication des citoyens, à un moment où, simultanément, cette « contrainte » de la construction européenne comme contre-modèle au modèle soviétique était beaucoup moins forte.*

JD : Le fait dominant, c'est que la construction européenne n'a pu démarrer, en dehors des idéaux des pères du traité de Rome, que parce qu'il y avait la crainte du communisme. Le jour où cette crainte a disparu, nous sommes sortis de la guerre froide pour entrer dans un nouvel univers, que personne n'avait prévu et qu'il fallait gérer.

DW : *C'est un peu la même idée. Du coup, on a réalisé ce qui avait été fait ! Lors de votre grand discours d'octobre 1989, où vous répondiez à Margaret Thatcher qu'« au triangle inégalité-unanimité-immobilisme, nous avons substitué un autre triangle, celui de la réussite égalité-majorité-dynamisme ». Que vouliez-vous dire ?*

JD : Tant que la construction européenne stagnait, le poids respectif des nations se faisait sentir, alors que, dans la construction européenne telle qu'elle avait été voulue par le traité de Rome, chaque pays, quelle que soit son importance, démographique, économique, politique, était traité par les autres avec beaucoup d'attention. Avec le vote à la majorité, cela change. Ensuite, la majorité n'est pas une majorité simple, c'est une majorité qualifiée, où les voix sont pondérées en fonction de la taille des pays. C'est le complément dialectique de l'idée d'égalité. Ce vote à la majorité est le « tigre dans le moteur ». Enfin, dans un ensemble constitué de pays souverains, où tout doit être décidé à l'unanimité, s'il n'y a pas une institution qui propose, et stimule, on ne prend pas de décisions. Telle était la mission impartie à la Commission par les pères du traité de Rome.

DW : *Je reviens sur le rôle de la Commission, car il est central dans ce que vous avez voulu faire. Dans votre premier discours, le 14 janvier 1985, devant le Parlement européen, vous avez dit : « La Commission doit jouer le rôle central d'ingénieur de la construction européenne. » Toujours dans ce même discours, vous qualifiez la Commission de « mémoire militante de la construction européenne » et de « notaire des engagements pris ». Dix ans après, pensez-vous toujours que la Commission soit le moteur numéro un de la construction européenne ?*

JD : On peut le dire comme ça, mais avec le risque de passer sous silence des incitations et des poussées réalisées grâce à l'action des États membres. Par conséquent, il ne faut pas dire que la Commission a le monopole de l'intérêt européen. Elle est la mémoire militante de la construction européenne, pour une raison simple : les gouvernements ne s'occupent pas du matin au soir des questions européennes. Par le monopole qu'elle a de la proposition, elle a une arme essentielle pour faire avancer les choses, à condition d'avoir des idées ! Elle est flanquée d'une arme : pouvoir, à tout moment, retirer sa proposition. À ce moment-là, les opinions publiques sont témoins. Enfin, la Commission est chargée d'exécuter les décisions du Conseil des ministres, mais – et cela n'est pas connu – elle le fait sous la surveillance des États membres puisque, pour toute action, elle est « flanquée » d'un comité de fonctionnaires nationaux qui, selon les différentes règles du jeu, peuvent soit formuler des avis, soit, dans certains cas, mettre en échec l'action de la Commission lorsqu'ils ne la considèrent pas conforme à ce que le Conseil des ministres a décidé.

DW : *Ce qui me frappe, c'est que l'on ne sait pas très bien comment travaille cette Commission.*

JD : La Commission, c'est simple. C'est l'ensemble qui est complexe.

DW : *Du point de vue de la communication publique, les opinions publiques identifient bien l'existence de la Commission, c'est vrai, ainsi que votre rôle, mais, le jeu subtil et compliqué des rapports de forces entre votre capacité initiatrice à la tête de la Commission et les relations avec les États membres est finalement beaucoup moins connu.*

JD : Nous sommes un organisme politique, sans comparaison dans le droit constitutionnel, doté d'une administration. Cela implique que nous ayons des talents de commandement, d'animation et de coordination, tout cela est simple. Mais là où le jeu devient compliqué, c'est dans les relations entre le Conseil des ministres et la Commission. La Commission propose, le Conseil dispose, mais la Commission exécute, sous la surveillance, je le répète, des États nationaux. C'est là où se situe une grande partie du mal bureaucratique. Sans oublier le rôle croissant et positif du Parlement européen.

DW : *Ce thème a largement été présent lors du débat sur Maastricht. Mais pour le reste, c'est-à-dire la relation difficile entre la logique des États et celle de l'Europe, pour peu que l'on puisse clairement identifier celle-ci, les opinions vivent assez mal le rapport de forces entre la Commission et les États membres.*

JD : Il y a plusieurs raisons à cette incompréhension des deux logiques de l'Europe. Prenons la plus importante : chacun a dans la tête, dans nos démocraties, un schéma institutionnel simple, un exécutif, le gouvernement, un législatif, le Parlement. Et un pouvoir judiciaire, flanqué d'une Cour constitutionnelle qui doit veiller à l'application, précisément, des règles de base du jeu institutionnel.

DW : *Ce qui est bizarre, c'est la difficulté, en vingt ans, à faire émerger une autre représentation institutionnelle.*

JD : Non, en termes d'opinion publique, les succès de l'Europe ont été assimilés à la montée en puissance de la Commission et à la personnalisation de l'Europe par le président de la Commission. C'est cela qui doit aujourd'hui être aménagé pour permettre aux opinions publiques de mieux comprendre le pourquoi et le comment.

DW : *Il existe deux discours sur l'Europe. À Bruxelles, c'est la Commission qui initie la construction européenne. Quand on se place du côté des États-nations, on entend un autre discours, à savoir que ce sont eux qui sont à l'origine des initiatives. Comment distinguer les deux ? Sur les quinze années passées, quel type de réussite européenne revient plutôt à l'initiative de la Commission et quels exemples de réussite reviennent à l'initiative des gouvernements ?*

JD : La philosophie institutionnelle de la construction européenne est telle que, normalement, on ne doit pas distinguer dans les mérites, et dans les faiblesses, ce qui revient aux uns et ce qui revient aux autres. On peut dire, paradoxalement, que si, dans telle ou telle situation, la Commission n'avait pas fait de proposition, l'Europe n'aurait pas avancé. On peut dire, à l'inverse, que si le Conseil des ministres l'avait refusée, rien ne se serait passé. Il y a une sorte de dialectique entre le Conseil et la Commission.

DW : *En dix ans, quel exemple donneriez-vous d'une décision européenne relevant d'une initiative intergouvernementale ?*

JD : Il faut aller plus loin, car le schéma initial du traité de Rome était le suivant : il existe deux exécutifs, le Conseil des ministres et la Commission. Il y a deux centres de décision, le Conseil et le Parlement européen, et un organisme chargé, en dernier ressort, de voir si les règles du jeu sont bien respectées, la Cour de justice. Voilà le schéma. À cela, à l'initiative de Valéry Giscard d'Estaing et compte tenu du fait que la construction européenne était dans l'impasse, on a ajouté le Conseil européen, qui est un organisme de type intergouvernemental, qui décide généralement à l'unanimité. Valéry Giscard d'Estaing voulait donner une impulsion. Les fédéralistes, les militants intégristes de l'Europe, ont protesté. Et même au sein de la Commission, parmi les Européens les plus convaincus, certains se méfiaient du Conseil européen. Mon expérience est tout à fait différente. Ce Conseil européen réunit deux, trois fois par an les chefs d'État et de gouvernement. Je m'en suis servi ! Toutes les propositions que j'ai faites ont été ratifiées par le Conseil européen qui a donné les impulsions nécessaires.

DW : *L'idée est donc que cet attelage, Conseil des ministres/Commission, n'empêche pas l'avancée de l'Europe. À condition que l'initiative vienne de la Commission ?*

JD : Non, l'initiative ne vient pas toujours de la Commission. Je vais vous donner un exemple. C'est moi qui ai insisté pour que les questions monétaires soient réintroduites dans le schéma institutionnel, mais ce n'est pas moi qui, le premier, ai lancé l'idée de l'Union économique et monétaire ! Ce sont, en 1987, des personnalités, comme le Premier ministre français, Édouard Balladur (alors ministre de l'Économie et des Finances), le ministre des Affaires étrangères de l'Allemagne fédérale, Hans-Dietrich Genscher, et bien d'autres, qui ont proposé d'aller vers l'Union économique et monétaire. À l'époque, je ne l'avais pas fait car je pensais que la Commission était déjà trop « en avant » et qu'il ne fallait pas « en rajouter ». Cela a débouché sur des conversations entre le président du Conseil européen, c'était à l'époque Helmut Kohl, et moi-même. Nous avons pensé, pour préparer une éventuelle décision sur l'Union économique et monétaire, et compte tenu du caractère révolutionnaire et complexe d'une telle démarche, qu'il fallait créer une commission chargée d'éclairer les gouvernements. À Hanovre, en juin 1988, Helmut Kohl a proposé une commission composée des gouverneurs de banques centrales et de quelques experts, et l'on m'en a confié la présidence. En parallèle à mon travail de président de la Commission européenne, j'ai pris en charge cette Commission avec beaucoup de difficultés. Il y a ceux qui étaient contre la monnaie unique, et ceux qui, encore aujourd'hui, ne se résolvent pas à voir le deutsche Mark quitter la scène et être remplacé par l'écu.

DW : *Ma question était simple. Beaucoup de partisans de l'Europe disent que cet attelage compliqué Conseil des ministres/Commission freine la construction de l'Europe. Il faudrait, selon eux, renforcer progressivement les institutions européennes. Or, avec l'expérience, il semble que la confrontation entre les deux points de vue, à condition que chacun joue son rôle, ait finalement été une condition favorable à la construction européenne ?*

JD : L'expérience de ces dernières années est, de ce point de vue, largement positive.

Le « paquet Delors 1 »

DW : *Le « paquet Delors 1 » est à l'origine de l'Acte unique et de la préparation de l'Union économique et monétaire. En février 1987, la Commission propose un programme d'action pour réussir l'Acte unique. En décembre 1987, au Conseil de Copenhague, le Conseil n'arrive pas à se mettre d'accord, une crise s'ensuit entre fin 1987 et début 1988. Finalement, à Bruxelles, le Conseil européen, exceptionnel, accepte le programme de l'Acte unique, proposé par vous.*

Le « paquet 1 » désigne trois choses : une réforme du mode de financement de la Communauté, la mise en place de ressources qui sont assises sur le produit national brut, et, en fait, ce qui est important, un doublement du montant des ressources disponibles pour les trois fonds structurels de la Communauté, le fonds social, le fonds régional et le fonds de l'agriculture, avec des objectifs prioritaires. Pourquoi a-t-on parlé de « paquet Delors 1 » ? Comment avez-vous réussi à obtenir, finalement, l'accord des Britanniques, compte tenu de leurs oppositions ?

JD : Tout d'abord, je reviens aux piliers de l'Acte unique. L'un de ces piliers était la cohésion économique et sociale. D'ailleurs, vous observerez que, pendant la campagne électorale de Maastricht, on a parlé de dimension sociale, sans jamais mentionner cet aspect, alors que c'est réellement de solidarité dont il s'agit. Je poursuivais mon idée, mais comment la faire passer ? Les ressources propres de la Communauté s'épuisaient, par conséquent, le jeu normal aurait été que le Conseil des ministres se réunisse pour décider d'une augmentation des ressources de la Communauté. Il fallait que j'utilise cette échéance et que j'en transforme la nature. J'en ai parlé à Margaret Thatcher, avec qui j'avais des conversations substantielles et toujours intéressantes pour moi...

DW : *Que voulez-vous dire par là ? N'a-t-elle pas toujours été un de vos adversaires les plus forts ?*

JD : À cette époque, elle n'avait pas eu la révélation que l'Acte unique allait plus loin qu'elle ne le voulait. Elle l'avait accepté. Donc, je lui ai dit que la Communauté allait tomber en faillite, qu'il n'y avait plus d'argent. Elle était intéressée car le Royaume-Uni a droit à un abattement substantiel sur sa contribution. Elle m'a dit : « Vous allez expliquer cela, avant le dîner des chefs d'État et de gouvernement », auquel je participais. Alors, au moment de l'apéritif, je leur ai dit : « Voilà, nous sommes en faillite. » C'est la méthode du coup de poing à l'estomac, que j'allais réutiliser plus tard, à Copenhague, en 1993. Je leur ai fourni des éléments sur la situation financière. Ils décidèrent que je devais visiter les douze pays, dès janvier – cela se passait en décembre – et faire des propositions. Du 2 janvier au 15 février 1987, j'ai parcouru les douze pays et j'ai remis un programme qui consistait à traiter les différents points en cause : l'évolution de la politique agricole commune, les politiques structurelles, la structure des ressources propres et, aussi, la discipline budgétaire. Ce document a été adopté par la Commission en février 1987. Mais en décembre 1987, à Copenhague, il s'est produit un blocage. Dès que le chancelier Kohl a pris la présidence, il a convoqué un Conseil extraordinaire pour un ensemble de questions où les intérêts des gouvernements s'affrontaient très rudement. Grâce à sa présidence, nous sommes arrivés à adopter ce « paquet 1 » qu'il considère comme le plus grand exploit de ces dix dernières années. C'est cela qui a renforcé la cohésion et l'esprit d'amitié des commissaires. Il ne faut pas oublier qu'ils étaient arrivés en 1985 dans une Europe stagnante. Ils devenaient les artisans du progrès.

DW : *Pourquoi dit-on que ce « paquet 1 » est toute votre philosophie politique et sociale ?*

JD : Parce qu'il y avait les trois éléments dont je vous ai parlé : la compétition, la coopération et la solidarité. Parce qu'il y est question de renforcer les actions communes en matière de recherche et de développement et les politiques structurelles pour lesquelles j'avais fixé cinq objectifs : aide aux régions en retard de développement, aide aux régions en reconversion industrielle, emploi-insertion des jeunes, lutte contre le chômage de longue durée, modernisation de l'agriculture et priorité au développement rural. Cela, à l'époque, était assez prémonitoire de ce qui allait se passer ensuite. Ce document reflétait bien ma philosophie dont j'avais posé les principes dès mon arrivée à la Commission. La cohérence absolue entre l'Acte unique et le « paquet 1 ».

DW : *Sans le « paquet 1 », l'objectif 1992 aurait simplement été une zone de libre-échange ?*

JD : Il n'aurait pas été réalisé. Il faut bien voir qu'à l'époque la richesse par habitant, pour la Communauté des douze, sur la base d'une moyenne de 100 variait entre 53 et 130. Ceux qui étaient entre 53 et 75 ou 80 ne pouvaient pas supporter la réalisation d'un grand marché sans frontières sans avoir les moyens de s'adapter à la donne européenne, et, grâce à cela, à la compétition mondiale. Bien sûr, il ne s'agissait pas – c'est un autre point important de ma conception – d'envoyer des chèques aux régions pauvres. Celles-ci soumettaient des programmes de développement à la Commission qui indiquait quels objectifs de ces plans elle pouvait aider, financièrement et techniquement. Mais cela a été une révolution. J'ajouterai que certains pays membres de la Communauté reçoivent en transferts financiers nets l'équivalent de 3 à 5 % de leur produit intérieur brut. Vous ne retrouvez cela dans aucun État fédéral. La solidarité est vraiment forte.

DW : *Pourquoi cet énorme effort de solidarité intra-européen n'est-il pas connu ? Ou bien connu simplement sous forme de gâchis : « On donne de l'argent aux Grecs qui achètent ensuite des voitures américaines ou japonaises ? » Même lors de la campagne de Maastricht, la dimension de solidarité liée au « paquet 1 » n'a pas réussi à être présente dans la communication publique ?*

JD : La France est un des pays les plus riches de la Communauté. Vous serez peut-être étonné de savoir que 46 % du territoire français bénéficie des politiques structurelles. Les élus locaux et régionaux le savent mieux que les élus nationaux.

DW : *N'est-ce pas du double langage, que de vouloir à la fois bénéficier de la bureaucratie et la critiquer ?*

JD : Non, ils y sont très attachés. Prenons un exemple : une région a un projet d'amélioration dans le domaine de l'infrastructure de transports. Sans la contribution communautaire, elle n'y arriverait pas toujours, car vous avez le fameux problème du tour de table. Quelqu'un présente un projet ; on réunit les banquiers ; si vous trouvez quatre-vingts et qu'il faut cent, le projet ne se fait pas. Grâce à cette aide marginale...

DW : *... On peut finir le tour de table, on peut agir.*

JD : Oui. Même dans un pays riche comme la France, les élus locaux approuvent ces politiques. On parle souvent de l'Europe « lointaine », alors que ces programmes ont permis de rapprocher la construction européenne des citoyens et du local.

DW : *Cela n'a pas rapproché des citoyens, mais disons plutôt des décideurs administratifs et politiques.*

JD : C'est aux responsables qu'il appartient d'expliquer.

DW : *C'est sûrement un des maillons qui a manqué le plus en 1989-1990. Cette explication des décideurs, c'est cela le « paquet 1 », dont les effets continuent.*

JD : Un « paquet 2 », fondé sur les mêmes principes, a été adopté au Conseil européen d'Édimbourg en décembre 1992 pour la période 1994-1999.

DW : *J'aimerais que vous évoquiez ce qui complète bien le « paquet 1 » et le « paquet 2 » : c'est le document* Europe 2000, *qui a été présenté en 1991 et qui, pour la première fois, propose pour l'Europe un cadre européen d'aménagement du territoire. Cette politique d'aménagement régional est fondée sur le partenariat et l'attention aux besoins locaux. Pour la première fois, une politique d'aménagement du territoire a été mise en place au niveau européen. C'est en fait l'intégration de la géographie humaine dans l'économie. Cet important document,* Europe 2000, *est passé totalement inaperçu aux yeux de l'opinion publique. Comment expliquer cela ?*

JD : C'est un exercice d'un genre différent. Les politiques d'aménagement du territoire sont de compétence nationale. Il n'est pas question de revenir là-dessus. Puisque nous créons un grand marché, l'une des pentes naturelles de l'économie de marché est de concentrer la richesse. Il fallait donc que, dans un document de réflexion, nous indiquions les conditions pour arriver à un peu plus d'équilibre. C'est la dimension sociale, car on ne peut pas toujours ramener celle-ci, comme le font certains, à la seule réalisation d'un minimum de standards sociaux applicables dans toute l'Europe ! La dimension sociale, ce sont, je le répète, les paquets 1 et 2 ; c'est l'emploi, et pas seulement la charte sociale et les droits des travailleurs. Il faut tenir compte de l'ensemble de ces éléments pour faire une évaluation honnête de ce qui a été fait et de ce qui reste à faire.

DW : *Dans ce document, la Commission expliquait qu'il fallait faire un saut qualitatif dans la théorie du développement régional, c'est-à-dire partir d'en bas et non plus d'en haut. Trois ans après, avez-vous le sentiment que quelque chose a changé dans la conception du développement régional ?*

JD : Oui, de plus en plus d'initiatives viennent de la base et c'est évidemment, pour moi, vital, pour deux raisons. D'abord, dans une économie qui se mondialise, il faut maintenir des centres de décision au niveau local, ne serait-ce que pour que chacun ne se sente pas entièrement entre les mains de décisions qui lui échappent. La seconde raison est que la chair de la construction européenne implique que les citoyens de l'Europe s'y sentent engagés dans tous les domaines de la vie économique et sociale.

DW : *Dans ce projet d'aménagement du territoire, j'ai été frappé de voir qu'il y a soixante-cinq régions frontalières* [1]. *Elles sont très intéressantes à étudier, pour la construction politique et culturelle de l'Europe, car elles sont toutes confrontées à la question de la cohabitation. Elles sont des lieux de vie concrets de l'expérience européenne.*

JD : Dans les programmes relevant du cadre de ce qu'on appelle la « cohésion économique et sociale » figurent des actions spécifiques, connues sous le nom d'« Interreg » pour faciliter la coopération transfrontalière, et cela marche bien.

DW : *Les résultats sont peut-être positifs mais le problème est qu'on ne le sait pas et que l'on n'en voit pas les succès. C'est un problème de communication immédiat. Parce que c'est*

---

1. Charles Ricq, *Les Régions frontalières et l'intégration européenne*, Livre blanc de l'Assemblée des régions d'Europe, Éd. Centre d'observation européen des régions d'Europe, Genève, 1992.

trop tôt ? Parce qu'il n'y a pas de relais par les élus locaux ? Il y a, en tout cas, une réelle méconnaissance.

JD : Les responsables régionaux y sont très attachés : c'est le retour de la géographie. J'ajoute qu'aujourd'hui, même s'il s'agit d'actions de base, elles sont étendues à des pays qui ne sont pas membres de l'Union européenne, notamment les pays de l'Europe de l'Est et du Centre. C'est un programme de développement interrégional qui surmonte les frontières extérieures de l'Union européenne. Les Polonais, les Tchèques, les Slovaques, les Hongrois, qui aspirent tant à entrer dans l'Union européenne, y voient la traduction concrète de la main que nous leur tendons.

DW : *Pourtant, les inégalités se sont maintenues entre les pays et entre les régions de l'Europe...*

JD : Elles se sont réduites, sauf pour la Grèce. De plus, les pays qui donnent de l'argent plus qu'ils n'en reçoivent ont eu, en retour, la possibilité d'exportations supplémentaires et d'investissements dans ces pays. Il y a donc, comme disent les économistes, un « taux de retour ». Là aussi, il s'agit d'un jeu à somme positive.

DW : *À propos de cette coopération régionale, quel est l'aspect le plus faible ?*

JD : Ce qui ne va pas, c'est que les États nationaux entendent rester totalement maîtres des conséquences de ces politiques dans leur pays.

DW : *Il y a un conflit de compétences ?*

JD : Non, pas de compétences, car nos interlocuteurs restent les États nationaux. Par exemple, quand nous avons à définir les régions qui pourront bénéficier des programmes de développement rural, nous négocions la carte de ces régions avec le gouvernement français. Je n'ai rien à dire contre cela, mais, en revanche, ce que nous souhaiterions, c'est pouvoir développer, avec les régions intéressées, un partenariat, pour les faire bénéficier de notre expérience et surtout pour apprendre d'elles afin d'enrichir notre savoir-faire.

DW : *Vous ne pouvez pas intervenir assez près du terrain ?*

JD : Nous intervenons, car les responsables régionaux viennent nous voir, mais il y a toujours le regard sourcilleux des autorités nationales. J'ai pris l'exemple français, j'aurais très bien pu vous parler de l'Espagne ou de la Grande-Bretagne, ou d'autres encore...

DW : *Concrètement, dans la mise en place d'un programme régional, le programme est proposé à un État national et il l'accepte ?*

JD : Non, cela ne se présente pas comme cela. Les régions qui souhaitent avoir droit à des politiques structurelles présentent un programme de développement pour leur région ou pour un espace plus limité à reconvertir ou à dominance rurale. Ces projets sont transmis par l'État national qui peut déjà faire une sélection ; lorsque nous discutons la carte et le montant de nos aides, nous négocions avec le gouvernement national.

DW : *Une fois qu'il y a accord et mise en place de ce programme, êtes-vous partie directement prenante ?*

JD : Oui. Une fois que ces programmes nous sont transmis, nous disons ce que nous pouvons faire.

DW : *Ne disiez-vous pas tout à l'heure qu'il n'y avait pas assez de participation de votre part à la mise en place du programme ?*

JD : Non, mais c'est ensuite dans le partenariat, c'est-à-dire dans le contact avec les partenaires locaux.

DW : *Vous n'êtes plus présents ?*

JD : Si, mais pas assez pour obtenir le niveau optimal de synergie.

DW : *Les susceptibilités nationales l'emportent-elles sur les capacités de coopération ?*

JD : Beaucoup de régions de l'Europe ont des bureaux à Bruxelles, nous travaillons avec elles, mais je crois que nous pourrions améliorer le dispositif.

DW : *Vous savez, s'il existait un livre assez clair, expliquant, pour une quinzaine de régions, les réalisations, cela aurait peut-être un effet mobilisateur !*

JD : On ne peut pas tout faire avec les ressources humaines qui sont les nôtres. Mais nous avons établi, à l'attention des Français, comme des autres Européens, un inventaire des actions pour chaque région.

DW : *Ce déficit de communication, d'explication et de valorisation est un problème de fond de la construction européenne.*

JD : Lorsque nous avons établi le *Livre blanc* sur la croissance, la compétitivité et l'emploi, j'ai dit qu'il existait de nouveaux gisements d'emplois. Le premier rapport qu'on m'a soumis sur ces nouveaux gisements d'emplois était tiré des expériences de développement régional.

DW : *Derrière cette question de la communication, se pose en réalité celle de la mobilisation des citoyens, dans la mesure où ceux-ci n'ont pas de représentation directe de l'Europe. Pas de visibilité de ce qu'elle réalise au plan local et régional.*

JD : Je dois vous dire que, dans certains pays de la Communauté, il n'y a même pas de référence à l'aide communautaire...

Les débuts de l'Union européenne et monétaire

DW : *L'Acte unique est inséparable de l'Union économique et monétaire (UEM). Le 28 juin 1988, au Conseil européen de Hanovre, vous êtes reconduit pour quatre ans à la tête de la Commission, et le Conseil rappelle qu'en adoptant l'Acte unique les pays membres ont confirmé l'objectif de la réalisation progressive de l'Union économique et monétaire. Donc ils veulent la préparer. C'est un peu votre apogée ! Ils décident d'examiner, lors du Conseil européen de Madrid, en juin 1989, les moyens de parvenir à une union économique et monétaire, et un mandat vous est donné pour présider un comité composé des gouverneurs de banques centrales pour construire ce cadre, les bases et les étapes de l'UEM. Le 12 avril 1989, le rapport Delors est rendu public. Il propose un plan concret en trois phases. Le rapport est adopté, ce qui est très important, à l'unanimité des gouverneurs des banques centrales, y compris celui de la banque d'Angleterre. Le 27 juin 1989, le Conseil européen de Madrid réitère la volonté de réaliser l'Union économique et monétaire et en fixe même la première étape au 1er juillet 1990. Le 28 avril 1990, le Conseil européen de Dublin confirme les objectifs de l'Union économique et monétaire (UEM) et décide de la deuxième conférence intergouvernementale pour préparer les débuts de l'union politique. Enfin, les 27 et 28 décembre 1990, le Conseil européen de Rome définit l'Union économique et monétaire avec un objectif final de taux de change fixe, condition de création de la monnaie unique. Il s'agit d'un calendrier qui, en deux ans et demi, a été extrêmement rapide pour la mise en place de cet énorme changement. Pourquoi, finalement, avez-vous réussi à faire passer ces décisions ? Comment s'est passée la mise sur pied d'un projet de ce type-là aux conséquences internationales considérables ? Comment avez-vous réussi ?*

JD : Je vous ai déjà raconté la genèse de la décision de juin 1988, je n'y reviens pas. À partir de là, en dehors des problèmes de fond, il ne faut pas oublier le travail du comité *ad hoc,* pour lequel nous bénéficions déjà du précédent rapport Werner. Ce rapport était très bien fait et il a constitué une base. D'autre part, nous avions une expérience du Système monétaire européen depuis 1979, qui a été l'objet d'évaluations, chaque mois, lors de la réunion du Comité des gouverneurs, auquel j'ai participé pendant longtemps. En 1985, j'avais pris la responsabilité directe sur les questions monétaires. Au sein du comité *ad hoc,* les discussions étaient à la fois très faciles sur le plan technique, puisqu'elles se tenaient entre d'éminents spécialistes, et extrêmement difficiles, car certains gouverneurs exprimaient de fortes réticences. Les discussions étaient parfois assez dramatiques, mais enfin il était important pour moi de recueillir l'unanimité des membres.

En ce qui concerne les gouvernements, il y avait là aussi de nombreuses réserves, et aussi des arrière-pensées. Logiquement, la majorité des États membres considère que l'Union économique et monétaire est le prolongement naturel du grand marché sans frontières intérieures. Si l'on veut pouvoir maximiser les avantages du grand marché, il faut une monnaie unique, et on ne peut avoir une monnaie unique si les politiques économiques sont trop divergentes. En effet, avec une monnaie unique, les pays qui se conduiraient mal auraient des dettes qui seraient prises en charge par les pays vertueux. Il fallait donc poser les conditions indispensables de la convergence économique. C'est la dimension technique du problème. Mais il y avait aussi des réticences politiques. Certains étaient pressés, la France, l'Espagne, l'Italie, car ils considéraient que l'Union économique et monétaire était un moyen de consolider la construction européenne, qui pouvait être déstabilisée par la chute du mur de Berlin et l'unification allemande.

DW : *Oui, il faut se rappeler le poids déterminant des événements. Cela commence en juin 1988, mais au cours de l'année 1989 et 1990, tout le cadre politique, économique et diplomatique de l'après-guerre va basculer avec l'effondrement du communisme !*

JD : Face à cette déstabilisation profonde, certains pays disaient – je n'aime pas tellement la formule : « C'est le seul moyen d'arrimer définitivement l'Allemagne à la construction européenne. » D'autres voulaient du temps, comme l'Allemagne fédérale, car il ne faut pas oublier que le deutsche Mark n'était pas simplement la monnaie la plus puissante d'Europe, c'était aussi – psychologiquement parlant – le symbole de la nouvelle Allemagne, symbole renforcé lors de l'unification. L'Allemagne freinait donc un peu. Et puis, la Grande-Bretagne était opposée à cette marche vers l'Union économique et monétaire. Malgré cela, à chaque Conseil européen, il y avait une offensive pour préciser le calendrier, faire décider la tenue d'une conférence intergouvernementale. Pour les fédéralistes européens, c'était l'optimisme revenu, car, pour eux, l'Union économique et monétaire impliquait une intégration, non seulement économique et financière mais aussi politique de l'Europe.

DW : *Vous dites que les fédéralistes étaient contents de l'UEM, mais l'étaient-ils autant du « paquet Delors 1 » ? Le trouvaient-ils aussi important ?*

JD : Oui, très important. J'appelle « fédéralistes », non pas ceux qui défendent une doctrine institutionnelle, mais ceux qui sont partisans d'une Europe fédérale, c'est-à-dire d'une Europe politiquement unie et fondée sur un système fédéral avec un gouvernement et des pouvoirs distribués à l'échelon communautaire, national et local. Chaque Conseil européen était ponctué par une offensive des uns, un freinage des autres. Pour sortir de cette difficulté normale, dont je crois avoir énoncé les causes, on discutait de la question de savoir s'il fallait une « monnaie unique » ou une « monnaie commune ». Ce n'est pas la peine d'entrer dans les détails. Aujourd'hui, cela n'a plus beaucoup de signification.

DW : *Sauf que tout cela était très symbolique.*

JD : Vous avez raison. Lorsque l'on a fait des enquêtes d'opinion sur les espoirs des Européens, ce qui venait en tête, c'était la monnaie unique ! C'est parlant. D'ailleurs, nous avons essayé pendant ces années de diffuser l'écu. L'écu est ainsi devenu une des principales monnaies de transaction pour les émissions sur les marchés financiers. Mais pour sortir de cette difficulté, l'Allemagne fédérale, notamment le chancelier Kohl, a dit : « Il ne peut pas y avoir d'Union économique et monétaire sans union politique. » C'était pour lui la manière de faire accepter l'Union économique et monétaire à une classe politique, une classe de dirigeants économiques et une opinion publique réticentes. En fin de compte, le Conseil européen a décidé de mener en parallèle deux conférences intergouvernementales : l'une sur l'Union économique et monétaire, l'autre sur l'union politique. Avec une différence que je tiens à souligner tout de suite : la première était préparée par un comité qui avait fixé un cadre technique, alors que la seconde allait débuter sans qu'il y ait eu un travail préalable de réflexion, comme, par exemple, le rapport du comité Spaak avant le traité du Marché commun de 1957.

DW : *Ce qui est intéressant et presque paradoxal, c'est d'accrocher l'idée d'union politique au projet d'Union économique et monétaire pour permettre de faire passer, d'une certaine manière, l'*UEM. *Mais la plus faible préparation de l'union politique aura des conséquences difficiles que l'on retrouvera dans le demi-échec de Maastricht. L'*UEM *a été mieux préparée, dans de meilleures conditions techniques, surtout de calendrier, que l'union politique. Et surtout dans un contexte international moins perturbé.*

JD : Cela ne signifie pas que le rapport du comité Delors sur l'union économique et monétaire était à prendre ou à laisser, mais il y avait au moins tous les arguments pour et contre. Tous les dispositifs avaient été passés à la loupe et donc la conférence intergouvernementale pouvait se servir de ce cadre logique, le rejeter en totalité ou l'amender en partie.

DW : *C'est cette préparation fine et rigoureuse qui a manqué ensuite pour l'union politique, d'où les difficultés de Maastricht.*

JD : Voilà.

DW : *Pourquoi le Système monétaire européen (*SME*) était-il devenu impraticable ?*

JD : Le Système monétaire européen, jusqu'en septembre 1992, a très bien fonctionné. D'ailleurs, il a facilité la convergence des économies et leur retour à une meilleure santé. Je vous renvoie pour cela à la célèbre bataille qui a eu lieu en mars 1983, en France. Autrement dit, le Système monétaire européen a permis à chacun, dans un réseau donné de disciplines, d'améliorer les données fondamentales de son économie. Mais il était insuffisant par rapport à ce que peut représenter une monnaie unique, car une monnaie unique veut dire, au plan international, par rapport au dollar et au yen, la possibilité d'être plus fort pour obtenir une réforme du « non-système monétaire international » actuel. Cela nous permettra également d'être mieux armés pour trouver des parades au dérèglement de la bulle financière. La monnaie unique, c'est aussi un instrument de puissance.

DW : *L'Histoire ne fait-elle pas apparaître une objection ? Elle montre que les bons systèmes sont unipolaires : le système de l'étalon-or, au XIXe, ou le système de Bretton Woods, avec ensuite la domination du dollar. Si jamais l'écu émerge comme un concurrent sérieux face au dollar, nous nous trouvons dans un monde bipolaire, tripolaire avec le yen. Donc avec des rapports de forces.*

JD : Oui, mais rappelez-vous, la lutte justifiée du général de Gaulle contre l'impérialisme du dollar : est-il normal qu'un système monétaire, une fois que le dollar n'est plus soumis à la contrainte de la convertibilité en or, permette à un pays de bénéficier des avantages d'une monnaie internationale qui serve de monnaie de base ? La création d'une monnaie européenne permettra à l'Europe d'obliger les Américains à respecter eux-mêmes un certain nombre de règles du jeu. Par conséquent, la réalisation de l'Union économique et monétaire sera un grand atout pour établir un nouveau système monétaire international plus efficace...

DW : *...et réduire les effets négatifs de la bulle financière ?*

JD : Oui, peut-être. Trouver des solutions pour faire en sorte que la bulle financière n'évolue pas d'une manière contraire aux objectifs qui sont les nôtres : croissance, compétitivité, emploi, progrès social.

DW : *Comment éviter que les pays qui ne participent pas à l'UEM soient, de fait, exclus de la construction de l'Europe politique et quelle critique adressez-vous à l'UEM ?*

JD : Sur le premier point, tout pays qui participera à l'aventure de l'Europe politique doit accepter la monnaie unique, sinon, il y aura fatalement une Europe à géométrie variable. Et il faudra trouver les moyens de la faire vite. Il peut y avoir des périodes de transition. On peut très bien envisager que le 1er janvier 1997 il y ait sept pays qui participent à la monnaie unique et que d'autres viennent au 1er janvier 1999, et en 2002... Mais, fondamentalement, on ne peut pas, sur un point aussi important, accepter une dérogation permanente et, dans le même temps, maintenir un Marché unique fonctionnant dans le cadre d'une concurrence loyale, c'est-à-dire sans le recours à des dévaluations compétitives.

En ce qui concerne l'Union économique et monétaire elle-même, je n'ai pas de critique dominante à faire au système. Mais il y a deux conditions qui sont indispensables : il faut, en face du pouvoir monétaire, un pouvoir économique.

DW : *Pour l'instant il est faible.*

JD : Non, c'est faible des deux côtés pour lors. Deuxièmement, il faut que la Commission européenne puisse jouer son rôle d'initiative de façon à pallier les lacunes du couple monnaie/économie.

DW : *Il faut un trépied.*

JD : Oui. Si, par exemple, à un moment donné, la Banque centrale européenne est excessive dans ses jugements et dans sa politique, et que le Conseil des ministres ne réagit pas, il faut que la Commission intervienne et fasse des propositions soumises, bien entendu, à l'appréciation du Conseil.

Enfin, le système ne peut fonctionner rapidement que s'il s'inscrit dans une Europe politique. Le pouvoir monétaire est indépendant, certes, mais la politique doit demeurer le dernier recours. S'il n'y a pas une Europe politique adoptant un ensemble de finalités économiques et sociales, obligeant la Banque centrale à en tenir compte, alors le système sera déséquilibré. On risque un jour une révolte des opinions publiques. L'Union économique et monétaire appelle donc les équilibres que je viens d'indiquer, le maintien du rôle de la Commission et surtout la création d'une Europe vraiment politique avec, en face de la Banque centrale européenne, le pouvoir constitué par le Conseil des ministres.

DW : *Quand vous dites « une Europe vraiment politique », à quoi pensez-vous ?*

JD : Je pense que l'Union européenne doit se fixer un ensemble d'objectifs, tant en matière de politique étrangère, de défense que de finalité du développement économique et social.

DW : *Sur lequel des trois chapitres : développement économique, politique étrangère ou armée, peut-on avancer le plus vite ?*

JD : C'est le contrepoids économique qui sera le plus facile à faire avancer, nous en reparlerons à l'occasion du traité de Maastricht. Ceux qui ne seraient pas convaincus de l'intérêt de la monnaie unique n'ont qu'à considérer ce qui s'est passé avec les dévaluations de fait de la livre sterling, de la lire italienne, de l'escudo portugais et de la peseta espagnole. Cela a amené à une distorsion dans le fonctionnement du marché intérieur. Cela ne serait pas supportable à la longue.

Les difficultés de l'Europe sociale

DW : *Dans le traité de Rome, il n'est pas fait mention du social ! Or vous avez essayé, par plusieurs initiatives, mesures et décisions, de lancer l'Europe sociale en parallèle à l'Europe économique et l'on verra que cela sera évidemment plus difficile. Plusieurs dates symbolisent votre action dans le domaine de l'Europe sociale. Le 31 janvier 1985, un mois après votre arrivée, vous réunissez le patronat et les syndicats européens à Bruxelles pour les inciter à nouer un nouveau dialogue social, dans la perspective de 1992. Le 12 mai 1988, à Stockholm, lors de la conférence européenne des syndicats, vous proposez une charte communautaire des travailleurs. Le 9 septembre 1988, au congrès des syndicats britanniques, vous obtenez un superbe succès et, si je puis dire, la conversion des syndicats britanniques à la construction européenne. Le 8 et le 9 décembre 1989, le Conseil européen de Strasbourg adopte la charte européenne des droits sociaux, à l'exception de la Grande-Bretagne.*

JD : Je l'avais promis aux syndicats.

DW : *Et le 9 et le 10 décembre 1991, le conseil de Maastricht adopte un protocole social à onze, toujours sans la Grande-Bretagne* [1].

Voilà les aspects positifs. La réforme de la politique agricole commune (PAC), en mai 1992, et les accords de Blair House vont mettre à mal une partie de la politique sociale concernant le secteur agricole. Surtout, il y a une date qui est restée symbolique : en janvier 1993, la délocalisation de Hoover de France en Écosse.

Pour l'Europe sociale, on a le sentiment que vous avez beaucoup essayé, que les autorités gouvernementales ont suivi sans trop y croire et que les événements n'ont pas toujours été à la mesure de vos ambitions. En quoi consiste votre philosophie de l'Europe sociale ? Certes, vous l'avez dit, pas de progrès économique sans progrès social : les États européens partagent un

---

1. Collectif, *Les Enjeux de l'Europe sociale*, La Découverte, 1991. G. Gaire, *Europe sociale : faits, problèmes, enjeux*, Masson, 1992. B. Badiex, C. Wihtol de Wenden, *Le Défi migratoire*, Éd. FNSE, 1994.

certain nombre de traits communs. Mais, dix ans après, quels sont pour vous les objectifs fondamentaux de l'Europe sociale ?

JD : La motivation essentielle de mon combat est la défense et l'illustration de ce que j'appelle le « modèle européen de société ». Un modèle qui a été façonné essentiellement par les expériences social-démocrates et qui, en dehors du triangle compétition-coopération-solidarité, se distingue par quatre éléments : l'importance du marché comme élément d'orientation et de sanction des activités économiques ; le rôle de l'État, dont personne ne parle, ce qui est hypocrite, mais qui est là pour fixer les grandes orientations du développement et corriger les effets négatifs du marché ; la négociation sociale comme paramètre essentiel pour définir les objectifs et les modes de réalisation de ces objectifs ; enfin, un système de sécurité sociale, qu'on appelle parfois l'« État-providence », qui garantit à chaque citoyen des droits minima lorsqu'il est en difficulté, ou bien lorsqu'il a bien mérité de se reposer. Je reste absolument fidèle à ce modèle. Je pense qu'il faut l'adapter aux circonstances, mais en garder les principes et les traits essentiels. Telle est la bataille que j'ai menée et que je continuerai à mener, malgré l'hostilité sourde à l'intérieur et affichée par d'autres à l'extérieur, comme le gouvernement anglais conservateur.

DW : *Jusqu'à aujourd'hui.*

JD : Oui, ils continuent.

DW : *Aujourd'hui, fin 1994, y a-t-il davantage d'intérêt pour le projet de l'Europe sociale ?*

JD : Il y a aujourd'hui un plus grand intérêt dans les discours sur l'Europe mais il n'y a, dans la plupart des gouvernements, ni la volonté ni les moyens concrets pour préserver ce modèle et le traduire, dans les faits, à l'échelle de l'Europe.

DW : *Diriez-vous que la difficulté de faire accepter l'idée du modèle social européen est votre principal échec ?*

JD : Attention ! Il ne faut pas oublier un dernier élément, celui de la subsidiarité : ne faire à l'échelon européen que ce qui apporte une valeur ajoutée à ce qui peut être réalisé au niveau national ou au niveau local. Même si je vous ai indiqué les grandes caractéristiques du modèle européen de société, il n'empêche qu'il prend des formes différentes selon les pays. Prenez, par exemple, les systèmes de santé et de couverture de financement des soins. Je n'ai jamais eu l'intention de modifier ces systèmes, d'où la subsidiarité. On ne peut pas demander d'un côté au pouvoir européen de limiter ses interventions et, de l'autre, d'avoir une politique sociale européenne tous azimuts ! Mais il faut quand même noter quelques éléments positifs. Grâce à l'objectif 1992, l'économie européenne a retrouvé un réel dynamisme entre 1985 et 1991. Durant cette période, elle a créé neuf millions d'emplois nouveaux, alors qu'en 1981-1984 elle en avait perdu deux millions et demi. Bien sûr, nous ne sommes pas encore assez bons, puisque la récession a mis à nu nos faiblesses. Mais enfin, le grand marché avait aussi sa dimension sociale. Autre élément positif : les politiques structurelles, dont nous avons déjà parlé et dont je souligne la réussite. Lorsque je suis arrivé, on y consacrait cinq milliards d'écus par an. On est passé, dans le cadre du premier paquet (1988-1993), à quinze milliards d'écus par an et, dans le cadre du second paquet, à vingt-cinq milliards d'écus par an [1]. J'ai aussi appuyé une demande danoise, lors de l'établissement de l'Acte unique, qui, grâce à un nouvel article du traité, permet à l'Union européenne de légiférer pour tout ce qui concerne les conditions de santé, d'hygiène et de sécurité sur les lieux de travail.

DW : *À propos de ce fameux article 118, il est exact qu'il a permis d'intervenir pour les questions concernant le travail sur écran et pour le travail des femmes. Mais cette amorce d'une intervention sur les conditions de travail n'est pas connue du tout.*

JD : Si les organisations syndicales disaient un peu ce qui a été fait, car c'est aussi grâce à elles, on n'en serait pas là ! Enfin, la nouvelle politique agricole commune est beaucoup plus sociale que la précédente, puisque son objectif essentiel est de maintenir le plus grand nombre d'agriculteurs à la terre, tout en assurant la compétitivité et la mission exportatrice de notre puissance verte. C'est une solidarité entre les agriculteurs, qui coûte d'ailleurs très cher au budget communautaire. C'est en même temps un moyen de maintenir des agriculteurs, et donc de défendre le développement rural. Voilà donc quatre avancées qui méritent d'être mieux connues.

En ce qui concerne le dialogue social, avant même de prendre mes fonctions j'avais invité les partenaires sociaux à se réunir. Ils ne se réunissaient plus depuis des années et j'ai entretenu la flamme. Ce n'est pas simple, pour deux raisons. D'abord parce que le rapport de forces est très favorable au patronat

---

1. Un écu ≃ 6,50 FF.

dans les circonstances présentes, avec le niveau de chômage que l'on connaît. Ensuite, parce qu'à l'intérieur de l'organisation patronale comme de l'organisation syndicale, il y a des points de vue différents. Mais je peux vous assurer que ce dialogue a constamment existé et qu'il a permis au patronat et aux syndicats d'émettre des avis communs que nous avons utilisés pour nos différentes initiatives ou propositions, notamment pour l'élaboration de la charte sociale. Un exemple pour vous montrer l'âpreté du combat et les mérites de la persévérance, de l'entêtement : nous venons d'avoir, après quinze ans de discussions, un texte qui garantit le droit d'information et de consultation des travailleurs dans les sociétés multinationales !

DW : *Un comité d'entreprise.*

JD : On peut l'appeler comme cela. Un salarié qui travaille, par exemple, en France dans une filiale allemande ou italienne, pourra être informé et consulté régulièrement sur la marche de l'entreprise et les grands projets de ladite entreprise. C'est un projet qui correspond bien à la mondialisation de l'économie.

DW : *Vous avouerez que, pour l'instant, c'est assez timide. C'est un droit d'information, ce n'est pas encore un comité d'entreprise.*

JD : Un comité d'entreprise n'a que des droits à l'information et à la consultation. J'ai essayé de faire en sorte que ce texte soit la première convention collective européenne signée dans le cadre du protocole social. Mais les partenaires sociaux ne se sont pas mis d'accord. Nous avons donc dû légiférer.

DW : *Cela date du mois de juin 1994. Certains disent que, pour faire avancer le dialogue entre les partenaires, vous avez autant joué le patronat d'un certain nombre de grandes entreprises européennes, multinationales, que les syndicats. Avec l'idée qu'en définitive, en mobilisant les patrons, vous obligeriez plus vite les organisations syndicales à se mobiliser.*

JD : De toute manière, lorsque je suis arrivé et que j'ai lancé l'idée du grand marché, mon premier appui est venu des grandes entreprises, notamment de celles réunies au sein de la Round Table. Elles nous ont constamment soutenus. De même, des syndicats nous ont appuyés, ce qui demandait du courage, car l'objectif d'un Marché unique n'est pas *a priori* dans le droit-fil de leurs positions. Ce n'est pas, en tout cas, leur priorité. Mais ils veulent construire l'Europe unie.

DW : *Vous avez mobilisé une partie du patronat moderniste européen pour accélérer la mobilisation des organisations syndicales européennes.*

JD : Surtout pour faire avancer la construction européenne. Pour les syndicats, c'est plus difficile, car actuellement le ton se durcit, avec des problèmes de compétitivité et de chômage d'une extrême gravité. L'économie européenne est plus forte qu'en 1984, mais, entre-temps, le monde a changé plus vite.

DW : *Vous dites : « Pour moi, le social, c'est très important. » Pourquoi, au lieu de l'« Union économique et monétaire », n'avez-vous pas créé l'« Union économique, monétaire et sociale » ? Cela aurait été symbolique pour indiquer la double dimension de l'Europe.*

JD : Parce que cela ne passait pas ! Pas du tout. Y compris du côté de certaines organisations syndicales qui tiennent à garder leur autonomie et leur système.

DW : *Vous y avez pensé ?*

JD : Oui, l'effet d'annonce aurait été bon, mais la Commission n'avait pas assez d'appuis.

DW : *Les Britanniques sont considérés comme les empêcheurs de tourner en rond ; n'avez-vous pas le sentiment qu'ils sont un adversaire commode, en ce sens qu'ils permettent de faire l'économie des oppositions avec les autres ? Les Britanniques servent de « condensateurs ».*

JD : Il est important de rester soi-même et, partant de là, ceux qui sont vos partenaires et vous observent vous trouvent toujours sur la même ligne. La charte sociale européenne avait été adoptée à onze et elle a donné lieu à un certain nombre d'applications. Mais je voulais que cette notion de charte sociale figure dans le traité d'Union européenne. Or, une heure et demie avant la fin du Conseil européen de Maastricht (décembre 1991), les Anglais ont réitéré leur opposition absolue.

DW : *Pourquoi ?*

JD : Parce qu'ils considèrent – à tort, de l'avis de la grande majorité des gouvernements – que toutes ces mesures aggravent le coût du travail, compliquent la tâche des entreprises et, en réalité, se font aux dépens de l'emploi. Mais, fondamentalement, c'est une opposition de philosophie politique.

C'était l'embarras dans le Conseil européen. La présidence

hollandaise hésite et le chancelier Kohl vient me dire : « Pourquoi ne renverrait-on pas cela à la conférence intergouvernementale de 1996 ? » Là, j'ai répondu : « Non, cela déséquilibre le texte, je ne peux pas l'accepter. » Qu'ai-je fait ? J'ai été convaincre John Major d'accepter à douze un protocole qui ne serait appliqué qu'à onze. Car les onze ne pouvaient pas décider de le mettre dans le traité, si le douzième ne l'acceptait pas. Il y a eu un grand moment d'hésitation, je n'ai pas eu beaucoup d'alliés, mais j'y suis arrivé.

DW : *Pourquoi John Major a-t-il accepté finalement ?*

JD : Parce que je lui ai expliqué que nous étions tous très attachés à cette dimension sociale. On a donc divisé les dispositions sociales du traité en deux, une partie acceptable par la Grande-Bretagne dans la traité, l'autre partie faisant l'objet d'un protocole à onze.

DW : *Avez-vous l'impression que John Major soit plus ouvert que Margaret Thatcher ?*

JD : Non, il a la même position de principe.

DW : *Maastricht, en matière de disposition sociale, reste assez modeste : les rémunérations, le droit syndical, le droit de grève, le lock-out sont exclus.*

JD : À cause de la diversité sociale, non d'un esprit conservateur. On ne peut pas unifier ces règles pour l'instant en Europe. Peut-être finira-t-on par le faire plus tard. Et puis, quelle importance ?

DW : *L'important, c'est l'impression que l'Europe avance toujours plus sur le plan financier, économique et social.*

JD : Oui, mais il faut évaluer les résultats. Je vous ai indiqué les principaux. Et puis, l'un des messages que nous ont transmis les opinions publiques lors de la ratification de Maastricht n'est-il pas : non à l'uniformité !

DW : *Oui, mais on vous répond : « On arrive à la coordination efficace des politiques économiques, des politiques financières, voire à l'unité monétaire ; en revanche, au nom de la diversité, on n'y arrive pas sur le plan social ! »*

JD : Entre Paris et certaines régions françaises, n'y a-t-il pas des disparités de salaires ?

DW : *Vous voulez dire que l'on ne peut pas demander à l'Europe d'être plus royaliste que le roi ?*

JD : Bien sûr, voyons.

DW : *Oui, mais pour mobiliser les citoyens, on pourrait tout de même inventer. On le fait bien pour les autres dimensions de l'Europe.*

JD : Il suffit de leur indiquer le contenu de la charte sociale. Mais pourquoi voulez-vous, par exemple, qu'on unifie le droit de grève ? Pourquoi voulez-vous qu'on unifie la réglementation syndicale ? Chaque pays est attaché à ses traditions et à ses règles.

DW : *On pourrait trouver une mesure symbolique qui préserve la spécificité nationale et régionale et indique ce choix en faveur d'une Europe sociale...*

JD : Le droit à l'information et à la consultation des travailleurs, cette bataille menée depuis trente ans par le mouvement syndical, en est une. L'égalité qui existe entre les hommes et les femmes est beaucoup plus avancée dans notre législation que dans certains pays.

DW : *Ne peut-il pas y en avoir une autre ?*

JD : Le droit à la formation continue tout au long de la vie. C'est sur cela que je suis en train de travailler. Je voudrais inciter le patronat et les syndicats à mettre en place une convention collective européenne consacrant ce droit, comme je l'ai fait en France.

DW : *La crise économique pourrait-elle favoriser une accélération des mesures en faveur de l'Europe sociale, ou bien, au contraire, apparaît-il difficile d'aller plus vite que les habitudes ?*

JD : Le principal problème, en ce moment, pour un responsable européen, est de créer des emplois. S'il n'y parvient pas, ce sera la dislocation de nos sociétés, la fin de nos régimes de sécurité sociale.

DW : *La déréglementation, qui est une des dérives idéologiques du libéralisme, ne risque-t-elle pas de mettre à mal votre conception de l'Europe ?*

JD : Il existe deux formes de dérégulation. Il y a celle qui allège les charges et les formalités des entreprises, notamment des petites et moyennes entreprises. Comment voulez-vous qu'un artisan, un patron qui a dix salariés puisse travailler correctement sous le poids de toutes les législations qui l'accablent et d'un système fiscal qui est souvent le même que celui des grandes entreprises ? Beaucoup doit être fait du côté des petites et moyennes entreprises. Cette dérégulation-là, je suis pour. Mais si on entend par dérégulation l'affaiblissement de la contrepartie syndicale et le recul constant du rôle de l'État pour corriger les effets négatifs du marché, alors je suis contre.

DW : *À propos des disparités sociales, on dit souvent que les systèmes européens de protection sociale risquent d'être menacés par l'achèvement du marché intérieur et notamment par le fait que les deux grands systèmes de protection, celui qui repose sur l'assurance et celui qui repose sur la solidarité collective, n'ont pas réussi à être harmonisés. Qu'en pensez-vous ?*

JD : Les systèmes de sécurité sociale doivent correspondre aux traditions nationales et aux aspirations des opinions publiques. Toute tentative d'harmonisation dans ce domaine ferait exploser la construction européenne. En revanche, puisqu'il y a aussi liberté de circulation des personnes, il faut que quelqu'un qui a travaillé en France pendant dix ans et qui va ensuite exercer sa profession en Allemagne ou en Grande-Bretagne puisse garder ses droits acquis et faire l'objet d'une protection raisonnable. C'est là-dessus que nous travaillons, pour des raisons liées à la libre circulation des personnes et parce que nous savons que de plus en plus d'Européens veulent pouvoir travailler dans un autre pays. Ce sera l'un des changements sociologiques de l'Europe en 2010.

DW : *Dans une conférence du printemps 1994, vous faites le bilan des transformations sociales en Europe et vous constatez le vieillissement, la baisse de la démographie, l'éclatement de la famille, l'augmentation de la solitude, comme étant des problèmes communs à l'Europe. Vous faites aussi le recensement des valeurs communes : la sécurité pour tous, l'égalité des chances, le droit à un minimum de protection garantie et la participation à la vie sociale. À propos de cette crise profonde des structures sociales en Europe, on ne peut pas reprocher à la construction européenne de ne pas avoir de solution. Par contre, du côté des analyses, ne pourrait-il pas y avoir des idées, au-delà des constats ?*

JD : C'est ce que nous faisons, car l'exercice le plus emblématique de ce point de vue est le *Livre blanc*, qui a d'ailleurs surpris certains gouvernements. Ils croyaient qu'à travers ce *Livre blanc* j'allais demander davantage de compétences pour l'Europe. Je ne l'ai pas fait. J'ai plutôt proposé un cadre pour la réflexion et l'action, comme l'OCDE.

DW : *Oui, mais le* Livre blanc *s'appelle « emploi-compétitivité-croissance ». Il n'y a pas de référence, d'une manière ou d'une autre, au mot « social ».*

JD : Mais il ne s'agit que du social !

DW : *C'est de la casuistique ! Trois mots du vocabulaire économique et vous dites que c'est une perspective sociale.*

JD : Non, il y est question de plusieurs problèmes soulevés au cours de notre dialogue. Il faut distinguer d'un côté la Commission comme institution qui propose et exécute, et, de l'autre, la Commission dans sa dimension innovatrice, présentant des idées. Nous le faisons dans plusieurs domaines et à travers le *Livre blanc*, où il est question des problèmes que vous avez évoqués. Chaque année également, nous tenons une grande rencontre sur l'exclusion sociale, avec les administrations et les organisations non gouvernementales. Nous échangeons nos expériences, nous développons la sensibilité à ce problème.

DW : *Oui, sur l'exclusion, mais sur les structures sociales au sens large...*

JD : À vous entendre, on croirait à l'Europe, remède miracle à tous nos maux.

DW : *La réflexion sur le social, c'est aussi la réflexion sur la société, les structures sociales en trente ans ont beaucoup changé. Si on prend les trois aspects du social, on constate une réelle disparité de réflexion. Il y a ce qui relève du syndicalisme, on l'a vu, ce qui relève de la protection des disparités des politiques nationales, on l'a vu aussi, mais c'est sur l'évolution même du modèle de société que les réflexions sont un peu partout insuffisantes. Or c'est probablement ce niveau de réflexion qui commande les autres.*

JD : Tout homme qui veut agir et influencer doit avoir une hiérarchie de priorités. C'est une question de méthode. L'exclusion sociale est un problème qui me tient à cœur, mais dont la perception n'est pas identique dans tous les pays. De plus, c'est le résultat d'autres problèmes dont nous nous occupons, comme le chômage.

DW : *À propos des modèles de société, n'avez-vous pas l'impression que l'Europe se dirige vers un modèle « américain », plus souple mais évidemment plus inégalitaire ? On dit que quatre ou cinq cent mille emplois sont créés actuellement, par mois, aux États-Unis, et qu'il n'y a plus que 6 % de chômeurs aux États-Unis, contre 10 à 12 % en Europe.*

JD : On ne peut pas troquer la justice sociale contre plus d'emplois. Ni l'inverse. Et, d'ailleurs, le président Clinton est d'accord avec les analyses du *Livre blanc* de décembre 1993. Chez lui, on crée beaucoup d'emplois, mais une grande majorité d'entre eux sont précaires, mal rémunérés et à faible contenu professionnel. Il veut profondément changer cette situation. En Europe, nous créons moins d'emplois de cette sorte ; en revanche, nous avons trop de chômage. Il faut donc trouver un nouvel équilibre. Pour la première fois en Europe, les conservateurs ne peuvent plus invoquer l'exemple américain, puisque le président des États-Unis lui-même reconnaît les faiblesses du modèle américain.

DW : *Oui, mais c'est récent. Jusqu'à présent, les États-Unis étaient plutôt considérés comme un « modèle » de création d'emplois à caractère temporaire, un peu comme le modèle britannique.*

JD : Ce n'est pas seulement temporaire ! Il faut dire : temporaire, mal payé, et à faible contenu professionnel, donc peu enrichissant, peu intéressant et ne développant pas l'individu.

DW : *Quand vous dites que vous avez discuté de tout cela avec le président Clinton, quelle impression vous a-t-il faite ?*

JD : Il me donne l'impression d'être un authentique social-démocrate, très soucieux des problèmes de société.

DW : *Étrange pour un président américain ! Revenons à la place du social dans la construction européenne.*

JD : Si j'avais pris l'initiative de m'occuper de tous ces sujets, je serais devenu le monstre unificateur que dénoncent les Anglais ! Ce que je ne suis pas !

DW : *En même temps, vous reconnaissez bien qu'on ne peut faire avancer l'Europe avec un contenu économique, politique sans faire avancer, en partie, l'Europe sur le plan social...*

JD : On l'a fait ! Il n'est pas question de créer une nation européenne ! Il s'agit de créer une union de pays souverains, qui décident ensemble de certains objectifs et les réalisent dans l'intérêt de tout le monde, c'est différent.

DW : *À propos des dix-sept millions de chômeurs en Europe et de ce qu'on appelle les cinquante-cinq millions d'exclus...*

JD : Cinquante-cinq ? Personne ne le sait.

DW : *Peut-être, mais c'est un chiffre qui circule. Pensez-vous que cela mériterait un plan d'urgence et une plus grande radicalité ?*

JD : La question de l'exclusion sociale doit être traitée au niveau de la nation, en raison des caractéristiques différentes des phénomènes d'exclusion selon les pays.

DW : *À l'objection que l'on fait concernant le retard de l'Europe sociale, vous répondez : « On ne peut pas tellement faire plus et, si on faisait plus, on nous reprocherait de vouloir construire une entité monolithique. »*

JD : Nous pouvons faire plus pour aider les politiques nationales à créer davantage d'emplois, et donc de prospérité, à mieux utiliser les ressources publiques pour asseoir les systèmes de sécurité sociale. Nous pouvons faire plus pour que, progressivement, chaque travailleur, chaque personne dans l'Union européenne bénéficie d'un socle minimal de droits sociaux.

DW : *La campagne des européennes du printemps 1994 ?*

JD : Je suis indigné par le manque de connaissances des uns et par la mauvaise foi des autres. Je le répète, nous voulons créer une union de pays souverains qui s'accordent pour réaliser ensemble certains objectifs dans leur intérêt commun.

DW : *Dix ans après, trouvez-vous qu'il y a une plus grande appétence à l'égard du thème des structures sociales, ou non ?*

JD : Non, je pense que c'est là où il y a la faiblesse politique, un manque d'attention aux analyses, aux travaux des intellectuels et des hommes de science. Il y a une grande réflexion à mener. Le retour du politique doit être le retour à la compréhension de la société.

Chapitre 2

L'histoire s'accélère (1989-1990)

Les événements

DOMINIQUE WOLTON : *Nous avons, jusqu'à présent, abordé la construction de l'Europe du point de vue de sa logique interne. Mais un certain nombre d'événements, plutôt favorables d'ailleurs, ont largement percuté les calendriers. Je les rappelle rapidement.*

Le 9 novembre 1989, la chute du Mur. Le 28 novembre 1989, le chancelier Kohl propose un plan en dix points pour la réunification de l'Allemagne. Le 28 avril 1990, le Conseil européen de Dublin confirme l'engagement à l'égard de l'UEM et met en place la construction politique avec la décision de convocation de la seconde conférence intergouvernementale. Le 3 octobre 1990, c'est l'unification allemande. Et en décembre 1990, le Conseil européen de Rome confirme la décision de faire simultanément l'UEM et l'union politique. Le 29 juin 1991, le Conseil européen de Luxembourg dégage les orientations de la future union politique. De décembre 1991 à février 1992, ce sont les accords et la signature de Maastricht. En trois ans, il y a une accélération très forte, à la fois avec la chute du communisme, la réunification allemande et la construction de l'Europe. Vous avez souvent déclaré : « Quand je suis arrivé à la Commission, la date la plus importante pour moi, c'était 1992 et l'achèvement du marché intérieur. Si vous me demandez aujourd'hui quelle est la date la plus importante, je vous répondrai : 1989, l'effondrement du communisme. » En 1994, pensez-vous toujours la même chose ?

JACQUES DELORS : Absolument. Nous allons voir les répercussions de cet effondrement du communisme.

DW : *L'effondrement du communisme, en moins d'un an, a surpris tout le monde. Vous, à Bruxelles, aviez-vous un meilleur poste d'observation ? Pouviez-vous mieux voir, ou était-ce la même chose que pour les autres capitales ?*

JD : Non.

DW : *Aviez-vous des réseaux d'information ou de relation, des capteurs qui permettaient...*

JD : Non, l'effet de surprise est venu des troubles qui ont d'abord secoué la Hongrie. À partir de là, on avait bien le sentiment que nous étions devant un engrenage. Mais, même après ces premiers faits, il était très difficile de prédire ce qui allait se passer ! Nous n'en étions pas capables.

DW : *Ce qui a provoqué l'effondrement du communisme, est-ce finalement le capitalisme, la démocratie ou la religion ? Pouviez-vous hiérarchiser les trois ?*

JD : C'est tout simplement un phénomène physique : le couvercle de la soupière a explosé.

DW : *Mais ce qui l'a fait exploser le plus ? Les contradictions économiques, le manque de liberté politique ?*

JD : L'ensemble. C'est d'ailleurs, les historiens le confirmeront, le seul effondrement d'un empire qui se soit produit sans guerre. Comme il n'y a pas eu cet exutoire que représente une guerre et ensuite la lassitude, la volonté de revenir à la paix, tous les ferments d'agitation demeurent aujourd'hui dans la grande Europe.

DW : *Le fait qu'il n'y ait pas eu de guerre laisse entière l'énergie pour en faire d'autres...*

JD : Oui, des crises, des microconflits, etc. Dès 1990, j'ai dit dans une conférence à Luxembourg – cela a surpris beaucoup de gens – que le monde de l'après-communisme serait plus difficile à décrypter et plus dangereux que le monde de la guerre froide.

DW : *N'est-ce pas aussi parce qu'il y avait deux mondes protégés par deux alliances militaires ? Et aussi, comme vous le dites, parce que les énergies de haine, de mort ne s'étant pas assouvies dans la destruction du communisme, elles demeurent entières pour d'autres actions d'intolérance ? Ou bien est-ce pour d'autres raisons ?*

JD : C'est une question de philosophie de l'histoire.

L'unification allemande

DW : *Vous avez toujours été favorable à l'unification allemande. Pourquoi ?*

JD : J'y ai toujours été favorable, donc je n'ai eu aucune hésitation à marquer mon appui total à cette réunification. J'ai d'ailleurs été le premier à le faire et c'est pour cette raison que l'on m'a invité, le 3 octobre 1990, à la cérémonie officielle d'unification. J'ai toujours pensé que l'unification s'imposerait et qu'elle correspondait aux vœux des deux côtés de l'Allemagne. Je craignais que certains, apeurés par une Allemagne réunifiée, y mettent des obstacles. Et si les autres pays européens avaient marqué ces réticences, cela aurait été également dangereux pour l'avenir de la construction européenne. Il fallait donc tenir un langage simple : vous, les dix-sept millions d'Allemands, qui vivez de l'autre côté du rideau de fer, vous réintégrez votre communauté naturelle, l'Europe. Ce langage a été très fort.

DW : *Dans cette période d'un an, un an et demi, qu'est-ce qui vous a le plus surpris ?*

JD : À vrai dire, en ce qui concerne l'unification allemande, rien.

DW : *Le comportement des hommes, des autres Européens, des Allemands eux-mêmes ?*

JD : Il y a eu un grand courant d'enthousiasme en Allemagne, au début. Certains Allemands de l'Ouest sont aussitôt allés dans les nouveaux Länder pour travailler à la reconstruction de ces pays qui étaient dans un état effroyable. Ni les infrastructures ni les maisons n'avaient été entretenues, l'économie était absolument démantelée, incapable de produire dans des conditions modernes. Franchement, rien ne m'a surpris. J'ai d'ailleurs dit au chancelier Kohl, après qu'il eut pris la décision d'échanger pour une partie des sommes détenues par les Allemands de l'Est – un mark de l'Ouest contre un mark de l'Est –, décision très contestée : « Ce n'est pas sur le plan économique que vous aurez le plus de difficultés, mais sur le plan psychologique. » Cela s'est vérifié.

DW : *L'unification s'est faite dans de bonnes conditions d'allégresse, de joie. Pouvait-on penser aux difficultés poli-*

tiques, culturelles, idéologiques qui ont surgi en 1992-1993, entre les deux parties de l'Allemagne ?

JD : Oui, je l'avais prédit, parce que je pensais...

DW : *Suffit-il de quarante ans de séparation, d'un autre régime politique, même avec une même langue, pour créer un tel fossé ?*

JD : Oui, parce que ce n'était pas seulement les institutions politiques et l'économie qui étaient différentes ; la vie quotidienne l'était aussi. Dans l'Allemagne de l'Est, chacun était pris en charge par l'État, jusqu'à être privé de toute autonomie, jusqu'à perdre tout esprit d'initiative.

DW : *On était peut-être responsable autrement...*

JD : Je ne vois pas comment. Le communisme étouffait le sens de la responsabilité aussi bien individuelle que collective.

DW : *Helmut Kohl a joué un rôle capital dans la réunification allemande et, pour la construction européenne, c'est quelqu'un qui toujours a été à côté de vous.*

JD : Il a toujours maintenu le cap. Pour lui, il y a deux objectifs indissolublement liés : la réunification des deux Allemagnes, d'un côté, et l'unification européenne de l'autre. Et je ne l'ai jamais vu varier, ni faire un geste important, qui soit en contradiction avec ces deux objectifs.

DW : *Cela fait dix ans que vous le connaissez. Quelle est sa plus grande qualité ?*

JD : C'est la fidélité à lui-même et à son idéal. Une fidélité sans faille qui se traduit avec force dans l'action.

DW : *Vous connaissez l'objection classique : l'Allemagne était accrochée à l'Europe tant qu'elle était divisée et que la réunification de l'Allemagne posait un problème. Mais, à l'avenir, elle sera moins déterminée à la construction européenne. Et elle pourrait de nouveau être tentée par un rôle de puissance économique et militaire en Europe centrale et orientale.*

JD : C'est évident, mais je ne mettrais pas le mot militaire. Disons que l'histoire et la géographie reviennent au galop, partout...

DW : *Si l'on vous demandait un diagnostic, aujourd'hui, sur les risques potentiels d'un affaiblissement des liens entre l'Allemagne et l'Europe ?*

JD : On ne fait jamais rien sans risque.

DW : *À ce niveau de généralité...*

JD : Non, c'est un point de vue philosophique, mais laissons cela de côté : le risque existe que l'Allemagne réunifiée, grande puissance économique, exportant dans plus de cent pays, attirée autant par l'Est que par l'Ouest, veuille jouer un rôle central au sein de l'Europe, devienne, de surcroît, le partenaire unique et privilégié des États-Unis, aux dépens de la construction européenne. D'où, à nouveau, des tensions entre les pays européens. Ce risque existe ; raison de plus pour continuer la construction européenne.

Les bouleversements de l'Europe de l'Est

DW : *Les modifications du paysage international ne concernent pas seulement la réunification de l'Allemagne, mais les bouleversements à l'Est, la fin du bloc communiste et l'indépendance recouvrée de l'ensemble de ces pays. En décembre 1992, les douze avaient applaudi à la création du groupe de Visegrad, qui est une zone de libre-échange entre la Hongrie, la Pologne, la République tchèque et la Slovaquie. Depuis, on a l'impression que le groupe n'a pas donné les résultats escomptés. Individuellement, les uns et les autres ont demandé leur adhésion à l'Union européenne sans même essayer de construire cette solidarité entre eux. Y a-t-il une contradiction entre la libération des pays de l'Europe de l'Est et la réorganisation de leurs relations sur une autre base que celle qu'ils avaient au sein du Comecon ? Y a-t-il une contradiction entre le fait qu'ils ne veuillent guère reconstruire de solidarité économique et sociale entre eux et le fait que, par ailleurs, ils demandent l'adhésion à l'Union européenne ?*

JD : Je crois qu'il y a tout d'abord un paramètre économique, qui n'est pas le plus important mais qui est le plus facile à comprendre. Ces pays, lorsqu'ils étaient sous le joug communiste, étaient membres du Comecon, dirigé par Moscou qui avait pratiqué une certaine division internationale du travail. Celle-ci présentait pour eux deux inconvénients : la plus grande partie de leurs exportations était tournée vers les autres pays communistes et, en second lieu, leur structure de production avait été décidée pratiquement à Moscou. Par exemple, un pays était chargé de fabriquer des autobus pour, à peu près, l'ensemble des pays communistes. Tout à coup, ces exportations ont chuté et ils se sont tournés vers le plus grand marché du monde qui pouvait absorber leurs exportations : le nôtre. Nous avons d'ailleurs doublé nos achats dans ces pays en trois ans.

Ils auraient eu intérêt à établir de nouveaux liens d'échange entre eux, ils ne l'ont pas fait, bien que je leur aie proposé de créer une union européenne des paiements, qui, selon un système qui a été efficace pour nous après la guerre, leur aurait permis de vendre et d'acheter. Sur le coup, j'ai été choqué, du point de vue de la rationalité économique, de leur refus. Mais en me mettant davantage à l'écoute de ces pays, j'ai compris pourquoi, sans être vraiment convaincu des raisons pour lesquelles ils refusaient cela. Non seulement ils ont souffert du communisme, chacun le sait, mais, en plus, ils ont été conditionnés, jusqu'à perdre leur identité. Le communisme, c'était l'uniformisation. Une sorte de goulag psychologique. Leur premier sursaut est de retrouver leur identité. Ne parlez pas, m'ont-ils dit, du groupe de Visegrad, parlez de la Tchéquie, de la Slovaquie, de la Hongrie, de la Pologne. Il faut respecter ceci : ces peuples ont besoin de se retrouver eux-mêmes. Cela peut conduire à certains excès, et c'est pour cela que je considère que le monde de l'Est n'est pas stabilisé. On le voit d'une manière tragique en Yougoslavie, ce souci de retrouver une identité, une personnalité nationale, peut conduire certains mauvais bergers à exploiter la situation dans le sens d'un hypernationalisme, d'une revendication, par exemple, sur les minorités qui habitent dans d'autres pays, etc. Voilà, je crois, la raison principale, mais il faut absolument qu'ils travaillent entre eux.

DW : *Cela remet-il en cause leur demande d'adhésion individuelle à l'Union européenne ?*

JD : Non, ils ont bien fait de présenter des demandes individuelles, comme la Pologne et la Hongrie. Ils savent que chaque pays doit remplir certaines conditions pour être en mesure de bénéficier des avantages de l'Union européenne.

DW : *En novembre 1991, dans un numéro d'*Esprit, *vous avez condamné ce que vous appelez sous une bonne formule la « fast-food policy », notamment le peu d'intérêt des pays de l'Europe de l'Ouest pour l'Europe de l'Est. Qu'en pensez-vous deux ans après ?*

JD : La formule « fast food policy » était plus générale, elle se voulait une critique radicale de la société émotionnelle et sans mémoire. Et j'aurais pu prendre des exemples dans chaque pays. Rappelons-nous, par exemple, les images terribles de ces orphelins de Roumanie, traités dans des conditions odieuses. Mais qui aujourd'hui s'en occupe ? Nous nous en occupons. J'ai demandé, deux ans après les premières émotions, qu'on fasse une conférence de presse pour indiquer où nous en étions pour accueillir ces enfants dans des conditions décentes, les soigner – car beaucoup ont des maladies graves – et les encadrer. Sur les centaines de correspondants accrédités auprès de l'Union européenne, il n'y en avait que trente dans la salle. Voilà ce que j'appelle la « fast-food policy ». Vite dit, vite fait, vite oublié. Car nous avons rangé dans nos placards l'histoire et la géographie, ces deux piliers de la culture qui pourraient nous aider à mieux comprendre et à mieux agir.

DW : *Y a-t-il aujourd'hui une plus grande curiosité à l'égard de l'Europe de l'Est ?*

JD : Les intellectuels, jusqu'en 1989, considéraient la construction européenne comme une affaire d'épiciers. Depuis, chargés de toute l'émotion de leurs batailles antérieures, de leurs débats passés, ils ont retrouvé, dans le fond, l'esprit intellectuel de l'Europe du début du siècle ou de l'entre-deux-guerres.

DW : *Ils ont retrouvé l'Europe.*

JD : Ils ont retrouvé l'esprit intellectuel de l'Europe d'entre les deux guerres, très bien décrit par Stefan Zweig. Cela m'a permis d'organiser des rencontres [1] qui devraient permettre aux intellectuels d'être associés à l'aventure européenne, de dire leur mot, de faire leurs propositions, de formuler leurs critiques.

DW : *En dehors de ces élites intellectuelles, ne trouvez-vous pas de changements ? Changements d'attitude depuis trois ans à l'égard de l'Europe de l'Est ?*

JD : Non. Nous sommes toujours dans l'univers émotionnel, le manque de constance des opinions publiques et même des gouvernements, à l'égard des problèmes de l'ex-Union soviétique et même de l'Europe de l'Est ! Quand j'entends discuter les responsables gouvernementaux, nationaux, j'ai le sentiment qu'ils ont laissé au vestiaire leur acquis diplomatique, et une grande partie de leur culture historique. Je les vois trop souvent raisonner par émotion. Ils font des coups, mais il n'y a pas de

---

1. *Les Carrefours de la science et de la culture, en quête d'Europe*, Éd. Apogée, 1994.

politique pensée en profondeur et menée d'une manière sage et raisonnable.

DW : *Pour ma génération, l'explication de ce manque d'intérêt est que nous avons grandi avec l'idée que le rideau de fer était tombé pour deux siècles ! On pensait naturellement en bipolarisation et on ne pensait pas l'Europe dans sa continuité historique et géographique. Je me souviens très bien de débats avec Raymond Aron qui ne cessait, parce qu'il appartenait à une autre génération, de faire la continuité entre les deux parties de l'Europe. Et moi je me souviens lui avoir dit : « C'est bizarre, vous maintenez la continuité, intellectuelle, historique, politique, religieuse, comme si l'Europe n'était pas coupée en deux. » Lui et sa génération n'acceptaient pas la rupture. Et ce sont eux qui avaient raison. On peut dire que, pendant vingt-cinq ans, une partie des dirigeants a pensé le monde avec cette coupure. Elle a du mal à supprimer cette coupure.*

Revenons sur la demande d'intégration des pays de l'Europe de l'Est. Il y a une espèce de malentendu entre eux et nous. Nous parlons d'abord d'intégration économique et eux, notamment pour la Pologne et la Hongrie, parlent de sécurité. Ils voudraient être rattachés à l'Europe pour des raisons économiques, mais aussi pour des raisons de sécurité. C'est le problème des Marches avec la Biélorussie et l'Ukraine. Ne devrait-on pas intégrer davantage cette problématique de la sécurité du continent ?

JD : L'élément le plus simple à comprendre est que, pour des raisons liées aux politiques qu'ils mènent à l'intérieur, autant que pour des raisons d'idéal, ils veulent avoir la certitude de pouvoir entrer dans l'Union européenne. C'est le point essentiel. Pour le reste, ils bénéficient de l'aide de l'Union européenne, laquelle représente, pour ne citer qu'un chiffre, 65 % de l'ensemble de l'assistance qui leur est donnée. Nous leur avons ouvert nos marchés, pas assez, pensent-ils, mais, avec les nouveaux accords que nous avons signés, il n'y aura plus aucun obstacle à l'exportation des produits industriels à partir de janvier 1995. Il reste à définir des règles pour l'agriculture, car nous devons ménager à la fois les intérêts de nos agriculteurs, l'avenir du développement rural chez nous et, d'autre part, aider les pays de l'Est à moderniser leur agriculture. Par conséquent, tout ce qui peut être fait l'est. Mais il reste le problème de la sécurité, qui se pose d'ailleurs d'une manière différente pour chacun des pays. Pour moi, c'est le problème central. Cette question ne leur paraît résolue ni par le « partenariat pour la paix » que leur a offert l'Alliance atlantique, dont ils ne sous-estiment pas la portée, ni par l'appartenance à la CSCE, qui, faute d'institutions efficaces, ne joue pas un grand rôle, ni par leur statut d'associés à l'union de l'Europe occidentale, qui est le futur cadre de la défense européenne. Pourquoi ? Parce que depuis la chute du communisme ils vivent sur des sables mouvants, les risques sont partout. Des minorités qui ne sont pas satisfaites de leur sort, par ici, des oppositions religieuses, par là, le retour d'hypernationalismes et, enfin, les incertitudes qui pèsent sur l'avenir de la Russie. C'est pourquoi, depuis six mois, je ne fais que prêcher pour un pas supplémentaire en matière de sécurité. J'ai proposé un schéma simple, dans l'esprit de la proposition faite par François Mitterrand dès le 31 décembre 1989, avec sa Confédération européenne. Sans bureaucratie supplémentaire, tous les six mois, les chefs d'État et de gouvernement des pays européens se réuniraient, ceux de l'Union européenne et ceux des autres pays de l'Europe. Tous les trois mois, leurs ministres des Affaires étrangères en feraient autant, si nécessaire avec des réunions exceptionnelles, afin d'examiner ensemble la situation du monde, notamment sur notre continent, de voir ce qui pourrait être fait et, peu à peu, de cimenter des positions communes qui feraient reculer les risques divers de déstabilisation.

DW : *Quand avez-vous proposé cela ?*

JD : Je l'ai proposé il y a trois ans.

DW : *Et quelles sont les réactions pour l'instant ?*

JD : J'attends.

DW : *Voudriez-vous obtenir un résultat à ce sujet d'ici à la fin de l'année ? Comme décision ou comme calendrier ?*

JD : Pour moi, la décision devrait être prise au prochain Conseil européen, à Essen, en décembre.

DW : *À propos des demandes d'adhésion de l'Europe de l'Est à l'Union européenne, on a parfois l'impression qu'il y a deux poids, deux mesures : les pays riches d'Europe du Nord, la Norvège, la Suède, la Finlande, ont adhéré plus vite à l'Union européenne que les pays de l'Europe de l'Est. Autrement dit, il y a d'un côté les riches et de l'autre côté les pauvres. C'est finalement le schéma libéral qui l'emporte sur le schéma politique.*

JD : Il faut se reporter en 1989-1990. Fallait-il tout de suite faire entrer les pays ex-communistes dans l'Union européenne ? Ce n'est pas par manque de générosité que nous ne l'avons pas fait. La véritable raison est que leurs économies n'auraient pas supporté le choc de l'Union européenne. Même si nous avions pris des mesures de précaution et de transition. Ces pays auraient été le pot de terre contre le pot de fer de nos pays développés. En revanche, nous nous sommes lancés dans des programmes d'aide dont je vous ai indiqué l'importance et, petit à petit, nous avons amélioré le contenu de ces accords pour faciliter leur intégration dans l'espace économique européen. La question a bien été posée en son temps : adhésion immédiate avec une nouvelle forme de plan Marshall, ou bien adhésion promise mais avec un processus graduel ? La seconde voie nous a paru la plus réaliste. Pas la plus enthousiasmante, mais la plus réaliste. En revanche, les pays de l'Europe du Nord pourraient parfois nous donner des leçons en matière de démocratie politique, de Droits de l'Homme. Il suffit de rappeler l'effort de certains d'entre eux pour les pays en voie de développement. Et ils ont des économies aussi développées que les nôtres. C'est pourquoi des négociations d'adhésion ont pu être menées, à bonne fin, dans des délais rapides.

DW : *La Turquie a fait sa demande d'adhésion.*

JD : Oui, aussi. Mais avec la Turquie le premier pas, c'était l'union douanière, qui entrera en vigueur sans doute en janvier 1996, si entre-temps les Turcs ont adapté leur législation et leurs pratiques, à commencer par les Droits de l'Homme. Cela dit, nous ne pouvons pas ne pas resserrer nos liens avec ce pays qui a une position géopolitique de la plus grande importance, à la croisée de deux mondes qu'il convient de rapprocher, dans la compréhension réciproque et dans la coopération. Vous voyez que ma conception de l'Union européenne garde un rôle universel, à commencer par la manière dont elle traite ses centres d'intérêt traditionnels, liés à l'histoire et à la géographie. Avec l'obligation d'un rééquilibrage de nos relations avec l'Est et avec le Sud. D'où l'accent mis particulièrement sur la politique dite méditerranéenne.

DW : *Mais ce discours, pardonnez-moi, on ne l'entend pas très souvent...*

JD : Il faut donc un rééquilibrage entre le Nord, c'est fait ; l'Est, c'est en voie de se faire ; et le Sud, c'est en cours par la négociation d'accords de coopération et de partenariat avec le

Maroc et la Tunisie, mais aussi avec l'Égypte et Israël. Sans oublier l'apport de l'Union européenne au processus de paix au Moyen-Orient, en particulier l'aide économique et financière aux Palestiniens.

DW : *Le rééquilibrage ne passe-t-il pas aujourd'hui par une position commune de l'Europe à l'égard de l'Algérie ? Peut-on laisser la situation se dégrader, au risque d'être confronté à une tragédie de type yougoslave ?*

JD : L'Union européenne a, depuis peu, une position commune vis-à-vis de l'Algérie. Elle pose comme principe le retour à des élections libres, dans le respect du pluralisme démocratique. Elle condamne donc toutes les formes de violence. Parallèlement, et sans vouloir se substituer en quoi que ce soit au peuple algérien et à ses libres choix, elle apporte une aide économique et financière à ce pays, convaincue qu'elle est que l'amélioration de la situation économique et sociale est indispensable pour sortir des drames présents, même si la solution est avant tout politique. En d'autres termes, nous traduisons concrètement notre solidarité avec le peuple algérien.

DW : *Un mot à propos des Balkans. On a l'impression d'une situation bloquée. Bien sûr, il y a eu l'adhésion de la Grèce, mais la connaissance des Balkans, les traditions culturelles, notamment le statut de l'orthodoxie, et la communication interculturelle n'ont guère avancé... On a presque le sentiment que le dialogue s'amorce plus facilement avec le sud de la Méditerranée* [1] *qu'avec les Balkans.*

JD : Oui, mais la présence de la Grèce, qui par ailleurs cause certains soucis, est pour nous une ouverture sur les Balkans. Sur l'orthodoxie, notamment. Et je peux vous dire que dans l'effort que je fais, au même titre que pour les intellectuels, pour intéresser les Églises à l'aventure européenne, les orthodoxes ne sont pas les derniers à vouloir participer.

DW : *Dans la coopération à destination de l'Europe de l'Est, il y a un déséquilibre. D'une part, de 1989 à 1993, l'Europe de l'Est n'a reçu que 1 % des capitaux investis dans le monde, et, en même temps, on oublie de dire qu'entre 65 % et 70 % de l'assistance qui lui est apportée vient de l'Europe de l'Ouest. Autrement dit, on retrouve toujours ce décalage : c'est l'Union*

1. Kacem Basfao et Jean-Robert Henry (dir.), *Le Maghreb, l'Europe et la France*, Éd. du CNRS, Paris, 1992.

européenne qui fait l'essentiel pour l'Europe de l'Est, et on a le sentiment d'être dans la même situation que les Américains...

JD : C'est parce que l'Union européenne est sans voix ! Moi je le dis, mais cela ne suffit pas.

DW : *Cela pourrait se dire en politique étrangère.*

JD : Non, vous allez comprendre pourquoi. Un ministre d'un pays x va à Prague ou à Budapest. Il amène avec lui quatre chefs d'entreprise et il a obtenu de son ministre des Finances cinquante ou cent millions de francs. Il arrive là-bas, c'est très spectaculaire : amitié entre les peuples et, en plus, quelques investissements appuyés par une aide financière. Et voilà, le tour est joué. Tout le monde en parle... pendant deux jours !

DW : *Il y a une communication politique de l'Europe à inventer !*

JD : Oui. C'est parce qu'il y a une schizophrénie totale entre d'une part l'action économique extérieure européenne, qui existe depuis le début et, d'autre part, la politique étrangère commune, qui n'en est encore qu'à ses balbutiements. Pourquoi ? Parce que dans le traité de Rome il y avait une politique commerciale commune. C'est à partir des dispositions du traité concernant celles-ci que nous avons développé notre action extérieure et abouti à faire plus de la moitié de l'aide et de l'assistance techniques, non seulement aux pays de l'Est, mais aussi aux pays de l'ex-Union soviétique. Cela se développe, mais à côté, il y a, prévue dans le traité de Maastricht, la politique extérieure et de sécurité commune, la fameuse PESC. Comment cela devrait-il marcher ? Les Douze décident d'une action commune en matière de politique, et ensuite, la présidence en exercice, avec la Commission, la met en œuvre. Mais, pour l'instant, cela ne marche pas, car les dispositions du traité de Maastricht ne sont pas bonnes. Elles n'ont pas été pensées sous le signe de l'efficacité. Si bien que notre contribution d'ensemble n'est pas mise en valeur.

DW : *Pourquoi ne dites-vous pas cela haut et fort ?*

JD : Mais je le dis ! Quand je vais en Pologne ou en Hongrie, je le dis. Mes collègues le disent. Ne confondez pas le fond avec la communication. Si je suis un peu sévère, c'est pour vous expliquer que, pour que l'Union européenne existe, il faut qu'il y ait une cohérence entre l'objectif de politique extérieure et les actions économiques qui viennent à l'appui. Le géant économique est encore un nain politique. J'exagère à peine.

DW : *Une des conséquences directes de la fin du communisme et de l'indépendance des États d'Europe de l'Est – cela vaut aussi pour l'ex-Union soviétique – est le retour de la question du nationalisme. Pourquoi ne pas entendre les réactions nationalistes qui émergent dans l'Europe de l'Est ? Après tout, il s'agit de la seule identité subsistant après le communisme et qui a été, la plupart du temps, bafouée pendant les soixante ans du communisme. C'est le seul facteur d'identité face à l'énorme reconversion à laquelle ces pays sont confrontés. Si l'on regarde les cinq ans qui viennent de s'écouler, la tendance n'a-t-elle pas été de voir uniquement l'aspect négatif du nationalisme en le ramenant au seul problème yougoslave ? Pourquoi ne pas accepter l'identité nationale, voire un discours un peu nationaliste comme moyen de respecter l'identité de ces pays ?*

JD : Non, je vous ai indiqué tout à l'heure que, à mon humble avis, lorsque nous voulons traiter ensemble ces pays, nous sous-estimons leur profonde aspiration à retrouver leur identité. Mais depuis, nous avons « corrigé le tir » et nous essayons désormais de trouver les moyens de travailler avec chacun de ces pays en étant pleinement à l'écoute de leurs aspirations et de leur sensibilité propre. Pour le reste, nous n'avons jamais sous-estimé leur désir d'être considérés comme des Polonais, des Tchèques...

DW : *Je ne parle pas de vous ! Mais de l'Europe de l'Ouest dans son ensemble. L'attitude générale est très réservée. Il y a eu des centaines de colloques sur les risques du nationalisme, les intellectuels ont très vite dénoncé le « néo-tribalisme », le nationalisme haineux sans se rendre compte que cela faisait partie de l'histoire de ces pays. Histoire d'ailleurs largement méconnue, et surtout sans réfléchir au rôle joué par la revendication nationaliste dans un contexte de changements radicaux.*

JD : Oui, il y avait un large mouvement d'idées qui revenait, qui trouvait son origine dans le drame yougoslave, mais qui réduisait peut-être trop la complexité de cette question.

DW : *De ce point de vue, que pensez-vous de la phrase de Helmut Kohl dans une interview donnée au* Figaro, *les 25 et 26 janvier 1994 : « Un peuple qui ne connaît pas son histoire ne comprend pas le présent et ne façonne pas l'avenir » ?*

JD : Tout à fait juste. Mais à condition de moins ressusciter les haines et les aversions que de tirer des enseignements des périodes troublées pour trouver des règles du jeu qui permettent à chacun d'être lui-même, sans pour autant le faire aux dépens des autres.

DW : *Il peut y avoir une phase d'incompréhension...*

JD : Non, je veux dire que la méfiance réciproque, largement justifiée par trois guerres, amenait certains Français à se définir comme anti-Allemands avant tout et certains Allemands à se définir comme anti-Français. Grâce à la construction européenne, nous n'en sommes plus là. Cela montre bien que notre défi historique est d'étendre les valeurs de paix, de compréhension mutuelle, et le meilleur de notre expérience à l'ensemble de l'Europe.

Stabilité et sécurité du continent européen

DW : *Un des principaux problèmes auxquels est confrontée l'Europe est celui de la paix et de la sécurité après la fin du communisme. Comment expliquez-vous l'échec du projet de Confédération européenne qui avait été présenté par François Mitterrand à Prague le 12 et le 14 janvier 1991 ?*

JD : Essentiellement à cause de l'hostilité de l'administration américaine d'alors, mais sans doute aussi parce que la France n'avait pas bien expliqué son projet, afin de désarmer les craintes de certains.

DW : *De certains, c'est-à-dire ?*

JD : Certains pays pouvaient craindre que ces projets se réalisent aux dépens de tel ou tel de leurs intérêts régionaux.

DW : *Ce ne serait pas la même hostilité aujourd'hui ?*

JD : Je ne le crois pas.

DW : *Depuis quatre ans, cette question de la réorganisation de la sécurité du continent est en suspens avec même un véritable cimetière de projets, de constructions, de calendriers. Comme si la guerre froide avait été favorable à des structures stables, même si elle était antagonique, et que l'après-guerre froide se traduise, actuellement, par un processus d'instabilité. À quelles conditions pourrait-on sortir de cette situation ?*

JD : Nous avons déjà évoqué les risques d'instabilité en Europe. Ils sont liés à l'Histoire et au retour des idéologies du rejet de l'autre. Différentes initiatives ont été prises pour essayer de renforcer la sécurité en Europe. La principale d'entre elles est la Conférence pour la sécurité et la coopération en Europe, née à Helsinki du temps de Brejnev. Mais cette organisation, qui comprend plus de cinquante pays, ne se concrétise pas. Il me semble au contraire que la proposition que je vous ai présentée est de nature à créer entre ces pays un minimum de solidarité et, peut-être, une certaine capacité de prévenir les tensions. Car il vaut mieux prévenir que d'être obligé de guérir.

DW : *La sécurité du continent suppose des frontières. Question classique et sans fin : où mettez-vous les frontières de l'Europe ?*

JD : D'abord, il ne faut accepter aucun changement de frontières. Pourquoi ? Parce que, si on le fait une fois, on déclenche un mécanisme infernal. Je vous rappelle que si l'on a pu résoudre si rapidement les problèmes posés par l'unification allemande, c'est parce que l'Allemagne fédérale a accepté les frontières telles qu'elles découlaient de la dernière guerre et a renoncé à toute revendication future sur des territoires qui firent, à un moment donné, partie de l'Allemagne. Cela a été une décision fondamentalement sage.

DW : *À l'inverse, c'est une des erreurs tragiques de la Yougoslavie.*

JD : Puisqu'il n'y a pas de solution idéale, il faut avoir quelques principes. Un de ceux-là est que nous résolvions nos problèmes sans changer les frontières. En ce qui concerne l'organisation future de l'Europe, il est de bon sens d'y inclure les six pays de l'Europe de l'Est et du Centre (Bulgarie, Hongrie, Pologne, Roumanie, Slovaquie, Tchéquie), la Slovénie, les trois États baltes, Chypre, Malte et, je l'espère, une fois la paix revenue dans la région des Balkans, les autres Républiques de l'ex-Yougoslavie ainsi que l'Albanie.

Cette proposition d'ensemble a un côté un peu arbitraire, je le reconnais, mais si on dit, par exemple, que la Russie est dans l'Union européenne, cela peut se discuter du point de vue historique et ethnique, mais surtout cela déséquilibre l'Union européenne. Cela dit, il ne sera pas facile de faire accepter aux Russes l'entrée de tous leurs voisins, sans eux !

DW : *Ni la Biélorussie ni l'Ukraine ?*

JD : Les pays de l'ex-Union soviétique seront nos associés. Avec la contrepartie de reconnaître la Russie comme une grande puissance mondiale – c'est un peu ce que nous avons fait au sommet de Naples, récemment – et de lui offrir un partenariat étroit en matière économique, commerciale et autre. Voilà comment je vois les choses, mais il faut faire attention à la sensibilité russe. Il y a eu un précédent : les Russes ont refusé que la Pologne adhère à l'Alliance atlantique. Par conséquent, là aussi, chacun vit avec son passé, ses angoisses, ses peurs, ses refus. Il faut donc en tenir compte et être raisonnable. La grande Europe s'arrête aux frontières de la CEI, mais prendre les pays baltes de notre côté, c'est indiscutable historiquement.

Chapitre 3

Tours et détours de la politique : Maastricht (1991-1993)

La machine s'enraye

DOMINIQUE WOLTON : *En deux ans, de 1989 à 1990, l'équilibre de l'Europe a radicalement changé avec la fin du communisme et la libération de l'Europe de l'Est. La question centrale fut, à l'époque, de savoir ce que devenait la* CEE *dans ce nouvel ordre européen. Le 18 avril 1990, François Mitterrand et Helmut Kohl adressent une lettre aux autres chefs d'État et de gouvernement leur proposant une seconde Conférence intergouvernementale sur l'Union politique, chargée notamment de renforcer la légitimité démocratique de la Communauté et de mettre en œuvre une politique étrangère et de sécurité commune. La relance du débat sur l'Union politique a lieu, notamment au Conseil de Dublin d'avril 1990. Le mur de Berlin est tombé six mois auparavant. Le projet d'Union économique et monétaire est sur les rails, la première étape de l'*UEM *doit commencer en juillet 1990. En fait, en décembre 1990, à Rome, une seule Conférence intergouvernementale doit s'ouvrir. Le 25 et le 26 juin 1990, le Conseil européen décide donc de convoquer les deux Conférences intergouvernementales à Rome, pour la fin de l'année 1990. En juillet 1990, à Houston, se dessine l'opposition entre les États-Unis et l'Europe sur les négociations commerciales. Le 3 octobre 1990 a lieu la réunification. En juin 1991, le Conseil de Luxembourg définit les axes de l'Union politique. Et en décembre 1991, le Conseil de Maastricht décide la révision du traité, pour aboutir à l'*UEM *et à l'Union politique. Le 7 février 1992 est signé le traité de Maastricht. L'accélération pendant la période 1989-1991 ne concerne pas seulement les événements internationaux, mais également la construction européenne. C'est le passage de* *l'Union économique et monétaire à l'Union politique. Y avait-il une pression interne pour accélérer cette Union politique, pour contrebalancer l'Union économique et monétaire, ou bien est-ce plutôt l'instabilité internationale qui a provoqué une telle accélération ?*

JACQUES DELORS : En 1990 et 1991, nous sommes encore dans la logique du développement de la construction européenne selon les principes que j'ai déjà indiqués. La lettre d'avril 1990 du président François Mitterrand et du chancelier Kohl se situe toujours dans cette logique. Elle va se poursuivre par cette marche en avant qui, de Conseil européen en Conseil européen, amène les Douze à faire un pas de plus dans la direction de l'Union économique et monétaire, pour enfin accepter la convocation simultanée des deux Conférences intergouvernementales.

DW : *Quand situez-vous la pression des événements extérieurs ?*

JD : À la suite de la prise de conscience, pour les responsables, d'un double choc. Le choc lié à la chute du mur de Berlin, à l'effondrement du communisme et à la réunification allemande, et d'autre part le choc lié à la guerre en Irak, qui confirme le rôle prépondérant joué par les États-Unis. À partir de ce moment-là, sans doute réfléchissent-ils de plus en plus à ce que pourrait être le rôle de l'Europe dans le monde de demain. Mais à deux moments clés de la discussion de la Conférence intergouvernementale (tous les deux en ma présence), c'est-à-dire la réunion informelle des ministres des Affaires étrangères en avril 1991 et une réunion spéciale de ces mêmes ministres à Dresde, en juin 1991, le débat sur la construction européenne reste classique. Je plaide pour l'unité du traité, pour une fenêtre ouverte vers l'Europe fédérale et d'autres pour une conception plus intergouvernementale. Comme l'a dit à ce moment-là un des participants : « La première conception est un arbre avec plusieurs branches, la conception évolutive vers une fédération, et la seconde conception, ce sont trois piliers avec au-dessus un fronton. » Les piliers sont la partie économique et monétaire, la partie politique étrangère et de sécurité et la troisième, les affaires intérieures et judiciaires ; le fronton représente l'Union européenne et son symbole, le Conseil européen. À deux reprises, je suis revenu à l'attaque, notamment à Dresde, pour qu'on revienne à la première formule. Bien que de nombreux pays aient été de mon avis, la Conférence intergouvernementale a débouché sur le système du temple grec.

DW : *Il s'agit là d'un exemple où l'intergouvernemental l'a emporté.*

JD : En réalité, ce qui a prédominé, c'est une conception en plusieurs piliers dont deux sont dominés, du point de vue institutionnel, par la philosophie intergouvernementale. J'y vois, notamment pour la politique étrangère, la cause essentielle des difficultés qu'ont les pays à mener en commun des actions de politique extérieure. Bien sûr, je ne suis pas naïf au point de croire qu'un bon schéma institutionnel de décision aurait suffi. Nos pays ont leurs traditions historiques, leurs particularités géopolitiques. Mais lorsque le processus de décision est à l'unanimité sans menace d'une décision possible à la majorité, on n'avance pas beaucoup. C'est le cas actuellement pour la politique extérieure commune.

DW : *À cette époque, on y a vu la preuve que l'Union économique n'amenait pas à l'Union politique. Vous dites plutôt que c'est parce que l'on s'est arrêté à mi-chemin dans la construction de l'Union politique.*

JD : Je n'ai jamais aimé ce terme ambitieux de « politique extérieure commune », mais ils l'ont retenu. C'est l'étiquette sans le contenu, alors que j'ai toujours été partisan de quelque chose de plus modeste, pour laisser aux pays membres leur diversité. Mon schéma de décision était le suivant : le Conseil européen, à l'unanimité, décide une action commune, par exemple, prenons la participation au processus de paix au Moyen-Orient. Mais quand le Conseil des ministres des Affaires étrangères, chargé de l'application, entre en jeu, celui-ci peut décider à la majorité qualifiée, voire à une majorité qualifiée renforcée. Alors qu'aujourd'hui, dans le traité tel qu'il est, il doit délibérer pour savoir s'il veut bien décider à la majorité qualifiée. Ce qui, bien entendu, aboutit au blocage du système.

DW : *Les difficultés de la construction de l'Union politique sont-elles d'abord politiques, ou d'abord liées à l'insuffisante préparation institutionnelle de Maastricht* [1], *et aux erreurs qui en ont résulté ?*

JD : Je ne dis même pas que ce sont des erreurs, je signale les choix qui ont été faits. Dans l'esprit du traité de Rome et de l'Acte unique, ont été ajoutés successivement au traité, qui

---

1. Jean-Louis Quermonne, *Le Système politique européen*, Éd. Montchrestien, Paris, 1994.

est fondamentalement économique, un volet de politique étrangère commune, un volet de sécurité commune et des possibilités de traduire en acte la citoyenneté européenne et des actions qui peuvent être menées dans le domaine de la sécurité interne, la lutte contre la criminalité, la drogue, etc. L'idée était que, même si le réalisme commandait de ne pas marcher à la même vitesse dans tous ces domaines, une logique d'unité et de cohérence devait inspirer le tout. Au fond, entre l'« arbre » et le « temple grec », c'était cela qui marquait la différence.

DW : *Voulez-vous dire, avec l'« arbre », une plus grande interdépendance, et avec le « temple », une plus grand rigidité ?*

JD : Oui, une aspiration commune et une construction, dans le premier cas, plus pragmatique, dont on espère qu'elle suscitera quand même une *affectio societatis.*

DW : *Vous voulez dire que c'est de juin 1991, à Dresde, à la fin de l'année 1991 que le processus de Maastricht s'est rigidifié ?*

JD : Oui, en l'espèce, le sentiment d'intérêt à défendre en commun et de vouloir agir ensemble.

DW : *Pour Maastricht, ce n'est donc pas seulement l'opposition britannique qui est en cause ?*

JD : À la fin des fins, lorsque l'on s'est réuni à Maastricht, la Grande-Bretagne opposait deux objections fondamentales. Elle ne voulait pas du passage automatique à la troisième phase de l'Union économique et monétaire, pour garder la possibilité de dire non et donc de saisir au préalable la Chambre des communes. Deuxièmement, elle rejetait la substance du chapitre social. Mais elle avait obtenu satisfaction sur d'autres points, y compris symboliques. C'est ainsi que le mot fédéral a disparu, au dernier moment, du texte. Et même l'idée d'une perspective fédérale.

DW : *Le 20 novembre 1991, à quelques jours de Maastricht, vous commentez le projet de traité dans sa version finale, devant le Parlement européen et vous pourfendez le « bricolage institutionnel et les concessions unilatérales » en ajoutant : « On connaît les limites de l'intergouvernemental, il n'y a pas un exemple de coopération entre nations qui ait duré sur la base de l'intergouvernemental. Or ma crainte aujourd'hui c'est que l'intergouvernemental ne pollue le communautaire et, en réalité, ne le fasse reculer. » Pourquoi n'avez-vous pas dit cela plus fort ? Pourquoi n'avoir pas ouvert une crise ?*

JD : J'ai mené la bataille au sein du Conseil des ministres et au sein de la Conférence intergouvernementale. Ensuite, j'en ai informé le Parlement européen, mais celui-ci n'a pas le pouvoir institutionnel de participer à la rédaction d'un traité entre États souverains. La bataille a donc été perdue au niveau de la Conférence intergouvernementale.

DW : *À votre avis, pourquoi ?*

JD : Parce que j'étais seul à continuer la bataille, les pays qui étaient d'accord avec moi ayant renoncé...

DW : *Pourquoi ne pas avoir parlé publiquement, ne pas avoir fait appel à l'opinion publique ?*

JD : L'opinion publique était encore trop éloignée de ces problèmes institutionnels. On s'en aperçoit d'ailleurs bien, un an et demi après, à la ratification du traité.

DW : *Pourquoi votre silence pendant la campagne de ratification de Maastricht ? Vient-il du fait qu'ayant perdu une partie de la bataille vous ne l'assumiez pas dans la suite ?*

JD : J'avais deux motivations. La première est qu'ayant le sentiment de personnaliser d'une certaine manière la construction européenne il n'était pas dans l'intérêt du proeuropéen que je suis de trop se manifester. Par conséquent, j'ai dosé mes interventions. Deuxièmement, puisque je n'étais pas follement amoureux du traité, il m'était très difficile, compte tenu de mon tempérament, de le défendre avec ardeur.

DW : *Oui, mais avouez que, comme on dit, « qui ne dit mot consent ». Dans cette grande bataille politique autour de la ratification de Maastricht, si vous ne disiez pas grand-chose, on pouvait penser que vous étiez d'accord. Il était difficile d'y voir un désaccord réel.*

JD : Bien sûr, mais je ne pouvais pas donner des armes aux adversaires du traité, car le choix à ce moment-là se situait entre l'acceptation ou le rejet. Or le rejet aurait pu signifier une grande défaite pour la construction européenne.

DW : *Peut-être, mais regardez comment s'est déroulée cette campagne. Il y a eu une sorte de guerre civile, rétrospectivement fausse. Ceux qui étaient pour la ratification du traité étaient considérés comme « pro-européens » ; ils disqualifiaient systé-*

matiquement les arguments de ceux qui étaient hostiles au traité, avec d'ailleurs cette stratégie terrible du soupçon, qui consiste à dire : « Si vous êtes hostiles au traité de Maastricht, c'est parce que vous êtes anti-européens ! » Pendant toute la campagne, il y a donc eu une espèce de chantage, les pro-Maastricht étaient identifiés aux proeuropéens, et tous les adversaires du traité étaient assimilés, au nom de la technique de l'amalgame, à des adversaires de l'Europe. Il n'y avait plus de place pour cette troisième position simple, la vôtre finalement, selon laquelle on pouvait faire des réserves au traité tout en étant pro-européen ! Pour la suite des événements, c'est-à-dire pour aujourd'hui, n'aurait-il pas mieux valu casser l'équation qui s'est établie entre anti-Maastricht et anti-européens ? Dire que l'on pouvait être hostile à ce traité, sans être anti-européen. Autrement dit, ouvrir une autre voie, pour éviter la dichotomie qui s'est installée à l'époque et reconnaître ce que tout le monde dit aujourd'hui, à savoir que le traité était bancal !

JD : Non, il faut reconnaître que certains politiques se sont battus bravement pour le traité. Ils le considèrent comme un grand progrès, ils font fi de mes arguments. Ils sont de très grands « croyants » européens, si je puis m'exprimer ainsi. Au total, le rejet du traité par la France eût été une double catastrophe. D'abord, pour l'Europe, si l'un des principaux acteurs de la construction européenne le refusait, cela signifiait que le traité était mis au « rancart ». Ensuite, pour tous ceux qui en France se sont battus pour l'Europe. Et surtout pour la France rendue alors responsable du blocage de la construction européenne.

DW : *Oui, mais je reviens à ma question. Dans la mesure où le débat était trop dichotomique, cette troisième position, aurait peut-être permis à un certain nombre de citoyens, qui finalement n'ont pas voté pour Maastricht, tout en n'étant pas forcément anti-européens, de voter tout de même ?*

JD : Je ne partage pas ce point de vue, je pense que, à un moment donné, le débat s'est situé entre les pro-européens et les antieuropéens. Ces derniers affirmaient d'ailleurs qu'ils étaient partisans d'une autre Europe, mais ils n'ont jamais dit laquelle, et pas davantage lors des élections au Parlement européen. Je crois qu'il n'y avait pas de percée, même pédagogique, à faire. La vie politique était alors simplificatrice puisqu'il s'agissait d'un référendum.

DW : *Rétrospectivement, vous ne pensez donc pas que vous, et d'autres, auriez pu essayer de tenir un autre type de discours politique ?*

JD : Non. Nous n'aurions pas été entendus.

Maastricht le révélateur

DW : *Maastricht a soulevé directement la question du déficit démocratique. Une des principales critiques pendant la campagne fut l'attaque contre le fonctionnement bureaucratique de l'Europe et la technocratie. Pourtant, à la lecture des chiffres, la réalité est autre. Avec un peu plus de vingt mille fonctionnaires, donc l'équivalent du seul ministère de la Culture française, et un peu plus du tiers des effectifs de la mairie de Paris, les fonctionnaires de la Communauté européenne ne sont pas très nombreux ! Comment n'avoir pas réussi à répondre à cet argument de la bureaucratie et de la tyrannie de Bruxelles ? Pourquoi cette incapacité à neutraliser un des principaux arguments du vote négatif : non à la technocratie.*

JD : C'est le rôle en France des partisans de la construction européenne. D'un point de vue pratique, la Commission européenne peut, de temps en temps, faire passer un message jusque dans les lointaines provinces, mais c'est extrêmement rare, car il n'y a pas de vie publique européenne. Bien sûr, il y a, à Bruxelles, des centaines de journalistes accrédités qui entendent notre message et qui ont gagné, avec talent, une place dans leur publication respective. De ce point de vue, l'Europe s'installe peu à peu dans un espace public à définir. La preuve, le nombre impressionnant d'articles à propos de la nomination du nouveau président de la Commission. Mais pour le reste, il faut s'interroger en profondeur. Le Conseil des ministres et ses deux cents groupes de fonctionnaires qui surveillent notre action, la Commission européenne, le Parlement européen, toutes les institutions européennes doivent procéder à un examen de conscience. C'est pour cela d'ailleurs que les concepts de subsidiarité, de transparence et d'ouverture ont, depuis, été mis au premier plan.

DW : *Pensez-vous qu'un effort réel ait été entrepris depuis deux ans ?*

JD : Oui, on pourrait en donner de multiples exemples. Après avoir rappelé la nécessité de balayer devant notre porte, je m'interroge sur le fond du problème. Il me semble que nos démocraties changent, en raison de la personnalisation du pouvoir, de la baisse d'influence du Parlement, et des intermédiaires économiques et sociaux. En raison aussi de l'importance des médias, comme moyen de faire connaître sa pensée et de faire passer un message. Nos démocraties évoluent. En bien ou en mal, c'est une autre question, mais elles changent. Par conséquent, si un effort n'est pas accompli au niveau national, c'est-à-dire à celui du gouvernement et du Parlement, pour expliquer ce qu'il se passe réellement en Europe, les citoyens ont le sentiment que l'Europe est très lointaine, qu'elle est à la limite incompréhensible.

Le second problème est le changement radical de décor qu'impliquent la mondialisation de l'économie et la succession d'événements forts sur lesquels on a l'impression de n'avoir pas de prise. Devant tout cela, l'opinion a tendance à rechercher des boucs émissaires, puisqu'elle ne comprend pas. Je vous donne deux exemples. Nous avons expliqué maintes fois que les directives communautaires laissaient à chaque pays la possibilité de fixer les dates de la chasse, en dehors de la période de nidification. Il n'empêche que, lors des dernières élections européennes, on a encore désigné la Commission comme la fautive. Nous avons expliqué maintes fois, et les autorités françaises aussi, que nous n'avions pas l'intention de limiter la production et la vente de certains fromages français. En vain également. Il y a là un phénomène irrationnel qui doit être traité en tant que tel. Je dirais même que, si l'Europe n'existait pas, il faudrait l'inventer pour que les gens se posent la question : aujourd'hui, qu'est-ce qu'un citoyen ? On sait ce qu'est un consommateur, un habitant, un producteur, un père, une mère, un fils, mais on ne sait pas ce qu'est un citoyen. À quoi sert-il ? À mettre un bulletin de vote dans l'urne de temps en temps ?

DW : *C'est une question très importante, pas seulement pour l'Europe, mais aussi pour les États-nations.*

JD : Sans exonérer les institutions européennes des erreurs qu'elles ont pu commettre, je pense que ce qui se passe pour l'Europe, et pas seulement pour l'Europe, est un phénomène révélateur du mal-être de nos démocraties.

DW : *Deuxième critique plus réelle : l'Europe, jusqu'au passage à l'Union politique, avec le suffrage universel, est restée l'Europe des trois cent cinquante mille hauts fonction-*

naires, hommes politiques, entrepreneurs... pour l'opposer à l'Europe des trois cent cinquante millions de citoyens. Avec Maastricht, on est passé de la première à la seconde. C'est ce formidable changement d'échelle politique, le passage de l'Europe technocratique à l'Europe démocratique que j'ai essayé d'analyser dans mon dernier livre, La Dernière Utopie : naissance de l'Europe démocratique. *Ce qui me frappe à cet égard, c'est la sous-évaluation, à l'époque, et encore aujourd'hui, du saut considérable, qualitatif, que représente ce changement d'échelle et de légitimité dans la construction européenne. Ceux qui ont parlé de l'Europe dans cette campagne l'ont fait sur un ton technique, voire technocratique. Il y a eu une espèce de divorce entre les attentes, les représentations des opinions publiques et le discours des intéressés. Cela a attisé la critique contre la technocratie. Car le ton, même de ceux qui étaient favorables à l'Europe, ne faisait que renforcer l'impression de logique technocratique, assez froide et distante des citoyens.*

JD : On ne peut pas généraliser. Il est évident que les élections européennes au suffrage universel, qui ont eu lieu pour la première fois en 1979, puis en 1984, puis en 1989, se sont déroulées dans une relative indifférence. Il se trouve que celles de 1994 sont devenues un phénomène politique plus important. D'ailleurs, nous avons eu des styles de campagne très différents, selon les pays. En France, parmi les trois listes européennes (Dominique Baudis, Michel Rocard et Bernard Tapie), les deux premières, pour des raisons que nous pouvons comprendre, ont émasculé leur message, ont peu à peu caché leurs convictions derrière des questions d'opportunité politique. Les partisans de l'Europe parlaient donc comme si le verre était totalement vide, alors que la réalité est qu'il est à moitié plein.

DW : *Puisque vous parlez du Parlement, seule source de légitimité réelle de la construction européenne, que pensez-vous de cette affirmation de Jean-Pierre Cot, qui était le président du groupe socialiste au Parlement, dans* La Lettre du club privé des Communautés européennes, *du 3 au 9 juin 1994 : « ce qui manque à l'Europe, c'est ce qui manque au Parlement, c'est-à-dire une légitimité européenne. Les maux du Parlement ne sont que les reflets des maux européens venant de l'insuffisance de légitimité de l'Europe » ?*

JD : C'est une remarque qu'on peut retourner. C'est la question de la poule et de l'œuf !

DW : *Oui, mais dans la mesure où le Parlement est la seule légitimité démocratique et qu'il a des difficultés à l'asseoir, comment l'Europe pourrait-elle acquérir la sienne ?*

JD : Je suis d'accord avec cette remarque de Jean-Pierre Cot, mais je suis amené à me poser la question : qu'a fait le Parlement européen, élu au suffrage universel, pour tisser ce lien entre le citoyen de base et les institutions européennes ? À moins que l'exercice ne soit pas possible, que l'obstacle soit insurmontable, et alors le Parlement européen élu au suffrage universel n'était pas une bonne idée. Il vaudrait mieux désigner des parlementaires nationaux, pour faire le lien avec le siège de la légitimité démocratique qu'est le Parlement national.

DW : *Ou bien c'est un travail qui n'a pas été accompli au niveau du Parlement européen depuis 1979...*

JD : Certes, mais le diagnostic est plus aisé à formuler que le remède à trouver !

DW : *Cela dit, à partir du moment où la légitimité de l'instance démocratique est faible, cela rejaillit sur la légitimité démocratique de la construction européenne dans son ensemble.*

JD : Non, cela veut dire simplement que l'Europe, telle qu'elle est conçue jusqu'à présent, n'est pas un espace politique pertinent. Alors certains ont voulu remédier à cela par une constitution.

DW : *Le Parlement a voté d'ailleurs une constitution européenne avant la fin de son mandat au printemps 1994. Cela est passé totalement inaperçu. Pourquoi ?*

JD : Passer d'un traité à une constitution est extrêmement grave ! Un traité unit, pour des objectifs communs, certains États souverains. Avec une constitution, que devient la souveraineté de chaque nation ? Tout en étant très européen, je suis pour un traité, mais je ne suis pas favorable à une constitution.

DW : *Cela vous semble prématuré ?*

JD : Non, peut-être même cela n'existera-t-il jamais.

DW : *Les fédéralistes ne pensent pas comme cela. Il y a un autre paradoxe de Maastricht. On a profité de cette campagne pour dénoncer la technocratie, la bureaucratie, et le pouvoir trop fort de la Commission, alors qu'en fait une des consé-*

quences du traité est la moindre autonomie de la Commission et davantage de pouvoir au Parlement. Pourquoi n'avoir pas réussi à expliquer que l'un des enjeux de Maastricht n'était pas le renforcement de cette institution, mais le contraire !

JD : La Commission n'a pas d'autonomie, et le cadre classique de la réflexion institutionnelle n'est pas pertinent pour l'Europe. La Commission soumet des projets de lois, des projets d'actions au Conseil des ministres qui décide.

DW : *Oui, mais elle est le fer de lance de l'initiative.*

JD : Faut-il supprimer son droit d'initiative ?

DW : *Non, mais une des conséquences de Maastricht est qu'elle sera un peu plus contrôlée par le Parlement et par le Conseil des ministres. On risque de réduire, en tout cas dans le texte, peut-être pas dans la pratique, une partie de sa marge de manœuvre.*

JD : Je ne suis pas inquiet pour l'avenir de la Commission ! Si cette institution a toujours des idées, et est capable de réaliser des consensus, elle continuera à jouer un rôle moteur.

DW : *Dernière question liée au montage institutionnel de Maastricht : le déficit démocratique n'est-il pas aussi lié à un déficit conceptuel ? C'est-à-dire à la difficulté d'inventer une structure institutionnelle qui se démarque de ce que nous connaissons, le modèle d'État-nation. Cette difficulté, bien compréhensible, à inventer d'autres structures se traduit par la reproduction de structures pyramidales avec l'idée d'un centre. La construction européenne aurait-elle pu donner libre cours à une imagination institutionnelle ?*

JD : Au fur et à mesure que l'Europe avance, la structure institutionnelle devient plus complexe au lieu de se simplifier. Peut-il en être autrement alors qu'il s'agit d'une association d'États souverains ? Je reconnais qu'il y a une certaine entropie, mais je ne vois pas comment y remédier. En d'autres termes, quelles sont les conséquences de Maastricht ? Premièrement, le Parlement européen a davantage de pouvoir. Deuxièmement, les Parlements nationaux seront plus impliqués. Troisièmement, à côté du Comité économique et social qui représente les groupes socio-professionnels, il y aura un Comité des régions qui représentera les responsables, élus pour la plupart, des régions et des communes. Tout cela est utile, mais cela devient extrêmement complexe. Évidemment, ceux qui pensaient politiquement possible de construire plus rapidement l'Europe par la seule vertu des institutions ont de quoi être déçus ! Quel était leur modèle ? La Commission deviendrait peu à peu un exécutif de l'Europe, pleinement responsable devant deux chambres, le Parlement européen élu au suffrage universel, et une sorte de Sénat composé des représentants des gouvernements et doté de pouvoirs importants. C'est une structure claire. Mais ce n'est pas le chemin qui a été pris par le traité de Maastricht et je dois dire, bien qu'étant très européen, que je n'aurais jamais proposé cela dans l'état présent des esprits.

DW : *Le montage que vous évoquez, une Commission responsable devant un Parlement et un Sénat, est encore le décalque d'un modèle étatique national, avec le risque probable que les citoyens et les opinions publiques ne suivent pas. À l'inverse, le choix fait est un appareillage institutionnel lourd. N'y aurait-il pas une troisième direction, inventer des mécanismes institutionnels qui garantissent un peu plus de souplesse, de légèreté et une capacité imaginative ? Donner le sentiment aux peuples des États-nations que non seulement l'Europe est utile, mais qu'elle repose sur une innovation institutionnelle ? A-t-on seulement le choix entre ce qui existe actuellement, renforcé par Maastricht, et ce qui aurait été un décalque d'une structure fédérative ?*

JD : Je ne le crois pas.

DW : *Vous pensez qu'il n'est pas possible de faire l'économie de la phase actuelle ?*

JD : Non, je pense que dans la phase actuelle, et comme j'espère l'avoir montré dans ces rappels de quelques débats cruciaux avant la ratification du traité sur l'Union européenne, le mouvement de bascule entre supranationalité et intergouvernementalisme rythme la vie de l'Europe. Dans l'état actuel des choses, l'intergouvernemental domine trop. Mais c'est une question d'équilibre acceptable à un moment donné.

DW : *De proportion ?*

JD : De proportion.

DW : *Si l'on ne peut pas faire l'économie de la phase actuelle et du déséquilibre entre l'intergouvernemental et le communautaire, peut-on au moins éviter cet appareillage assez complexe ?*

JD : Non, puisque, dans le fond, les régions et les communes sont contentes d'avoir leur mot à dire, au même titre que les groupes socioprofessionnels. Les Parlements nationaux seront satisfaits d'être davantage partie prenante dans la préparation des décisions européennes, dans leur exécution et leur suivi. On se rapproche ainsi de la représentation nationale et des citoyens.

DW : *Existe-t-il une alternative avec le principe de subsidiarité ? C'est-à-dire essayer de ne pas faire à un niveau central ce qui peut l'être à un niveau plus local et décentralisé. Cette idée à laquelle vous avez l'air de tenir a-t-elle des chances de recevoir une application ?*

JD : Elle a introduit un élément de sagesse et de bon sens dans le processus de décision. Tout d'abord, pour défendre la législation communautaire, je dirai que le jour où l'on a décidé d'avoir un Marché unique, il devait y avoir, soit la reconnaissance mutuelle des normes applicables dans chaque pays – c'est ce que nous faisons –, soit une harmonisation. L'harmonisation peut apporter de grands gains économiques et sociaux. Supposez, par exemple, que vous ayez cinq normes différentes pour les automobiles. Dans cette situation, une entreprise, pour vendre dans le reste de l'Europe, doit avoir cinq chaînes de production différentes. S'il n'y a plus qu'une norme, cela coûte beaucoup moins cher, le prix des voitures baisse, ce qui est, on l'oublie trop souvent, un des avantages du grand marché, pour les consommateurs. D'ailleurs, depuis que nous parlons, nous n'avons jamais employé le mot de consommateur ! Ni celui de niveau de vie, cela aussi compte.

DW : *On n'en parle pas, car c'est acquis. Ce n'était pas acquis il y a quinze ans.*

JD : Non, ce n'est pas acquis !

DW : *Peut-être, mais la question aujourd'hui avec l'Europe politique est plutôt celle du citoyen.*

JD : La subsidiarité est un principe qui va dans le sens des citoyens puisque l'on renvoie la décision au plus près du citoyen.

DW : *Un des effets favorables de la ratification de Maastricht n'a-t-il pas été de développer la dimension critique et de réduire une machine qui avait tendance à trop réglementer ?*

JD : Oui. Qui aurait eu tendance à le faire.

DW : *Le risque, après trois ou quatre ans d'attention à ce principe de subsidiarité, ne sera-t-il pas le retour aux pratiques traditionnelles ? Ou bien s'agit-il de quelque chose d'acquis ?*

JD : Les avatars de la ratification du traité ont amené à prendre sérieusement en compte ce principe que certains avaient proposé bien avant les difficultés du traité, notamment Valéry Giscard d'Estaing. Les résultats sont là.

DW : *La mise en place du grand marché avait imposé une grande législation.*

JD : C'est indispensable. Désormais, moins d'actes législatifs, uniquement ceux qui sont nécessaires à la réalisation des objectifs que s'est fixés l'Europe. On a ainsi fait trois fois moins de propositions en 1994 qu'en 1990, époque où il fallait mettre en place le grand marché. Deuxièmement, plus de simplicité. C'est pour cela que nous faisons un grand effort actuellement pour alléger la réglementation, la refondre et l'actualiser. Troisièmement, plus d'ouverture aux citoyens. Il y a actuellement des débats publics au Conseil des ministres.

DW : *Vous voulez dire qu'il y a un effort mais que le système est de plus en plus complexe ?*

JD : Le principe de subsidiarité n'est pas facile à expliquer. Il est facile à comprendre dans un État qui a une structure fédérale, comme, par exemple, l'Allemagne. Il y a le pouvoir du Bund et il y a le pouvoir des Länder, c'est-à-dire des régions. Quand il y a une difficulté, on fait appel à la Cour constitutionnelle de Karlsruhe pour trancher. Mais la plupart des citoyens éclairés savent ce qui relève de tel ou tel niveau. En France, c'est plus compliqué, car la structure n'est pas fédérale, et l'on confond décentralisation et déconcentration. Un immense effort de simplification doit être accompli, dans l'intérêt du citoyen et pour rendre les processus de décision plus efficaces. En Europe, le principe de subsidiarité n'est pas régi par les institutions, il est affaire d'opportunité politique et de bon sens.

DW : *Soulever ces problèmes a été un des mérites de la ratification de Maastricht. Percevez-vous le même changement d'attitude de la part des élites politiques dans les États-nations ?*

JD : L'intérêt est très fort dans les deux pays qui, paradoxalement, sont les plus réticents, la Grande-Bretagne et le Danemark. À la Chambre des députés et à la Chambre des lords, se tiennent des débats réguliers sur les questions européennes. Après chaque Conseil européen, le Premier ministre se rend devant son Parlement pour en rendre compte. Il y a des rapports très bien faits des commissions parlementaires. Au Danemark, le Parlement a une commission spéciale pour l'Europe, et les ministres sont presque sous mandat impératif ! Dans les autres pays, on observe moins d'intérêt.

DW : *Quel est le pays où les débats européens sont le moins suivis ?*

JD : On peut mettre deux d'un côté et les dix de l'autre.

DW : *La naissance de l'Europe politique suppose également des conditions sociologiques, peu étudiées, et auxquelles j'ai essayé de réfléchir dans* La Dernière Utopie. *Pour sensibiliser les citoyens à quelque chose qui reste encore lointain, pourquoi ne pas d'abord valoriser ce qu'ils connaissent et que j'ai appelé la « bande des quatre » : l'identité, la nation, le passé et la religion. Pour entraîner les peuples dans une nouvelle construction symbolique et politique, pourquoi ne pas partir des cadres cognitifs et culturels existants ? Pendant les quarante premières années de la construction européenne, on s'est, à juste titre, méfié et de l'identité de la nation et du passé et de la religion. Il s'agissait justement de rompre avec l'Histoire et d'« accrocher » cette idée d'Europe, longtemps impensable. Aujourd'hui, il s'agit de tout autre chose puisqu'il faut, avec l'Europe politique et le suffrage universel, créer l'intérêt et l'attention de trois cent quarante millions de citoyens. Comment leur demander de se projeter dans un nouveau cadre historique sans points de repère ?*

Le passé par exemple. Nous n'avons aucune connaissance historique ou géographique les uns des autres. On a l'impression qu'il est plus facile de faire l'Eurocorps que d'arriver à introduire des éléments d'histoires comparées dans les programmes scolaires des différents pays. De s'ouvrir, tout en restant chez soi, sur l'histoire des autres. Comment rapprocher des peuples qui se sont longtemps méfiés les uns des autres pour ne pas dire plus, sans un travail sur l'histoire des uns et des autres ?

JD : C'est tout à fait juste. D'ailleurs, nous avons subventionné un livre d'histoire commune aux peuples d'Europe, qui n'a pas plu à la Grèce.

DW : *Ce n'est pas exactement la même idée. Des livres d'histoire commune, pourquoi pas, mais, dans un premier temps, je pensais plutôt à l'idée de donner à chacun le moyen de comprendre l'histoire des autres.*

JD : Oui. Bien sûr. C'est un effort à faire dans chaque pays, sans rien renier de son passé. Commençons par les langues. La langue n'est pas simplement un moyen d'expression, elle véhicule une culture et une histoire.

DW : *Deuxième thème : la nation, avec la même idée élémentaire. Si vous prenez la constitution des nations anglaise ou française, qui sont peut-être les deux plus vieilles nations européennes, et ensuite, la nation espagnole, il y aurait un travail comparatif simple à accomplir dans les programmes scolaires. Comprendre les différences entre les conceptions, les références, les traditions, les vocabulaires. Comment faire progresser les opinions publiques sans faire ces comparaisons ? S'ouvrir à l'autre est à la fois le moyen de relativiser sa propre histoire, de comprendre celle des autres et de s'habituer aux continuités et aux discontinuités.*

JD : Tout d'abord, une profession de foi. Je n'ai jamais cru, en tant que militant européen, à la disparition des nations. Je ne suis pas de ceux qui pensent que l'évolution de l'Histoire conduise au dépassement des nations.

DW : *Vous n'êtes pas comme Denis de Rougemont* [1]...

JD : Non. Il est évident que le mouvement européen, avant et après la dernière guerre, est né d'une protestation contre l'exaspération du sentiment national, considéré à juste titre comme la cause des conflits à répétition en Europe. Il était donc compréhensible que les militants de l'Europe, avant et après guerre, désignent le nationalisme comme l'obstacle à l'entente et à la paix entre les peuples. Mais je n'ai jamais cru à cela. Pourquoi ? Parce que la nation représente un élément essentiel de l'identité personnelle et de l'appartenance collective. Bien sûr, la tradition de cette identité doit prendre des formes différentes de celles qui sont condamnables, comme celles qui exaltent une nation aux dépens des autres. La nation ne peut plus se définir par rapport à un adversaire séculaire, ni par rapport à un monarque ou à une religion, dans le cadre d'une fusion entre le spirituel et le temporel, mais elle plonge ses

---

1. Denis de Rougemont, *Vingt-huit siècles d'Europe : la conscience européenne à travers les textes, d'Hésiode à nos jours,* Éd. Christian de Bartillat, Paris, réédition 1990.

racines dans un passé commun et, je le crois aussi, dans un avenir commun. La nation aujourd'hui a du mal à se définir, puisqu'elle ne peut pas utiliser ces facilités que constituent l'antagonisme vis-à-vis d'un autre ou l'exaltation de sa supériorité par rapport aux autres.

DW : *Paradoxalement, l'Europe pourrait contribuer à relancer l'idée nationale ?*

JD : Oui, car dans la mesure où la construction européenne apparaît à certains comme une menace contre la nation, elle oblige celle-ci à se définir. Elle ne peut pas se définir simplement en disant non à la construction européenne, puisque cette construction est fondée sur une association voulue, traduite dans les traités, de nations souveraines. Mais si ces nations souveraines acceptent de partager l'exercice d'une partie de leur souveraineté, c'est parce qu'elles considèrent qu'il y va de l'intérêt national. La nation doit représenter un espace d'appartenance et un espace politique. C'est la raison pour laquelle certaines attributions de la nation dans les domaines les plus courants, l'éducation, la santé, le social, doivent le rester et justifient l'existence de l'État. C'est en même temps le lieu où peuvent s'exprimer les accords fondamentaux entre les citoyens, sur la solidarité entre les riches et les moins riches, et entre les générations. Cette tâche fondamentale, l'Europe ne doit pas la prendre aux nations. Elle peut l'aider, c'est le sens des politiques structurelles, mais c'est à la nation de définir sa conception de la société et du social. Les actions européennes viennent seulement en appui.

DW : *Vous dites cela alors que la perception politique est au contraire celle d'une Europe aux compétences de plus en plus élargies.*

JD : Ce n'est pas mon sentiment. Nous allons vers de plus en plus de subsidiarité.

DW : *Ce principe est-il un verrou suffisamment fort, puisque, par définition, il n'a pas de sanction ? C'est un principe moral.*

JD : Vous savez, les institutions sont ce qu'elles sont. À l'intérieur de celles-ci gît la liberté des hommes. Mais, de grâce, laissons à chaque nation, avec ses traditions et ses habitudes séculaires, le soin de définir le mode de vie en commun de ses habitants ! Faisons de l'Europe la protectrice des diversités nationales, en même temps qu'une force associant nos pays dans la réalisation d'objectifs bien définis.

DW : *Troisième thème : les religions. L'Europe repose sur un modèle laïc, mais ses racines chrétiennes sont essentielles et les démocrates-chrétiens sont, avec les sociaux-démocrates, ses pères fondateurs. Il est pourtant frappant de voir combien le facteur religieux est peu pris en compte dans l'histoire européenne et dans celle des nations. Les traditions catholiques, protestantes et orthodoxes, sans parler de l'islam et du judaïsme, ont contribué directement à la structuration des identités, sans la compréhension desquelles on ne fait rien. Là aussi, il faudra réexaminer le rôle des traditions religieuses dans les identités modernes. Pas seulement d'un strict point de vue historique, mais aussi anthropologique, linguistique, culturel. L'intégration du phénomène religieux ne met nullement en cause le modèle dominant laïc actuel. Elle l'éclaire, le complète et le met en perspective. Craindre la subversion du modèle laïc, par une revalorisation du modèle religieux, traduit une bien faible confiance en lui !*

JD : J'ai pris l'initiative de créer autour des institutions européennes un ensemble représentatif de toutes les religions, qui pourra non seulement accéder à l'information, mais également critiquer, proposer... Je l'ai fait pour les intellectuels, mais aussi pour les Églises. J'espère bien, avant de partir, avoir mis en place des structures régulières de concertation permettant aux Églises, en général, de participer au débat sur l'avenir de l'Europe.

DW : *Avez-vous le sentiment qu'en dix ans les cinq grandes religions ont acquis une volonté d'implication plus forte dans la construction démocratique de l'Europe ?*

JD : Nous n'en sommes pas encore là. Il fallait d'abord leur montrer notre ouverture d'esprit, notre inquiétude du spirituel, que l'on soit croyant ou pas.

DW : *Dernier thème : l'identité. Une des grandes révélations du débat sur l'union politique est la prise de conscience de l'importance de l'identité au fur et à mesure que l'on s'ouvre sur les autres. Nous l'avons évoqué à propos de la résurgence des nationalismes. Nous l'avons vu également avec la réunification allemande, nous le voyons aussi dans les Balkans avec la revendication d'une « nouvelle orthodoxie balkanique », qui affiche, par exemple, au titre des soixante millions d'orthodoxes des Balkans* [1]*, une spécificité. Bref, il y a une contra-*

---

1. François Thual, *Géopolitique de l'orthodoxie*, Éd. Dunod, Paris, 1993.

diction entre le discours commun, méfiant à l'égard de l'identité, et la prise de conscience plus ou moins douloureuse selon laquelle on ne pourra pas avancer dans la construction politique européenne, sans, au contraire, revaloriser les identités.

JD : La construction européenne n'est pas un rouleau compresseur. Quand on regarde le monde dans son ensemble, elle est un modèle de pluralisme. Regardez ce qui se passe ailleurs ! Alors, qu'il faille l'approfondir pour que nous soyons plus riches de nos diversités, oui. Mais ne dressons pas un tableau négatif de la situation !

DW : *Au lieu de voir l'identité comme un obstacle à l'Europe, on devrait peut-être comprendre qu'elle n'est pas incompatible avec l'Europe. Elle est au moins une réaction normale dans la phase actuelle d'élargissement, et peut-être une condition de l'avenir. Au lieu d'y voir une figure du passé, ou l'embryon du nationalisme, on devrait peut-être y être plus attentif. En tout cas, avoir à son égard une attitude moins systématiquement méfiante.*

JD : Toutes les minorités qui existent sur notre continent aspirent à une Europe unie. Pourquoi ? Parce qu'elles se sentent ainsi mieux reconnues et plus protégées.

DW : *Dernier point concernant la « révélation » de Maastricht : l'importance des questions de communication. Plus on va vers l'union politique, plus il y a d'ouverture, plus il faut convaincre et informer les opinions publiques, plus la question de la communication devient cruciale. Or on réfléchit peu à cette question stratégique, essentielle pour la réussite du projet européen. Certes, il y a le* Livre vert, *et l'attention portée aux industries audiovisuelles européennes. Il est essentiel, en effet, que l'Europe soit un des grands acteurs de toutes les industries de la communication, mais il n'y a pas que les industries. Il y a aussi les contenus et la place de la communication dans les relations et le modèle de société. Ce n'est pas non plus en augmentant l'information sur l'Europe que l'on augmentera l'adhésion à l'Europe. La communication est pensée comme un tuyau dans lequel il faudrait faire passer des messages à destination des opinions publiques et des citoyens. Comment inventer une communication publique en Europe qui ne soit pas du « gavage » ?*

Pourquoi, dans l'ensemble, si peu d'intérêt, alors que c'est une des questions les plus captivantes de la construction européenne ?

JD : On ne peut pas dire qu'il n'y a pas d'intérêt. C'est faux. Nous avons publié une directive sur l'audiovisuel.

DW : *Oui, mais elle a plutôt un caractère industriel et il reste, par ailleurs, toute une réflexion à livrer.*

JD : Elle n'est pas qu'industrielle. Quand on réserve des quotas pour les œuvres d'origine européenne et qu'on le fait en incitant, par le programme européen « média », à la création culturelle par la diversité, je crois, au contraire, que nous essayons de sauvegarder et d'épanouir nos identités culturelles.

DW : *D'accord, mais je parlais d'une réflexion plus fondamentale. Concrètement, l'un des atouts de l'Europe demeure la possibilité d'une coopération entre les télévisions publiques européennes.*

JD : Certes, mais les institutions européennes ne peuvent pas se substituer à elles ! Elles ont leur propre organisation au sein de laquelle elles se concertent et sont en mesure de mener des travaux en commun.

DW : *Et les télévisions frontalières, et Euronews ?*

JD : Pourquoi subventionner uniquement Euronews alors que TF1 vient de créer sa propre chaîne d'informations européennes ? Nous sommes un pouvoir politique qui doit maintenir une certaine neutralité et respecter le pluralisme. Nous ne pouvons pas transposer la philosophie de la télévision publique à l'échelon privé. C'est impossible. En revanche, nous permettons à chaque pays de le faire. Autrement dit, nous avons stoppé le rouleau compresseur de la banalisation culturelle.

DW : *Revenons à ce qui fait le fond commun des valeurs, des représentations, des symboles, de la culture européenne.*

JD : Il existe un état d'esprit européen, qui justifie qu'un jour des nations européennes souveraines œuvrent ensemble. Il a deux racines. L'une, historique, culturelle, qui justifie à la fois le maintien de la nation, de son espace politique, de débats démocratiques et de solidarité. L'autre, le prolongement de l'action nationale dans une action européenne qui trouve sa justification dans le proverbe simple « l'union fait la force » et dans le fait qu'il existe un patrimoine commun, même si au cours de leur histoire, les Européens, comme tous les peuples, l'ont parfois trahi. La grandeur de notre tâche, au-delà des quotas laitiers, des négociations commerciales et autres, est justement de ne pas construire l'Europe uniquement sur des convergences d'intérêts nationaux, mais aussi sur l'esprit européen.

DW : *Avouez que ces valeurs communes, qui font l'unité de l'« homme européen », étaient presque plus visibles quand il n'y avait pas de construction de l'Europe que depuis le début de celle-ci.*

JD : Elles étaient visibles pour certaines élites, nous en avons parlé à propos de la vie intellectuelle de l'Europe. Mais pour l'homme de base, cela signifiait que tous les vingt ans il se retrouvait dans les tranchées face à un autre Européen. On peut dire que tout ce qui s'est passé depuis quarante ans a pour objectif de supprimer ce qu'il y avait d'odieux et d'inacceptable dans les rapports entre les Européens.

DW : *Vous dites trois choses. Premièrement, la construction de l'Europe économique et politique peut faire, car il y a ce fond commun de valeurs, la culture européenne ; deuxièmement, cette Europe va permettre à plus de citoyens, et non plus seulement aux élites, de participer à ce fond de valeurs. Et, troisièmement, cela renforcera les identités culturelles et nationales.*

JD : Oui, la révélation des diversités ne fera qu'enrichir le patrimoine commun de l'Europe.

La fuite en avant de l'élargissement

DW : *Votre thèse est optimiste et un peu contradictoire. Vous dites : c'est en approfondissant la construction de l'Europe que l'on peut retrouver les identités nationales, mais simultanément l'élargissement extrêmement rapide de l'Europe pose la question, de nouveau, de son unité. Au sommet de Lisbonne, en juin 1992, après le non danois à la signature de Maastricht, les Douze admettent que l'élargissement pourra se faire sans modification institutionnelle majeure, c'est-à-dire sans respecter la règle qu'ils s'étaient eux-mêmes imposée, à savoir d'un approfondissement des règles de fonctionnement. Cela conduit à admettre les quatre pays sans modification institutionnelle, l'Autriche, la Suède, la Norvège et la Finlande. À première vue, cet élargissement est une victoire de la Communauté à vocation politique par rapport au modèle libre-échangiste. Mais on peut aussi se demander si cet élargissement, si rapide, ne risque pas finalement de transformer l'Union européenne en une zone de libre-échange de type* AELE. *Et donc de dénaturer le projet politique de l'Union européenne.*

JD : Commençons par l'épisode de Lisbonne en juin 1992. La Commission européenne avait été chargée d'un rapport sur l'élargissement. À cette occasion, elle voulait traiter, sans fard et en pleine transparence, des conséquences institutionnelles de l'élargissement. Le Conseil européen nous a demandé de nous autocensurer par crainte, avant le second référendum danois, que l'évocation de changements institutionnels n'aggrave les réticences des Danois et, par conséquent, n'aboutisse qu'à un deuxième rejet du traité de Maastricht. Cet argument ne nous a pas convaincus, mais, après tout, le Conseil est souverain. L'élargissement a donc été traité dans une grande confusion intellectuelle. Mais le Conseil a néanmoins voulu donner un signe, notamment à ces quatre pays, la Suède, la Norvège, la Finlande, l'Autriche, auxquels nous étions liés par une initiative déjà traduite dans les faits : l'espace économique européen. Le Conseil nous a même commandé d'aller vite. De fait, nous sommes arrivés à un bon résultat puisque nous avons pu signer le traité de révision avec ces quatre pays, à Corfou en juin 1994. À seize, nous serons aux limites du système institutionnel actuel. Nous les dépasserons même. Mais depuis, le Conseil européen est devenu plus raisonnable et a indiqué qu'il n'y aurait pas de nouvel élargissement avant le rendez-vous de 1996. Les États ont donc implicitement admis que tout nouvel élargissement impliquait auparavant une adaptation du système institutionnel pour concilier efficacité et démocratie.

DW : *L'élargissement représente aussi une sorte de défi culturel car les six pays fondateurs de l'Europe étaient plutôt de tradition catholique. Ensuite il y a eu l'Angleterre, mais la Communauté restait construite sur un modèle plutôt centralisateur, avec les mêmes valeurs. L'intégration des États protestants élargit les représentations symboliques et culturelles. Y voyez-vous un facteur d'instabilité ou au contraire d'enrichissement ?*

JD : Non, et c'est encore là un paradoxe de l'Histoire. Bien que la culture catholique ait dominé chez les six pères fondateurs, le protestantisme est très présent dans l'esprit de nos institutions et notamment dans le refus d'un centralisme excessif.

Chapitre 4

L'avenir de l'Europe

Le Livre blanc

DOMINIQUE WOLTON : *Au sommet de Copenhague, en juin 1993, les Douze approuvent votre analyse concernant les causes structurelles du manque de compétitivité de l'économie européenne. Ils chargent la Commission de rédiger un* Livre blanc *pour approfondir l'analyse et proposer des pistes d'action. En décembre 1993, lors du sommet de Bruxelles, les Douze adoptent ce* Livre blanc, *intitulé* Croissance-Compétitivité-Emploi. *C'est un cadre de réflexion et d'action, pour remédier au chômage chronique et au manque de compétitivité de l'Europe. Les éléments essentiels du* Livre blanc ? *D'une part, repenser les politiques de l'emploi avec un certain nombre de mesures préconisées par la Commission, qui relèvent des compétences des États membres. D'autre part, accroître l'efficacité du marché intérieur, avec le lancement d'initiatives en direction, notamment, des* PME. *Enfin, troisièmement, initier des grands réseaux d'infrastructures pour l'énergie et le transport, des mesures en faveur de l'environnement et un certain nombre de dispositions en vue de préparer la société de l'information, avec les autoroutes dites « de l'information et de la communication ».*

Au moment où l'on vous charge de réaliser ce Livre blanc, *il y a, à l'époque, dix-sept millions de chômeurs, soit l'équivalent de la population du Danemark, de la Belgique et de l'Irlande réunis, on parle là d'un treizième État européen. Comment en est-on arrivé là ? Le chômage massif n'est-il pas la principale faillite de l'Europe ? Surtout que la promesse était : l'Europe c'est la paix, l'emploi et la croissance. Le résultat ? C'est vaguement la paix, plus tellement l'emploi et pratiquement plus la croissance.*

JACQUES DELORS : En allant à Copenhague, j'avais deux motivations, que l'on pourrait aussi présenter sous forme d'interrogations. Premièrement, comment se fait-il qu'après avoir réalisé ce grand espace économique qui a stimulé la croissance, l'emploi et les investissements, nous soyons à nouveau retombés dans la récession ? Plus grave encore, pourquoi avons-nous l'impression que nous n'arriverons pas à enrayer la marée noire du chômage ? Autrement dit, l'Europe est-elle à nouveau, comme c'était ma grande angoisse dans les années soixante-dix, au carrefour entre la survie et le déclin ? Je voulais poser cette question aux chefs d'États et de gouvernements, car je pensais que, si la croissance revenait (et elle est en train de revenir), ils jugeraient le problème résolu alors qu'il ne le serait pas. Deuxièmement, l'année 1993 subit les contrecoups des difficultés de ratification du traité de Maastricht : l'ambiance est délétère, les pro-Européens osent à peine se montrer. Je me demande alors s'il ne faut pas, comme président de la Commission, donner un nouvel élan et une nouvelle raison de vivre, pratique, aux institutions européennes. Je suis arrivé avec mes graphiques et je leur ai dit : « Attention, Messieurs, l'Europe est à nouveau tentée par le déclin. » Cela a été un choc pour les gouvernements qui ont tous compris l'avertissement et approuvé mon analyse.

DW : *La reprise de la croissance sans emplois n'est-elle pas le risque ? La solution est-elle dans le rapport de l'*OCDE *du printemps 1994 qui repose sur une logique plutôt anglo-saxonne et prône une réduction des charges sociales, considérées comme responsables du chômage, et une flexibilité des salaires minimaux, etc. ?*

JD : Pour aller vite, je dirais que les risques inhérents au déclin peuvent tout d'abord être imputés aux mutations profondes du monde. Pour l'illustrer, à propos du ralentissement économique des années 1991-1993, on a parlé, à tort, de récession économique mondiale. Non, en réalité, c'était la triade qui était en récession, c'est-à-dire le Japon, les États-Unis et l'Europe, mais, ailleurs, il y avait beaucoup de croissance. C'était très spectaculaire dans les pays d'Asie et du Pacifique, et assez sensible en Amérique latine avec le retour de la démocratie. Par conséquent, le monde change. Nous aussi nous avons changé grâce à l'objectif 1992, mais pas suffisamment.

Seconde raison, nous bénéficions des systèmes sociaux les plus avancés du monde, nous en sommes fiers, nous voulons les garder. Mais ils ont vieilli, un petit peu comme le corps d'un homme ou d'une femme, qui, à l'âge de cinquante ans, est moins souple qu'à vingt ans. Il s'agit donc de leur redonner de la souplesse. Voilà les deux causes qui sont pour moi essentielles. Ce faisant, je réponds à ceux qui veulent mettre en cause ce que j'ai appelé auparavant le « modèle européen de société ». Autrement dit, mon combat consiste à s'adapter sans se renier.

DW : *Vous faites quatre propositions. Dans la revue* Témoins *de votre groupe de réflexion (numéro 1, 1993) : « Si les travailleurs acceptaient que, pendant cinq ans, avec les progrès de productivité de 2 % par an, leur niveau de vie reste stable, on pourrait créer en Europe, en cinq ans, jusqu'à quatre à cinq millions d'emplois. » Vous ajoutez : « Si on réduisait les prélèvements obligatoires pesant sur un travail non qualifié de 30 %, d'ici à cinq ans on pourrait également augmenter les emplois. » Troisième proposition pour créer des emplois : « On pourrait voir les nouveaux gisements que sont l'aide à domicile, la garde des enfants, l'assistance aux jeunes en difficulté, la sécurité, etc. » Quatrième proposition : développer la formation continue, notamment avec le programme européen « Force ». Sur le partage du travail, vous êtes assez nuancé : « Mon slogan, ce n'est pas les trente-cinq heures mais les quarante mille heures. »*

JD : Ces quatre propositions sont aussi extraites du *Livre blanc* qui, pour être acceptable dans les douze pays, devait être un peu ambigu dans ses propositions. Vous commencez par l'emploi, il aurait mieux valu commencer par la compétitivité, car, sans compétitivité, on perd des emplois. Si on reprend ces propositions, que signifient-elles ? La première est que, pendant les bonnes années, ceux qui avaient un travail ont négocié le partage de la plus-value, des progrès de productivité, sans se préoccuper de ceux qui n'avaient pas de travail. Cela vaut aussi bien pour les politiques, les représentants du patronat que pour les syndicats. Pour moi, l'essentiel, est la solidarité entre ceux qui ont un travail et ceux qui n'en ont pas.

DW : *C'est pour cela que j'ai mis l'accent sur ce point...*

JD : D'où ma proposition : si pendant cinq ans on maintenait le pouvoir d'achat, avec une croissance de 2,5 à 3 %, si tous les gains de productivité étaient affectés à l'investissement – où nous sommes en retard – et à l'emploi, nous pourrions, d'ici la fin du siècle, diminuer de moitié le nombre des chômeurs.

Derrière cela, il y a une conception de la société qui essaie de transcender le débat qui a eu lieu sur le dialogue social, l'an dernier. D'un côté, les patrons disaient « flexibilité, dérégulation » ; de l'autre, les syndicalistes disaient « préservation des avantages acquis ». De ce dialogue, rien de fructueux ne peut sortir. Notre proposition transcende ce débat et ouvre la voie à un progrès : une répartition plus juste et plus efficace du gâteau national pour donner du travail à ceux qui n'en ont pas. Et ce, sans réduire le niveau de vie, j'insiste là-dessus.

DW : *Peut-on échapper au modèle libéral qui domine actuellement ? Autrement dit, peut-on faire deux politiques au sein de l'Europe, une d'inspiration libérale anglo-saxonne, l'autre plus keynésienne ?*

JD : Les politiques macroéconomiques, donc les conséquences sur l'emploi, sont avant tout de la compétence nationale et non de l'Europe.

DW : *Oui, mais vous dites : l'Europe offrait un cadre de réflexion et de discussion, à destination des États nationaux. L'inspiration du* Livre blanc *est, pour aller vite, keynésienne, plutôt que libérale ; elle prône la responsabilité collective, la prise en charge de l'État...*

JD : Non, ce n'est pas keynésien, mais plutôt d'inspiration solidaire. La vulgarisation du terme keynésien ne rend pas compte de la réalité actuelle.

DW : *Évitons ce mot, si vous préférez. Comment qualifiez-vous le type de politique que vous préconisez au niveau européen ou au niveau national pour s'opposer au modèle libéral de déréglementation ?*

JD : C'est une combinaison de la puissance et de la solidarité.

DW : *Comment l'appelez-vous ? Un modèle « delorien » ?*

JD : Si vous voulez, mais je n'y tiens pas.

DW : *Pourquoi ne pas l'appeler « modèle delorien » ? Il combine puissance et solidarité.*

JD : La seconde idée est que le travail peu qualifié est trop cher. Tout le monde le reconnaît. Un artisan, un petit entrepreneur ou même quelqu'un qui voudrait se mettre à son compte ou créer des services de proximité, tous sont freinés par le coût du travail.

Dans le coût du travail, il y a deux éléments : le salaire, qu'il n'est pas question de diminuer, et les charges sociales qui, selon les pays, représentent entre 50 et 70 %, voire 80 % du salaire. Depuis vingt-cinq ans, je proteste contre le financement de la Sécurité sociale fondé à 80 % sur les salaires. C'est pour cette raison que j'avais proposé en 1984 de créer un financement par l'impôt, qui est devenu ensuite la CSG. Si le coût du travail était abaissé, il serait possible de créer davantage d'emplois.

DW : *Il faut choisir.*

JD : Voilà. Ma conviction est que le chômage massif n'est pas inéluctable. Il est possible de le combattre par ce qui vient d'être proposé et aussi par le développement de la formation, l'aménagement du temps de travail, avec des marchés du travail plus souples...

DW : *Dans le* Livre blanc, *vous préconisez aussi un certain nombre de grands travaux, des mesures pour l'environnement et des mesures en faveur des autoroutes de l'information.*

JD : L'emploi relève essentiellement des compétences nationales. Le *Livre blanc* est un cadre général pour la réflexion et la négociation. Les pays membres qui se méfiaient le plus de la Commission ont été surpris, car ils se sont aperçus que je ne demandais pas de pouvoirs supplémentaires, mais que je fournissais un cadre pour la réflexion tant au niveau national qu'au niveau européen.

DW : *C'est une des raisons pour lesquelles le* Livre blanc *a été bien reçu ?*

JD : C'est une des raisons, l'autre est que l'analyse a été jugée correcte par les pays membres. Même le président Clinton l'a vantée à plusieurs reprises.

DW : *L'innovation était votre reprise du thème des autoroutes de l'information et de la communication ?*

JD : Avant cela, parlons des grands réseaux, thème sur lequel il y a eu confusion. Les adversaires de cette proposition, comme certains des partisans, y ont vu une mesure de relance de type keynésien. Faux. Il s'agit, en réalité, de créer dans toute l'Europe des réseaux sanguins qui permettent de circuler plus vite et moins cher, de renforcer la compétitivité de l'économie européenne et d'apporter une contribution positive à un meilleur aménagement du territoire. Ce sont donc des mesures structurelles.

DW : *Elles peuvent être keynésiennes quand même.*

JD : Peut-être, à court terme, mais avant tout, elles ont été proposées pour des raisons de compétitivité et d'aménagement du territoire. Ces grands réseaux vont être prolongés vers l'Europe de l'Est, afin de désenclaver ces économies.

DW : *L'accueil a d'ailleurs été plutôt favorable, sauf le grand emprunt qui n'a pas été accepté.*

JD : La Commission a voulu répondre à la question du financement. Pour boucler le tableau de financement, en plus des fonds communautaires, des crédits de banque européenne d'investissement et du financement privé, il faudra peut-être ajouter quelque chose. De ce point de vue, le recours à l'emprunt européen présente deux avantages. Il ne charge pas trop la barque de la Banque européenne d'investissements et il permet d'obtenir des conditions favorables, en ce qui concerne le taux d'intérêt et la durée des emprunts. Voilà mon point de divergence essentielle avec les ministres ultralibéraux. J'estime que, lorsqu'on crée un équipement qui va bénéficier à plusieurs générations, il est normal d'en étaler la charge sur toutes les générations qui vont en profiter. C'est d'ailleurs conforme à la théorie classique des finances publiques.

DW : *On ne vous a pas suivi car on a vu dans cet emprunt une manière d'accroître l'emprise de l'Europe...*

JD : Oui, la bataille sur l'emprunt était purement idéologique et provoquée par ceux qui, d'ordinaire, se battent contre l'idéologie ! L'excès d'idéologie a changé de camp, il est maintenant à droite.

Vous vous rendez bien compte qu'à travers le *Livre blanc* se livre une autre bataille, qui n'a jamais cessé, entre ceux qui sont partisans d'une organisation politique de l'Europe et ceux qui ne voient dans nos affaires que la création d'un grand marché ouvert au reste du monde. Cette bataille-là est sous-jacente à toutes les péripéties de la construction européenne.

DW : *Mille fois d'accord, mais pourquoi ne pas le dire plus nettement ?*

JD : Parce que, en le disant plus nettement, j'aurais créé un conflit qui aurait empêché d'avancer sur les infrastructures de transport et sur les technologies de l'information. Le mérite du *Livre blanc* est d'avoir été accepté par douze pays qui ne sont pas d'accord entre eux sur les finalités de l'Europe. Alors, pourquoi faire perdre du temps à l'Europe, qui est en retard du point de vue de la compétitivité, en concentrant le débat sur les finalités de l'Europe à propos de cela ? Quelle erreur aurais-je faite !

L'avenir politique

DW : *Ne faudrait-il pas, à un moment, poser publiquement ce débat politique d'orientation...*

JD : Il sera posé en 1996.

DW : *Oui, mais en 1996, il s'agira surtout d'institutions, et le public ne comprendra pas toutes les implications.*

JD : Non, les institutions ne seront le reflet que d'une conception de l'Europe.

DW : *D'accord, je pose ma question autrement. Bien sûr, en 1996, à l'occasion des institutions, le débat sur la conception de l'Europe rebondira. Mais a-t-on intérêt, pour des raisons de travail en commun à douze ou à seize pays, à laisser cette ambiguïté durer le plus longtemps possible ? L'effet négatif à terme n'est-il pas plus important que l'inverse ?*

JD : Ce n'était pas le moment. Pourquoi ? Parce que le danger immédiat était le déclin économique de toute l'Europe, quels que soient les gouvernements et quelles que soient les idéologies qui les animent. Il fallait dire « non au déclin » et pour cela tenir un discours consensuel qui permette d'avancer. Les autres débats suivront.

DW : *On pourrait observer qu'à force d'être consensuel et de dire que « ce n'est pas le moment de clarifier le débat », on risque non seulement une absence de débat, mais aussi une régression politique dans la construction de l'Europe !*

JD : Excellente question. Les partisans de l'Europe politique ont marqué des points ces dernières années. Le paquet 1, qu'est-ce sinon la transposition d'une existence politique au niveau de l'Europe ? L'Union économique et monétaire va dans le même sens.

DW : *Oui, mais l'idéologie libérale n'est-elle pas beaucoup plus forte aujourd'hui qu'il y a dix ans ?*

JD : Non, elle était plus forte il y a dix ans. En revanche, la mondialisation de l'économie, la globalisation des problèmes sont des phénomènes beaucoup plus prégnants qu'il y a dix ans.

DW : *Avec le thème de la déréglementation, en parallèle.*

JD : La dérégulation, en termes d'idéologie, signifie faire reculer l'État, démanteler les avantages sociaux et amoindrir le politique. Prendre en compte le phénomène de la mondialisation et s'ouvrir aux autres, c'est éviter de graves conflits qui surgiraient demain, après des poussées de protectionnisme, et c'est faire un pas vers le « village-planète », dont l'horizon est encore lointain.

DW : *Cette image est d'ailleurs discutable. Ce n'est pas parce que les problèmes sont mondiaux qu'émerge un « village mondial » !*

JD : Il faut bien distinguer les deux. Nous avons marqué des points. Aujourd'hui, nous sommes confrontés à la contradiction suivante : pour approfondir la construction de l'Europe et en faire un acteur politique valable, il faut un nombre limité de pays, partageant les mêmes finalités, et intériorisant peu à peu leur union. En même temps, pour répondre à la chute du mur de Berlin, en 1989, et au défi qui nous est lancé, aux aspirations de tous les peuples d'Europe, notre devoir est d'étendre nos valeurs de paix et de compréhension mutuelle à la grande Europe. Quand certains opposent approfondissement et élargissement, ils ont raison. Comment surmonter cette contradiction ou plutôt comment, en répondant à l'appel des autres pays européens, ne pas diluer le projet ? Voilà la question.

Dans le fond, le grand défi de 1985, pour moi, était de réveiller la Belle au bois dormant, et de maintenir le cap vers l'union politique. Le grand défi des années à venir sera d'éviter qu'en nous élargissant nous aboutissions à nous noyer dans un ensemble sans volonté, sans colonne vertébrale institutionnelle, sans capacité de décision et d'action.

DW : *Autrement dit, comment arriver à donner une structure politique à l'Europe pour acquérir une identité et une capacité d'action... ?*

JD : Ce n'est pas simplement un problème institutionnel. Certes, les institutions doivent s'accommoder d'un ensemble plus large, de façon à préserver la capacité de décision, les moyens d'action et la responsabilité démocratique. Mais la question est d'abord de savoir pourquoi nous combattons et si tous ces pays ont les mêmes ambitions. C'est à cela qu'il faut répondre dans les dix ans qui viennent. Maintenir la vision d'une Europe politique, et, si cette Europe politique ne peut pas être supportée par l'ensemble des pays européens, envisager alors que certains aillent plus loin.

DW : *Vous dites, et c'est évident : l'Europe a une plus grande visibilité économique que politique. Mais cela ne suffit pas pour mobiliser. Si certains ne veulent pas suivre, il faudra accepter une Europe à deux vitesses.*

JD : Le Premier ministre britannique, John Major, dans un célèbre article, a salué les pères de l'Europe qui ont ramené la paix et la compréhension entre des peuples qui se faisaient la guerre depuis cent ans. Selon lui, la problématique a aujourd'hui changé : construisons désormais la grande Europe autour d'un Marché unique et de quelques coopérations, notamment en matière d'environnement. Pour le reste, l'essentiel est la flexibilité. J'appelle cela l'Europe à la carte. Ce n'est pas ma thèse. La mienne est la suivante : les pères du traité de Rome voulaient non seulement la paix entre nous, mais aussi que l'Europe puisse continuer à exister dans un monde dont ils pressentaient, sans pouvoir les décrire, les profonds changements à venir. Par conséquent, si nous voulons que nos nations, qui ont assuré le leadership du monde pendant des années, gardent toutes ensemble cette capacité universelle, elles doivent s'unir politiquement, sans nostalgie de l'ordre ancien.

DW : *L'ordre ancien, c'est-à-dire ?*

JD : Maintenir l'ordre ancien, ce serait créer un grand espace économique, avec le maintien des décisions politiques au niveau national, au nom du fameux principe de souveraineté. Qu'est-ce que la souveraineté d'une nation aujourd'hui par rapport aux formidables défis qui nous sont adressés ? Il faut donc s'unir politiquement. Si l'on n'arrive pas à le faire à trente, il faudra que ceux qui veulent aller plus loin puissent le faire sans mettre en cause l'existence d'un ensemble couvrant la grande Europe.

DW : *Autrement dit, faisons la grande Europe au niveau des valeurs de paix et de sécurité, et du grand marché. Mais si jamais ces vingt-huit ou ces trente ne veulent pas aller plus loin, que ceux qui veulent y aller puissent le faire. Vous prônez finalement deux types d'Europe. N'y a-t-il pas dans ces deux Europe un risque de brouillage des finalités politiques de l'Europe ? Il n'est pas certain que la paix et la sécurité soient des finalités suffisamment fortes pour mobiliser à terme !*

JD : La société émotionnelle n'est pas liée à un pays, c'est une attitude générale. C'est l'émotion qui nous amène actuellement à penser en termes d'élargissement et d'ouverture aux autres, ce qui est bien, mais nous ne réfléchissons pas aux conséquences politiques et institutionnelles.

DW : *À partir de quand va-t-il falloir poser la question de l'approfondissement du modèle politique ?*

JD : Il va falloir la poser en 1996 au plus tard.

DW : *Ne sera-t-il pas trop tard ?*

JD : La poser aujourd'hui n'a pas de sens, tant est grande l'aspiration des autres pays d'Europe à adhérer à l'Union. Rien ne peut être fait qui leur donnerait un signal contraire, au risque de les plonger dans de graves difficultés internes ou externes.

DW : *On ne leur dit rien d'ici 1996 !*

JD : Si vous vous référez aux Conseils européens de Copenhague et de Corfou, vous verrez que nous nous sommes engagés à les accueillir le jour où ce sera économiquement possible. Si vous considérez les accords européens signés avec eux, vous retrouverez cet engagement. Qu'est-ce qu'un accord européen ? C'est un accord qui permet une coopération croissante, dans tous les domaines, politique, économique, culturel, et qui est une sorte de période de préparation à l'adhésion. Ils ont donc obtenu cet engagement, mais ne confondons pas vitesse et précipitation. Certains pays jouent de la précipitation pour faire en sorte qu'un jour nous soyons incapables d'avoir une véritable Europe politique.

DW : *La question de l'approfondissement et du redémarrage de l'Union politique n'était-elle pas « plus facile » quand il y avait un adversaire, alors qu'aujourd'hui il n'y en a plus ? Comment mobiliser des gouvernements pour approfondir un modèle qui est déjà démocratique ?*

JD : D'abord, la prise de conscience que « la nostalgie n'est plus ce qu'elle était ». Par conséquent, quoi qu'en pensent les chancelleries, nos pays ne doivent plus raisonner comme si nous étions avant 1914. C'est pourtant ce qui se passe avec un dramatique décalage entre le rôle qu'ils croient jouer et l'influence déclinante qui est la leur.

DW : *Les États jouent encore un rôle de souveraineté qu'ils n'ont déjà plus ?*

JD : Voilà. C'est le point essentiel qu'il faut constamment rappeler.

DW : *Ils n'en ont pas conscience ?*

JD : Ils n'ont pas conscience de cela et disent : « Encore vingt ans, monsieur le bourreau ! » C'est toujours pareil. En ce qui me concerne, j'ai de l'ambition pour la France, j'ai de l'ambition pour les pays européens. Je ne veux pas que demain ces pays, même s'ils sont un peu plus prospères, soient entraînés par l'Histoire, comme le galet par la mer. C'est la motivation la plus forte. Non au déclin économique, non à la diminution de notre autonomie, non à notre perte d'influence.

DW : *C'est une motivation négative.*

JD : Oui, mais pour quoi faire ? Qu'avons-nous à dire ? Le décalage est extraordinaire entre ce que nous faisons dans le monde en matière d'aide, d'assistance, d'ouverture de nos marchés, et la représentation que l'on a de nous. Cela ne pourra pas durer longtemps !

Quelle tâche exaltante que de proposer à nos concitoyens de combler ce décalage, car, de toute façon, la faiblesse politique aura pour conséquence, à terme, de fragiliser notre niveau de vie. L'affaire de la Bosnie peut demain se répandre dans le reste de l'Europe comme une maladie contagieuse. Qu'y a-t-il au cœur de ce drame ? L'idéologie mortelle du nettoyage ethnique, c'est-à-dire du rejet de l'autre. Attention au virus du rejet de l'autre ! Nous devons être, sans relâche, des artisans de la paix et de la compréhension mutuelle entre les peuples.

DW : *Un travail théorique doit être accompli en politique.*

JD : Pour quoi faire ? Pour influencer le monde, que celui-ci devienne meilleur, et pour que les valeurs de paix, de pluralisme, de liberté, de solidarité, avancent un peu. Rien n'est jamais acquis, mais rien n'est jamais perdu.

DW : *Parlons de l'étape suivante de la construction politique de l'Europe. Elle passe nécessairement par un réaménagement des rapports de forces. Pendant quarante ans, l'Europe s'est édifiée autour du couple franco-allemand.*

JD : Et de quelques autres...

DW : *Oui, mais à long terme on considère que l'Europe se fait avec le tandem franco-allemand. L'Allemagne est aujourd'hui réunifiée. Quel peut être son rôle pour renforcer la construction de l'union politique de l'Europe ? Comment éviter le risque de dérive dont on a parlé tout à l'heure ? Même question pour la Grande-Bretagne, qui a été un bouc émissaire extraordinaire pendant des années.*

JD : Prenons une idée simple. Nous aimons la France et nous nous désolons parfois de voir qu'elle n'est pas à la hauteur de notre rêve. C'est par l'Europe que la France enrichira son identité et retrouvera confiance en elle. Beaucoup de ceux qui s'opposent à l'Europe sont dans le camp de la frilosité, du refus des changements du monde et aussi sont dans le camp des « franco-sceptiques », c'est-à-dire de ceux qui ne croient pas aux chances de la France.

DW : *Vous dites cela car vous maîtrisez les enjeux intellectuels, culturels et symboliques. Pour des millions de Français, d'Anglais, d'Italiens ou de Grecs, tout cela n'est pas si évident. Ils voient plutôt une menace dans cet élargissement sans fin.*

JD : Que dire à un Français ? Vous aimez votre pays, vous voulez qu'il rayonne ? Croyez-vous qu'il rayonnera en se repliant sur lui-même ? Qu'il rayonnera en se diluant dans une grande zone de libre-échange, à l'échelon de la grande Europe, même si cela est un progrès ? Cela nous suffit-il à nous, les enfants de la Révolution française ? Non, nous voulons davantage. Les Français ne pardonneront jamais à un chef de gouvernement de ne pas avoir donné la chance à notre pays de continuer à rayonner, dans les conditions du monde d'aujourd'hui et non pas dans celles du monde d'hier.

DW : *Vous parlez de la grandeur du projet politique de l'Europe. Naturellement, elle passe par la mobilisation des citoyens. Or il est frappant de constater le masochisme avec lequel l'Europe est incapable de faire savoir ce qu'elle fait. Par exemple, beaucoup de choses se font dans le domaine de l'humanitaire et de la solidarité, valeurs importantes de l'Europe, sans que les Européens le sachent eux-mêmes !*

JD : Oui, parce que la plupart des responsables politiques mettent en avant leur propre contribution. Si bien qu'aux yeux du citoyen l'Europe apparaît comme un champ de bataille diplomatique classique, avec un gagnant et un perdant.

DW : *C'est peut-être le jeu des hommes politiques, mais, à l'inverse, il existe des secteurs dans lesquels l'Europe, à travers la Commission agit. C'est le cas, par exemple, pour l'Europe de l'Est, les Droits de l'Homme, ou l'environnement. Trois secteurs où l'Europe est première, et personne ne le sait.*

JD : Quand je suis arrivé en 1985, j'ai consulté de grands spécialistes en communication, et je suis arrivé à la conclusion que, si nous voulions, nous, au niveau des institutions européennes et notamment de la Commission, prendre en charge l'information sur ce qu'il se passe en Europe, nous n'y arriverions jamais. Parce que nous avons affaire au moins à douze opinions publiques, avec des caractéristiques différentes et que rien ne peut remplacer ce que peuvent dire et faire les responsables élus de chaque nation. Bien sûr, cela ne m'a pas empêché, pour donner plus de poids à mes idées, d'aller dans tous les pays, et de faire un effort spécial chez ceux qui étaient importants pour la réussite de la stratégie d'ensemble.

Demain...

DW : *Le temps est-il un facteur de réussite ?*

JD : Oui, le temps est notre allié, comme l'est aussi une certaine personnalisation de la construction européenne. Il est vrai que j'ai incarné un peu cette Europe pendant une période où l'on me prêtait d'ailleurs plus de pouvoirs que je n'en avais. Mais si demain il y a un président de l'Union européenne désigné par le Conseil européen pour deux ou trois ans, alors il sera possible, à ce moment-là, d'avancer. Car il y aura un interlocuteur connu, responsable, qui pourra s'adresser à l'ensemble des opinions publiques. Et les partenaires de l'Union européenne auront en face d'eux, pour une plus longue période de temps, un interlocuteur responsable. Actuellement, avec une présidence tournant tous les six mois, la seule permanence est incarnée par le président de la Commission. C'est ainsi, par exemple, que le président Clinton a déjà rencontré quatre présidents de l'Union européenne mais un seul président de la Commission.

DW : *La visibilité de l'Union européenne passe donc nécessairement par une plus grande communication de l'action de la Commission ?*

JD : En un certain sens, oui. Il est des moments où la visibilité de la Commission est inexistante. On ne peut pas juger d'après la période un peu exceptionnelle que représentent ces dernières années.

DW : *Si, dans l'avenir, le renforcement de l'Union s'accompagne d'une diminution du rôle de la Commission, cela sera nécessairement perçu comme une régression de la construction européenne. Il faut bien qu'il y ait un acteur pour initier et mobiliser.*

JD : Non, jugez vous-même : les débats, les discussions, les affrontements qui ont eu lieu autour de la désignation de mon successeur confirment l'importance de la Commission et de son président.

DW : *Dans chacun des États-nations, un homme politique, pour faire carrière, doit associer l'économie à la politique, à l'histoire, aux valeurs. Ce qui requiert de mobiliser toutes les disciplines des sciences sociales, de l'anthropologie à la psychologie sociale, de la sociologie à la géographie humaine, etc. Pour l'Europe, on a l'impression, au contraire, qu'il n'y a que deux disciplines mobilisées : l'économie et la diplomatie, voire un peu la science politique. Pour mobiliser les citoyens, n'aurait-on pas intérêt à élargir un peu le spectre des connaissances... ?*

JD : Votre réflexion est fondamentale. Lorsque nous parlions de l'affaiblissement de la démocratie, vous m'avez répondu : « Oui, mais, dans un État-nation, il y a une sorte de matelas constitué par l'histoire commune, les traditions, l'expérience, les liens institutionnels et sociaux. » En revanche, pour l'Europe, il n'y a pas de « matelas commun ». C'est beaucoup plus fragile. L'Union européenne est de création récente. C'est la raison pour laquelle j'ai mené un travail discret, dans les directions déjà mentionnées, les intellectuels d'un côté, car je crois à leur rôle dans la société, les Églises de l'autre. En me tournant vers l'avenir, j'essaie de faire en sorte que l'aventure européenne ne se résume pas à l'élaboration d'un gigantesque supermarché, où le consommateur trouve de plus en plus de produits de moins en moins chers, ce qui est un des résultats positifs du marché intérieur. Mais on ne fait pas l'histoire avec le plus beau supermarché du monde...

DW : *Ou un supermarché avec quelques superbes institutions mais sans valeurs au milieu.*

JD : Il est possible dans les écoles, dans les universités, lors des jumelages ou des rencontres européennes, de donner le sentiment aux Européens qu'ils sont les dépositaires d'un patrimoine commun et qu'à partir de là ils doivent faire vivre et rayonner notre Union.

DW : *Si l'on prenait trois chantiers importants pour l'avenir de l'Europe : l'arrimage de l'Europe de l'Est, la réussite de l'Europe politique avec la mobilisation des citoyens, le renforcement des mécanismes institutionnels, lequel des trois faudrait-il privilégier ?*

JD : Le premier est incontournable, c'est notre devoir historique. Nous nous reprocherions toujours de ne pas avoir rassemblé tous les Européens et, par voie de conséquence, d'avoir laissé libre cours à ce que l'Europe porte en elle des risques constants de conflits : les revendications de frontières, le statut des minorités, les affrontements religieux, les idéologies hypernationalistes... On ne nous le pardonnerait pas. C'est impératif, car cela correspond à ce qui fut la force initiale du projet européen : plus jamais la guerre entre nous.

DW : *Et pour les deux autres chantiers ? Mobilisation du citoyen d'une part et renforcement des mécanismes institutionnels ?*

JD : Puisque l'Europe s'élargit, il faut adapter les institutions. C'est l'enjeu de 1996. Les institutions faites pour une Europe à six, qui ont bien fonctionné à dix, puis à douze, ne sont pas adaptées à une Union européenne composée, demain, de vingt-huit à trente-deux membres. L'adaptation institutionnelle est dans le droit-fil de l'ouverture aux autres pays européens. Aurons-nous, à partir de là, une forte identité politique ? Je ne le crois pas. Parce que certains ne le souhaitent pas. Il faudra donc aller plus loin avec ceux qui le veulent. Quels sont les points d'appui ? Il en existe actuellement deux. L'Union économique et monétaire qui implique, je vous l'ai dit, face à l'énorme pouvoir de la banque centrale européenne, l'existence d'un pouvoir économico-politique et, de l'autre côté, la perspective d'une défense européenne, dont l'actuel Eurocorps est l'embryon. Mais peut-on avoir une défense sans vision politique commune ? Au fur et à mesure de l'élargissement, il faut créer des points d'ancrage pour une union politique plus forte. Avec, en fond, un slogan : « Qui m'aime me suive. » Que ceux qui voudront aller jusque-là y aillent. Je compte bien, dans les années qui viennent, intervenir dans ce débat et formuler, en temps utile, des propositions.

DW : *Et la mobilisation des citoyens ?*

JD : Tout cela ne pourra se réaliser si les opinions publiques sont passives ou réticentes à soutenir nos intérêts communs. Redonner de l'ambition aux Européens est l'essentiel. Le phénomène encourageant est qu'il y a, simultanément, une exigence d'ambition pour nos vieilles nations et une volonté de faire l'Europe. Les deux objectifs ne sont pas contradictoires, ils coïncident.

DW : *Quatre questions plus personnelles pour terminer. Ce dont vous êtes le plus fier et ce dont vous êtes le moins fier ?*

JD : Ce dont je suis le plus fier, en général, c'est d'avoir sorti la construction européenne de la stagnation par un ensemble d'actions dont nous avons parlé. Le moins fier ? C'est d'avoir subi la tragédie yougoslave. Subi, car je n'avais ni la compétence institutionnelle ni le pouvoir de remédier à l'impuissance de l'Europe.

DW : *Si je vous demandais les trois dates les plus importantes, pour vous, de ces dix dernières années ?*

JD : 1985 : la relance de la construction européenne par l'objectif 1992 et l'Acte unique. 1988 : le formidable accord sur le cadre financier et les politiques communes. 1989 : la chute du mur de Berlin et le soutien immédiat apporté à l'unification allemande. Et la même année, le sommet des pays industrialisés qui confiait à la Commission européenne – utile consécration – la responsabilité de coordonner l'aide aux pays de l'Europe de l'Est et du Centre, puis aux républiques de l'ex-Union soviétique.

DW : *Le plus grand danger pour l'Europe ?*

JD : Le manque d'ambition et la nostalgie du passé.

DW : *Ce qui, dans l'expérience de l'Europe, vous a permis de mieux comprendre la France ?*

JD : Le référendum sur le traité de Maastricht où je me suis aperçu qu'en dehors des faiblesses de communication de l'Europe il se créait, dans les démocraties, une distance croissante dangereuse entre ceux qui dirigent et ceux qui exécutent. Cela signifie le dépérissement du politique et donc l'affaiblissement des démocraties.

DW : *Les pères fondateurs se sont méfiés, à juste titre, de l'histoire pour réussir l'incroyable utopie de l'Europe politique. Avec la fin du communisme, la réunification allemande et le début de l'union politique, l'histoire rattrape l'Europe. Face au retour de l'histoire, ne manque-t-il pas un dessein ?*

JD : L'envie d'Europe existe dans les pays qui ne sont pas membres de l'Union européenne. C'est à la fois une justification de ce que nous avons déjà réalisé et un grand encouragement à persévérer. Mais, pour aller au-delà, il faudra plonger dans l'histoire de l'Europe, dans son patrimoine judéo-chrétien, ainsi que dans la démocratie grecque, le droit romain, les expériences démocratiques de l'Europe du Nord. Il faudra plonger dans ces patrimoines et creuser. Un trésor y est caché. Il ne demande qu'à être mis en lumière pour inspirer l'avenir d'une Europe puissante et généreuse à la fois.

CINQUIÈME PARTIE

La permanence des valeurs

Chapitre 1

La religion

Un catholique laïc

DOMINIQUE WOLTON : *Votre enfance a-t-elle été beaucoup marquée par l'atmosphère et l'éducation religieuses ?*

JACQUES DELORS : La réponse est affirmative, mais autant indiquer tout de suite ma conception du spirituel. Je pense que chaque personne est unique. Il y a là une sorte de fusion de son hérédité, de ses atouts et de ses handicaps, de son caractère, et ensuite de la manière dont elle se construit. Ou, hélas, pour certains, dont elle se défait. Parmi les éléments de cette fusion, figurent, pour moi, la foi et le spirituel. C'est un élément qui se fond dans la personne et qui ne m'a jamais autorisé à exhiber ma croyance pour affirmer une quelconque supériorité sur les autres, pour porter un jugement ou bien encore pour affirmer péremptoirement que j'avais raison sur tel ou tel point. Il est vrai que cette éducation religieuse a favorisé l'ouverture aux autres et une sensibilité sociale, qui, ensuite, ont imprégné ma réflexion et mon action.

DW : *En 1945, vous êtes rédacteur à la Banque de France et vous vous inscrivez au MRP, proche, à l'époque, de la doctrine sociale de l'Église. Vous êtes déjà indépendant, puisqu'on vous dépeint comme un « croyant anticlérical ». Pourquoi avez-vous quitté si vite le MRP, en février 1946 ?*

JD : Il y a deux explications. Le jeune homme que j'étais s'est trouvé confronté à l'écart, qu'il jugeait intenable, entre ce que l'on pensait et ce que l'on faisait. De plus, certains de ses dirigeants portaient leur catholicisme en bandoulière. Vous avez déjà compris, par la réponse que j'ai apportée à votre première question, que je n'y étais pas favorable. En outre, quand j'étais plus jeune, j'avais vu des hommes et des femmes qui ne croyaient pas en Dieu être capables d'affronter les périls les plus grands et d'aller au-devant de la mort lucidement, par idéal. Cela m'avait rendu très modeste et, dans le même temps, cela m'avait donné cette leçon : celui qui croit, celui qui pense avoir un lien avec Dieu, n'a aucune supériorité à faire valoir sur les autres.

Il peut y avoir une autre explication. Dès ce moment-là, j'éprouvais des difficultés à entrer dans l'action politique proprement dite. Je dois à la franchise d'ajouter cette autre raison. C'est pourquoi, ensuite, je me suis consacré à l'amélioration de la société par la voie de l'action économique et sociale.

DW : *À La Vie nouvelle, où vous avez milité longtemps, vous avez assez vite théorisé ce que vous appelez la « séparation des plans » : « Croire est une option personnelle qui ne doit pas empêcher le chrétien d'avoir des idées à lui sur les problèmes de société. » Quel est alors le lien entre la foi et l'engagement dans la société ?*

JD : La distinction des plans a été théorisée par La Vie nouvelle dans le droit-fil du personnalisme chrétien d'Emmanuel Mounier. Cela convenait parfaitement à mes intuitions. Il me manquait des éléments de fond pour me conforter dans cette conviction. La Vie nouvelle a entrepris dans l'Église, mais aussi, dans une certaine mesure, à côté de l'Église, un cheminement propre qui en a fait une avant-garde, en ce qui concerne la spiritualité et la vie personnelle. Ce n'est que plus tard que La Vie nouvelle, sous l'impulsion d'André Cruiziat et de René Pucheu, a développé la branche politique du mouvement par un dialogue de plus en plus conflictuel avec les dirigeants du MRP, notamment à propos de la décolonisation. Je me souviendrai toujours de ces rencontres au cours desquelles ces responsables politiques nous disaient qu'il y a ceux qui acceptent de se noircir les mains, c'étaient eux, et ceux qui, comme nous alors, ont les mains propres, sont en dehors de l'action, et qui, à la limite, ne comprennent pas les contraintes du politique. Mais je dois beaucoup à La Vie nouvelle et à ses animateurs. D'abord, dans l'approfondissement de la foi. Quand j'étais jeune, j'avais en quelque sorte la foi du charbonnier. J'ai admiré les avancées qu'ils ont faites, notamment en ce qui concerne la connaissance de l'Ancien Testament et de son rôle dans l'histoire du christianisme. Je suis aussi reconnaissant de tout ce que ce mouvement a accompli dans le domaine de la pastorale liturgique, de la célébration de la prière et aussi du partage. Car La Vie nouvelle était fondée sur la notion de fraternité. Nous nous réunissions par groupe, dans chaque quartier. Nous dînions ensemble, tous les mois, et nous discutions franchement de problèmes généraux comme de problèmes plus personnels. C'était vraiment le partage. La fraternité était d'ailleurs le mot de base de La Vie nouvelle.

DW : *Dans vos professions de foi politiques, vous ne faites pas souvent état du fait que vous êtes chrétien. Vous avez écrit, en 1974 : « Je suis contre la confusion entre la foi et la politique, contre l'utilisation des références religieuses pour séduire les électeurs. Dès 1945, quand je suis devenu militant syndicaliste, ce fut ma grande hantise, retrouver le dialogue avec les non-croyants, sur le terrain social et politique. » Quelque chose a-t-il changé dans cette position ?*

JD : Non. Je suis agacé par le fait que les journalistes m'ont affublé de ce titre de catholique. Encore une fois, je n'ai aucune pratique ostentatoire de la religion. Je ne m'en prévaux jamais. Que ce soit un sujet de moquerie, peu m'importe, mais, franchement, je tiens absolument à garder ces convictions pour moi-même, pour ma famille. Et je demeure allergique à toute affirmation publique de mes convictions religieuses et à tout lien avec ce que je pense et ce que je fais dans le domaine politique. Que cela soit dit une fois pour toutes.

DW : *À l'instar de Paul Vignaux, vous définissez-vous comme un « catholique laïc » ?*

JD : Oui. Dans le contexte des années cinquante, alors que la démocratie chrétienne avait pris une forme politique et que les militants chrétiens que nous étions voulaient partager le combat du mouvement ouvrier, à dominante non catholique, cette appellation était la bonne. Et là aussi je dois payer tribut à Paul Vignaux et à Albert Detraz qui m'ont beaucoup appris dans ces domaines.

DW : *Conserveriez-vous la même appellation aujourd'hui ?*

JD : Absolument, même si je considère que la crise de la démocratie dont nous avons parlé est aussi une crise morale et, par conséquent, que le spirituel doit revivifier la société.

DW : *En avril 1964 se sont tenues des assises de la démocratie.* Le Figaro, *qui couvrait cet événement, a noté, d'ailleurs un peu pour le valoriser, « l'origine chrétienne de la plupart des participants à ces assises de la démocratie ». Autrement dit, cela posait la question des rapports entre le christianisme et la démocratie. Comment expliquez-vous que le rôle des chrétiens dans le redressement de la démocratie, à partir de la fin de la guerre, ait été sous-évalué ?*

JD : Dans beaucoup d'autres pays européens, il y a, dans les mouvements politiques, syndicaux et sociaux un clivage entre les « chrétiens » et les « laïcs ». C'était le cas à l'époque en Belgique, aux Pays-Bas, en Italie... Soyons équitables, le Mouvement républicain populaire a joué un très grand rôle dans ce que vous appelez le « redressement de la démocratie », comme dans la mise sur orbite de l'idée européenne. Rendons-lui cette justice. Mais attardons-nous sur la spécificité de la situation française. Le cas de la France est tout à fait particulier. Peut-être parce que l'Église française a toujours été un peu gallicane. Toujours est-il qu'un des faits dominants de ces cinquante dernières années a été, en France, une plus grande liberté d'action de militants chrétiens qui refusaient cette coupure et qui, en parallèle avec les mouvements propres de l'Église, ont tourné leur regard vers la gauche socialiste. C'est ainsi que l'on a assisté successivement, grâce au vivier que représentaient les mouvements d'action catholique (JAC, JOC, JEC), à la déconfessionnalisation de la CFTC et à un mouvement des militants chrétiens vers les clubs, puis vers le parti socialiste. D'ailleurs, la carte électorale de la France s'en est ressentie, puisque l'on a vu des zones, traditionnellement de sociologie chrétienne, basculer vers le parti socialiste.

DW : *Étiez-vous proche de l'ACO, le mouvement d'action catholique ?*

JD : Non, j'étais plus proche de la Jeunesse ouvrière chrétienne que de l'ACO. Parce que l'excès en tout, pour moi, est toujours un défaut. Tout en admirant les évolutions qui ont amené à l'émergence des prêtres-ouvriers, qui ont accompli un travail admirable, tout en tirant profit de l'Action catholique ouvrière et des mouvements qui l'ont suivie, comme le Mouvement de libération ouvrière ou le Mouvement de libération du peuple, je pensais qu'il ne fallait pas « jeter le bébé avec l'eau du bain ». Une anecdote parmi d'autres : un jour, un militant du MLP, avec lequel nous parlions de nos convictions, m'a dit que sa messe, c'était de vendre le journal de son mouvement. Franchement, je ne pouvais pas franchir ce Rubicon-là !

DW : *Quelles sont les figures chrétiennes qui vous ont marqué dans ces cinquante dernières années ?*

JD : Ce sont plutôt des penseurs, qu'il s'agisse de Maurice Blondel, de Jacques Maritain, d'Emmanuel Mounier, et aussi les directeurs d'*Esprit*, Albert Béguin, Jean-Marie Domenach, Paul Thibault. Je reviens constamment à cette source. Je suis toujours à l'écoute de ce qu'ils disent, même si parfois je ne suis pas d'accord avec eux. J'avais aussi une grande admiration pour Paul VI. Je ne manquais aucune de ses homélies de Pâques, car il y avait chez cet homme à la fois une grande sensibilité au monde des travailleurs – il avait été auparavant évêque de Milan – et une sorte de doute qui n'était pas destructeur mais qui le rapprochait, en quelque sorte, de ses contemporains.

DW : *Quelles sont les personnalités religieuses qui vous ont marqué ?*

JD : La dernière d'entre elles est sœur Emmanuelle, que je connais depuis que je travaille à Bruxelles. Elle est pour moi une source fantastique de foi, de joie et d'espérance. Elle a une énergie surhumaine. Je peux en dire autant, bien que je l'aie connu plus tardivement, de l'abbé Pierre. Ce qui me frappe chez ces deux personnes, au-delà du choc que représentent pour elles la misère, la détresse, la solitude, l'injustice, c'est la profonde joie qui les anime. En dépit des échecs qu'elles rencontrent, des limites de leur action, du tragique de la vie, cette joie profonde est sans doute le plus grand témoignage de la foi et le plus grand révélateur de ce que sont en réalité le don de Dieu d'un côté et la liberté de l'homme de l'autre. Deux principes de base sans lesquels on ne peut pas comprendre et supporter la vie, ses échecs et ses malheurs.

DW : *Chrétien d'origine, vous n'avez pas trouvé en France de véritable force politique, comme en Allemagne, par exemple. Avez-vous souffert de cette absence de structure politique de la démocratie chrétienne, d'autant que la gauche était souvent dure avec vous et que les chrétiens de gauche ont également eu une attitude souvent plus radicale que la vôtre ! Ou bien, au contraire, considérez-vous que cette absence de structure politique a finalement été pour vous une chance ?*

JD : Il me semble que le Mouvement républicain populaire aurait pu survivre d'une manière plus influente dans la vie politique française. Il a été, en quelque sorte, rogné sur ses deux ailes par l'attraction du socialisme démocratique et par l'action du parti dominant à partir de 1958, le mouvement gaulliste. Aujourd'hui, il survit à travers le Centre des démocrates-sociaux, dont je me sens souvent assez proche dans les aspirations et la conduite personnelle autant que politique. Ce mouvement pourrait progresser si le mode de scrutin était fondé sur la proportionnelle. Avec le scrutin majoritaire à deux tours, le Centre des démocrates-sociaux a du mal à tenir sa position intermédiaire. Il doit beaucoup de ses succès électoraux à des électeurs qui ont plutôt un tempérament de droite. Pour ma part, j'ai toujours gardé des bons rapports avec eux. Pour ajouter une remarque plus personnelle, si mon action à la tête de la Commission européenne est considérée comme une avancée positive, je le dois en partie au fait que les démocrates-chrétiens en Europe, comme les sociaux-démocrates, me considèrent comme assez proches d'eux. Ce sont les deux forces qui ont pensé la construction de l'Europe. C'est très important pour maintenir l'esprit et les valeurs qui ont porté les pères de l'Europe.

DW : *Il y a plus de coopération entre les sociaux-démocrates et les démocrates-chrétiens au niveau européen qu'au niveau français...*

JD : C'est indiscutable. D'ailleurs, ils gouvernent ensemble en Belgique et, jusqu'il y a peu de temps, aux Pays-Bas. Au Parlement européen, le groupe du Parti populaire européen, démocrate-chrétien, et le groupe socialiste constituent les deux forces majeures. Très souvent, ils passent entre eux des accords pour faire avancer tel ou tel projet. Ce qui prouve d'ailleurs que le Parlement européen ne fonctionne pas selon les canons des parlements nationaux. Du reste, c'est en montrant son originalité qu'il trouvera sa vraie place. Ce qui n'est pas encore le cas. Mais c'est un Parlement encore très jeune, en quête de son style.

DW : *Les années cinquante et soixante ont été marquées par deux débats, deux combats : celui des réformistes contre les révolutionnaires et celui des chrétiens contre les non-chrétiens. Finalement, ces débats ont cessé. Où sont passés, aujourd'hui, les catholiques et les chrétiens ?*

JD : Il y a encore des soubresauts, par exemple autour du problème de l'école, notamment en juillet 1984 et l'an dernier. Mais on peut penser que nous allons dans ce domaine vers une nécessaire clarification et une certaine pacification. Pour le reste, si vous acceptez ma conception des relations entre la foi et la politique, l'influence des chrétiens passe par les personnes et pas par des partis qui se référeraient explicitement et uniquement à la doctrine sociale de l'Église. Or l'Église, au cours des siècles, a forgé une doctrine économique et sociale qui comporte des points forts de référence, et elle n'a pas hésité à condamner des expériences contraires à la dignité ou à la liberté de l'homme. Mais on ne peut pas, au nom du christianisme, distinguer ceux qui ont raison de ceux qui ont tort, ou, pire encore, les bons des mauvais !

DW : *Autrement dit, vous n'êtes pas favorable à des forces sociales qui s'inspirent directement du « label » chrétien.*

JD : Non. En revanche, je suis pour des associations qui mettent davantage l'accent sur la doctrine économique et sociale de l'Église ou bien sur la spiritualité. C'est une eau vive qui doit alimenter le fleuve politique. Par exemple, je veux vanter les mérites d'une association qui vient de se créer et qui s'appelle Démocratie et Spiritualité. Elle regroupe des individus qui souhaitent apporter leur contribution à la revitalisation de la démocratie. Nous avons parlé, en effet, de la crise démocratique en termes politiques, de la victoire de la démocratie contre ses ennemis, mais on pourrait dire : « Démocratie, où est ta victoire ? » Puisqu'en sortant de la guerre froide et de l'affrontement idéologique nous nous retrouvons sans grande force morale.

DW : *Il y a donc une explication spirituelle à la crise intellectuelle, culturelle, voire morale, que traversent actuellement nos démocraties ?*

JD : Oui, mais pour rester fidèle à ma conception de « catholique-laïc », je dirais qu'il y a une « crise morale », de façon que le dialogue entre croyants et non-croyants puisse s'établir à partir de ce constat. Mais je ne peux, à ce point de notre entretien, manquer de citer un passage du premier manifeste établi par cette association.

DW : *Qui l'anime ?*

JD : Notamment mon ami Jean-Baptiste de Foucauld. Je cite : « Si les organisations éprouvent de plus en plus de difficultés à maîtriser les problèmes rencontrés, ce n'est pas seulement parce que la société est plus complexe, et parce que la vie collective a ses règles propres, c'est aussi parce que ceux qui agissent dans les organisations n'ont pas suffisamment pris conscience de la nécessité de renouveler leur inspiration et de mobiliser tant les capacités démocratiques inutilisées que les ressources spirituelles latentes. Aucune société ne pourra faire l'économie de l'invention de ce double renouvellement dans tous les pays, selon leur propre culture. » Après avoir vu la dimension de la démocratie et l'exigence qui en résulte, il faut également présenter ses devoirs à la spiritualité.

DW : *Quels sont-ils ?*

JD : La spiritualité ne peut inspirer, à travers des hommes et des femmes, la vie et la pensée politiques, et redonner de la force vitale à la démocratie qu'à la condition de respecter pleinement la laïcité et de faire preuve de tolérance. À partir de là, un dialogue, qui n'existe plus, pourra se nouer entre personnalités militantes de confessions différentes, mais aussi entre croyants et non-croyants. Pour cela, il faut aussi un effort du côté de ceux qui veulent promouvoir plus de spiritualité dans une démarche de compréhension vis-à-vis des autres. C'est un problème pour nos démocraties occidentales ; c'est une question qui se pose d'une façon tragique dans les pays où l'islam est la religion dominante. Car il existe un islam tolérant. Je regrette que, dans nos pays, au lieu de dénoncer uniquement les ravages du fondamentalisme, on oublie l'autre courant, beaucoup plus important, de l'islam, celui de la tolérance.

D'ailleurs, juifs, chrétiens, catholiques, protestants, orthodoxes, musulmans ont un même Dieu. Comme par hasard, ils sont issus de la Méditerranée, qui est notre mer commune. J'ai toujours rêvé que cette Méditerranée soit précisément le lieu de rencontre, d'épanouissement, d'un nouvel humanisme, tirant sa source et sa veine de toutes ces confessions. Un lieu de compréhension, de réconciliation, de coopération. Je crois qu'il y a là un chantier fantastique pour l'Europe. C'est d'ailleurs pourquoi, parmi les séminaires d'intellectuels que j'ai organisés pour les intéresser à la construction européenne, nous en avons consacré un à « l'Europe et le Sud », à Salamanque. C'était formidable. Entre le juif, le musulman et le catholique, entre l'homme de l'Europe et l'homme de l'Afrique du Nord ou de l'Orient, des liens extraordinaires se sont créés grâce à des discussions franches et fermes. Les premières tentatives ont été faites dans les années soixante-dix et quatre-vingt, mais elles n'ont jamais abouti. C'est une des raisons pour lesquelles je regrette d'arrêter mon travail à la tête de la Commission européenne. Car mon but aurait été de réunir un forum où les représentants de toutes les religions, de toutes les Églises, dialogueraient ensemble à propos de l'Union européenne, de son projet et de son ouverture aux mondes extérieurs.

Valeurs chrétiennes et société laïque

DW : *Comment expliquez-vous qu'il soit si difficile pour l'Europe de réveiller les valeurs judéo-chrétiennes, qui ont pourtant joué un rôle si essentiel dans l'histoire et dans l'identité européennes ?*

JD : Nous progressons. Les représentants des Églises viennent nous voir souvent. Beaucoup plus qu'il y a dix ans. Leurs traditions sont différentes. Les Églises catholiques allemandes n'ont pas le même comportement que les françaises, et les anglicans ne sont pas semblables aux catholiques italiens ! Les orthodoxes ont de fortes spécificités, mais ils sont de plus en plus intéressés. Au début, ils ont répondu avec prudence à mes sollicitations, mais des liens sont maintenant établis.

DW : *Cette mobilisation un peu plus forte des communautés religieuses aurait-elle pu éviter la tragédie yougoslave ?*

JD : Sur la tragédie yougoslave on a tant écrit ! En remontant, à juste titre, à l'histoire des peuples mêlés dans la Yougoslavie de Tito, en rappelant les différents épisodes qui ont marqué ces peuples, très douloureusement, notamment lors de la dernière guerre. Mais au risque de choquer, pour moi, ce qui se passe en Yougoslavie est aussi une guerre de religion. Imaginez le choc pour un croyant de voir les orthodoxes et les catholiques s'affronter. Pas seulement à travers les Serbes et les Croates, mais parfois plus directement. Ce doit être un douloureux sujet de réflexion pour tous les hommes politiques, pas simplement pour les croyants. Quand un jeune garçon ou une jeune fille dit que, si Dieu existe, des atrocités comme on en a vu au Cambodge, en Somalie, au Rwanda, en Yougoslavie devraient être impossibles, je réponds que l'homme est libre et qu'il y a dans son cœur de mauvais comme de bons instincts. D'ailleurs, dans l'Évangile, qui est un document musclé, on ne cache rien. On nous montre la violence, la haine, toutes les turpitudes et aussi les faiblesses de ceux qui ont reçu un mandat de Dieu dans la longue marche de son peuple. Je crois qu'un jeune garçon ou une jeune fille peuvent être convaincus par cette connaissance plus approfondie du couple, don de Dieu et liberté de l'homme. D'ailleurs, cette contradiction est magistralement expliquée par Chantal Millon-Delsol dans *L'Irrévérence* [1] : l'homme européen a été fondamentalement marqué par le judéo-christianisme. Mais aussi par la révélation qu'il pouvait dire non à Dieu. Et derrière ce non à Dieu, il y a le doute, le doute salutaire qui permet constamment de se remettre en question, de s'améliorer et de fortifier sa foi. À l'inverse, quand il faut expliquer à ces mêmes jeunes gens que des prêtres de telle ou telle Église sont à la tête de manifestations où l'on perçoit de la haine et du rejet de l'autre, cela devient alors quasiment impossible, tout au moins pour moi.

DW : *Si l'on en revient aux rapports entre l'engagement religieux et l'engagement politique, peut-on distinguer concrètement un chrétien-démocrate d'un social-démocrate ?*

JD : Ils peuvent avoir de nombreux points communs en ce qui concerne la conception de la démocratie, l'organisation de la société économique, le progrès social, mais, à partir d'un certain moment, ils peuvent diverger sur d'autres points, et je ne songe pas là à la question de la laïcité. Je pense qu'un démocrate-chrétien a moins succombé à l'attrait de l'idéologie du progrès qu'un social-démocrate. Cette notion de progrès indéfini de l'humanité – grâce à la science et à la raison – a été très chahutée ces dernières années. Je pense que l'homme renouvelle perpétuellement la figure de ses aliénations. Cela explique parfois certaines de mes prises de position ou de mes attitudes. Je me suis engagé dans le combat militant pour le progrès de l'homme et de la société, mais, si ce progrès se heurte à des refus, je n'ai à aucun moment la tentation d'imposer ces vues par les moyens de la politique, ou de jeter le sac au bord de la route en me disant : à quoi bon s'occuper de ces gens qui ne sont pas capables ou ne veulent pas voir quelle est la bonne voie ?

DW : *Quelle est la dimension essentielle qu'apporte la foi dans votre engagement dans la vie publique ?*

JD : Le plus important ? Lorsque mon action connaît des limites ou rencontre un échec, je ne me décourage pas. Je commence par une autocritique, pour ne pas dire un examen de conscience, et j'essaie de voir si la direction proposée était la bonne, si la méthode était adéquate. Tout cela à partir d'une donnée qui explique les quelques succès que j'ai obtenus,

---

1. Chantal Millon-Delsol, *L'Irrévérence. Essai sur l'esprit européen*, 1993, Éditions MAME.

notamment en matière de stratégie sociale : il faut que les hommes et les femmes soient les acteurs de leur propre changement, si l'on veut que celui-ci soit effectif et durable.

DW : *Y a-t-il des moments et des événements dans votre vie personnelle où votre engagement religieux a été important ?*

JD : Oui, mais c'est de l'ordre du secret. Je ne suis pas un grand spirituel et j'admire tous ces hommes et ces femmes qui ont un authentique rapport avec Dieu. Par rapport à eux, je suis un peu un handicapé spirituel. C'est dans les drames ou dans les moments d'échec que ma foi joue le rôle le plus important, un rôle salvateur.

DW : *Lors de la maladie de votre fils ?*

JD : Certes...

DW : *Pensez-vous, à l'instar de Helmut Kohl, dans son livre paru en France en 1976* [1], *que l'État démocratique doit protéger les domaines de l'indécidable, c'est-à-dire ceux des valeurs personnelles ?*

JD : Oui. C'est en quelque sorte une illustration plus large de ce que je vous disais de ma conception de la démocratie. Elle ne me paraît réalisée en France ni dans les institutions ni dans les mœurs. La majorité issue des élections gouverne et la minorité a le droit d'exposer son point de vue, ses contre-propositions. Mais au-delà de cette dialectique majorité/opposition, un certain nombre de règles de droit doivent permettre à chacun d'être lui-même, dans l'intégrité de sa personne, quel que soit son positionnement politique.

La démocratie formelle est très importante ! J'ai longtemps reproché à certains politiques de considérer la démocratie comme « en situation ». Cela a malheureusement conduit certains à ne pas considérer le pouvoir comme le service des autres, mais à en faire un usage extensible, comme si on était porteur exclusif de la vérité ou de l'espérance des autres. Je le dis pour la gauche, mais on pourrait également le dire pour la droite qui, dans notre pays, a prospéré souvent dans la confusion entre le pouvoir politique et le pouvoir économique. De ce point de vue, il y a beaucoup à faire, notamment dans l'organisation de la justice.

---

1. Helmut Kohl, *Un chrétien face aux choix politiques*, Paris, 1976, Le Centurion.

DW : *Est-il plus difficile de s'affirmer chrétien dans le style actuel de société ?*

JD : On ne doit pas s'affirmer chrétien. La question est plutôt de savoir s'il est plus difficile de vivre comme chrétien. Je le pense, car les structures traditionnelles dans lesquelles pouvait s'épanouir la vie de foi se sont érodées, qu'il s'agisse de l'Église ou des mouvements autour de l'Église – il ne faut pas oublier que je suis un enfant du patronage catholique, puis de la JOC. Et aussi parce que la famille s'est disloquée. Sur ce second point, je ne suis pas pessimiste, car nous avons aujourd'hui un très large échantillon de positions familiales différentes. D'ailleurs, au bout d'un moment, dans ces familles parentales, monoparentales, dans ces familles réduites d'où les grands-parents se sont éloignés, la nécessité reviendra un jour de renouer des liens familiaux plus intenses et plus permanents.

DW : *Certains de vos amis disent que vous êtes plutôt janséniste, d'autres que vous êtes plutôt jésuite. Êtes-vous plutôt janséniste, jésuite, ou les deux à la fois ?*

JD : Ma vraie culture religieuse, à La Vie nouvelle, je la dois à la fois à des pères dominicains et à des pères jésuites. Je pense que dans votre question il n'y avait pas d'acception moqueuse du mot jésuite. Mais il est vrai que, sans m'en rendre compte, j'ai un comportement janséniste. Ne serait-ce que par cette forme de pessimisme que je traîne avec moi. Depuis que j'ai lu Pascal et l'histoire de Port-Royal, je me suis senti des affinités. Non par rapport à la doctrine religieuse, mais sur le plan du comportement et de la pensée.

DW : *L'Église d'aujourd'hui devrait-elle, selon vous, prendre une place plus active dans le débat politique ?*

JD : Non. Bien sûr, il me semble que l'Église de France a fait preuve de beaucoup de tact, depuis une trentaine d'années. Constatant le recul de la pratique religieuse, elle a essayé de comprendre ce qui se passait, d'être à l'écoute des gens et non de morigéner. À partir de là, on sent bien, dans l'Église, deux courants. Certains pensent que l'Église de France a été trop loin dans cette humilité, considérée par certains comme un effacement, même si cette attitude lui a permis de maintenir le lien avec tous les milieux sociaux. D'autres, au contraire, estiment que l'Église de France est encore trop impérieuse, ce que je ne crois pas. Car les évêques et les prêtres ont pour devoir d'affirmer leurs convictions. Il faut des prophètes et pas seulement des compagnons compréhensifs et solidaires.

DW : *Y a-t-il des thèmes ou des problèmes sur lesquels vous vous êtes senti en opposition, ces quarante dernières années, avec l'Église ? La question du tiers-monde, du sida, des prêtres-ouvriers, l'interruption volontaire de grossesse...*

JD : Au moment de la crise des prêtres-ouvriers, je n'ai pas été de ceux qui, explicitement, quittaient l'Église. Car selon ma conception de la foi et de la religion, je dois rester à l'intérieur de l'Église, même lorsque ce n'est pas très confortable. Mais concernant l'action des prêtres-ouvriers, je continue à penser que l'Église a surestimé les risques et sous-évalué leur extraordinaire apport sous forme de témoignage, de dévouement, d'enseignement. Par conséquent, j'ai regretté, à l'époque, la décision de l'Église. J'ajoute que La Vie nouvelle était considérée par une partie de l'Église de France comme aux marges, par ses audaces liturgiques ou autres. J'étais, là aussi, un catholique indépendant et non pas suiviste.

Depuis, ce qui pour moi fait problème dans l'Église demeure le caractère trop autoritaire de sa gestion. Il faut de plus en plus associer le peuple de Dieu et les prêtres à la gestion de l'Église et au choix des évêques. Il en résulterait à mon sens de meilleures décisions et un climat plus fraternel, je dirais presque, plus communautaire.

DW : *Ce que certains appellent l'absence de valeurs dans notre société est-il lié, à votre avis, à la perte d'influence de l'Église dans la société ?*

JD : Dans une certaine mesure oui, cela ne fait pas de doute. La crise morale de la démocratie est due en partie à un affadissement du spirituel. Je parlais, par exemple, dans une formule un peu forte, de « société de créanciers » pour expliquer les limites de l'État-providence ou des conquêtes social-démocrates.

Chaque catholique s'est réjoui des progrès sociaux réalisés par l'État-providence et de la solidarité exprimée concrètement envers les plus faibles et les plus malchanceux. Mais cela s'est fait à travers des institutions éloignées des individus, avec pour conséquence un affaiblissement du sens du devoir de chacun. Par conséquent, et cela rejoint nos réflexions précédentes concernant l'influence du spirituel, pour aller vers plus de solidarité et de justice sociale, il faut une société active, avec des hommes et des femmes qui se sentent des responsabilités vis-à-vis des autres et de la société. Plus particulièrement à l'égard de ceux qui, dans votre proximité, connaissent le malheur ou l'exclusion. Pour cela, on a besoin de lois sur la sécurité sociale, sur l'assistance, mais on a aussi besoin de la présence active d'hommes et de femmes venant partager avec ceux qui sont dans une situation difficile. Une bonne répartition des revenus sociaux, c'est bien ; des institutions pour accueillir les malchanceux, les malades, les personnes seules, c'est bien, mais ce n'est pas suffisant. Il faut le contact fraternel de personnes qui viennent leur apporter non seulement un soulagement, mais témoigner que ces malheureux sont toujours des personnes avec toute leur dignité.

DW : *Voyez-vous un lien entre le mouvement de laïcisation commencé depuis le siècle dernier et l'affaiblissement du lien social, qui a longtemps eu, dans nos sociétés chrétiennes et européennes, un fondement sacré ? Autrement dit, pensez-vous que le religieux, dans une société laïcisée, puisse jouer un rôle pour reconstruire et retisser le lien social ?*

JD : Si vous permettez, je ne présenterais pas le problème de cette manière. Je dirais tout d'abord que la laïcité est une valeur essentielle pour une démocratie, puisqu'elle implique tolérance, acceptation de l'autre et possibilité pour chacun d'assumer son itinéraire spirituel et philosophique. Par conséquent, la laïcité est un progrès historique, mais, dans ce cas, il faut que ceux qui se sentent une responsabilité morale ou spirituelle puissent agir et, bien entendu, en aient le courage. Que je sache, rien dans la démocratie française ne les empêche de le faire. Encore faut-il qu'ils trouvent leur place, leur style, et ravivent leur inspiration pour confronter sans cesse leur éthique avec leur propre action et avec les événements auxquels ils ont à faire face.

DW : *Que pensez-vous de cette thèse du philosophe Marcel Gauchet, qui écrit, dans* Le Désenchantement du monde [1], *que « la religion chrétienne est finalement la religion de la sortie de la religion », dans la mesure où, en proclamant la liberté de l'individu, elle crée un espace pour d'autres réalités politiques, économiques, sociales et psychologiques, créant de fait les conditions de la disparition de cette religion.*

JD : Il en a toujours été ainsi depuis le début des siècles ! Bien sûr, lorsque les premières communautés religieuses se sont implantées, nous étions dans un contexte différent, il fallait

1. Éditions Gallimard, Paris, 1985.

témoigner jusqu'au martyre, se serrer les coudes, partager le pain et les revenus. Nous ne sommes plus dans cette période héroïque ! Mais, je le répète, distinguons bien l'approche sociologique du phénomène chrétien d'une approche philosophique ou spirituelle.

Dieu est amour, et Dieu nous laisse libres. Cette liberté, nous en faisons l'usage que nous voulons. Nous pouvons recevoir l'appui de Dieu et du Saint-Esprit, pas toujours, mais au fond des choses, il y a notre liberté, et même, je le répète, notre liberté de dire non. Les rapports entre Dieu et l'homme sont des rapports de liberté. Liberté dérangeante, qui parfois fait peur. Cette conscience plus grande d'être libre, de ne plus vivre dans un monde conditionné par le catholicisme constitue un progrès. Tant mieux si toutes les contraintes sociales qui pesaient sur la pratique religieuse ont disparu, tant mieux, puisque nous sommes face à nous-mêmes.

DW : *Vous n'y voyez pas une menace de désenchantement du monde ?*

JD : Le désenchantement du monde connaît des hauts et des bas. Il provient pour l'instant de deux facteurs essentiels. Nous, les Européens de l'Ouest, avions peur du totalitarisme communiste. Il a disparu sans que nous ayons eu à livrer bataille à travers une guerre dramatique. C'est presque un don. Et nous voilà comme perdus, dans une sorte de mollesse. Autre désenchantement, l'idéologie du progrès tous azimuts. Progrès de la science, progrès de l'homme sur lui-même, de la société sur elle-même. Le marxisme nous promettait un homme nouveau. On s'aperçoit, pour reprendre la formule déjà citée, que nous renouvelons perpétuellement la figure de nos aliénations. C'est difficile dans la vie personnelle et c'est encore plus ingrat dans la vie politique. D'où la tendance de certains à recourir à l'autoritarisme et d'autres à la mystification.

Il en est ainsi pour ceux qui demandent à des conseillers en communication de leur indiquer la manière dont ils doivent s'habiller, les mots qu'ils doivent prononcer, les idées qu'ils doivent proposer pour plaire à l'électeur. Mais, pour reprendre vos propres thèses sur l'avenir des systèmes de communication, au bout d'un moment, les hommes et les femmes sont assez intelligents pour voir tout ce qu'il y a d'artificiel et de trompeur dans un tel style. Voilà le désenchantement du monde. Il ne réside pas dans le fait que le christianisme exercerait moins d'influence qu'il y a deux cents ans. Continuer à vivre aujourd'hui face à ces tragédies que nous voyons quotidiennement, face à nos propres échecs personnels, et le faire parce que nous croyons en Dieu, nous croyons à la réalité de ce que nous vivons sur terre, sans attendre béatement le paradis, c'est cela le véritable enchantement ! On s'éveille chaque matin en priant, en écoutant – la prière peut être une écoute – et en s'émerveillant de ce que l'on va pouvoir faire aujourd'hui, aussi modeste notre tâche soit-elle !

L'Église et la société

DW : *Simultanément à cette crise spirituelle, on observe des signes d'un renouveau du christianisme, notamment dans l'essor des communautés. On a d'ailleurs l'impression que le phénomène religieux est souvent réduit à l'émergence de ces mouvements de communautés charismatiques plus ou moins caricaturaux, ou à celle d'un discours religieux au travers des sondages d'opinion qui traitent de manière quantitative des phénomènes de spiritualité dans nos sociétés. N'y a-t-il pas un rétrécissement du discours religieux, un peu caricaturé dans les mouvements charismatiques ou bien un peu sociologisé dans les sondages d'opinion ? Ne manquerait-il pas quelque chose à deux niveaux, celui des manifestations plus proprement spirituelles, celui d'engagements un peu différents par rapport à la société et à la politique ?*

JD : Tout d'abord, les responsables de nos Églises ne peuvent pas se priver des moyens modernes qui permettent, moyennant précaution et compétence, de mieux comprendre les aspirations et les attitudes de nos contemporains. Mais croyez-moi, ce n'est pas sur cette base-là que l'Église prend ses grandes décisions ! D'autre part, il est normal que le pape s'intéresse à ces communautés d'avant-garde qui privilégient tel ou tel aspect de la démarche religieuse. Ces mouvements apportent un renouveau. Parfois ils dérapent, mais ils sont aussi une des manifestations du travail de Dieu dans l'humanité. C'est faire preuve d'une grande ouverture d'esprit de la part du pape de ne pas condamner *a priori*, de ne pas être indifférent, mais d'essayer de voir en quoi ils représentent une avancée, un éclairage nouveau, une intensification du spirituel. C'est aussi la tâche des clercs que d'être attentifs à ces phénomènes.

DW : *En Amérique latine, en Afrique et en Asie, l'Église a choisi les pauvres. Jusqu'où peut-elle jouer un rôle de sup-*

pléance là où la vie politique démocratique, syndicale et associative est inexistante ?

JD : Votre affirmation est globalement juste. Dans ces pays, l'Église a choisi les pauvres, car elle témoigne, proteste, mais aussi soulage bien des misères. Elle apporte un appui à ceux qui font l'objet de discriminations de toute nature. Mais en même temps, elle témoigne de ce qu'est véritablement la doctrine sociale de l'Église, fondée sur la générosité, et pas seulement sur l'assistance. Ce ne serait qu'assistance si l'Église se contentait de donner de l'argent, ou si le prêtre consacrait son homélie du dimanche à la situation des pauvres. Mais elle va bien au-delà : des militants viennent aux côtés d'autres humains, montrant ainsi que, pour l'Église catholique, personne ne doit être exclu de la communauté humaine. Le Christ l'a manifesté à plusieurs endroits dans son Évangile. Les prêtres qui agissent ainsi ne font que reprendre les leçons et la ligne du Christ. Bref, l'Église n'est pas monolithique, dans son action, et c'est bien ainsi. La réalité ne l'est pas non plus.

DW : *Quelles pourraient être demain les relations entre la religion et la société civile ?*

JD : Les mêmes qu'hier. L'Église s'efforce de faire connaître l'Évangile du Christ, ses préceptes et même ses commandements, elle doit également vivre elle-même en cohérence avec ce qu'elle prêche. Elle doit être ouverte à tous ceux qui, rongés par le désespoir, l'inquiétude ou un appel venu de loin, souhaitent en savoir davantage, puis participer à la vie communautaire, c'est tout.

DW : *Une société civile peut-elle ignorer la religion ? Autrement dit, la religion peut-elle apporter dans nos sociétés laïques quelque chose qui soit de l'ordre de l'espérance ? Ou bien faut-il maintenir cette séparation des ordres ?*

JD : Là encore, je n'aime pas cet emploi du mot laïc. Dans nos sociétés où la pratique religieuse est en déclin, que peuvent apporter la religion et l'Église ? Une autre conception de l'existence, une autre manière de vivre. Mais pas dans une sorte de commandement impérieux : « Faites comme moi. » En d'autres termes, je ne crois pas que ce soient des moyens institutionnels ou matériels qui peuvent permettre d'aboutir à un regain de la foi ou de la pratique religieuse. Laissons cela aux sociétés du passé, cela n'a d'ailleurs pas toujours réussi, tant s'en faut !

DW : *Quelles valeurs spirituelles, selon vous, sont nécessaires aujourd'hui dans notre type de société laïcisée ?*

JD : C'est très classique, parce que c'est immuable : l'espérance et la charité. L'espérance, nous en manquons beaucoup car la vie est compliquée. Si nous sommes plus riches, nous n'en sommes pas plus libres, ni souvent plus heureux. L'espérance chrétienne considère la vie comme un don magnifique dont il convient de faire le meilleur usage pour les autres et pour soi. On me critiquera en disant que l'on devrait dire que l'espérance consiste à se retrouver un jour auprès de Dieu. Certes. Mais on ne met pas assez l'accent sur le fait qu'il existe une continuité entre la vie sur cette terre et la vie au-delà.

Quant à la charité, c'est une vertu bien difficile à pratiquer. C'est d'abord la charité du cœur, la compréhension des autres. Il existe ensuite une manière d'aider et de donner. La véritable charité est donc celle qui passe par une force spirituelle plus grande que d'ordinaire. Bien entendu, il nous arrive, par chance, d'être dans cette position où nous comprenons l'autre. Nous sommes engagés par tout notre état d'esprit et tout notre être dans une action pour le comprendre et l'accompagner. Ce sont des moments rares. D'ordinaire, nous nous contentons de trouver des terrains où nous pouvons manifester aux autres notre solidarité, par l'action politique, économique et sociale.

DW : *Pour les générations futures, quelles sont les valeurs les plus importantes à transmettre ?*

JD : Si ce mot n'avait pas le sens qu'il a dans les pays anglo-saxons, je crois que la valeur essentielle est la valeur de la communauté. C'est-à-dire notre capacité à créer un lien fraternel ou à participer avec d'autres. Des communautés fraternelles qui constituent le feu qui devrait animer toutes les actions politiques. Je le dis par réaction contre la tentation du repli sur soi et de l'individualisme : retrouver un équilibre entre l'individu et la société, entre la personne et la communauté, mais une communauté ouverte et n'ayant pas le monopole de la vérité. D'ailleurs, nous appartenons tous à plusieurs communautés, la famille, les amitiés proches, la nation...

Chapitre 2

Le travail

La rupture des modèles culturels

DOMINIQUE WOLTON : *Quel est, aujourd'hui, le modèle culturel pour le travail, quand on voit les transformations qui l'ont affecté en moins d'un siècle et qui ont modifié toutes les représentations que nous en avions ? Pour l'essentiel, le travail ne concerne plus la transformation de la nature ou de la matière, mais plutôt la gestion des signes. De plus, il s'agit souvent d'un travail éclaté, avec des frontières abolies et où tout va très vite.*

JACQUES DELORS : Vous énoncez là un des paramètres de l'évolution du travail. Il y en a d'autres. Il est vrai que les nouvelles technologies de l'information amènent une grande partie de la population active à travailler devant des écrans, des téléphones et bientôt dans des systèmes interactifs, en s'appropriant l'information, en la traitant, puis en la renvoyant. C'est la question des conditions de travail, mais là n'est peut-être pas le problème central.

DW : *Quel est-il ?*

JD : Si l'on part un instant de l'idée qu'avec le progrès technique la quantité de travail nécessaire pour satisfaire les besoins diminue et qu'il n'y aura plus de travail pour tout le monde demain, on est confronté à une question radicalement nouvelle. Pour y répondre, il faut partir d'une réflexion plus théorique sur le travail. Quitte à agacer ceux qui s'inquiètent à bon droit de trouver des solutions au problème du chômage. Vous vous rappelez sans doute que, dans l'Antiquité, on avait une autre conception du travail : on laissait aux esclaves le soin de produire les biens nécessaires à la subsistance et à la survie, alors que les autres, à une minorité de citoyens, faisaient progresser les idées et participaient à la vie de la cité. Avec l'émergence de la société industrielle et de la démocratie, les deux pratiques ont fusionné. Si l'on veut aujourd'hui essayer de trouver une solution équitable à la question de l'emploi, il faut, me semble-t-il, revenir aux sources. Qu'est-ce que le travail ? Une activité qui consiste à affronter la nature et, dans une certaine mesure, à la maîtriser pour produire les biens nécessaires à notre subsistance ou à notre satisfaction. En second lieu, à mieux se connaître pour s'épanouir, par la réflexion personnelle et dans le contact avec les autres. Le travail est de ce point de vue un élément essentiel de socialisation et d'apprentissage. Enfin, il développe la relation avec les autres et, en quelque sorte, fonde les communautés et les sociétés. Si l'on repart de cette définition assez large, il est possible de trouver du travail pour tout le monde dans la société. En revanche, si l'on en reste à ce qui constitue aujourd'hui la typologie des emplois disponibles, on n'en sort pas. On ne reviendra pas à une société dite « de plein emploi », selon la formule classique, si on n'accomplit pas cette révolution conceptuelle, qui n'est après tout qu'un retour aux origines. On pourrait retrouver, je pense, cette définition du travail chez Hannah Arendt, par exemple.

DW : *Dans* La Condition de l'homme moderne [1], *elle parle justement de cette crise du travail : « Nous allons vers une société de travailleurs sans travail. Le travail sera de moins en moins important au plan strictement économique. Il deviendra principalement un problème culturel et social. »*

JD : Hannah Arendt avait l'intuition que la quantité de travail consacré à la production de biens diminuerait d'une manière considérable par rapport aux autres fonctions que peut assurer le travail, c'est-à-dire l'épanouissement de soi-même et l'enrichissement du lien social.

DW : *Cela rejoint la formule de l'*INSEE, *qui a suscité plus d'une réaction : « L'emploi salarié, à temps complet et à durée indéterminée, paraît compromis. »*

JD : Oui, et tout le problème est d'éviter que cette rupture se traduise par un recul social. Cela oblige notamment à une

1. Calmann-Lévy, Paris, 1961. Réédition 1983.

réflexion radicalement nouvelle sur le statut de l'entrepreneur individuel et sur le troisième secteur, dont nous avons déjà parlé. Certains de nos contemporains souhaitent, pour des raisons diverses (personnelles, familiales, militantes), un travail à temps partiel. Celui-ci deviendra la règle pour l'organisation d'une vie, en raison de la diminution du temps consacré au travail contraint.

DW : *Comment, dans l'avenir, distinguer emploi et travail ?*

JD : La perspective que j'ai esquissée offre à tous des possibilités d'avoir un emploi à durée indéterminée ou à durée déterminée, à temps partiel ou à temps plein, avec des interruptions qui pourront donner lieu à des périodes sabbatiques. Nous avons là une bonne base pour penser une société de plein emploi. De plus, cette définition permet de donner une noblesse à de multiples activités considérées aujourd'hui comme de second ordre ou comme relevant de pratiques familiales ou de voisinage. Enfin, cette définition du travail permet de redonner sa plénitude à cette grande mission qu'est l'éducation en évitant de trop rapprocher éducation et emploi.

D'ailleurs vous remarquerez que, dans les années soixante, j'étais parti de l'idée de « l'éducation tout au long de la vie ». Aujourd'hui, cette idée est reprise, mais, comme par hasard, en anglais, on l'appelle *life long training* et, en français, « formation continue ». Évolution réductrice contre laquelle il convient de lutter pour revenir aux sources en matière d'éducation, c'est-à-dire à une conception de la société qui se construit elle-même sous tous ses angles. C'est la « reproduction sociale » au bon sens du terme, et pas simplement la reproduction de la capacité de main-d'œuvre chez Marx, ou les horizons illimités de la société de consommation. La manière de concevoir le travail et les relations de travail retrouvent alors toute leur amplitude, immense défi lancé à l'imagination et à l'action de l'État, des organisations patronales et syndicales. J'y vois la seule manière de répondre à l'angoisse de nos citoyens, et de lutter contre l'exclusion. Bien sûr, nous devons gérer une période de transition, mais j'ai la faiblesse de penser que, si l'on ne part pas des bons concepts, on n'y arrivera pas. Quel serait le résultat ? Une société fragmentée, à plusieurs vitesses, qui aurait perdu sa richesse humaine et sociale.

DW : *Les élites n'ont-elles pas une responsabilité dans le silence concernant ces questions fondamentales, en particulier celle de l'évolution du sens du travail ? En deux générations, on a vu la disparition de la plupart des métiers traditionnels, la transformation radicale des classes sociales, la disparition d'une bonne partie des traditions professionnelles, et, d'autre part, une fuite en avant dans la consommation, détachée du travail. Même aujourd'hui, on voit les limites de la lutte contre le chômage, et le peu d'attention aux formes nouvelles de travail sur les signes et la matière. Pourquoi ce quasi-silence sur ces changements radicaux ?*

JD : Les élites politiques et professionnelles de notre pays ont leur part de responsabilité, car elles vivent d'une manière telle qu'elles ne peuvent pas comprendre la situation des autres. Comment ignorer le désarroi d'un jeune homme ou d'une jeune fille qui sort de l'école avec une formation qualifiante et qui ne trouve pas de place dans le monde du travail ? Comment ne pas comprendre la demande de réduction du temps de travail de femmes ou d'hommes qui, tout en travaillant, doivent assumer d'autres tâches au sein de la famille ?

Les élites, dont je suis, que font-elles ? Elles travaillent toute leur vie et se félicitent d'avoir une vie professionnelle riche, bien remplie et souvent très contraignante ! Mais nous oublions que, généralement, nous sommes bien payés, que nous sommes en haut de la hiérarchie des salaires. En second lieu, notre travail nous intéresse, il est diversifié. On pourrait presque dire que, pour nous, la distinction classique entre travail et loisir n'a guère de sens. C'est pourquoi nous éprouvons des difficultés à comprendre le reste de la société. Je suis sûr que certains, en lisant ma définition du travail, trouveront que je suis un dangereux révolutionnaire, ou un irréaliste, puisque, dans le fond, pour eux, l'ordre social est ainsi fait. Au sommet, on travaille beaucoup, on s'en vante, on dirige, on a de l'influence, et en dessous, on se débrouille comme on peut. C'est cela qu'il faut absolument changer, même si les hiérarchies ne disparaîtront pas. Valoriser d'autres activités, par exemple la visite et l'aide aux personnes dépendantes, l'accompagnement scolaire des enfants laissés seuls, l'entretien de l'environnement, l'animation du développement du monde rural, l'action menée dans les quartiers défavorisés et bien d'autres. Que de potentialités à exploiter, mais aussi quel changement dans les mentalités des dirigeants, dans les hiérarchies sociales !

Ces mutations seront plus difficiles à accomplir que celles du passage de la société pré-industrielle à la société industrielle. Ces transitions avaient leurs contraintes, une partie de la main-d'œuvre étant exploitée, et le mouvement syndical ouvrier a permis de remédier en grande partie à ces aliénations. Mais ce modèle tendait vers l'amélioration du niveau de vie, l'apparition des biens de consommation durable, du confort, l'envie de passer des vacances rêvées. Bref, il s'agissait d'une société qui allait vite, mue par la nécessité de sortir du besoin d'un côté et par l'attrait des lumières de la ville et de la société de consommation de l'autre. Demain, avec un taux de croissance plus faible, il va falloir revoir toutes ces conceptions, pas simplement pour les élites, mais pour l'ensemble de la population. Il faudra trouver des étapes transitoires dans l'organisation de la société qui facilitent la marche vers cette nouvelle société.

Par conséquent, tout le monde sur le pont ! Les politiques, les sociologues, les spécialistes de la sociologie du travail, les aménageurs du temps et de l'espace. Bref, ce devrait être la tâche essentielle d'une nouvelle autorité du Plan qui permettrait de tenir compte des expériences et qui réunirait tous les responsables, de façon à les faire pénétrer dans ce monde nouveau et à trouver les voies de ce nouveau modèle de développement économique et social. Par exemple, reprendre le débat sur les trente-cinq heures. Dans cette société, il faudra à la fois répartir les revenus et le travail. Cette répartition sera d'autant plus facile à faire si notre espérance de revenus est moins grande, si nos possibilités d'avoir un travail plus épanouissant et plus diversifié s'accroissent et si la hantise du chômage recule. Les trente-cinq heures ne sont là que pour illustrer une démarche dans l'organisation de la société et de la vie de chacun. Avec, comme inspiration, la réhabilitation du travail dans sa conception la plus riche et la plus extensive.

Temps et travail

DW : *La réduction du temps de travail et la réduction du chômage sont-elles liées ?*

JD : À long terme, oui, pour la raison que je vous ai indiquée. Tout dépend de notre capacité à imaginer les nouveaux besoins, liés à une politique du temps choisi. C'est pour cela qu'il faut revenir aux sources et retrouver la pleine définition de ce qu'est le travail. De telles réflexions ne nous éloignent pas des problèmes de l'actualité. Elles nous permettent de rendre la société plus ouverte et plus flexible pour les changements qui s'imposent dans la perception de la société et du travail, dans la manière de travailler et aussi dans les revendications.

DW : *Vous avez eu du mal à faire accepter votre idée du temps choisi. Cela a même été quasiment un échec. En temps de crise, cette idée pourrait-elle avoir un écho plus facile ?*

JD : Les deux piliers de la réflexion sur le couple travail-société sont depuis vingt ans les mêmes : accepter d'aller à l'école tout au long de sa vie et intégrer le concept de temps, son contenu et sa valeur, dans le contenu du développement économique et social. Ces deux idées sont fondatrices de l'avenir. Les événements n'ont fait que le confirmer, mais il faut désormais en donner une application plus large. Comment apprendre à mieux organiser un temps réparti autrement et quel contenu donner à l'activité durant ce temps ? Le livre sur *La Révolution du temps choisi* du club Échange et projets date de 1978. Ce n'est qu'aujourd'hui que l'on commence à en parler dans le débat politique. Soit quinze ans après.

Cette réflexion sur le temps est parfaitement cohérente avec celles que nous venons de développer sur le travail. Il se dessine donc peu à peu, en pointillés, l'image d'une société qui vivrait différemment, avec une mission retrouvée pour l'éducation tout au long de la vie et des possibilités de choix plus larges pour l'utilisation de son temps. Comment offrir à chacun des chances égales d'accès à du temps-épanouissement, et un travail qui, dans sa conception la plus large, vienne meubler à la fois le temps contraint et le temps libre ? Relisez Proudhon et Fourier et vous y verrez ces petits cailloux blancs sur le sentier de l'avenir.

DW : *D'ailleurs, on vous considère comme un « Proudhon chrétien »... Par conviction, vous n'avez pas toujours été un fervent défenseur de la société de consommation. Cependant, il y a un paradoxe à voir combien la société de consommation tant attendue pendant des siècles a été ensuite très décriée, pour finalement ne durer qu'une génération. La crise économique remet d'un seul coup au-devant de la scène la question du travail, et moins celle du temps libre ou de la consommation.*

JD : Nous avons été plusieurs à mettre en garde, dès les années soixante, contre certaines retombées fâcheuses de la société de consommation, en particulier une sorte de mercantilisation de la personne humaine. Et pour ceux qui sont spiritualistes, l'emprise d'un trop grand matérialisme. Vous remarquerez, entre autres, qu'une vision trop matérialiste empêche d'accéder à la conception du travail telle que je l'ai développée jusqu'à présent. Mais la société de consommation existe toujours. On ne peut pas dire que nos contemporains en soient lassés. Ils en redemandent ! Après tout, pourquoi pas, si, dépassant sa soif de consommer, la société redécouvre la quête de soi-même et la convivialité ? Grâce au temps devenu disponible, grâce à l'éducation tout au long de la vie qui multipliera les possibilités de penser et d'agir de chacun.

DW : *Cela fait cent cinquante ans, et même un peu plus, que le progrès technique supprime le travail. Après l'agriculture et l'industrie, c'est aujourd'hui le tour du tertiaire. On peut difficilement prévoir un glissement supplémentaire du primaire au secondaire et du secondaire au tertiaire. Faut-il quasiment inventer un quatrième secteur ? N'y a-t-il pas une certaine illusion à croire que les nouvelles technologies de communication vont créer de l'emploi, alors que, dans l'histoire, les techniques ont plutôt supprimé plus d'emplois qu'elles n'en ont créé ?*

JD : Les nouvelles technologies de l'information, comme facteur de production, auraient plutôt tendance à diminuer le nombre d'emplois. Mais, à l'inverse, personne ne peut contester que les nouvelles technologies de l'information vont, avec les biotechnologies, relancer la machine économique. Par conséquent, il en résultera plus de croissance et, dans une certaine mesure, plus d'emplois. Aujourd'hui, il faut être prudent et ne prédire ni le pire ni le meilleur. Pour vous donner un exemple, dans un téléphone mobile, il faut environ pour deux cent cinquante francs de semi-conducteurs, alors que dans un téléphone fixe, il n'en fallait que cinquante. Par conséquent, le téléphone mobile a relancé l'industrie des semi-conducteurs qui était en crise depuis trois ans. Nous sommes toujours dans le processus schumpeterien de destructions créatrices, qui font la croissance et l'emploi.

DW : *L'image assez répandue, depuis une quinzaine d'années, consiste à dire que nous passons d'une société de production à une société de communication. L'idée de communication, notamment liée aux autoroutes de l'information, peut-elle si facilement se substituer, pour le travail et pour la société, à une image de production ?*

JD : Nous aurons toujours besoin d'agriculteurs et de ceux qui transforment les produits agricoles. J'espère que nous aurons encore des bouchers, des boulangers, des petits épiciers. Nous aurons toujours besoin des produits industriels, c'est évident.

Enfin, le tertiaire classique a encore des potentialités devant lui, ne serait-ce que dans les domaines de la santé, de l'éducation, des transports, des loisirs... Le nouveau tertiaire, que j'ai évoqué en partant de ma définition plus large du travail, visera à créer le lien social, à l'enrichir, à contribuer à un nouveau modèle de développement au sein duquel, à côté des biens, des services privés et des biens collectifs, on prendra en considération non seulement l'information, mais aussi l'environnement et le temps.

DW : *Ce nouveau tertiaire se profile davantage derrière votre approche du travail que derrière les nouvelles technologies de communication...*

JD : En termes d'emplois classiques, oui.

DW : *En termes de vision de société aussi.*

JD : On verra. Il est possible que les nouvelles technologies de l'information se développent de telle manière et aient un tel impact qu'elles amènent de nouvelles formes de dialogue social et de vie politique. Il ne faut rien négliger.

DW : *Il ne faut pas non plus oublier que, dans l'histoire, les techniques ont rarement réussi à régler des problèmes sociaux.*

JD : Non, mais une technologie peut être utilisée par des innovateurs sociaux ou politiques. Par exemple, la télévision a changé la nature de nos campagnes politiques, avec moins de meetings en salle et plus d'émissions, de débats radiophoniques ou télévisés. Rien n'interdit de penser que demain, grâce aux processus interactifs, il sera possible au plus grand nombre de participer aux grands débats de société.

DW : *Quel principe de solidarité ou de représentation peut-on inventer pour ces nouvelles formes du travail sur les signes, et la gestion de l'information ? Ces techniques de communication jouent sur la relation, mais l'expérience prouve qu'il n'y a pas de lien direct entre la relation établie par ces techniques et la relation telle que nous l'entendons au sens humain...*

JD : Je pense que l'enrichissement comme l'efficacité du travail collectif dans ces domaines sont subordonnés à deux conditions : la première est que les opérateurs puissent saisir l'ensemble du mécanisme dans lequel ils s'insèrent et qu'ils en connaissent les tenants et les aboutissants. La seconde est que ces opérateurs puissent se réunir régulièrement pour se connaître et débattre entre eux des conditions de leur travail. Croyez-moi, si les syndicats se saisissaient de cette question, il y aurait matière pour eux à rendre à nouveau l'action collective attractive et indispensable.

DW : *Aujourd'hui, si vous aviez une idée à faire passer sur le travail, quelle serait-elle ?*

JD : Si je devais donner un conseil à ma petite-fille, ce serait de faire des études compétitives, car le monde est ainsi fait. Si je devais donner mon avis au futur président de la République, je lui dirais : N'hésitez pas à provoquer un grand débat national sur le travail et sa place dans la société, avec les nouveaux horizons qui s'ouvrent pour une meilleure qualité de la vie, pour l'accès de tous à l'utilité sociale. C'est la voie royale pour rendre espoir aux Français et mobiliser leurs énergies.

Chapitre 3

L'éducation

Un pédagogue-né

DOMINIQUE WOLTON : *L'un de vos talents, unanimement reconnu, est cette capacité à expliquer très simplement des problèmes très compliqués. Non seulement c'est clair et accessible, mais, de plus, vous rendez votre interlocuteur intelligent. D'où vient ce talent de pédagogue ? Est-ce un don ?*

JACQUES DELORS : Sans doute, oui. Il tient à ma passion de comprendre, de disséquer, de trouver le fil logique. Tout cela constitue, me semble-t-il, les conditions d'une pédagogie réussie. Dès que j'ai appris quelque chose, j'ai ce réflexe de le faire savoir aux autres. C'est une tentation permanente.

DW : *Faire réfléchir les autres, n'est-ce pas aussi une forme d'action ?*

JD : Dans la mesure où, pour moi, la stratégie du changement passe par des hommes et des femmes qui doivent en être les propres acteurs, pratiquer une sorte de maïeutique devient nécessaire. Elle doit faire de vos interlocuteurs, organisations représentatives, membres d'un parti, opinion publique, des partenaires qui s'approprient, en quelque sorte, l'analyse de la situation, prennent conscience de la nécessité d'une action et se donnent les motivations nécessaires pour la réaliser.

DW : *D'où tenez-vous ce goût pour la simplicité d'expression ? De l'engagement politique, de votre position religieuse ou d'un talent personnel ?*

JD : Déjà enfant, je passais pour avoir un esprit et une expression clairs. Mais je pense que ma passion pour les mathématiques m'y a beaucoup aidé. Il me semble que cette discipline contribue à clarifier la pensée et l'exposé de vos idées.

DW : *Si l'on se place d'un strict point de vue pédagogique, quel point commun y a-t-il entre les pédagogies des différentes situations dans lesquelles vous vous êtes trouvé ? Je dresse la liste rapidement. La Vie nouvelle, CFTC, Citoyen 60, le Plan, conseiller de Jacques Chaban-Delmas, conseiller au parti socialiste, ministre, président de la Commission européenne.*

JD : En ce qui concerne les exigences principales, appréhension claire et complète d'un problème, puis capacité de conduire un raisonnement logique, il n'y a pas de différence. Simplement, c'est en travaillant par moi-même, à la CFTC, en faisant des exposés dans des écoles normales ouvrières, en militant à La Vie nouvelle que, progressivement, j'ai amélioré ma méthode. Certes, il y a aussi le renfort que donne une certaine confiance en soi et les leçons de l'expérience pédagogique. Mais à la manière d'un artisan qui fignole et perfectionne, je ne commence jamais la rédaction d'un discours ou d'un article sans mettre au clair une ossature, un fil de raisonnement. D'abord les idées, puis leur ordonnancement dans un plan ayant une certaine logique.

DW : *Finalement, vous avez sans cesse fait de la formation permanente !*

JD : Dans une certaine mesure, oui. Mais, vous savez, il existe deux définitions de l'éducation. Une définition large, qui implique que partout où l'on est, on est à la fois enseignant et enseigné : à l'école, à l'université, dans les stages de formation permanente, au travail, mais aussi dans les rencontres amicales et dans la vie militante. Et puis, il y a une définition plus stricte, qui réduit l'éducation au système d'enseignement proprement dit, où l'autorité du maître doit s'affirmer. D'ailleurs, dans les différentes polémiques autour de la place de l'enseignement dans la société, et du rôle de l'éducation dans l'avenir, on retrouve les tenants de ces deux conceptions. Ceux qui voient partout des occasions d'apprendre, et ceux qui veulent défendre le système formel d'enseignement comme une base indispensable, vitale....

DW : *Par rapport aux autres situations d'enseignement que vous avez connues, quelle est l'originalité de celles où vous avez été professeur d'université de 1973 à 1979 ?*

JD : J'ai également beaucoup appris dans les conférences faites et les séminaires animés à l'École nationale d'administration. Dans la période où j'ai été professeur associé à l'université de Paris-Dauphine, mon premier choc a été l'enseignement de masse à l'université. Et la difficulté, pour le président d'université et pour les professeurs, de gérer convenablement cette situation, puisque l'on est passé sans grande transition d'un enseignement très élitiste à cet enseignement de masse. J'ai gardé, pour ma part, la nostalgie de mes passages dans les universités anglaises et américaines où, autour d'un professeur, on trouve une vingtaine d'étudiants qui vivent quasiment ensemble, dans un contexte de fertilisation croisée, en quelque sorte.

Au contraire, à l'université de Paris-Dauphine, j'ai eu plutôt l'impression d'une usine à dispenser des cours ! Malheureusement, je rencontrais très peu mes collègues, sauf pour des raisons amicales, ou pour préparer les soutenances de thèses. Ensuite, j'ai dû opérer une distinction très nette entre les enseignements dispensés en premier et deuxième cycles, avec le cours classique, et les séminaires de troisième cycle. Là, bien entendu, il est possible de combiner enseignement et recherche. On retrouve alors les conditions d'échange et de travail des universités anglo-saxonnes.

La formation permanente

DW : *La loi sur la formation permanente de 1971, dont l'objectif a évolué vers une sorte d'adaptation à l'appareil productif ou à une forme de lutte contre le chômage et l'exclusion, n'a-t-elle pas perdu de sa cohérence ?*

JD : Sans doute. Mais le verre n'est pas vide, il est seulement à moitié plein. Il ne pouvait pas en être autrement dès lors que l'Éducation nationale n'y portait pas l'intérêt que j'espérais. Et parce que la cogestion des actions de formation au sein des entreprises ne démarrait pas bien, en raison des débats incessants entre les directions patronales et les représentants syndicaux. Si bien que ce beau système s'est réduit par rapport aux ambitions. J'aurais souhaité que nous en restions, bien qu'il s'agisse d'une loi sur la formation permanente, à une plate-forme qui puisse un jour s'élargir et déboucher sur l'éducation permanente. Malheureusement, il n'en a pas été ainsi. D'autre part, pour être tout à fait objectif et ne pas jeter la pierre à ceux qui s'en sont occupés, la formation permanente a dû faire face à des demandes venant d'abord des jeunes qui sortaient de l'école sans diplôme ou qualification : tâche souhaitable et utile. Puis est venue la marée du chômage, avec la multiplication de stages de plus ou moins bonne qualité. Au début, j'avais proposé une typologie des actions de formation permanente qui comprenait l'adaptation à la vie professionnelle pour ceux qui sortent de l'école sans formation – il y avait beaucoup d'expériences déjà réalisées depuis la loi Debré de 1966 –, puis les actions de conversion pour changer de métier et aussi les actions plus légères permettant aux travailleurs de maîtriser une nouvelle organisation du travail ou du système de production. Il y avait enfin des actions de promotion professionnelle, dont il existait déjà des éléments et dont l'École des arts et métiers était un des symboles de réussite : des formations sur un ou deux ans qui permettaient au contremaître de devenir technicien supérieur et au technicien supérieur de devenir ingénieur. Ces actions, au début des années soixante-dix, occupaient une place intéressante dans le système. J'avais voulu également donner leur place à des actions de culture générale qui auraient permis à des travailleurs de suivre un stage pour des raisons qui n'avaient pas de rapport direct avec leur travail professionnel. Ces actions-là n'ont pas connu le rayonnement que j'escomptais et ont souvent laissé la place à de simples stages de loisir. Mais la France est encore en avance, grâce à la loi de 1971, et rien n'empêche demain d'utiliser ce cadre, à la fois pour redonner toute son ampleur au projet d'éducation permanente, et parvenir ainsi à une utilisation optimale des ressources humaines et financières.

DW : *Il n'y a pas d'équivalent de cette loi en Europe ?*

JD : Non. Il n'y a pas d'équivalent d'une loi qui pose le principe du droit à la formation permanente pour chaque travailleur, et qui fixe un crédit d'heures, en moyenne, par salarié, avec un financement de l'entreprise qui devrait aller croissant. Mais comme le système a été infléchi, en raison du chômage massif, les différents objectifs n'ont pas été réalisés au même degré. Et ce aux dépens des actions de promotion professionnelle, mais aussi des travailleurs les moins qualifiés qui, dans mon esprit, devaient être une des priorités de cette formation permanente.

DW : *La revue* Échange et projets, *à laquelle vous étiez directement associé, dans son numéro 20 d'octobre-décembre 1979, dressait un bilan plutôt négatif de la formation per-*

manente. On y lisait notamment : « La formation continue, immergée dans les structures de production et de pouvoir, a reconduit, sans vraiment les transformer, les défauts de la société française : fortes inégalités entre dirigeants et dirigés, pauvreté de la vie démocratique au niveau professionnel, faible prise en compte des besoins des usagers. » Que pensez-vous de ce constat ?

JD : Il est trop sévère. Je viens d'ailleurs de vous présenter un bilan plus nuancé. Il est vrai que nous n'en sommes pas à l'égalité d'accès de tous les travailleurs, quelle que soit leur qualification, à la formation permanente, mais un progrès quantitatif et qualitatif très net a été accompli par rapport à la situation d'avant la loi. Quant à la reproduction, elle ne doit pas être exagérée non plus. Il faut dire que, dès l'instant où la cogestion des programmes de formation dans l'entreprise n'était pas possible, la logique de l'entreprise l'emportait. Au total, la formation permanente a largement contribué à l'adaptation de millions de travailleurs à de nouvelles situations, surtout dans l'entreprise.

D'une manière plus générale, cette évolution a coïncidé avec une sorte de domination de la formation professionnelle sur la conception générale de l'éducation. Je ne dirais pas une conception utilitariste, je dirais une conception réductrice de ce que doivent être en réalité les missions de l'éducation. Si bien qu'au lieu de parler du système éducatif d'un côté et de sa branche formation professionnelle de l'autre il y a eu une poussée des dirigeants pour amener le système éducatif à se concentrer de plus en plus sur la dimension professionnelle. Aujourd'hui, il est impératif de clarifier d'une manière très forte le rôle respectif des deux systèmes qui, d'ailleurs, correspondent à deux cultures dans la société française. Une culture des enseignants d'un côté, qui donne la priorité à l'acquisition de connaissances générales ; de l'autre, une culture du monde de la production, qui confère la priorité au contenu professionnel. Le compromis n'a pas encore été trouvé entre les deux. Il en résulte parfois encore une « bataille d'Hernani » que les citoyens ne voient pas et qui reprend quand arrive un nouveau ministre de l'Éducation nationale, avec l'obsession de réaliser « sa réforme ». On ne peut pas dire qu'en France les problèmes de l'éducation aient été posés avec toute la clarté nécessaire et dans une atmosphère qui refuse le dogmatisme. C'est encore aujourd'hui un des problèmes centraux pour l'avenir de la France et de la société.

DW : *N'y a-t-il pas parfois un contraste un peu choquant entre le marché florissant de la formation permanente et la banalisation de l'idée ?*

JD : Il est possible de mieux contrôler l'utilisation des fonds et la gestion de l'ensemble du système. Mais on a trop exagéré les déviations du système. Là n'est pas la question centrale.

DW : *Il y a, au bout d'un moment, contradiction entre les besoins de l'économie et les besoins des individus.*

JD : Oui, mais c'est une question de dosage. Lorsque l'un l'emporte trop sur l'autre, il y a déséquilibre. Revenons aux sources de l'éducation, car il ne faut pas occulter ces sources en allant tout de suite à des réformes de détail, ou en succombant à la pression de la mode ou des producteurs.

L'éducation a pour objet d'enseigner ce que l'humanité a appris sur elle-même. Donc, un savoir fondé sur des connaissances. On ne doit jamais l'oublier. Des connaissances pour quoi faire ? Pour permettre aux hommes et aux femmes de mieux maîtriser leur propre destin et, à travers la production, d'assumer les besoins de l'économie. Mais aussi afin que chacun puisse mieux se connaître, et, par conséquent, être mieux à même de faire face aux situations déstabilisantes qui peuvent se produire dans la vie privée, comme dans la vie professionnelle. Enfin, l'éducation doit faire de chacun un être social, capable de comprendre les autres et le monde dans lequel il vit.

DW : *Sur la formation permanente, vous dressez finalement un bilan moins sévère que beaucoup. Quelle réforme ou quelle idée faudrait-il pour redonner son ambition à cette idée de la formation permanente ?*

JD : Le système doit être corrigé dans plusieurs de ses aspects. Tout d'abord, dans la perspective de la diminution de la durée du travail suscitée par le progrès technique. Il serait très utile de remettre dans le débat la question du « chèque-éducation », c'est-à-dire du droit pour chacun de bénéficier d'un nombre d'années pour apprendre dans l'éducation première ou dans l'éducation permanente. Si l'on trouve que le projet est trop rigide, on pourrait plus simplement décider qu'à l'âge de dix-huit ans chaque adolescent qui quitte l'école se voie accorder un crédit d'heures de formation qui pourra être utilisé dans des conditions compatibles avec l'exercice de sa profession, et qui tiennent compte également de la croissance du temps disponible pour d'autres activités personnelles ou sociales. En fait, il y aurait, en alternance, des périodes de travail ou des phases de formation permanente ou d'activité associative.

Parallèlement, il faudrait convaincre les organisations syndicales d'accepter la cogestion des programmes de formation, au niveau des entreprises ou des secteurs d'activité, de manière que la formation permanente devienne un enjeu, comme chaque partenaire défendant ses intérêts et tenant de ses propres contraintes : les exigences de la production d'un côté, les intérêts et aspirations des travailleurs de l'autre. C'est évidemment une immense responsabilité pour les syndicats, mais au moment où ces derniers perdent de l'audience, ils ne devraient pas négliger cette occasion de rendre des services signalés aux salariés. Enfin, le ministère de l'Éducation nationale doit être partie prenante du système de l'éducation permanente, non pour le dominer, mais pour y participer pleinement, et permettre au corps enseignant d'alterner les périodes où ils enseignent à des enfants et des adolescents et des périodes où ils enseignent à des adultes. Cet échange entre le ministère de l'Éducation nationale, le monde de la formation permanente et le secteur économique donnerait un dynamisme considérable au système de formation permanente et aurait des conséquences très positives sur la politique générale de l'éducation.

Éducation et société

DW : *Si l'on revient maintenant à l'éducation dans son ensemble, comment faire évoluer le système éducatif français fondé sur la sélection et l'élitisme vers un système mixte, dual, où il y aurait des passerelles à tous les niveaux entre l'enseignement, la formation initiale et la formation continue ?*

JD : La bonne direction est précisément dans le maintien des avantages du système français, c'est-à-dire les grandes écoles, et dans une réforme de l'enseignement qui permette à chacun d'entrer dans la vie active dans les meilleures conditions possibles, selon son tempérament, son évolution personnelle et ses dons. À cette fin, l'enseignement par alternance doit être réalisé à grande échelle dès le milieu du secondaire.

Mon expérience montre que les jeunes de quatorze ou quinze ans se croient beaucoup plus mûrs qu'ils ne le sont en réalité, en raison de phénomènes divers, comme l'évolution physiologique, les comportements familiaux et l'extension quantitative de la télévision. Mais les études qui ont été faites montrent qu'il n'en est rien. Beaucoup de jeunes sont désemparés lorsqu'on leur demande, par exemple, ce qu'ils veulent faire dans la vie. Parallèlement aux études, le fait de pouvoir consacrer chaque semaine, ou un mois par an, du temps à une activité professionnelle sociale enrichirait les jeunes, leur permettrait de mieux se connaître et de tester leurs aptitudes. Ce serait aussi un moyen de lutter contre l'inégalité des chances, car beaucoup de ces enfants ne trouvent pas, dans leur milieu familial, le support et les conseils nécessaires.

C'est pourquoi j'ai toujours été opposé à cette aspiration constante vers le haut, comme si l'allongement de la durée des études et l'octroi du baccalauréat à 80 % d'une classe d'âge donnaient la garantie d'une meilleure égalité des chances et d'une formation mieux adaptée à notre temps. En disant cela, je sais que je mets en cause bien des tabous de la société et des milieux de l'Éducation nationale, pas simplement chez les enseignants, mais aussi chez les parents ! Le risque actuel est que le baccalauréat perde toute qualité en tant que diplôme, que la plupart des parents se sentent contraints d'envoyer leurs enfants à l'université. Mais, dans cette université de masse, où il est difficile de se mouvoir, beaucoup d'enfants sont en rupture complète et en situation d'échec. Au bout du compte, cet échec constitue un obstacle supplémentaire à l'entrée dans la vie d'adulte et, bien entendu, dans le monde du travail.

DW : *Vous dites qu'il existe des résistances très fortes sur l'éducation, mais vous ne pensez pas que la gauche, après plus de dix ans de pouvoir et sous la pression de la crise économique et sociale, aurait pu réaliser cette révolution mentale ?*

JD : J'en viens, contrairement à ce qui était mon obsession des années soixante, à prêcher pour la conception de base de l'éducation : la connaissance en général et une meilleure compréhension de soi-même et des autres.

Alors qu'en 1960 je voyais le défaut d'un système éducatif trop éloigné des réalités économiques et sociales, et trop élitiste, je crains aujourd'hui l'envahissement du système éducatif par la pression de l'économie. Pression exercée en même temps par beaucoup d'hommes politiques, par les milieux d'entreprise, par les cadres et les ingénieurs, ce qui amène à sous-estimer la haute mission de l'éducation. Au terme de la formation initiale, je le répète, l'individu doit, en fonction de ses talents et de ses qualités, se sentir à l'aise dans la compréhension de l'environnement naturel et des actions menées pour le transformer. Il doit mieux se comprendre, connaître ses forces et ses faiblesses, être capable de réagir à des situations imprévues et, en même temps, devenir un être social. Bien entendu, selon les individus, la pondération entre les trois peut varier, mais tout cela est fondamental et implique une réflexion sur le système éducatif en lui-même, en partant de ses origines, telles qu'elles avaient été conçues déjà par Aristote.

DW : *Il y a tout de même un paradoxe dans votre position. Vous craignez de voir diminuer l'acquisition des connaissances au profit de la logique économique alors que vous avez pensé, agi, milité pour que cette logique de la production soit davantage présente !*

JD : Aujourd'hui, je crains qu'elle n'envahisse le système éducatif et ne nous éloigne des principes fondamentaux justifiant la place de l'éducation au cœur de la société.

DW : *Personne ne peut garantir l'équilibre.*

JD : Non, il faut préserver les grandes étapes du système d'éducation, du primaire au supérieur, car c'est la force d'une société. Le même problème se pose pour l'université, dans sa double dimension d'enseignement et de recherche. Que les universités soient comme un poisson dans l'eau dans leur région ou dans leur environnement, c'est bien. Qu'elles se préoccupent des besoins en qualification supérieure, il le faut également, mais qu'on leur donne aussi les moyens de jouer pleinement leur rôle vis-à-vis de la société. Il faut que l'université garde une parole libre, indépendante, que l'on puisse l'entendre, et pas seulement les professeurs qui ont la chance, ou l'astuce, de participer à une émission de télévision. Même si elle devient une institution de masse, l'université doit garder son indépendance intellectuelle et exercer un certain magistère culturel et moral dans la société. Partant, on retrouvera l'autorité du maître, celui qui a pour noble mission d'enseigner, et donc d'aider à l'éclosion d'une personne.

DW : *Autrement dit, vous craignez que, la crise économique et sociale aidant, le monde universitaire n'aille trop près de la société et des besoins en emploi, en formation, et n'abandonne ce qui est sa tradition depuis toujours : transmission et production de connaissances, recherche et fonction critique.*

JD : Oui. Il ne peut y avoir de vie universitaire active et profitable sans que la recherche y ait toute sa place. Qu'ensuite les laboratoires universitaires travaillent avec des laboratoires d'entreprise, très bien, mais que l'on donne aussi à l'université les moyens de conserver son autonomie. Bien sûr, la régulation financière du système n'est pas facile. Mais il vaut mieux, dans ce domaine, perdre un peu d'argent que d'abandonner la mission civilisatrice de l'université.

DW : *Quel avenir voyez-vous pour le triptyque formation-qualification-promotion ?*

JD : L'évolution des qualifications a lieu dans deux directions. De plus en plus de qualifications pointues ne peuvent être acquises dans une grande école ou à l'université. Elles nécessitent ensuite une adaptation, en fonction des exigences de l'entreprise. D'autre part, il existe de plus en plus de qualifications « maison », ce qui rend très difficile la négociation des grilles de qualification et des salaires entre le patronat et les syndicats. Cela ne facilite pas, non plus, la définition des cursus et des modules de formation. Mais cela va dans le sens que je souhaite, puisqu'il s'agit de donner à un jeune qui sort du système éducatif un savoir et un savoir-faire, ce dernier pouvant être complété dans la confrontation avec la vie professionnelle.

DW : *Si je comprends bien, ce que vous craignez le plus, ce serait un modèle universitaire trop proche de la formation immédiate, alors qu'il y a trente ans vous craigniez une université trop éloignée des réalités ? L'accent devrait donc plutôt être mis sur le maintien des fonctions traditionnelles de production et de transmission des connaissances.*

JD : On peut le dire en d'autres termes, pour montrer que la tâche n'est pas aisée pour les responsables de l'éducation : l'exigence à court ou moyen terme est que sortent du système éducatif des jeunes gens capables de s'insérer rapidement et positivement sur le marché du travail. L'exigence à long terme, en revanche, est de garder un système éducatif qui puisse produire des connaissances, renforcer les capacités d'adaptation des individus et contribuer au développement de la société. Par capacité d'adaptation, j'entends non seulement la maîtrise des nouveautés dans la vie professionnelle, mais aussi l'aptitude à renforcer les liens sociaux et à créer entre les individus des relations qui soient le plus profitables pour tous. Comment concilier les exigences à court et à long terme ? C'est la question centrale posée à la politique de l'éducation.

DW : *Si hier la faiblesse du système éducatif était d'être trop loin des réalités, le manque de perspective à long terme risque aujourd'hui d'être sa faiblesse principale.*

JD : Je pense que les universitaires eux-mêmes ont conscience de cette exigence à long terme, mais ils se défendent parfois mal en mettant uniquement l'accent sur leurs moyens ou sur leur autonomie de gestion. C'est dans le milieu des décideurs politiques et économiques que se produisent les dérives les plus dangereuses. On veut des résultats immédiats. Comme les moyens financiers sont toujours limités, on sacrifie les tâches les plus fondamentales pour l'avenir.

DW : *Depuis un an, vous présidez la Commission de l'éducation, créée par l'UNESCO.*

JD : Tout d'abord, elle m'a conforté dans cette idée que l'éducation était une des priorités essentielles de la société, et qu'il fallait retourner aux sources. En second lieu, elle m'a montré combien, dans de nombreux pays en voie de développement, en copiant le modèle occidental d'éducation, on avait échoué, tant sur le plan économique que sur le plan culturel. Enfin, grâce à la confrontation entre l'Occident et l'Orient, pris dans leur sens le plus large, j'ai vu combien les deux conceptions du monde étaient différentes et aboutissaient à un clivage concernant les finalités mêmes de l'éducation. Notamment à tout ce qui a trait à la position de l'homme dans la nature et dans le monde, aux priorités que l'on attache à tel ou tel aspect de l'existence. Cette coupure m'est apparue comme très forte. Je ne vois pas, pour l'instant, comment la surmonter afin de proposer des orientations générales qui puissent être acceptées philosophiquement par les uns et par les autres.

DW : *On dit souvent que toute conception de l'homme, de l'être humain et de la société se traduit par une conception du système éducatif. Êtes-vous d'accord avec cette idée ?*

JD : Bien sûr ! Mais mon objectif est précisément de montrer qu'il y a au-delà des conceptions politiques ou philosophiques de l'existence quelques principes généraux sans lesquels l'éducation ne peut pas exercer pleinement sa mission au service des hommes et de la société.

DW : *Quelle devrait être la grande idée pour l'éducation de demain ?*

JD : Rendre l'homme plus conscient de lui-même et de ce qui l'entoure.

DW : *Et quelles sont les valeurs sans lesquelles une éducation n'est pas digne de ce nom ?*

JD : L'apprentissage de la liberté, le respect de celle des autres qui implique la tolérance, la passion d'apprendre tout au long de sa vie. Enfin, une attitude vis-à-vis de la science qui ne soit ni la fascination qui conduit au scientisme, ni le dédain qui entraîne la décadence. En d'autres termes, l'enseignement de la science est essentiel par ce qu'elle représente dans l'histoire humaine, dans la vie de chacun, mais aussi par sa dimension éthique. Sans doute un des plus grands défis lancés à l'humanité est-il de savoir jusqu'où la science peut aller.

DW : *Pourquoi n'avez-vous pas accepté un poste de ministre de l'Éducation nationale ? Après tout, Jules Ferry a davantage marqué l'Histoire que tous les ministres des Finances !*

JD : On ne me l'a jamais proposé, à vrai dire.

DW : *Pourquoi ne l'avez-vous pas proposé ?*

JD : Ce n'est pas dans mes habitudes.

DW : *Vous le regrettez ?*

JD : Oui, j'aurais aimé être ministre de l'Éducation au moment de la grande polémique des années soixante, telle que je l'ai décrite, pour essayer de rapprocher le système de l'enseignement du système économique, sans que le premier soit submergé par le second. Et j'aimerais l'être demain pour « remettre l'église au milieu du village », autrement dit le système éducatif là où il doit être par rapport à la société.

DW : *Aujourd'hui, un ministre de l'Éducation pourrait-il avoir la même autonomie et la même capacité d'action que celles de Jules Ferry ?*

JD : Jules Ferry a eu énormément de mérite, car il s'est attaqué à de nombreux obstacles et à de nombreux tabous. Mais il a eu la chance que son projet s'inscrive dans la volonté de promouvoir la République, comme un élément fondateur de celle-ci. Aujourd'hui, il est difficile de retrouver cette marge de manœuvre. On est aux prises avec les groupes d'enseignants, les différentes écoles pour la place respective des matières, la pression des groupes économiques, et aussi l'angoisse des parents qui les conduisent trop souvent à choisir la fuite en avant dans la prolongation des études. Tant que les possibilités d'éducation permanente seront limitées, il sera très difficile d'expliquer aux parents que chaque enfant doit avoir son itinéraire propre, adapté à ses possibilités. Notamment à ceux pour lesquels une entrée plus précoce dans la vie active ne serait pas un handicap, mais au contraire la bonne voie pour se développer et ensuite retourner dans le système éducatif, avec de pleines chances de promotion.

DW : *Pour la société de demain, le problème de l'éducation est-il aussi important que celui du travail ?*

JD : Oui, ils sont d'ailleurs liés. Quand j'ai parlé du travail, j'ai indiqué que celui-ci avait trois missions : transformer ou aménager la nature ; contribuer à la réalisation personnelle de chacun ; renforcer les liens sociaux. L'éducation a les mêmes finalités, mais elle intervient avant la vie professionnelle. Elle doit donc opérer de la manière la plus large possible, en réalisant l'égalité des chances entre les enfants, ce qui implique l'extension des mesures dites de « discrimination positive », pour des catégories d'enfants qui sont défavorisés en raison de leur origine sociale et de leur environnement familial.

Chapitre 4

Tradition et modernité

Le paradigme moderniste

DOMINIQUE WOLTON : *Dans le texte d'un colloque du Vatican d'octobre 1991* [1] *concernant les rapports entre le christianisme et la modernité, on pouvait lire : « Bien des valeurs de la modernité doivent au christianisme quelques-uns des préalables fondamentaux de leur origine et de leur épanouissement : la science, la liberté et ses développements éthiques. En posant la primauté du sujet sur l'objet, le christianisme affirme que le monde peut être transformé à volonté. » Êtes-vous d'accord avec l'idée d'une dette que la modernité aurait à l'égard du christianisme ?*

JACQUES DELORS : Lorsque je considère l'histoire de l'Église et ses réactions aux différentes périodes clés de l'histoire du monde, je ne peux pas adhérer pleinement à cette analyse. Ce qui me choque le plus, c'est cette dernière phrase : « Le monde peut être transformé à volonté. » Il y a des limites. On se souvient sans doute qu'aux XVIIe et XVIIIe siècles, de grands théologiens indiquaient que l'apport du christianisme était que Dieu avait mis la nature à disposition de l'homme, celui-ci pouvant la transformer à volonté. C'était compter sans les exigences de l'environnement. La nature et nous sommes liés par un pacte non écrit de solidarité. Nous ne pouvons pas ignorer le monde naturel qui est un capital qui nous a été légué. Nous pouvons le transformer, mais pas le détruire, ni même le

1. *Christianisme et culture en Europe*, colloque présynodal, Éditions MAME, Paris, 1991.

déstabiliser. C'est tout le mérite de l'écologie que de nous l'avoir rappelé.

D'autre part, je crois que l'homme moderne, grâce aux acquis scientifiques, a mieux compris quelle était sa place dans l'univers. Les polémiques ne sont plus de mise, en ce qui concerne la création de l'homme et *a fortiori* de l'univers. Ces découvertes scientifiques sont parfaitement compatibles avec certaines lectures de l'Ancien et du Nouveau Testament. Grâce à la science, l'homme a relativisé sa place. Il est davantage en osmose avec l'univers. Et sans faire de panthéisme, il l'est aussi avec Dieu. Car, dans l'Ancien Testament, Dieu parle de la création de l'ensemble de l'univers. Par conséquent, il me semble qu'il y a eu une sorte de dialectique, au cours des âges, entre l'Église d'un côté, qui s'est adaptée, il faut en convenir, et, d'autre part, l'homme. C'est là une question redoutable : l'Église doit-elle adapter son message en fonction des connaissances nouvelles que l'homme a acquises sur lui-même, sur ses origines, sur l'univers ? Et jusqu'où doit aller l'adaptation ? Je crois que l'Église a eu la sagesse d'incorporer ce qui était connu, par conséquent de ne pas s'opposer à la science en tant que telle et de pouvoir garder ainsi intact le cœur du message. Encore que, ces dernières années, on ait pu se demander si une certaine crispation n'amenait pas, parfois, le Vatican à rester insensible à certaines réalités. Je pense notamment aux problèmes démographiques dont nous avons parlé et pour lesquels une conciliation est possible, à condition de songer aussi à la santé et à l'équilibre personnel des individus et notamment des femmes.

DW : *Que pensez-vous de ce constat, selon lequel, dans les sociétés dépendantes, les individus étaient écrasés par la tradition, alors que, dans les sociétés modernes, ils risquent d'être réduits au statut de consommateur ?*

JD : Il est vrai que la liberté peut tuer la liberté. Tout dépend de l'usage que l'on en fait et des limites que l'on s'assigne. Ces limites sont de deux ordres. D'ordre personnel : elles sont liées à la conception que l'on a de la morale, de l'humanisme, de la relation avec l'autre. Et d'ordre politique, car il faut que la démocratie offre à chacun les moyens de considérer la liberté comme une valeur positive, contribuant à la construction de la société, mais toujours susceptible d'être remise en question. Nous traversons actuellement une période liée à la crise morale de la démocratie.

Michael Stirmer, qui est directeur de la Fondation pour la science et la politique d'Ebenhausen, en Allemagne, posait correctement le problème. Il disait : « À l'heure où les pressions de l'extérieur s'estompent, les avertissements d'Aristote ressurgissent. La société civile ne peut pas recréer les valeurs sur lesquelles elle repose. Il n'y a rien de plus difficile et de potentiellement destructeur que le concept de liberté. Alors que l'ordre ancien s'évanouit, que les utopies sociales, démocratiques et technocratiques touchent le fond de la récession, et que le bien-être s'écroule, les sociétés d'Europe de l'Ouest semblent en panne intellectuelle et morale. » Il appelle cela les « fruits amers de la victoire ». Cet avertissement doit être pris au sérieux. Il est d'ailleurs présent tout au long de notre dialogue. La liberté doit être stimulée par une exigence intérieure et un projet collectif.

DW : *La modernité dans le domaine politique peut-elle être définie comme la séparation du religieux et du politique, comme le triomphe de la raison ?*

JD : On peut dire, d'un point de vue historique, que la modernité en politique, c'est la séparation du politique et du religieux. Je n'irais pas jusqu'à dire que c'est le triomphe de la raison, vous connaissez mes réserves à l'égard des prophètes du siècle des Lumières et des idéologies du progrès.

DW : *Le progrès est un concept essentiellement lié à l'histoire moderne, mais cette notion n'est-elle pas finalement assez subjective, surtout quand on voit les différentes acceptions qu'elle a prises au XXe siècle ? Notamment avec la captation dont elle a été l'objet par le marxisme ?*

JD : Indépendamment de ses origines philosophiques, la notion de progrès s'est répandue dans le monde industrialisé en raison de l'apparition de la croissance économique, après des siècles de stagnation. La notion de croissance économique est relativement nouvelle. Quant au marxisme, il est vrai que, sur la base de sa critique radicale du capitalisme, il voulait offrir une perspective au progrès de l'homme et de la société, en mettant à nu les aliénations qui les empêchent de s'épanouir pleinement.

Mais l'homme n'est pas aux prises qu'avec l'aliénation capitaliste. Il est aux prises avec de multiples aliénations. Le marxisme avait vu juste en dénonçant l'exploitation de la classe ouvrière et le mécanisme de la plus-value. Cette analyse a d'ailleurs servi de base à l'action du syndicalisme ouvrier et du mouvement socialiste qui a débouché sur de nombreuses transformations sociales, payées parfois d'un prix très élevé. Mais le capitalisme est toujours là. L'exploitation n'est plus aussi intense et grave qu'il y a cent cinquante ans. Il n'empêche que l'homme retombe toujours dans ses faiblesses. C'est pourquoi il y a beaucoup de mérite à continuer à croire dans le progrès de l'homme et dans celui de la société, tout en sachant que ce progrès est relatif, précaire, et qu'il peut être annulé du jour au lendemain par la violence et l'égoïsme qui sont au cœur de l'homme. Ma vision n'est pas pessimiste, elle est réaliste et, d'une certaine manière, optimiste, car fondée sur l'action utile de l'homme dans l'Histoire.

DW : *Dans une lettre apostolique du 22 février 1994, le pape dénonce « la fausse civilisation du progrès et la civilisation malade ». Au-delà des critiques antimodernistes, son discours n'est-il pas stimulant par l'interrogation fondamentale qu'il pose ?*

JD : Oui, c'est un discours qui réveille et qui touche le cœur des jeunes générations. C'est indiscutable. Est-ce que les prolongements de ces discours sont vraiment adaptés à la situation de la femme africaine ou des masses pauvres d'Asie ou d'Amérique latine, c'est une autre question. Mais il est vrai que nous avons besoin d'être secoués et de ne pas nous enfermer dans notre conformisme petit-bourgeois qui débouche inévitablement sur un matérialisme sans perspective ni élan responsable et généreux.

DW : *Peu de partis politiques ont un discours sur la famille. Vous non plus d'ailleurs. On vous entend rarement tenir des propos sur la famille. Pourquoi ? Par crainte d'être traité de conservateur ?*

JD : Non, j'ai vécu en famille, dans une conception tout à fait traditionnelle, mon épouse ayant fait le sacrifice de renoncer à son métier pour élever nos enfants. Nous nous en sommes bien portés.

Aujourd'hui, je reste, dans ce domaine, fidèle à ma méthode : je regarde les faits. Et je constate que nous assistons à un éclatement de la famille traditionnelle, au profit de multiples formes, sur lesquelles je me refuse à porter un jugement définitif. Car je continue à penser que, si la violence et l'égoïsme sont au cœur de l'homme, il y gît aussi l'amour du prochain, le besoin de tendresse, de compassion, le souci d'être rassemblé entre personnes du même sang. Tous ces éléments ne se manifestent pas encore avec toute la force souhaitable, mais on voit déjà que, dans ces familles d'un type nouveau, certaines insatisfactions apparaissent et que revient l'envie de se rencontrer, les enfants avec leur père ou leur mère, les frères et les sœurs, et parfois même les grands-parents qui jouent souvent le rôle de substitut dans les familles monoparentales.

Rien n'est donc joué dans le cœur de l'homme. Rien n'est joué dans l'histoire. C'est un combat permanent. Cela montre aussi les limites de la politique. Elle peut créer un environnement plus ou moins favorable à un certain progrès de l'homme. Mais la politique ne peut pas s'attacher à calculer et à faire croître le « bonheur intérieur net », comme on parle, en termes économiques, de « produit intérieur net ». Je prends cette formule parce qu'à un certain moment il m'a semblé que certains politiques avaient cette interprétation. Cela aurait été une forme de despotisme « non éclairé ». Pour ma part, j'observe les faits, sans porter condamnation, et je vois bien les limites de l'action politique. Au moins peut-on demander à l'action collective – qui n'est pas que la politique – de créer les conditions les plus favorables à l'expression de ce qu'il y a de plus beau et de plus noble en l'homme : l'envie d'aimer et d'être aimé, le goût de l'aventure, un certain besoin de dépassement, une certaine satisfaction lorsque l'on a fait un geste désintéressé. Après, à chacun de vivre sa vie, en pleine responsabilité.

DW : *Mais pourquoi le discours sur la famille est-il toujours considéré comme un discours relevant des valeurs de droite ?*

JD : En politique, l'héritage est fort. À force de se battre pour le contrôle des naissances, la promotion de la femme, la gauche en était arrivée à s'opposer à la droite, favorable à la conservation de l'état existant, c'est-à-dire à la femme au foyer, aux familles nombreuses, quelles que soient les situations ou les conséquences. Si je suis schématique à l'excès, c'est pour tenter de vous convaincre des inerties de l'Histoire, à droite comme à gauche. De même, si aujourd'hui les débats sur la laïcité se sont apaisés, il reste encore des militants de la laïcité qui ne voteront jamais pour quelqu'un qui va à la messe et, à l'inverse, des fidèles de leur église scandalisés à l'idée de voter pour un non-croyant. Mais ce sont des phénomènes qui sont en voie de disparition.

DW : *Sur des questions aussi importantes que celles de l'individu, de la famille et des expériences de libération individuelle, ne pourrait-on pas arriver à une forme d'aggiornamento pour constituer un « fonds commun » dont vous avez parlé longuement pour l'économie ? À savoir, reconnaître à droite comme à gauche le bien-fondé d'un certain nombre de valeurs fondamentales, comme l'importance de la structure familiale pour toute société ?*

JD : Nous n'en sommes pas au point de maturité, dans l'évolution actuelle des mœurs, qui permette de formuler des propositions sans prendre le risque de nous tromper ou d'être injuriés. Alors je vous réponds sur un plan beaucoup plus psychologique : le pire n'est pas sûr et il faut tenir compte du fait que l'homme a des aspirations contraires. Le vagabondage sentimental, par exemple, a ses limites. Il aboutit, comme on a pu le constater, à des êtres malheureux, qui ressentent le poids de la solitude ou qui sont rassasiés d'avoir bondi d'aventure en aventure. Il faut laisser faire le temps et les expériences. Et surtout ne pas trop demander à l'action politique, je ne le répéterai jamais assez.

DW : *Dans* Changer, *en 1974, vous écrivez : « Il y a dans le déchaînement de la permissivité un outrage fait à l'homme et à la femme. » Confirmeriez-vous aujourd'hui ce propos ? Vous évoquez peu les questions relatives aux mœurs en général, les considérez-vous comme aussi importantes que les relations sociales, pour l'équilibre de la société ?*

JD : La personne est une fusion, une totalité. On ne peut pas dissocier un des éléments, que ce soit le caractère, la sexualité, le comportement social. Tout cela est lié. Il ne faut pas croire que la sexualité puisse être dissociée du reste et n'exerce pas d'influence sur le comportement de l'individu. Lorsque je parlais de permissivité, je parlais d'une liberté sans règles, d'une absence de tout sentiment de responsabilité à l'égard des autres dans tous les domaines. Je ne jugeais personne. On dit que la liberté des uns s'arrête là où commence la liberté des autres. La liberté d'une personne doit aussi s'arrêter là où commence son autodestruction.

DW : *Vous aimez cette phrase que vous citez souvent d'Emmanuel Mounier : « L'homme renouvelle constamment la figure de ses aliénations. » Pourquoi l'aimez-vous et quelles sont ces aliénations ?*

JD : J'aime cette phrase, car elle situe exactement la position de l'homme dans l'histoire de l'humanité. Il y a du mal autour de nous. Mais quand on y regarde de près, c'est à chacun d'entre nous de s'interroger sur les causes générales ou personnelles de son propre malheur ou de ses propres limites. Bien sûr, on peut protester contre le mal qui nous agresse alors qu'on en est innocent. Et il faut le combattre. Mais l'homme n'est ni ange ni bête. Comme il est à la fois les deux, il doit se méfier de lui-même. Et se trouver assez fort pour mener une vie où la liberté sera assumée pleinement ou, à tout le moins, de la manière la plus digne.

Un traditionaliste réformateur

DW : *Les chrétiens ont toujours pris parti dans le débat tradition et modernité qui nourrit la vie politique et culturelle depuis près de deux siècles. Vous apparaissez plutôt comme un partisan de la modernité, contrairement à une grande partie des chrétiens. Pourquoi faites-vous peu référence à la tradition ?*

JD : Parce que je la vis, elle est au fond de moi-même. Je me considère comme un des héritiers de l'histoire de l'humanité, un parmi plus de cinq milliards d'habitants de la planète. Par conséquent, lorsque j'affronte les faits présents, la tradition est là, avec moi, et le choc se produit entre la tradition et la modernité en moi-même, dans ma réflexion et dans ma conduite.

C'est pourquoi on peut avoir un débat sur la modernité, à condition d'en parler en termes de sciences sociales. La modernité est un concept utilisé par tous pour illustrer, comme vous l'avez très bien dit, le passage progressif du XVIIIe au XXe siècle. Ce concept illustre et traduit les bouleversements intervenus notamment dans l'attitude de l'homme vis-à-vis des religions, de la science, et du progrès économique. Il est vrai que j'ai atteint l'âge adulte, avec les gens de ma génération, à un moment où mon pays, la France, avait du mal à épouser la modernité, disons plutôt la modernité économique. En ce sens, on peut dire que la pensée politique des clubs des années soixante et ma propre pensée politique étaient du côté de la modernité, mais pas au point d'oublier la tradition, et de ne pas chercher constamment la bonne synthèse entre ce qui doit être immuable et ce qui doit changer.

DW : *Pourquoi, alors, parlez-vous peu de la tradition ?*

JD : Parce que c'est un langage qui, aujourd'hui, n'est ni pédagogique ni convaincant. Si je parle de tradition à des jeunes, le courant ne passe pas. À tort, peut-être, mais c'est ainsi. Si je parle de tradition en matière de pensée sociale, le problème devient plus complexe. Parce que, aujourd'hui, la tradition, ce sont les acquis du mouvement ouvrier. La synthèse entre tradition et modernité fait toujours de moi un contestataire. D'ailleurs, il est assez étonnant de voir que je suis un contestataire qui exerce le pouvoir ! Parce que je suis agacé par le trop-plein de tradition de certains et l'arrogance de la modernité des autres. Alors, je réagis en contestataire, pour rétablir l'équilibre.

DW : *Qu'appréciez-vous dans la tradition ?*

JD : Ce que j'apprécie dans la tradition, c'est avant tout la convivialité, c'est-à-dire la propension à vivre d'une manière assez proche d'autres que l'on a choisis. Pour fonder une famille ou pour mener une action en commun. Cette convivialité que les modernistes qualifieront de gentillesse excessive, de naïveté, me paraît être ce qui est aujourd'hui le plus oublié. Cette convivialité s'exerçait mieux dans une société à dominante rurale, avec la force des relations de voisinage, la nécessité objective de l'entraide face aux agressions de la nature, ou aux agressions de l'extérieur. Elle correspond beaucoup moins à la grande ville avec sa ségrégation sociale, ses temps passés dans les transports, la nudité affligeante de certaines banlieues, la course au temps. Nous vivons désormais dans des sociétés peu conviviales, où le quant-à-soi domine.

DW : *Pouvez-vous donner un ou deux exemples de ce que vous aimez dans la modernité et dans la tradition ?*

JD : Ce que j'aime dans la tradition, c'est retrouver toujours les mêmes personnes, sans aller jusqu'au seuil de l'amitié. Rencontrer régulièrement certains camarades, certains voisins. Je dirais même aller toujours chez les mêmes commerçants, se sentir accueilli. On dira que ce sont des habitudes, mais, à mon avis, cela crée des liens, une atmosphère. Ce que j'aime dans la modernité ? La grande ville. Une chanson de Charles Aznavour dit que « la ville est une étrange dame dont le cœur a besoin d'une âme ». Pour moi, la grande ville, à condition de ne pas être l'homme solitaire dans la foule, est l'élément le plus fascinant du monde moderne. Surtout lorsque cette ville sait associer la beauté de l'architecture, l'activité économique et sociale, et la mémoire du passé. Encore une fois, je ne dis pas que j'irais vivre toute ma vie à New York, à Rio de Janeiro ou à Hong Kong, mais, pour moi, la ville est une personne et je pourrais écrire des pages sur ma fréquentation de Rome, de Madrid, de Berlin, de Bruxelles, d'Amsterdam, de Londres, de San Francisco... La ville est pour moi le phare de la modernité, avec ses laideurs mais aussi ses symboles et ses puissants attraits.

DW : *Dans tous les domaines, on a vu la force du conflit modernité-tradition depuis près de deux siècles. Pensez-vous qu'après ce long antagonisme il soit possible d'arriver à un peu plus de cohabitation ?*

JD : C'est une synthèse qu'il faut rechercher. Mais, pour y parvenir, il faut que les intellectuels ne soient pas les seuls à décrire les mirages de l'idéologie du progrès. Bien sûr, les écrits abondent dans ce sens, mais je crois que la masse de la population, dans les sociétés industrialisées, n'a pas encore pris conscience de cela. Elle continue à « vivre moderne », au sens le plus banal du terme. Ce sont les apports du modernisme qui continuent à séduire les gens dans leur vie quotidienne, dans leurs appétits de consommation, leur obsession du standing. Cette modernité du banal est en train de détruire des traditions bien établies, notamment celles des modes de vie agricole ou ouvrier. On assiste à une banalisation générale. C'est le flux de la modernisation qui continue, avec le pire, plus que le meilleur.

DW : *À votre sujet, vous préféreriez qu'on dise que vous êtes un traditionaliste moderniste ou un réformiste traditionnel ?*

JD : Je préfère qu'on dise de moi que je suis un traditionaliste réformateur, car il me semble que les valeurs fondamentales n'ont pas changé depuis le début de l'humanité. Mon système de valeurs est resté le même depuis l'âge adulte et il me sert de référence pour mon action politique et sociale. Sur la base de valeurs inchangées, léguées par la tradition et, à mon avis, éternelles, je tente une analyse des faits. Et plus je vieillis, plus je considère les faits avec réalisme. Je vois dans quelle mesure on peut les infléchir. C'est en ce sens que je propose et réalise des réformes. Mais quand mes connaissances en politique et en philosophie étaient moins avancées qu'aujourd'hui, j'avais les mêmes réactions vis-à-vis des idéologies de l'absolu, celle du marxisme ou de l'ultralibéralisme. Ce sont mes valeurs qui forgent mon intuition et mon comportement, mais je dois constamment y ajouter une analyse qui prenne en considération la pâte humaine. Le réel doit être analysé, compris, si l'on veut quelque peu infléchir les choses. La part du réel est vitale pour une action réussie.

DW : *Sur le plan social, vous êtes assez révolutionnaire, en tout cas très en avance. En revanche, vous êtes assez modéré sur le plan politique.*

JD : Je suis assez révolutionnaire sur le plan social, notamment au nom de l'exigence à laquelle me poussent mes valeurs. Je suis assez modéré sur le plan politique en raison de mon appréciation de la résistance des faits et de la nature humaine. On ne peut comprendre mon action et mon choix que par cette idée que je suis un contestataire qui veut construire et gérer. La contestation me rend toujours insatisfait par rapport à ce que je souhaiterais, elle m'amène parfois à bousculer plus que de raison l'ordre des choses. Et mon pragmatisme me conduit parfois à sous-estimer mes marges de manœuvre, et à manquer d'audace. Il est difficile de concilier en soi la contestation et la gestion réformatrice.

DW : *Vous êtes social-démocrate ou démocrate-chrétien ?*

JD : Si j'étais en Suède, je serais social-démocrate. Je tiens beaucoup à ce titre, car il m'a permis, depuis les années cinquante, de faire connaître ma différence par rapport au socialisme révolutionnaire, sous toutes ses formes. On répond qu'il est absurde de se prétendre social-démocrate, alors que les conditions de la social-démocratie n'étaient pas réunies en France, à savoir un double compromis, entre l'État et le marché d'une part, entre le patronat et les syndicats d'autre part. D'accord, les conditions d'une expérience social-démocrate, comme en Suède ou en Allemagne, n'étaient pas réunies, mais il n'empêche qu'être social-démocrate signifie beaucoup par rapport à tous ceux qui prédisaient la fin du capitalisme ! Ceux qui voulaient nationaliser une grande partie du secteur productif, ceux qui préféraient le progrès social par la loi plutôt que par la négociation collective et par la promotion sociale des travailleurs.

DW : *Les limites et les difficultés historiques du modèle social-démocrate peuvent-elle redonner une nouvelle jeunesse à une pensée démocrate-chrétienne ? Ou bien, tout en étant chrétien, restez-vous plus attiré par la social-démocratie que par une forme de christianisme social ?*

JD : Entendons-nous bien, je me considère comme un chrétien qui ne porte pas son catholicisme en bandoulière, qui s'est affiché social-démocrate pour les raisons que je viens de rappeler, et pour se positionner à l'intérieur d'un combat d'idées, au sein de la gauche. Mais ce que j'ai dit de la crise morale de la démocratie incite à penser qu'un courant démocrate-chrétien peut retrouver demain, notamment en France, une large audience. Car il est vrai que, débarrassées de toute menace du type de l'impérialisme soviétique et incapables de mesurer les nouveaux défis qui les assaillent, les démocraties occidentales, en général, s'affadissent, s'embourgeoisent, deviennent molles. Une pensée régénératrice doit naître et inclure, mais non pas afficher, une dimension morale. Les démocrates-chrétiens pourraient jouer un rôle important à cet égard. Si l'on est d'accord avec mon analyse de la crise morale de la démocratie, qui rejoint celle de Tocqueville en y ajoutant une dimension spirituelle, et si j'étais dirigeant d'un parti chrétien-démocrate, « je prendrais le taureau par les cornes ». Je retournerais aux sources.

DW : *Pressentez-vous ce mouvement en Europe ?*

JD : Il y a des impulsions. Notamment en Allemagne, où la société s'enfonçait dans l'opulence matérialiste, avec le niveau de vie le plus élevé d'Europe. Certains ont senti le danger. Mais – d'un autre côté, les forces démocrates-chrétiennes dans ces pays sont trop souvent liées aux forces du capital, et sans pensée innovatrice sur le plan économique et social.

J'ai bien montré que je n'étais pas un propagateur simpliste de la lutte des classes, mais enfin, le pouvoir économique, cela existe et cela pèse sur la vie publique ! Dans une démocratie digne de ce nom, le pouvoir politique doit avoir une certaine indépendance vis-à-vis du pouvoir économique. Le politique est au-dessus de tout. Encore faut-il qu'il ait la capacité de s'élever à ce niveau, de faire les synthèses nécessaires et d'avoir le courage de les présenter au peuple. C'est cela aujourd'hui la misère de la politique : on essaie davantage d'ausculter les réactions de l'opinion publique, de ne pas trop la brusquer, plutôt que de lui parler un langage de vérité, un peu plus musclé.

DW : *Pour l'avenir, pensez-vous possible de reconstruire le lien entre l'individu et la communauté, qui sont un peu les deux figures de la modernité et de la tradition, l'individu étant rattaché à la modernité, et la communauté à la tradition ?*

JD : Je vois deux directions essentielles. La première est l'aménagement du cadre de vie dans les villes et dans les campagnes, de telle sorte que les habitants puissent se voir offrir des occasions multiples de se rencontrer. Non seulement pour se délasser et se divertir, mais aussi pour découvrir des intérêts communs, et pourquoi pas, pour agir ensemble.

La deuxième direction, et sur ce point je suis plus que traditionaliste, consiste à renforcer, dans le domaine de l'économique et du social, les organisations médiatrices que sont les syndicats et les organisations patronales. Je suis vraiment inquiet de voir le vide se créer entre un pouvoir politique national, lui-même écartelé entre l'internationalisation du monde, les pouvoirs européens et la décentralisation, et l'opinion publique, les citoyens. Il n'y a pas de relais. Ces relais ne peuvent être que des députés revenant à leur tâche essentielle : refléter les aspirations des citoyens et expliquer à ces mêmes citoyens les positions prises, les décisions nécessaires dans l'intérêt commun.

Il faut, d'autre part, des organisations professionnelles et syndicales capables, elles aussi, après avoir écouté les positions de chacun, de retrouver le sens du collectif, du bien commun.

Je crains beaucoup le seul dialogue entre le pouvoir politique et l'opinion en tant que telle. Je ne demande pas que l'on occulte l'opinion publique, considérée à juste titre dans les démocraties anglo-saxonnes comme un des paramètres essentiels de la vie démocratique. Mais je crois que ce choc frontal n'est pas bon et qu'il donne à la vie politique un aspect capricieux, aléatoire, discontinu. On éprouve, dans ces conditions, beaucoup de difficultés à développer cette ingénierie sociale par laquelle les différents groupes de la société font connaître leurs aspirations, prennent des initiatives, se rallient à des positions, en comprennent l'importance et sont prêts ensuite à s'engager eux-mêmes dans le processus qui a été décidé par le pouvoir politique, après discussion devant le Parlement.

Autrement dit, il faut revenir à une vie politique et sociale plus complexe, sans tomber bien entendu dans le corporatisme. Certes, les enquêtes d'opinion peuvent être très utiles. Mais je crains qu'un jour nous soyons gouvernés par une sorte de gigantesque main invisible, avec pour conséquence que plus personne ne serait responsable de rien ! À ce moment-là, la conquête du pouvoir deviendrait une sorte de comédie de boulevard que les journalistes politiques décriraient en termes de psychologie, d'ambition, d'affinité. Ne croyez-vous pas que nous en sommes déjà un peu là... ?

DW : *Le réaménagement des rapports entre individus et communautés passe-t-il aussi par une modification du dialogue entre religion et politique ?*

JD : Non, la religion est dans son domaine. Il est impensable de revenir aujourd'hui à une situation dans laquelle il y aurait une quelconque confusion entre le religieux et le politique. D'ailleurs, les seuls qui préconisent cela, ou qui agissent ainsi, en ce moment, posent de dangereux problèmes pour la liberté et la sécurité des personnes. Alors, de grâce, que l'Église, ayant accepté la séparation entre la foi et la politique, s'attache à parler principalement au cœur des hommes et des femmes. Il y a beaucoup à faire !

Quand nous avons parlé tout à l'heure de l'avenir de la démocratie chrétienne, j'ai fait le lien avec le spirituel, mais, pour moi, le spirituel peut être aussi bien le fait d'un catholique, d'un musulman, d'un juif, d'un protestant, d'un orthodoxe que d'un agnostique ! Simplement cette dimension spirituelle élève l'homme et l'amène à considérer des valeurs qui auraient tendance à fuir la société. Entre crise morale et crise spirituelle, si l'on accepte cette approche laïque, il n'y a pas, pour moi, de différence.

DW : *Peut-il y avoir une politique sans une certaine philosophie morale ?*

JD : Nous nous sommes placés, dans notre dialogue sur la crise de la démocratie, sur le plan d'un système que nous considérons comme le moins mauvais, mais nous nous alarmons de son affadissement et nous répondons que la démocratie repose sur la vertu. Ce sont des mots qui doivent être pris sans ambiguïté. Le pari démocratique, mon pari, est fondé sur l'espoir que l'homme et la femme deviennent un citoyen et une citoyenne en prenant leur part, en connaissance, en conscience et en action, du bien commun. Si nous parlons des différents courants politiques, alors il est possible que certains trouvent leur inspiration dans telle ou telle source spirituelle, ou bien que leur position soit fondamentalement fondée sur une approche philosophique de l'aventure collective et du rôle de l'homme dans l'humanité ! J'en suis d'accord. Mais nous passons alors des fondements objectifs de la démocratie aux bases et aux références d'un courant politique.

DW : *Aujourd'hui, dans les rapports entre tradition et modernité, on assiste plutôt au triomphe, parfois même à la domination de la modernité, la tradition étant disqualifiée. N'y a-t-il pas risque de déséquilibre ? Concrètement, si la gauche n'arrive pas à réintégrer certaines dimensions de la tradition, celle-ci ne risque-t-elle pas d'être accaparée par la droite, à un moment où l'on sent poindre dans la démocratie européenne une bien plus grande bienveillance qu'il y a un demi-siècle, voire une certaine curiosité à l'égard de la tradition ?*

JD : Je serais tenté de plaisanter sur ce sujet, en vous disant que, dans le comportement traditionnel des hommes politiques, il y a parfois peu de différences entre un homme de droite et un homme de gauche. L'appétit de pouvoir, l'ambition personnelle mesurée – elle n'est pas une mauvaise chose –, les rivalités exacerbées, les rancunes tenaces, les complots, tout cela existe, comme dans tout autre groupe humain. Il n'y a pas une conduite traditionnelle et une conduite moderniste de la part des hommes politiques. Pour les valeurs, je pense que la gauche trouvera sa propre conciliation entre tradition et modernité.

DW : *Autrement dit, si l'on admet que le conflit tradition-modernité est consubstantiel à toute société, peut-on arriver à découpler ce qui est en opposition depuis deux siècles, à savoir que ce qui est tradition est renvoyé à droite et ce qui est modernité, à gauche ?*

JD : Les grandes batailles sont derrière nous. Certaines personnes de droite sont hypermodernistes. Et certains caractères de gauche sont très traditionalistes. Par conséquent, la bataille entre tradition et modernité a couru tout le long de l'établissement de la république puis de la démocratie ; elle a connu la séparation du religieux et du politique ; elle a vécu dans le même paradigme, la guerre des idéologies. Aujourd'hui, nous entrons dans un territoire neuf. Ce qui est toujours difficile, car les risques qui pèsent sur l'homme et sur notre pays sont nouveaux, difficiles à évaluer. La paresse intellectuelle amène chacun à se réfugier dans les grandes déclarations et les grands sentiments. À ce moment-là, on risque de retrouver le conflit modernité-tradition. Il sera purement artificiel, hélas, puisqu'il sera trop éloigné de la réalité complexe que les uns et les autres doivent appréhender, intégrer et ensuite s'efforcer de maîtriser dans la mesure du possible.

DW : *Quelle est la valeur à laquelle vous êtes le plus attaché, pour la vie en société ?*

JD : La solidarité. Parce qu'elle est constamment remise en question. Vous m'auriez posé cette question en 1941, je vous aurais répondu : la liberté. Aujourd'hui, c'est la solidarité. Je n'ose même pas parler de fraternité tant nous en sommes loin, avec le déclin relatif des grandes institutions qui favorisaient la fraternité : la famille, l'Église, l'école, le syndicalisme, les mouvements de jeunesse.

Je suis devenu plus modeste et réaliste, je parle de solidarité. Solidarité à travers les mécanismes de la politique et le jeu de ses institutions, et solidarité vis-à-vis du proche. Sans cela, la cohésion sociale de nos sociétés, déjà bien entamée, sera de plus en plus menacée. Bien sûr, cette priorité de la solidarité n'est pas une réponse à tous les problèmes. Au cours de nos entretiens, nous avons vu comment cette inspiration générale peut se traduire dans l'aménagement de l'État, dans la combinaison des pouvoirs européens, nationaux et locaux, dans l'aménagement de l'État-providence, dans la politique d'aménagement du territoire et du développement rural, dans la répartition du gâteau national. À travers toutes les orientations que j'ai proposées, c'est ce devoir de solidarité qui m'a conduit, pour préserver l'avenir de nos sociétés, mais aussi pour renforcer l'égalité des chances et assurer la survie de la nation. J'espère avoir fait comprendre, tout au long de ces entretiens, qu'il ne peut pas y avoir de solidarité sans un grand sens de la responsabilité personnelle.

Conclusion

L'unité d'un homme

L'esprit de réforme

DOMINIQUE WOLTON : *Dans votre action publique, de quoi, depuis une quarantaine d'années, êtes-vous le plus fier ?*

JACQUES DELORS : C'est difficile à dire, mais je crois tout de même que c'est de mon action pour l'Europe.

DW : *Que répondez-vous aux deux critiques qui vous sont souvent faites. Ministre des Finances, vous avez fait une politique qui n'était pas vraiment la vôtre, en menaçant, sans jamais le faire, de démissionner. À la tête de la Commission, vous vouliez une Europe économique, monétaire, sociale et politique, vous avez fait les deux premières en annonçant les deux dernières, sans y arriver.*

JD : Sur la première critique, je me suis déjà longuement expliqué avec vous, et si on laisse de côté les caricatures, je n'ai menacé de démissionner que trois fois. C'était pour moi le seul moyen de faire prendre conscience de la situation réelle de l'économie française. Comme je vous l'ai dit, en faisant la part des choses entre la nécessité politique, qui était de satisfaire certaines revendications du « peuple de gauche » ou plus généralement des travailleurs, et la nécessité pour moi, en tant que ministre de l'Économie et des Finances, de freiner une sorte de fuite en avant, qui aurait pu nous coûter encore plus cher. Bien entendu, il a fallu tout de même dévaluer trois fois le franc. Une fois pour solder l'héritage des années soixante-dix, et les deux autres fois en raison à la fois de la situation internationale, et de l'évolution de l'économie française. Mais je suis heureux d'avoir pu, dès 1982 et 1983, mettre notre économie sur les rails de la stabilité monétaire et des équilibres financiers. Mes successeurs ont poursuivi dans la même ligne.

Quant à l'Europe, je n'ai jamais pensé que l'on aboutirait à une forme satisfaisante d'union politique avant la fin du siècle. En ce qui concerne les dimensions sociales, je suis un peu comme la chèvre de M. Seguin ! Je me suis bien battu et dans une ambiance qui n'était pas particulièrement favorable, puisque le contexte était celui de la contre-révolution néo-libérale, d'une majorité de gouvernements plutôt conservateurs, ou préférant garder leurs législations nationales. Mais si l'on prend en compte la renaissance du dialogue social, les politiques de solidarité entre les régions riches et les régions pauvres, la charte sociale et son application, même réduite, les progrès dans la législation sur les conditions de travail, on peut dire que la brèche est faite. J'aurais, bien entendu, souhaité aller plus loin.

DW : *Vous n'auriez pas pu ?*

JD : Non. D'ailleurs ces dix années sont jalonnées de tentatives non couronnées de succès et illustrent l'adage « vingt fois sur le métier, remettez votre ouvrage ». Seule une coordination plus substantielle des politiques économiques nationales aurait permis de limiter les efforts de la récession des années 1990-1992, notamment sur l'emploi. Malheureusement, nous ne sommes pas encore dans le cadre de l'Union économique et monétaire, laquelle n'est possible que si, précisément, les politiques économiques sont harmonisées, pour obtenir un jeu à somme positive.

DW : *D'une manière plus générale, quelle différence faites-vous entre redistribuer, réformer et moderniser ? Au fil des années, n'êtes-vous pas passé de l'idée de redistribution à l'idée de modernisation ?*

JD : Si mon souci de réforme s'est banalisé dans une simple entreprise de modernisation, alors je n'ai pas à être fier de ce que j'ai fait. Comme je l'ai indiqué, je continue à distinguer modernisation et réforme. La modernisation a connu son plein sens dans la période d'après-guerre : il fallait non seulement reconstruire, mais adapter nos vieilles économies européennes à la nouvelle donne du monde, et du progrès scientifique. La modernisation, ensuite, a signifié simplement une adaptation. C'est un mot d'une folle ambiguïté qui a recouvert les propositions les plus diverses, parfois opposées. Quant à la réforme, elle n'a de sens pour moi que si elle permet à la société de mieux maîtriser ses problèmes, de surmonter ses contradictions, et d'aller vers plus de cohésion, de solidarité, et de rayonnement.

DW : *Au fil des années et des expériences, n'avez-vous pas le sentiment d'avoir abandonné l'idée de réforme liée à la redistribution et à la cohésion ?*

JD : Non. Ce que j'ai évoqué et proposé dans ce livre, à propos de la révolution du temps choisi, de l'éducation, de la lutte contre l'exclusion sociale, des solutions pour offrir à chacun la possibilité d'accéder à un travail et donc à une place dans nos sociétés, montre que je n'ai pas renoncé à l'idée de réforme. Mais j'ai voulu aussi expliquer, malgré les obstacles que j'ai rencontrés ou l'indifférence qui a accueilli certaines de mes propositions, combien il était difficile de réformer.

DW : *Si l'on revient à la situation française, regrettez-vous de n'avoir pas choisi un ministère qui aurait été plus fidèle à vos valeurs ? Par exemple l'Éducation, les Affaires sociales, la Décentralisation ou le Plan ?*

JD : Je n'avais pas eu à choisir. Le président de la République a décidé et, bien entendu, comme je savais, pour reprendre une expression un peu familière que j'ai employée tout au long de la campagne électorale législative de 1981, que « le temps n'était pas venu de la cueillette des cerises », comme je savais que cela serait difficile, je ne pouvais pas refuser ce poste qui ferait de moi tantôt un « emmerdeur », tantôt un « réactionnaire ». Vous savez dans quelles conditions difficiles j'ai dû assumer cette tâche. Chacun jugera.

DW : *Rétrospectivement, vous ne regrettez pas ?*

JD : Non, car c'était sans doute une tâche indispensable à remplir, par moi ou par quelqu'un d'autre. Faire en sorte que l'expérience de gauche ne se termine pas rapidement par une crise financière, qui aurait traîné la France auprès du Fonds monétaire international. Pensez à ce qu'aurait représenté une telle démarche pour notre pays et pour nos compatriotes qui, à juste titre, cultivent la fierté nationale ! Croyez-moi, il fallait, à l'époque, du courage pour défendre une ligne combinant rigueur financière et progrès social raisonnable.

DW : *Votre définition du socialisme est liberté, responsabilité, solidarité. Ne la trouvez-vous pas un peu trop consensuelle ?*

JD : Non, car chacun de ces termes traduit une exigence pour l'individu, pour la société, et pour les responsables politiques. Nous avons beaucoup parlé du conflit que l'on ne doit pas craindre, mais qu'il faut savoir affronter et maîtriser pour en tirer des enseignements et pour permettre, ensuite, à la société de progresser.

DW : *Vous en appelez toujours à la réforme par le bas, à la société et à la mobilisation des acteurs. Pourtant, vous avez toujours plutôt agi par le haut et par l'appareil d'État. Comment expliquez-vous cette contradiction ?*

JD : Justement parce que beaucoup de Français et un grand nombre de responsables considèrent que la politique, c'est magique ! La culture politique française repose beaucoup trop sur une croyance dans les bienfaits de la toute-puissance de l'État, ou dans les miracles de la politique. C'est donc en m'installant au cœur du système que j'ai voulu contribuer à ce que celui-ci se dépouille de ses excès de pouvoir ou de tutelle, pour renvoyer à la société et susciter auprès des citoyens une volonté de participer à la construction du destin collectif. Si j'avais fait un choix contraire, j'aurais choisi d'être responsable d'un syndicat ou d'une association, mais alors mon discours pour la réforme de l'État aurait été moins entendu.

DW : *Vous vous êtes toujours méfié de l'idéologie, vous avez préféré commencer par l'action dans les associations et le syndicalisme, puis seulement après par la politique avec le moins possible d'idéologie. Finalement, peut-on faire de la politique sans idéologie ?*

JD : Le paradoxe, c'est que j'ai commencé ma vie active à un moment où nous allions mourir sous l'excès d'idéologie ! J'en appelais donc à l'analyse lucide, voire cruelle des faits, au pragmatisme, à la participation des citoyens. C'était ma tâche dans ce contexte. Aujourd'hui, je suis d'accord avec vous, nous risquons de périr faute d'une saine confrontation idéologique. L'idéologie étant considérée, je ne vais pas vous en donner une définition savante, comme une clé qui permet de mieux entrer dans la compréhension de l'histoire, de la société, des enjeux de pouvoir et donc du destin collectif. De ce point de vue, nous manquons cruellement d'idéologie, mais cela ne saurait durer. Je pense que de nouvelles idéologies vont naître ou d'anciennes renaître, une fois que sera révisée une part de leur contenu au crible des faits, souvent assassins.

DW : *Vous refusez assez sévèrement les choix dichotomiques des idéologies. À l'inverse, nous en avons parlé, vous refusez d'afficher le rôle déterminant des valeurs chrétiennes. Sans cette mise en perspective, comment articulez-vous modernisation et histoire, et comment éviter qu'il ne reste plus que la modernisation ?*

JD : Je crois que mon action concrète se situe au-delà des débats entre les philosophes de l'immanence et ceux de la transcendance. Je suis entré dans la vie professionnelle et la vie militante, car j'ai toujours cru au progrès de l'homme et de la société. Je ne figure donc pas parmi les blasés ou les conservateurs. Mais si je ne crois pas à un sens *a priori* de l'histoire, j'apprends beaucoup de l'histoire. Pour ne rien vous cacher, chaque fois que je suis devant une difficulté intellectuelle ou politique, mon premier mouvement est de relire certains événements historiques, pour essayer de mieux comprendre ce qui se passe aujourd'hui. Les problématiques fondamentales demeurent les mêmes, et pas simplement entre Créon et Antigone, pas simplement entre Platon et Aristote ! Il est donc important, à travers l'histoire, et les mémoires d'hommes ou de femmes qui ont exercé des responsabilités, de chercher l'éclairage qui permet de mieux comprendre les contradictions ou les obstacles que vous devez surmonter. En ce sens, tout ce que l'homme a appris sur l'homme m'est utile, et je relie cela, d'ailleurs, à l'importance centrale de l'éducation.

DW : *Ce qui m'étonne encore, c'est le demi-silence que vous maintenez sur la nation. Pourtant, elle est au cœur de votre approche sur le plan religieux, puisque la religion a toujours fait le lien entre communauté religieuse et communauté historique. Sur le plan social, la nation est également importante car elle reste un des cadres essentiels, un principe de fermeture de nos sociétés, par ailleurs de plus en plus ouvertes les unes sur les autres. Elle offre aux citoyens des repères. Comment s'intéresser aujourd'hui à la société, si on ne s'intéresse pas au principe de fermeture que représente le cadre symbolique de la nation ? Sur le plan politique, la nation est souvent la condition de revalorisation du rôle de l'État. Enfin, la nation est importante sur le plan européen, car un des grands débats, lié à Maastricht et à la construction de l'Europe politique, est la nécessité de réexaminer la place de la nation dans ce nouveau cadre politique. Bref, quand on voit l'importance de la nation dans les différents domaines qui vous intéressent directement, on s'étonne que vous n'en parliez pas plus.*

JD : Vos propos sont le reflet d'un mauvais procès qui m'est fait. Mais il faut y répondre. Ce n'est pas parce que l'on s'intéresse à la société que l'on ignore la nation ! La nation est à la fois une histoire et un contrat. Cette histoire, ce sont des hommes et des femmes qui l'ont façonnée, dans des conditions données. Ce contrat, ce sont des hommes et des femmes qui l'ont accepté, enrichi, parfois remis en cause. Il n'y a pas contradiction entre le fait de s'intéresser au mouvement de la société, de vouloir la rendre plus active, plus consciente, et le souci de la nation. Il est vrai qu'il y a des moments, dans l'histoire d'un pays, où il faut faire appel essentiellement au sentiment national, aux réflexes qu'il suscite pour sauvegarder l'indépendance nationale. Je ne le conteste pas.

Mais je ne crois pas que ceux qui ont sans cesse le mot nation à la bouche soient les mieux placés pour défendre les intérêts de la France. Car la France doit vivre avec ses forces et ses faiblesses dans le monde tel qu'il est. Jamais je n'ai eu le sentiment d'oublier la nation quand je participais à la construction de l'Europe. En revanche, je ne crois pas qu'il s'agisse de créer une Europe française, ce serait impossible et absurde. Il s'agit d'édifier une Europe qui, dans le monde tel qu'il est, permettra à la France de cultiver sa personnalité, d'enrichir sa diversité et de continuer à rayonner dans le monde. C'est aussi simple que cela. Mais j'ai quelques scrupules à invoquer constamment la nation, comme beaucoup, et à occulter les véritables problèmes, ceux qui mettent en cause la cohésion de la société, sa capacité d'ouverture aux autres, le refus des idéologies de rejet, autrement dit, tout le « vouloir vivre ensemble ». C'est notre jardin, il faut l'entretenir. C'est à ces conditions que la nation pourra continuer à être le fruit à la fois d'une histoire riche et complexe, et d'un contrat social à enrichir sans cesse. C'est ainsi que la France sera éternelle.

DW : *Ne craignez-vous pas d'être victime, au bout d'un moment, du syndrome Pierre Mendès France ? C'est-à-dire de ne pas aller au bout des batailles politiques, de préférer rester une référence, plus ou moins mythologique, dans l'histoire de la gauche française, contrairement à François Mitterrand qui est allé au bout de la politique, quitte à désacraliser une bonne partie de son image ?*

JD : Je ne tiens pas particulièrement à cultiver mon image, je n'ai même pas l'ambition de devenir un mythe. Ce serait ridicule. Simplement, chacun son destin. Personne ne doit avoir l'outrecuidance de croire qu'à lui seul il incarne, à un moment, le destin d'une nation. À une exception près, dans notre histoire récente, le général de Gaulle, qui a sauvé l'honneur de la nation. Cela rappelé, revenons aux hommes ordinaires dont je fais partie. Mes engagements voulus et assumés dans un réseau de contraintes que chacun doit apprécier sont ceux de quelqu'un qui a la passion de la réforme pour le progrès de l'homme et de la société. Je choisis toujours en fonction de cet idéal, mais aussi en mesurant ma possible utilité. Je ne supporte pas le sentiment d'être inutile ! C'est un de mes critères de choix.

DW : *Vous pensez que vos idées n'ont pas vieilli. Est-ce de l'acharnement ou parce que vous êtes visionnaire ?*

JD : C'est d'abord le fruit d'une certaine fidélité à une conception de l'homme et de la société, dans mes principes philosophiques et éthiques. Mon engagement a pu dérouter certains, mes valeurs ont toujours été les mêmes. Comme j'ai la faiblesse de croire que ces valeurs sont universelles et immortelles, il n'est pas étonnant de voir qu'aujourd'hui encore elles commandent mon action. Quant à projeter ces valeurs sur des propositions concrètes, il est possible que je commette des erreurs d'appréciation. En ce qui concerne l'utilité même d'une réforme ou dans la possibilité de la mettre réellement en œuvre. C'est le grand enjeu de la vie !

DW : *Dans* Échange et projets, *vous avez souvent dit : « Il faut faire plat pour éviter de relancer les guerres de religion. » Se fait-on entendre quand « on fait plat » ?*

JD : Si j'en crois les ténors médiatiques, c'est aujourd'hui une sorte de suicide politique. Mais il faut bien comprendre dans quel contexte cette phrase se situait. La France n'avait pas encore connu l'alternance politique, et la guerre civile froide battait son plein. Comment fallait-il se conduire ? Convenait-il de crier plus fort, de trouver le gadget qui attirerait l'attention mais qui ferait long feu, ou bien était-il plus utile de travailler en profondeur, quitte à être peu entendu dans l'immédiat ?

DW : *Rétrospectivement, laquelle de vos idées est le mieux passée ? Décentralisation ? Politique des revenus ? Éducation permanente ? Politique contractuelle ou réduction des inégalités ?*

JD : C'est celle de l'éducation permanente qui est le mieux passée. Mais on ne peut pas les situer toutes sur le même plan, car la lutte contre les inégalités est une tâche à renouveler sans cesse. De plus, dans la lutte contre les inégalités, on trouve du même côté ceux qui combattent pour une égalité des chances et ceux qui, peut-être sans le savoir, luttent pour une égalité des résultats. Je suis pour la première formule, la seule qui soit réaliste et qui préserve la liberté de l'homme et l'encourage à être plus responsable de ses actes.

DW : *Il y a trente ou quarante ans, vous vous êtes battu pour faire connaître l'importance de la société, des rapports sociaux, de la contractualisation, etc. C'est aujourd'hui beaucoup plus admis. Quel serait, du point de vue de la société, le problème sur lequel il faudrait désormais approfondir l'analyse ?*

JD : L'essentiel est de mieux comprendre le comportement des Français et de la société française, les valeurs qui les animent au sens sociologique du terme, leurs aspirations, les peurs qui les traversent. Cette analyse est très difficile à faire. Pour ma part, je n'ai pas la prétention de maîtriser le sujet. C'est peut-être plus difficile qu'il y a trente ou quarante ans. À ce moment-là, je voyais assez clairement ce que la nation et la société française devaient accomplir pour continuer à exister, d'une manière indépendante et digne dans le monde d'aujourd'hui et de demain. Je croyais connaître assez bien notre société, à dominante rurale, mais avec une promotion de la classe ouvrière liée à l'industrialisation. Les objectifs essentiels étaient évidents. Nous étions entraînés, d'ailleurs, par les exigences de la reconstruction et du rattrapage de l'économie américaine, par le mouvement d'industrialisation qui dépeuplait les campagnes, par une aspiration vers le haut des ouvriers, des employés, des contremaîtres, des techniciens et des cadres. Bref, dans cette société qui voyait des possibilités de promotion individuelle et collective, il convenait de proposer des voies et des moyens pour les concrétiser.

D'autre part, la nécessité du changement avait pénétré la société. Aujourd'hui, tel n'est plus le cas. J'ai l'impression d'une société plus conservatrice, plus craintive, et donc plus repliée sur elle-même, et même si cela est contesté, plus individualiste. Il me manque une analyse plus poussée, pour savoir quels seraient les ressorts qui permettraient à la France de faire le choix de la survie ou du rayonnement.

J'ai posé le problème en ces termes à l'échelle de l'Europe. C'était plus simple : il s'agissait de savoir si nous resterions assez prospères économiquement, assez compétitifs pour être en mesure de maintenir notre niveau de vie, de nous faire respecter et d'exercer une influence dans le monde. À l'échelle de l'Europe, on raisonne en termes de macroéconomie, de compétitivité, de puissance politique. La survie ou le déclin, tel est le choix fondamental.

Pour une action plus en profondeur sur la société française, il serait important que les hommes et les femmes politiques écoutent davantage ceux dont la compétence est d'ausculter la société sous tous ses aspects : historiens, sociologues, politologues, psychologues, anthropologues... D'ailleurs, on ne verra le recul de la politique-spectacle ou de la politique considérée comme un simple choc d'ambitions personnelles que par un renouveau des analyses et par un approfondissement de la démocratie. J'aspire, pour ma part, à mieux comprendre. Bien entendu, être avide de mieux comprendre les aspirations et les comportements d'une société ne doit pas empêcher d'agir, lorsque l'on est en situation de responsabilité.

DW : *Croyez-vous que les autres hommes politiques ont une meilleure appréhension que la vôtre ?*

JD : Il faut leur poser la question. Certains ne doutent de rien, vous savez !

DW : *Quel sentiment suscite en vous votre popularité, si durable ?*

JD : C'est plus agréable que d'être impopulaire.

DW : *C'est tout de même un encouragement, une force !*

JD : Il vaut mieux entendre cela que d'être sourd...

DW : *C'est aussi peut-être que vos idées sont aujourd'hui mieux acceptées.*

JD : C'est à vérifier, mais pourquoi pas ?

La gauche

DW : *À propos de l'aggiornamento de la gauche, vous tenez un raisonnement un peu paradoxal. Sa conversion à la rationalité économique, critiquée par certains, est au contraire pour vous un facteur favorable. Vous y voyez la constitution d'un tronc commun, nécessaire au fonctionnement d'une démocratie moderne, où l'alternance gauche-droite pourra à l'avenir se faire sans guerre civile. Si je suis votre raisonnement sur les rapports entre parti et syndicat, vous auriez tendance à dire que les syndicats n'ont pas fait le même chemin que le parti socialiste. C'est-à-dire qu'ils n'ont pas encore abandonné une logique d'opposition pour prendre en charge certaines responsabilités. Les syndicats n'auraient pas encore fait, à gauche, ce que les partis politiques ont fait ?*

JD : C'est en réalité plus compliqué, car, dans les années soixante, au moment où la gauche était au plus bas, les organisations syndicales ont été, avec les clubs, l'avant-garde de la rénovation de la gauche. On ne peut donc pas opposer, comme bilan de ces quarante dernières années, une sorte de conversion positive de la gauche aux réalités économiques à une passivité syndicale.

DW : *Vous voulez dire que ce sont les syndicats qui ont été, il n'y a pas si longtemps, le fer de lance ?*

JD : Oui, dans les années soixante, les syndicats, parce qu'ils avaient plus d'influence qu'aujourd'hui, étaient l'avant-garde du renouveau de la pensée économique et sociale de la gauche. Que s'est-il passé depuis ? Je me suis longuement expliqué sur mes divergences avec la majorité des dirigeants de la gauche pendant les années cinquante, soixante et même soixante-dix, ce qui ne m'empêchait pas d'être politiquement solidaire. Notre divergence majeure portait sur la prise en compte des réalités économiques et sur l'évaluation des marges de manœuvre qui permettraient à la gauche de réaliser ses finalités sociales et politiques. Les événements, je crois, m'ont donné raison, personne ne le conteste plus. Même si j'ai dû faire le « sale boulot » pendant trois ans, de 1981 à 1984.

Ce n'est pas simplement la gauche qui a dû évoluer. C'est également la société française dans son ensemble. Sans doute l'un des grands mérites des deux septennats de François Mitterrand est-il d'avoir accompagné une évolution des esprits en France qui nous permet aujourd'hui de sortir de l'archaïsme en matière économique, d'être devenus plus réalistes, d'accepter le marché, avec les limites que j'ai indiquées, l'entreprise, lieu créateur de richesses, les bienfaits d'une monnaie stable.

Que le mouvement de balancier ait été trop loin, sans aucun doute. Que la gauche le paie actuellement auprès d'une partie de ses électeurs, c'est bien possible. Mais ce n'est qu'un moment de l'Histoire. La gauche remontera, si elle se bat d'une manière convaincante pour l'égalité des chances, la cohésion sociale, la solidarité exprimée à travers la responsabilité partagée. Elle le fera à travers des propositions concrètes pour mettre en œuvre un nouveau modèle de développement, plus respectueux des équilibres de l'homme comme de la nature et capable de retrouver le plein-emploi. Et aussi par des propositions réalistes pour adapter nos systèmes de sécurité sociale, et donc la fiscalité, à la lutte contre l'exclusion. Mais elle le fera avec sa logique propre, fondée sur la mise en mouvement de la société, la participation active des citoyens, la renaissance du syndicalisme, la place reconnue aux initiatives locales. Un État animateur et rassembleur à la fois.

Il n'est pas nécessaire pour cela de pratiquer une dichotomie absolue entre la gauche et la droite. Tout d'abord parce que les Français ne le ressentent pas ainsi. Ensuite, parce qu'il doit exister un fonds commun à tous les Français, pour le progrès de la France. Je citerai comme élément de ce consensus une économie ouverte et donc compétitive, une monnaie stable, l'engagement européen de la France, un système institutionnel rééquilibrant les pouvoirs entre l'exécutif et le législatif, l'indépendance de la justice obéissant, en contrepartie, à des règles strictes de déontologie.

DW : *N'est-on pas, entre les années quatre-vingt et quatre-vingt-dix, dans un terrible chassé-croisé symbolique ? Les premières sont caractérisées par la fascination pour l'argent et les secondes, par une forme de compassion pour les exclus et les SDF. Évidemment, la gauche n'est directement responsable ni de l'un ni de l'autre, mais on peut également dire qu'elle n'y est pas pour rien...*

JD : Vous savez, au risque de vous choquer, les deux sont hélas parfaitement compatibles ! Je me souviens de ces bourgeois qui allaient à l'église ou au temple, écoutaient le sermon qui suscitait en eux énormément de compassion, sortaient et donnaient leur pièce aux pauvres qui étaient là, après avoir fait de même à la quête. Ainsi avaient-ils acquis, à peu de frais, bonne conscience, ce qui ne les empêchait nullement, tout au long de la semaine, d'afficher leur égoïsme et leur passion effrénée de l'argent.

Soyons prudents. La compassion exprimée à travers les médias, je m'en méfie. Elle peut très bien se combiner de manière hypocrite avec un égoïsme forcené. D'ailleurs, au risque de scandaliser certains, jamais je n'ai vu autant de revues qui indiquent aux gens comment faire fructifier leur argent ! Les *golden boys* ne sont plus à la une des magazines. Mais la société n'est pas devenue spontanément plus solidaire pour autant !

Comme je l'ai indiqué récemment au nouveau Parlement européen, nous sortons d'une grave récession. Il est possible que ce retour de la croissance place les gouvernements dans une euphorie que j'appellerai conjoncturelle, en nous faisant oublier tous ceux qui restent au bord de la route. C'est-à-dire, dans l'état actuel des choses, dans tous les pays européens, entre 10 et 20 % de la population. La vigilance est plus que jamais de mise, et le combat pour une société solidaire, plus nécessaire que jamais.

Le renouveau de la démocratie passe par la prise de conscience des citoyens qui doit aller au-delà de l'émotion du téléspectateur et de la soif du consommateur ! Il faut dépasser cela. Peu m'importe si certains me traitent de moralisateur. Il n'y a pas de démocratie sans vertu civique des gouvernants et des gouvernés.

DW : *La gauche, dans ses expériences, en France, n'a-t-elle pas un peu trahi et un peu manqué l'histoire ? Un peu trahi, en contribuant à dévaloriser la valeur du travail, en découvrant avec naïveté l'entreprise et le profit, et surtout sans rien proposer comme valeur alternative pour compenser la perte d'identité collective de la classe ouvrière et de la paysannerie. Autrement dit, elle a accompagné un fantastique processus de modernisation sans créer d'autre système de valeurs. Elle a beaucoup cru au progrès technique en pensant, comme toujours, que le travail de demain serait plus riche que celui d'aujourd'hui, parce qu'il y aurait plus de machines.*

Quant à manquer l'histoire, c'est finalement de n'avoir pas réussi à faire une analyse, ou à proposer un discours concernant les nouvelles inégalités structurelles, ou la modification des comportements, des valeurs ou des symboles. Même si c'était en contradiction avec ses idées. Par exemple sur les relations entre les générations, le statut de la famille, le problème des nouveaux mécanismes de solidarité...

JD : Je ne vais pas, une fois de plus, dresser le bilan de toutes les réformes positives, sociales et politiques faites par la gauche, notamment lors du premier septennat. Certains l'ont déjà fait, ou s'en chargeront. Mais on ne peut pas dire que la gauche n'a pas voulu répondre aux aspirations concrètes des Français et des Françaises qui lui faisaient confiance. Elle a accompli des réformes sociales importantes sous le signe d'une plus grande solidarité entre les Français. Vous avez tendance, vous et bien d'autres, à l'oublier. Plus généralement, la social-démocratie, justement fière de ses réalisations en Europe, doit réaliser son aggiornamento. Le monde étant ce qu'il est – de plus en plus interdépendant –, nos sociétés ayant évolué vers un certain confort petit-bourgeois, comment les convaincre et les mobiliser pour la lutte contre le chômage, le maintien d'un système universel de sécurité sociale, la qualité de la vie, la réalisation d'un environnement meilleur, la préservation du capital naturel, l'égalité des chances ?

Les hommes et les femmes de gauche, je les connais bien, n'ont pas, pour la plupart, renoncé à leurs valeurs. Simplement, ils ont du mal à les projeter dans le contexte actuel et en fonction de la situation de notre société. Mais ne soyons pas trop négatifs ! C'est quand même la social-démocratie qui, aux yeux des historiens, aura dominé l'histoire intellectuelle de nos sociétés, depuis la fin de la guerre. C'est elle qui a imprimé sa marque à ce que j'appelle le « modèle européen de société », que je veux défendre, au prix de certaines adaptations qui sont nécessaires, non seulement pour des raisons économiques, mais aussi par fidélité à nos valeurs, et notamment à la lutte contre les inégalités, par passion pour notre Europe.

DW : *Selon vous, le modèle de gauche social-démocrate triomphe à la fin du siècle, alors que certains le croient dépassé ?*

JD : Les principes qui l'ont fondé sont toujours valables. Simplement, il faut l'adapter à la nouvelle donne mondiale et à l'évolution de nos sociétés. Vous ne m'avez pas demandé une enquête sur la droite, ni une analyse de son bilan ! Si je devais le faire, croyez-moi, elle serait sans indulgence et d'une grande sévérité. Le vide des idées frappe partout.

DW : *Quelle est la valeur de gauche qui a été la plus « écornée » et celle qui serait la plus durable ?*

JD : Celle qui a été la plus « écornée » est l'aspiration à l'égalité. Sans négliger le formidable progrès que constitue la réalisation de l'État-providence, il y a dans notre société trop d'exclus, trop de pauvres, trop de gens malheureux, souffrant de la mauvaise organisation de nos sociétés, isolés matériellement et psychologiquement. La valeur qui a été maintenue le plus fermement par la gauche non communiste est la liberté. Je le dis d'autant plus résolument que, par une sorte de coïncidence de l'histoire, on a voulu faire payer à la gauche démocratique les erreurs du communisme.

DW : *Elle s'est très mal défendue au moment de l'effondrement du communisme, alors même que les événements lui donnaient raison, et à tous ceux qui, en 1920, n'avaient pas voulu créer le* PCF, *et étaient restés à la* SFIO.

JD : Oui, la gauche s'est mal défendue, et cette confusion a été entretenue, bien entendu, par la droite, et notamment par les contre-révolutionnaires ultralibéraux !

DW : *N'y a-t-il pas une autre idée taboue que la gauche devrait réexaminer, celle d'égalitarisme des politiques publiques de prévention et de redistribution ? La crise et surtout l'élévation générale du niveau de vie font que le problème de la redistribution ne se pose plus dans les mêmes termes. Il faudrait peut-être repenser la solidarité autrement que par l'égalité. Autrement dit, repenser les rapports entre liberté et égalité est peut-être un des premiers chantiers à ouvrir.*

JD : La gauche a vécu une bataille politique entre ceux qui prônaient le principe « à chacun selon ses besoins » et ceux pour qui il fallait donner « à chacun selon ses mérites ». Pendant longtemps, la gauche a mis l'accent sur la première devise, car la société était trop injuste et trop inégalitaire. Si l'on devait résumer en une formule l'orientation vers laquelle on devrait aller, c'est « à chacun selon ses besoins essentiels », qu'il s'agisse de l'éducation, de la santé, du droit à un travail, d'un revenu décent pour vivre.

Mais aussi « à chacun selon ses mérites » dans l'effort qu'il accomplit pour contribuer au progrès de la société et à la solidarité vis-à-vis des autres. Telles sont mes références, sans oublier, bien entendu, le respect des Droits de l'Homme, valeurs communes à la gauche et à la droite démocratiques.

DW : *Il y a un autre déficit de réflexion, il concerne la communication. D'une part, elle est « diabolisée », comme si les citoyens n'avaient aucun esprit critique et croyaient tout ce qu'on leur dit, alors même que, grâce à la radio et à la télévision, ils sont aujourd'hui beaucoup plus ouverts sur le monde. Mais, en même temps, on a foi dans toutes les nouvelles techniques de communication sans distance critique à l'égard du discours technique.*

JD : En ce qui concerne la communication, il faut dire que la France connaît une sacrée histoire avec sa télévision. Elle n'en sort pas ! De ce point de vue, la gauche n'a pas fait mieux que la droite. Il y a une sorte d'hypnotisme des médias qui, dans un pays où l'État a tendance à vouloir se mêler de tout, s'avère désastreux. Est-il possible que la gauche se réconcilie avec les médias, en acceptant le pluralisme et en refusant la domination de l'argent sur tous les moyens de communication ? Dans certains pays, la social-démocratie a gouverné sans avoir de grands journaux à sa disposition ! Mais très souvent, dans ces pays, la télévision publique affichait une réelle différence par rapport à la télévision privée... François Mitterrand a contribué largement à l'ouverture du paysage audiovisuel français, tranchant en cela avec l'interventionnisme inadmissible de la droite. Il reste à donner toutes ses chances à la télévision publique.

DW : *La gauche a raté l'occasion, mais la droite n'a pas l'air d'avoir plus d'idées.*

JD : Vous avez raison de m'interrompre, mais les limites des uns n'excusent pas les limites des autres. On m'objectera le réalisme, voire le cynisme, mais je continue à penser que la gauche devrait avoir une vision plus déontologique et plus éthique du monde de la communication, de manière à changer la mentalité des Français vis-à-vis de la télévision et des hommes de communication.

Ces derniers subissent l'attrait du pouvoir, comme s'ils étaient fascinés par un boa. Inversement, les hommes politiques sont obsédés par la télévision. C'est un des défauts de ce qu'on appelle le « microcosme français ». Je serais pour une attitude plus décontractée, pour une conception pluraliste, et aussi pour le maintien d'une télévision publique, qui ne se batte pas avec les télévisions privées à coups d'audimat. Car il peut y avoir une télévision publique qui, tout en étant sensible à l'audience, offre aux téléspectateurs des émissions de tous ordres, fiction, documentaire, éducation, divertissement, lui permettant d'avoir la perception la plus large possible de ce qui se passe dans le monde et des mouvements qui l'animent. Vous en savez quelque chose ! Ce ne sera jamais parfait, mais au moins nous sortirons de cet état de double crispation, du pouvoir et des hommes de communication, pour entrer, je l'espère, dans un monde plus ouvert, offrant à nos citoyens une palette plus grande d'informations et de programmes culturels.

DW : *Quelle est la valeur la plus importante pour un homme politique de gauche ?*

JD : La fidélité à soi-même, au risque même de perdre le pouvoir ou de refuser d'y prétendre.

La société et le monde

DW : *En quarante ans, on est passé de la lutte contre les inégalités à celle contre l'exclusion. Où est le progrès dans ce passage ?*

JD : Le progrès c'est que, grâce aux idées de Keynes et de Beveridge, grâce à l'action du mouvement ouvrier et de la social-démocratie, la plus grande partie de nos contemporains en Europe sont assurés de pouvoir se soigner, en cas de maladie, de disposer d'un revenu pour leur période de retraite, d'être indemnisés en cas d'accident du travail, de recevoir une indemnité lorsqu'ils sont en chômage. Si vous comparez avec la situation des années trente, le bilan est largement positif, et, je le répète, il est dû à l'action de la gauche, au sens large.

DW : *On parle beaucoup de crise de la politique, mais il y a aussi une crise du cadre de l'action politique. En moins d'une génération, les citoyens de nos démocraties européennes ont dû, en effet, s'habituer à un extraordinaire changement de perception de la réalité, et de la gestion de l'économie. On leur a d'abord demandé de passer au plan européen et on leur demande, de plus en plus, de s'occuper des problèmes mondiaux. Autrement dit, le citoyen aujourd'hui doit avoir une inscription sur le plan local, une perception de l'État, une perspective européenne et une vision mondiale des problèmes. Comment un citoyen ordinaire peut-il se situer facilement sur ces quatre échelles ?*

JD : Il faut lier deux affirmations : perte du sens et changement du cadre. L'une ne peut pas s'expliquer sans l'autre. La perte du sens est due à différents facteurs, nous en avons déjà parlé : déclin des structures traditionnelles d'appartenance, recul du militantisme, affaiblissement de la vitalité démocratique... Tout cela concourt à faire de nos concitoyens, notamment en Europe, des orphelins. Et voilà qu'on leur demande d'assimiler leur place dans le village-planète ! Avouez qu'il y a de quoi être déboussolé ! Il faut donc redonner un sens à la vie collective et mettre l'accent sur notre sentiment d'appartenance à la nation. Peut-être, dans ce grand bouleversement, ce vide de références, la nation doit-elle être replacée au premier plan. Dans tout mon combat pour l'Europe, je n'ai jamais fait l'apologie d'une vision fondée sur l'effacement de la nation.

DW : *Certains l'ont perçu comme cela, ou ont voulu le percevoir ainsi.*

JD : Oui, mais je tiens à rappeler aujourd'hui que les individus ont besoin d'appartenir à des communautés de vie. D'où mon plaidoyer pour la décentralisation et la démocratie à portée de la main. Mais ils doivent être aussi appelés à un certain dépassement d'eux-mêmes, pour la nation qui constitue leur histoire commune et le garant de leurs droits fondamentaux. En France, bien entendu, les relations entre la nation et l'État sont telles que ce dernier se voit conférer des responsabilités particulières, pour assurer les bases de la cohésion nationale.

DW : *Je vais vous citer une liste de problèmes apparus depuis trente ans. Quels sont, pour vous, les deux ou trois plus importants ? La drogue ? La mondialisation des problèmes ? L'augmentation de la violence ? La crise de la cellule familiale ? La destructuration de l'espace urbain ? L'individualisme triomphant ? La fin des classes sociales ? La montée de la corruption dans les démocraties ? L'émergence des problèmes de communication dans la gestion des problèmes de société ? La liste n'est évidemment pas exhaustive.*

JD : Je crois que c'est tout d'abord la drogue, car elle traduit le mal-être de nos sociétés et de nos contemporains. Elle comble, pour un moment fugace, le vide du sens, nourrit l'exclusion sociale, puisque, pour certains groupes, elle est le seul moyen de vivre, et détruit des individus, parfois très jeunes. C'est un problème d'autant plus dramatique qu'il existe des liens évidents, aujourd'hui, entre la drogue et la criminalité internationale. Le chiffre d'affaires (si l'on peut dire) de cette dernière est supérieur au produit national brut d'un pays européen de taille moyenne. C'est pourquoi il faut lutter à l'échelon européen et international contre la drogue et les agents criminels qui fondent sur elle leur fortune. D'où la nécessité d'une action européenne dans ce domaine.

Le second problème est la destructuration de l'espace urbain, puisque 80 % des Européens et des Français vivent en ville. Que l'on ne m'accuse pas d'oublier le développement rural ! C'est une des priorités de mon action. Mais la ville demeure par excellence le cadre dans lequel nous vivons. C'est pourquoi une réflexion sur la ville européenne m'apparaît vitale. J'en ai d'ailleurs fait un des thèmes des séminaires organisés pour les intellectuels européens. Et je dis bien la ville européenne, car je la distingue nettement des mégalopoles d'Amérique du Sud ou d'Afrique. Encore que nous constations chez nous des phénomènes similaires aux leurs. Il n'y a pas de réflexion possible sur la ville sans une réflexion sur la société. La ville est mémoire historique et exprime une préférence culturelle. Elle produit aussi une valeur ajoutée, économique. Mais à quel coût, en termes d'exclusion sociale, de perte de convivialité, de mauvaises conditions de vie ! Il nous appartient de réconcilier la ville avec son patrimoine historique, avec le pluralisme des conditions de vie, avec l'égalité des chances d'accès à un logement, à un travail, à des activités culturelles.

DW : *À l'inverse, si je vous cite un certain nombre de changements positifs intervenus dans la même période, quel est celui qui vous paraît le plus important : les progrès pour la santé, les progrès pour l'éducation, la modification du statut des femmes, l'augmentation du niveau des revenus et de la consommation, l'effondrement du communisme, les progrès scientifiques et techniques ?*

JD : C'est la modification du statut des femmes. On sous-estime encore l'apport des femmes non seulement dans la vie professionnelle, mais aussi dans la conception générale de la société. Je le dis, sans faire d'acrobatie intellectuelle, en pensant aux pays sous-développés, et notamment à ceux d'entre eux qui donnent l'exemple contraire en maintenant la femme dans un statut d'infériorité juridique ou sociologique. Mes expériences personnelles, notamment l'étude attentive de l'Afrique, montrent que tout ce qui perce dans ce continent, tout ce qui permet de sortir de la stagnation et du sous-développement est à 80 % l'œuvre des femmes. Nous faisons semblant d'ignorer tout ce que la femme, égale juridique de l'homme, et sans doute égale un jour professionnelle, a apporté à notre société.

DW : *On parle du changement d'échelle des problèmes et de la mondialisation, avec comme corollaire le thème du « citoyen mondial », qu'il faudrait faire émerger. Mais n'y a-t-il pas confusion entre la taille mondiale des problèmes et l'émergence d'un citoyen mondial ? Ce n'est pas parce que certains problèmes sont mondiaux que doit exister, simultanément, un citoyen mondial. Il n'existe pas de liens directs entre la taille des problèmes et une conscience mondiale ! Il n'y a pas besoin du citoyen mondial pour réfléchir à la dimension mondiale de certains problèmes. Ou alors cela risque de susciter une réaction de peur panique. Qui, en dehors d'une infime minorité d'individus, circulant d'un continent à un autre et d'un pro-*

blème à un autre, peut vivre à cette échelle de représentation des problèmes ? Le résultat ne risque-t-il pas d'être l'inverse du but recherché ? On pourrait davantage circonscrire les problèmes et dire : un citoyen, dans nos démocraties, peut simultanément prendre en charge des problèmes locaux et nationaux, et certains problèmes internationaux. Sans être sommé de devenir un citoyen mondial.

JD : Vous avez tout à fait raison. En revanche, il faut impérativement expliquer à un travailleur en quoi sa situation, aujourd'hui, dépend pour une partie de la mondialisation de l'économie. Faute de cela, on risque d'avoir des comportements de repli sur soi ou de contestation purement négative, qui seraient très nuisibles aux intérêts français. C'est pourquoi, par exemple, le débat sur la délocalisation était mal parti, car il était trop passionné et trop à sens unique. Le travailleur peut, d'ailleurs, contribuer à sa solution en s'adaptant à cette compétition sévère. Mais on ne peut pas lui demander plus. Le reste est, pour l'instant, l'affaire des responsables politiques. Bien sûr, les peuples sont aussi affectés. C'est ainsi que le drame de l'ex-Yougoslavie a provoqué la venue en Europe, notamment en Allemagne, de centaines de milliers de personnes. Comment le faire comprendre et accepter, sinon en soulignant l'autre versant, c'est-à-dire l'interdépendance croissante des phénomènes politiques ; sans oublier le devoir élémentaire d'accueil des réfugiés.

Pour le reste, le « citoyen mondial » est une utopie. D'ailleurs, l'année prochaine, nous fêterons le cinquantième anniversaire de l'Organisation des Nations unies. Nous avons eu l'occasion d'évoquer les réformes qu'il conviendrait d'apporter au système. Mais nous n'en sommes pas encore là, à cause de la myopie de nombreux dirigeants politiques ! Alors, ne demandons pas au citoyen plus qu'il ne peut donner. Ne le noyons pas dans le spectacle télévisé de toutes les affaires du monde. Donnons-lui des points de référence : la nation, qui reste sa grande famille, la construction de l'Europe, qui est une formidable aventure collective, et, si possible, des possibilités accrues de participation à la vie politique, économique et sociale.

DW : *Sinon on risque d'arriver à l'effet inverse, un phénomène de refus, de panique, de repli !*

JD : Il ne faut pas se cacher la tête dans le sable, comme l'autruche ! Aujourd'hui, il convient de lutter contre les grandes peurs irrationnelles. Notamment lorsqu'on parle d'immigration, il ne faut pas croire que c'est un phénomène nouveau.

DW : *Qu'avez-vous appris de plus important en cinquante ans de vie publique ?*

JD : La patience, les limites de toute action humaine, la nécessité de repartir, chaque matin, même si, la veille, une partie de votre toile d'araignée a été déchirée par le diable malin de l'Histoire.

Un homme révolté

DW : *Votre amour et votre bataille pour le social ne sont-ils pas un peu l'histoire de votre vie, celle de votre émancipation ? À travers la revalorisation du social n'y a-t-il pas aussi la volonté de légitimer la capacité de promotion ?*

JD : Il ne s'agit pas seulement de ma promotion personnelle. J'appartiens à une génération qui a beaucoup travaillé, mais qui a eu énormément de chance. Devant elle, s'ouvraient des possibilités d'emploi, de promotion, des marges de choix... Les générations présentes ont beaucoup moins de chance dans ce contexte d'incertitude et de chômage massif.

Ce que je regrette le plus est la disparition de la belle idée de promotion collective, qui me tient tant à cœur. Était-ce inévitable, compte tenu de la déstructuration des classes sociales classiques ? Je ne le crois pas. Mais je suis déçu de voir que la promotion collective n'a plus les mêmes attraits pour les nouvelles générations qu'elle en avait pour nous.

DW : *Le 13 octobre 1975, interrogé par Pierre Desgraupes pour* Le Point, *vous déclarez : « Je sais que le carburant dont j'ai besoin n'est ni l'action seule ni la réflexion seule, mais un mélange des deux. » Diriez-vous aujourd'hui la même chose ?*

JD : Quand je consacre trop de temps à l'action, je crains de ne plus avoir la base de réflexion nécessaire. À l'inverse, quand je considère l'effort de réflexion qu'il reste à accomplir à gauche comme à droite, et que j'ai assez réfléchi, j'ai envie de tester mes idées à la dure épreuve des faits, et donc d'agir. Je suis toujours dans cette dialectique entre la réflexion et l'action.

DW : *Quelle autocritique feriez-vous, et sur quelle partie de votre action ?*

JD : Il me semble que la diversité des métiers que j'ai exercés et la grande variété de mes engagements ont peut-être été un handicap à l'efficacité immédiate de mon action. Sans doute, si j'avais choisi un seul sentier pour la vie militante et pour l'action, aurais-je pu être plus efficace. La vie est ainsi faite, j'ai tenté dans des domaines très différents de faire avancer les choses...

DW : *Que pensez-vous de ce portrait de vous, parmi des dizaines d'autres, brossé par Daniel Rondeau dans* Le Nouvel Observateur, *12-18 septembre 1991 : « Le mystère Delors est chargé d'affectivité, de rancœur, de bouderie, d'entêtement. Sa clé est sans doute dans cette double nature qui persiste, toujours gosse des rues et patron de l'Europe, orgueilleux et humble, pédagogue et homme d'action. »*

JD : Je suis d'accord, sauf sur la rancœur, car je n'en éprouve à l'égard de personne.

DW : *C'est vrai, c'est une idée tenace que l'on a sur vous.*

JD : Je n'en éprouve à l'égard de personne. Si l'on me compare, de ce point de vue, aux autres hommes politiques, je crois que la différence est vraiment marquée ! D'ailleurs, on m'a souvent dit que je ne serai jamais un véritable homme politique, car je ne cultive pas la rancune et ne sors pas les couteaux.

DW : *Qu'éprouve-t-on à avoir raison trop tôt ? Et à ne pas être entendu ? On l'a vu durant la période de 1960 à 1980, pour les thèmes des relations sociales, de la croissance, de la politique économique et financière, de l'Europe, de la nécessité, après 1985, d'une nouvelle analyse radicale de la société et de ses forces.*

JD : Puisque j'ai milité dans tous les champs de l'action collective, puisque j'ai exercé plusieurs métiers, peut-être ai-je trop voulu embrasser de problèmes et n'ai-je pas assez concentré mon action ? Ou peut-être ai-je laissé se creuser une trop longue distance entre la réflexion et l'action. Je suis un homme profondément insatisfait, un révolté qui a été plongé dans l'action. Le révolté que je suis s'intéresse à tous les phénomènes anachroniques de la société. Il éprouve *a priori* de la sympathie pour ceux qui contestent, pour les marginaux et pour les événements du type de Mai 68. Je cherche à comprendre ce qui s'est passé, à en voir les prolongements positifs. Résultat : ma pensée avance, et parfois, peut-être à cause d'une mauvaise analyse des résistances de la société, je joue trop les avant-gardes. Mais les idées ne me semblent jamais perdues. La vie politique consiste à faire coïncider l'éclosion d'une idée avec le temps opportun pour l'action.

DW : *N'auriez-vous pas été plus entendu, parfois, si vous aviez été plus radical, plus utopiste ? La démesure n'aurait-elle pas été le moyen d'être mieux entendu ?*

JD : Je suis né à la vie politique et sociale à un moment où mes camarades donnaient à leur rêve et à leur proposition une dimension idéologique, voire prophétique. Comment devais-je agir ? Être en avance sur eux ? À quoi aurais-je servi ? Au contraire, en jouant un peu les rabat-joie, j'ai peut-être contribué à la progression intellectuelle et politique de la gauche, dans la voie du réalisme.

DW : *Mais pourquoi souriez-vous si peu ? Vous avez pourtant de l'humour. Par pudeur ?*

JD : C'est une sorte de pudeur. J'essaie de maintenir une distance psychologique avec les gens que je rencontre. Je dis bien psychologique, car je n'ai aucun complexe de supériorité vis-à-vis de quiconque. Mais je suis très attaché à mon indépendance.

DW : *Si je vous demandais ce qui fait l'unité de l'homme Jacques Delors ?*

JD : C'est la contestation permanente de l'ordre établi. Cette insatisfaction qui me taraude ne peut s'expliquer qu'ainsi. Il en va de même pour le caractère parfois trop audacieux de mes propositions ou pour les cris que je pousse dans des situations où cela ne paraît pas opportun. Parce qu'un responsable, dit-on, devrait toujours afficher le contentement de soi et des autres... Mais j'ai appris à vivre dans cette sorte d'inconfort. Je me permettrai de dire que c'est une force. Une force qui vous empêche de renoncer, qui vous incite à relancer constamment la réflexion et l'action.

Chronologie européenne

1948 Le traité de Bruxelles est signé le 17 mars créant l'Union de l'Europe occidentale entre la France, le Royaume-Uni, les Pays-Bas, la Belgique et le Luxembourg. Son article 2 prévoit une assistance automatique en cas d'agression.
À La Haye, du 7 au 10 mai, « Unionistes » et « Fédéralistes » marquent déjà, lors de la rédaction du communiqué final, les voies divergentes que pourrait emprunter la construction européenne.

1949 Le Pacte atlantique est signé le 4 avril à Washington.
Création du Conseil de l'Europe le 5 mai.

1950 9 mai, Robert Schuman propose la mise en commun des ressources françaises et allemandes du charbon et de l'acier.

1951 Signature à Paris, le 18 avril, du traité CECA.

1952 Signature à Paris du traité sur la Communauté européenne de défense, traité qui ne sera jamais appliqué faute de ratification française.

1955 Relance de la construction européenne par la conférence de Messine (1er et 2 juin).

1957 Signature le 25 mars à Rome des traités instituant la Communauté économique européenne et la Communauté européenne de l'énergie atomique.

1958 Entrée en vigueur, le 5 janvier, des traités CEE et Euratom.

1960 Création de l'Association européenne de libre-échange (4 janvier).

1963 Le général de Gaulle refuse l'adhésion du Royaume-Uni.

1965 La France pratique, à compter du 30 juin, à l'instigation du général de Gaulle, la politique de la chaise vide à propos d'un différend agricole avec ses partenaires. Cette crise aboutira en janvier 1966 au compromis de Luxembourg, remise en cause en cas d'intérêts vitaux des prises de décision à la majorité qualifiée.

1970 Rapport Werner sur l'Union économique et monétaire.
Rapport Davignon sur la coopération politique (coopération intergouvernementale dans le domaine des relations extérieures).

1972 Création du serpent monétaire européen.

1973 1er janvier, adhésion du Danemark, de l'Irlande et du Royaume-Uni. La Norvège avait négocié son adhésion mais son peuple ne l'a pas ratifiée.

1974 Création le 10 décembre, sous l'influence de M. Giscard d'Estaing, du Conseil européen et décision d'élire le Parlement européen au suffrage universel direct, ce qui sera fait en juin 1979.

1975 Signature, le 28 février, de la Convention de Lomé entre la Communauté et quarante-six pays d'Afrique, des Caraïbes et du Pacifique.

1976 1er août, création à Helsinki de la Conférence pour la Sécurité et la Coopération en Europe (CSCE).

1978 Le Conseil européen de Brême, le 6 juillet, définit les lignes générales d'un système monétaire européen.

1981 Adhésion, le 1er janvier, de la Grèce.

1984 À Fontainebleau, le 26 juin, François Mitterrand met fin à la crise née de la contribution britannique au budget communautaire.

1985 7 janvier, Jacques Delors entre en fonction comme président de la Commission.
14 janvier, déclaration politique du président Delors devant le Parlement européen. Il propose l'abolition des frontières internes de la Communauté d'ici à 1992.
31 janvier, Jacques Delors réunit les partenaires sociaux de la Communauté à Val Duchesse (Bruxelles) pour relancer le dialogue social.
14 juin, la Commission européenne transmet au Conseil le *Livre blanc sur l'achèvement du marché intérieur d'ici à 1992* qui recense les quelque trois cents décisions à prendre pour le réaliser.
28-29 juin, le Conseil européen de Milan approuve le *Livre blanc* et décide de convoquer une conférence intergouvernementale chargée de modifier les traités de Paris et de Rome pour, notamment, réaliser l'« Objectif 92 ».
2-3 décembre, le Conseil européen de Luxembourg adopte l'Acte unique retenant la fin de 1992 pour réaliser le marché intérieur, prévoyant la mise en œuvre de politiques d'accompagnement et de nouvelles dispositions institutionnelles pour faciliter et démocratiser la prise de décision. Par ailleurs, la coopération politique est consacrée dans les textes.

1986 1er janvier, entrée officielle de l'Espagne et du Portugal dans la Communauté.
17 février à Luxembourg, 28 février à La Haye, l'Acte unique européen – première révision du traité de Rome – est signé. Son préambule rappelle la volonté des Douze de « transformer l'ensemble des relations entre leurs États en une Union européenne » ainsi que « l'objectif de réalisation progressive de l'Union économique et monétaire ».

1987 1er juillet, entrée en vigueur de l'Acte unique européen.

1988 11 au 13 février, le Conseil européen extraordinaire de Bruxelles s'accorde sur le programme de la Commission « Réussir l'Acte unique » et ouvre la voie au marché intérieur de 1992. Il accepte le « paquet Delors 1 » qui assure le financement des politiques communautaires pour les cinq années à venir.
28 juin, le Conseil européen de Hanovre, dans ses conclusions, « rappelle qu'en adoptant l'Acte unique les pays membres ont confirmé l'objectif de réalisation progressive de l'Union économique et monétaire ».
20 septembre, Margaret Thatcher, dans un discours à Bruges, définit sa vision de l'Europe : une coopération voulue entre États souverains, ouverte au monde et défendue grâce à l'Otan.

1989 14-16 juillet, sommet de l'Arche à Paris. Les huit grands soutiennent les réformes en URSS et en Europe de l'Est et confient à la Commission – à l'instigation de Jacques Delors – la coordination de l'aide à la Pologne et à la Hongrie.

9 novembre, chute du mur de Berlin, la porte de Brandebourg est ouverte.

18 novembre, le Conseil européen, réuni pour un dîner à l'Élysée, soutient les changements en cours à l'Est et s'accorde sur la création de la BERD.

8-9 décembre, le Conseil européen réuni à Strasbourg, notant les initiatives du Conseil Écofin et des gouverneurs des banques centrales « de renforcer la coordination des politiques économiques et d'améliorer la collaboration entre banques centrales, constate que ces décisions permettront à la première étape de l'UEM, telle qu'elle est définie dans le rapport du Comité Delors, de commencer le 1er juillet 1990 ».

Le Conseil européen constate que la majorité nécessaire est réunie pour convoquer une conférence intergouvernementale pour modifier le Traité, à la diligence des autorités italiennes, avant la fin de 1990. Il souligne l'exigence démocratique qui découlera de l'Union économique et monétaire. Il adopte aussi – mais à onze – une charte européenne des droits sociaux.

1990 19 avril, dans un message au Premier ministre irlandais, M. Haughey, MM. Kohl et Mitterrand « compte tenu des profondes transformations en Europe » jugent « nécessaire d'accélérer la construction politique de l'Europe des Douze ». Dans cette perspective, ils souhaitent que le Conseil européen du 28 avril « lance les travaux préparatoires à une conférence intergouvernementale sur l'Union politique ». Il s'agira notamment :

– de renforcer la légitimité démocratique de l'union ;
– de rendre plus efficaces les institutions ;
– d'assurer l'unité et la cohérence de l'action ;
– de définir et de mettre en œuvre une politique étrangère et de sécurité commune.

« Notre objectif, disaient encore MM. Kohl et Mitterrand, est que ces réformes fondamentales – l'UEM et l'Union politique – entrent en vigueur le 1er janvier 1993, après ratification par les Parlements nationaux. »

21 août, la Commission adopte les règlements nécessaires à l'entrée des Länder de l'Est dans la Communauté. Elle rend aussi public son avis sur l'Union économique et monétaire.

1990 3 octobre, unification allemande.

8 octobre, la livre sterling entre dans le mécanisme de change du SME.

27-28 octobre, le Conseil européen, réuni à Rome, définit l'Union économique et monétaire, affirme l'objectif final des taux de change irrévocablement fixes donc d'une monnaie unique – un écu fort et stable. Le Royaume-Uni n'est pas en mesure d'accepter ce qui est un véritable mandat pour la conférence intergouvernementale. Sur l'Union politique, le Conseil européen souligne sa volonté de développer la dimension politique de la Communauté.

19-21 novembre, la CSCE se réunit à Paris et adopte la charte de Paris, principes devant gouverner les relations dans la grande Europe.

23 novembre, dans une Déclaration transatlantique, Européens et Américains d'une part, Européens et Canadiens, d'autre part, définissent un cadre pour leurs relations futures.

14 décembre, sur rapport de Jacques Delors, le Conseil européen de Rome décide d'aider l'URSS par un programme d'aide alimentaire d'assistance financière et d'assistance technique.

1991 25 juin, rejetée par le gouvernement fédéral, la proclamation d'indépendance de la Croatie et de la Slovénie entraîne une intervention militaire de l'armée fédérale dans ces deux Républiques.
22 octobre, signature à Luxembourg d'un accord entre les Douze et les sept pays de l'AELE (Autriche, Finlande, Islande, Norvège, Suède, Liechtenstein et Suisse) afin de créer l'Espace économique européen, un vaste marché de quatre cents millions de consommateurs.
9-11 décembre, le Conseil européen réuni à Maastricht décide de réviser les traités pour promouvoir une Union économique et monétaire et une Union politique. La Communauté sera dotée d'une monnaie unique et d'une banque centrale unique au plus tôt le 1er janvier 1997 et au plus tard le 1er janvier 1999. L'Union européenne progresse par la mise en place d'une politique étrangère et de sécurité commune par la définition de nouvelles compétences et le renforcement de la légitimité démocratique des institutions européennes.
16 décembre, signature par les Douze et la Commission d'« Accords européens » avec la Pologne, la Hongrie et la Tchécoslovaquie. D'autre part, le Conseil décide des modalités de la reconnaissance par la Communauté de nouveaux États en Europe.

1992 La CEE reconnaît l'indépendance de la Slovénie et de la Croatie, proclamée le 25 juin 1991.
21 mai, les ministres de l'Agriculture de la CEE concluent à Bruxelles un accord réformant la PAC.

1992 21-22 mai, MM. Mitterrand et Kohl entérinent la création d'un corps d'armée franco-allemand, destiné au renforcement de l'Alliance atlantique.
2 juin, les Danois se prononcent contre la ratification du traité sur l'Union européenne.
8 juin, le Conseil de sécurité de l'ONU adopte à l'unanimité la résolution 758 sur le déploiement de plus d'un millier de Casques bleus pour la protection de l'aéroport de Sarajevo en vue de l'acheminement de l'aide humanitaire.
17 juillet, un accord de cessez-le-feu est signé à Londres sous l'égide de lord Carrington, président de la Conférence européenne sur la Yougoslavie, entre des représentants des communautés serbe, musulmane et croate de Bosnie. Cette trêve, comme les autres, restera lettre morte.
17 septembre, la lire et la livre sterling sortent du SME.
20 septembre, en France, la ratification par référendum du traité d'Union européenne est approuvée.
19 novembre, un accord, dit de Blair House, est conclu entre la Commission européenne et l'administration américaine sur le volet agricole du GATT et sur un différend concernant les oléagineux.
11-12 décembre, à l'issue du Conseil européen d'Édimbourg, des accords sont conclus sur la question danoise et le budget communautaire de 1993 à 1997.

1993 1er janvier, le « marché unique » entre en vigueur avec l'abolition des frontières intérieures entre les pays membres et l'avènement de la libre circulation des marchandises, des capitaux et des services.
1er janvier, la Commission annonce le début des négociations d'adhésion avec l'Autriche, la Suède et la Finlande. La Norvège s'adjoindra à ce groupe trois mois plus tard.
18 mai, près d'un an après le « non » du 2 juin 1992, les Danois approuvent par référendum la ratification du traité de Maastricht avec

56,8 % de voix contre 43,2 %. Ce résultat conforte le camp proeuropéen en Grande-Bretagne, dernier pays devant approuver la ratification.
15-16 juin, les Serbes et Croates se prononcent à Genève pour le partage de la Bosnie en trois entités (serbe, croate et musulmane).
21-22 juin, la récession et l'emploi sont à l'ordre du jour du 49e sommet du Conseil européen à Copenhague. Alors que le taux de chômage dans la CE atteint 10,2 % de la population active, la déclaration finale des Douze approuve l'analyse de Jacques Delors sur les causes d'une économie européenne moins créatrice d'emplois et relativement moins compétitive que ses concurrentes américaine et japonaise. Il lui confie la rédaction d'un Livre blanc pour approfondir l'analyse et proposer des pistes d'action. Le Conseil européen se prononce aussi pour un renforcement de l'initiative de croissance décidée lors du Sommet d'Édimbourg en décembre 1992.
1er-2 août, après de fortes attaques contre certaines monnaies, les Douze décident d'élargir les marges de fluctuation du SME de part et d'autre du cours pivot de 2,25 % à 15 %.

1993 1er novembre, entrée en vigueur du traité de Maastricht. La Communauté européenne devient l'Union européenne.
10-11 décembre, lors du Sommet de Bruxelles, les Douze adoptent le Livre blanc « Croissance, compétitivité et emploi » de la Commission comme cadre pour la réflexion et l'action de l'Union pour tenter de remédier au chômage chronique et à la moindre compétitivité de l'Europe.

1994 1er janvier, entrée en vigueur de la deuxième phase de l'Union économique et monétaire.
10 janvier, le Sommet annuel de l'Otan adopte l'idée américaine de partenariat pour la paix proposée aux anciens pays du bloc de l'Est.
1er mars, la Suède, la Finlande et l'Autriche (suivies le 16 par la Norvège) concluent avec les Douze un accord sur les conditions de leur adhésion à l'Union européenne qui devrait intervenir, après ratification par référendum, le 1er janvier 1995.
15 avril, signature de l'Acte final de l'Uruguay Round. Un organisme mondial du Commerce (WTO) sera mis en place dans le premier semestre de 1995.

Table des matières

Troisième partie

La démocratie et la responsabilité

Quatrième partie

L'ambition européenne

Cinquième partie

LA PERMANENCE DES VALEURS

CET OUVRAGE A ÉTÉ TRANSCODÉ
ET ACHEVÉ D'IMPRIMER SUR ROTO-PAGE
PAR L'IMPRIMERIE FLOCH À MAYENNE
EN NOVEMBRE 1994

N° d'impression : 36815.
N° d'édition : 7381-0282-4.
Dépôt légal : novembre 1994.
Imprimé en France